Tytus Groan

Mervyn Peake
Tytus Groan

Przełożyła
Jadwiga Piątkowska

Wydawnictwo Literackie

Tytuł oryginału
Titus Groan

Wydanie drugie

ISBN 978-83-08-04795-8

Czy lubisz skubać mięso? Czy wolisz na niebie
Ujrzeć człowieka, który przemówi do ciebie?

BUNYAN

SALA KOLOROWYCH RZEŹB

Gormenghast, to znaczy właściwe zbiorowisko kamienia, sam w sobie odznaczałby się niejaką okazałością architektury, gdyby można było zignorować domieszkę owych nędznych domostw, które roiły się jak zaraza wokół zewnętrznych murów. Rozciągały się one po pochyłości ziemi, każde na poły na swym sąsiedzie, dopóki, powstrzymane przez wały zamkowe, najbliższe z owych lepianek nie uchwyciły się potężnych murów, przyssawszy się do nich jak pijawki. Według starodawnego prawa, domostwom owym zezwolono na tę chłodną zażyłość z górującą ponad nimi warownią. O każdej porze roku na ich nierówne dachy padały cienie nadwerężonych czasem przypór, wyszczerbionych i wyniosłych wieżyczek, i najogromniejszy z nich, cień Wieży Krzemieni. Wieża owa, nierówno upstrzona czarnym bluszczem, wznosiła się jak okaleczały palec z pięści wężlastych budowli i wskazywała bluźnierczo ku niebu. Nocą sowy czyniły z niej rozbrzmiewające echem gardło; w dzień stała niema, rzucając długi cień.

Mieszkańcy owych zewnętrznych siedlisk rzadko obcowali z tymi, którzy zamieszkiwali *wewnątrz* murów, oprócz chwili, gdy w pierwszy poranek czerwcowy każdego roku cała ludność glinianych lepianek miała prawo wstępu na teren zamku, by przedstawić drewniane rzeźby, nad którymi pracowali w ciągu roku. Rzeźby owe, pomalowane w dziwne kolory, wyobrażały zazwyczaj ludzi lub zwierzęta, potraktowane w osobliwy, bardzo stylizowany sposób. Rywalizacja, by przedstawić najlepszą rzecz, była ostra i zajadła. Cała namiętność tych ludzi, gdy wygasły już dni miłości, skierowała się ku wytwarzaniu drewnianych rzeźb, a w gmatwaninie chat u podnóża zewnętrznych murów żyło ze dwudziestu utalentowanych rzemieślników, którzy jako czołowi rzeźbiarze chlubili się miejscem pośród cieni.

W pewnym miejscu po *wewnętrznej* stronie Zewnętrznych Murów, kilka stóp od ziemi, ogromne kamienie, z których zbudowano mur, wystawały, tworząc potężny występ ciągnący się od wschodu ku zachodowi przez dwieście lub trzysta stóp. Owe sterczące kamienie pomalowano na biało, i na nich to właśnie w pierwszy czerwcowy poranek każdego roku ustawiano rzeźby, by ocenił je hrabia Groan. Prace uznane za najdoskonalsze, a nie było ich nigdy więcej niż trzy, kierowano następnie do Sali Kolorowych Rzeźb.

Stojąc nieruchomo w ciągu dnia, owe barwne przedmioty, których fantastyczne cienie przesuwały się i wydłużały na murze z godziny na godzinę w miarę ruchu słońca, wydzielały pomimo barw coś w rodzaju ciemności. Powietrze pomiędzy nimi nabrzmiewało zazdrością i pogardą. Rzemieślnicy stali wokół jak żebracy, ich rodziny zbijały się w milczące grupki. Byli niezdarni i przedwcześnie postarzali. Żadnego blasku.

Rzeźby, które nie dostąpiły wyboru, palono tego samego wieczoru na dziedzińcu pod zachodnim balkonem Lorda Groan, który zwykł stać tam, podczas palenia milcząco pochylając głowę jakby z bólem, następnie zaś, gdy gong wewnątrz uderzył po trzykroć, wynoszono na światło księżyca trzy rzeźby, które uniknęły płomieni. Stawiano je na balustradzie balkonu przed oczy tłumu na dole, a Lord Groan wywoływał ich twórców. Gdy ci ustawili się tuż poniżej miejsca, gdzie stał, hrabia zrzucał im tradycyjne zwoje pergaminu, które, jak to stwierdzały pisma, dawały tym ludziom prawo spacerowania po blankach ponad ich domostwami co drugi miesiąc przy pełni księżyca. W takie właśnie noce z okna w południowej ścianie Gormenghast można było śledzić malutkie postaci w świetle księżyca, które dzięki swym zdolnościom zdobyły ten tak upragniony zaszczyt, błądzące wzdłuż murów.

Z wyjątkiem dnia rzeźb oraz swobody dozwolonej jedynie naj-wybitniejszym nie było żadnej innej okazji, by ci, którzy mieszkali wewnątrz murów, poznali ludzi „z zewnątrz", ani też nie intere-sowali oni świata „wewnętrznego", jako zanurzeni w cień wiel-kich murów.

Byli ludźmi niemal zapomnianymi: plemieniem, o którym przy-pominano sobie ze zdziwieniem lub z poczuciem nierzeczywistości jakby powracającego snu. Jedynie dzień rzeźb wyprowadzał ich na światło dzienne i budził wspomnienia dawnych czasów. Ceremo-nia bowiem odbywała się zawsze, jak daleko sięgał pamięcią nawet Nettel, osiemdziesięcioletni starzec mieszkający w wieży ponad rdzewiejącą zbrojownią. Niezliczone rzeźby obróciły się w popiół zgodnie z prawem, lecz te wybrane nadal przechowywano w Sali Kolorowych Rzeźb.

W sali tej, biegnącej wzdłuż górnego piętra północnego skrzy-dła, panował kustosz, Rottcodd, który, ponieważ nikt nie odwie-dzał pomieszczenia, większą część życia spał w hamaku umiesz-czonym w odleglejszym jej krańcu. Nie widziano jednak, by pomi-mo drzemki wypuścił z dłoni miotełkę z piór; miotełkę, z pomocą której wykonywał jedną z dwóch regularnych prac, niezbędnych w tej długiej i cichej sali, mianowicie strzepywał kurz z Koloro-wych Rzeźb.

Prace te niewiele go interesowały jako piękne przedmioty, lecz jednak wbrew sobie przywiązał się szczególnie do paru rzeźb. Był bardziej dokładny przy odkurzaniu Szmaragdowego Konia. Czar-no-oliwkowa Głowa, stojąca naprzeciwko, oraz Cętkowany Rekin miały szczególne względy. Nie było jednakże rzeźby, na której mogłaby się uzbierać warstwa kurzu.

Wkraczając o siódmej godzinie, latem czy zimą, rok po roku, Rottcodd zdejmował surdut i wsuwał przez głowę długi szary chałat, który spływał mu bezkształtnie do kostek. Miał zwyczaj, wetknąwszy miotełkę z piór pod pachę, rozglądać się bystro ponad okularami po długiej sali. Czaszkę miał ciemną i małą jak pordze-wiała kula z muszkietu, a jego oczy za połyskiwaniem okularów były bliźniaczymi miniaturami głowy. Wszystkie trzy poruszały się bezustannie, jakby chcąc zadośćuczynić za czas spędzany we śnie, głowa kiwała się mechanicznie z boku na bok, gdy pan Rottcodd kroczył, oczy zaś, jakby naśladując rodzinne strony, do których przynależały, rozglądały się tu i tam na niczym się nie zatrzymując. Rozejrzawszy się szybko ponad okularami tuż po wejściu i powtórzywszy tę czynność rozglądając się po północnym skrzydle po spowiciu się w chałat, Rottcodd miał zwyczaj wysuwać miotełkę z piór spod lewej pachy i wzniósłszy tę broń, sunął bez zwłoki ku najbliższym rzeźbom po prawej stronie. Sala ta, znajdująca się na najwyższym piętrze północnego skrzydła, nie była właściwie salą, a przypominała raczej poddasze. Jedyne okno znajdowało się w jej odległym końcu, naprzeciwko drzwi, przez które wchodził Rottcodd z górnych części budynku. Dawało ono niewiele światła. Okiennice były niezmiennie opuszczone. Salę Kolorowych Rzeźb oświetlało w dzień i w nocy siedem wielkich żyrandoli zawieszonych u sufitu w odstępach dziewięciu stóp. Nie dopuszczano, by świece zgasły lub choćby skwierczały, a Rottcodd osobiście doglądał ich wymiany przed udaniem się na spoczynek o dziewiątej wieczór. Zapas białych świec znajdował się w niewielkim ciemnym przedpokoju za drzwiami sali, gdzie trzymano również w pogotowiu chałat Rottcodda, ogromną, pobielałą od kurzu księgę odwiedzin oraz drabinę. Nie było tam krzeseł ani stołów, ani żadnych mebli poza hamakiem przy oknie, gdzie sypiał pan Rottcodd. Podłoga z desek była biała od kurzu, który, tak pracowicie strzepywany z rzeźb, nie znalazł innego miejsca i uzbierał się grubo jak popiół, gromadząc się szczególnie w czterech rogach sali.

Machnąwszy przy pierwszej rzeźbie po prawej stronie, Rottcodd posuwał się mechanicznie wzdłuż długiego szeregu barwy, zatrzymując się na chwilę przed każdą rzeźbą, przebiegając po niej oczyma i kiwając znacząco głową, zanim użył swej miotełki z piór. Rottcodd nie był żonaty: Pewna powściągliwość z jego strony, a nawet nerwowość, stawały się oczywiste przy pierwszym spotkaniu, a panie ogromnie się go bały. Wiódł więc żywot idealny, samotnie spędzając dnie i noce na długim poddaszu. Jednak od czasu do czasu, z jakiegoś powodu, zjawiał się niespodziewanie służący lub ktoś z rodziny i zaskakiwał go pytaniem dotyczącym rytuału, potem zaś kurz znowu osiadał w sali i na duszy pana Rottcodda.

O czym dumał, leżąc w hamaku z ciemną podłużną głową wtuloną w zgięcie ramienia? O czym śnił, godzina po godzinie, rok po roku? Trudno przypuszczać, by snuły mu się jakieś wielkie myśli lub — pomimo rzeźb, których barwne szeregi wznosiły się ponad kurzem w zwężającej się perspektywie niby gościniec dla cesarza — by Rottcodd próbował wykorzystać swe osamotnienie; raczej cieszył się samotnością dla Niej Samej, gdzieś w głębi lękając się intruza.

Pewnego parnego popołudnia *istotnie* przybył gość, by przeszkodzić Rottcoddowi, gdy ten spoczywał głęboko w hamaku, gdyż sjestę przerwało mu poszczękiwanie klamki, co najwidoczniej zastosowano w miejsce powszechniejszego zwyczaju pukania do drzwi. Dźwięk rozbrzmiał wzdłuż długiej sali, po czym osiadł w drobnym pyle na deskach podłogi. Światło słoneczne wciskało się pomiędzy wąskie szczeliny okiennicy. Nawet w takie gorące, duszne i niezdrowe popołudnie okiennice były opuszczone, a światło świec napełniało salę dziwacznym blaskiem. Na dźwięk pobrzękiwania klamką Rottcodd usiadł gwałtownie. Wąskie wiązki pełnego pyłków światła, przeciskając się przez okiennice, przekreślały jego ciemną głowę blaskiem zewnętrznego świata. Gdy pochylił się nad hamakiem, blask zawirował mu na barkach, a oczy przemknęły po drzwiach, wciąż powracając po szybkich i stromych wędrówkach do poruszeń klamki. Pochwyciwszy miotełkę z piór w prawą rękę, Rottcodd zaczął posuwać się wzdłuż barwnej alei, a jego stopy przy każdym kroku wzbijały obłoczki kurzu. Gdy wreszcie dotarł do drzwi, klamka przestała drgać. Opuściwszy się nagle na kolana, umieścił prawe oko przy dziurce od klucza, a opanowawszy wahania głowy i błądzenie lewego oka (które wciąż próbowało przemykać po pionowej powierzchni drzwi), dzięki skupieniu mógł dostrzec, w odległości trzech cali od swego oka przy dziurce, oko nie będące jego okiem, które było nie tylko odmiennego koloru niż jego własne żelazno-marmurowe, ale znajdowało się, co jest bardziej przekonywające, po drugiej stronie drzwi. To trzecie oko, które wykonywało te same czynności co oko Rottcodda, należało do Flaya, małomównego służącego Sepulchrave'a, hrabiego Gormenghast. Rzadko się zdarzało w zamku, by Flay znajdował się o cztery pokoje w kierunku poziomym lub o jedno piętro w kierunku pionowym oddalony od jego wysokości. Jego oddalenie się od boku pana było zupełnie nienormalne, a jednak w to duszne letnie popołudnie oko pana Flaya znajdowało się najwidoczniej po zewnętrznej stronie dziurki od klucza w drzwiach do Sali Kolorowych Rzeźb, a cała reszta pana Flaya najprawdopodobniej mu towarzyszyła. Rozpoznawszy się nawzajem, oczy wycofały się równocześnie, a mosiężna gałka znowu szczęknęła uchwycona przez dłoń gościa. Rottcodd przekręcił klucz w zamku i drzwi otworzyły się z wolna.

Pan Flay wypełnił sobą drzwi, gdy ukazał się, stojąc, z założonymi ramionami i spoglądając bez wyrazu na niższego mężczyznę przed sobą. Nie wyglądało na to, by tak koścista twarz jak jego mogła wydać normalny głos, raczej należałoby przypuszczać, że zamiast dźwięków wydobędzie się coś bardziej kruchego, bardziej starożytnego, bardziej suchego, może coś w rodzaju drzazgi czy odprysku kamienia. Jednakże szorstkie wargi rozchyliły się. — To ja — powiedział i postąpił krok do pokoju, a stawy kolanowe trzaskały mu przy tym. Jego przejściu przez pokój — a właściwie przejściu przez życie — towarzyszyły te trzaski, co krok jeden, które można by porównać do łamania suchych gałązek.

Widząc, że to istotnie on, Rottcodd z rozdrażnieniem skinął ku niemu dłonią, by wszedł dalej, po czym zamknął za nim drzwi.

Konwersacja nigdy nie była mocną stroną pana Flaya, więc czas jakiś spoglądał posępnie przed siebie, a potem, co Rottcoddowi wydawało się wiecznością, uniósł kościsty palec i podrapał się za uchem. Następnie wypowiedział drugą uwagę: — Jeszcze tutaj, co? — powiedział, a głos z trudem wydobywał mu się z twarzy.

Czując przypuszczalnie, że nie ma potrzeby odpowiadać na takie pytanie, Rottcodd wzruszył ramionami i przebiegł oczyma po suficie.

Pan Flay wziął się w garść i ciągnął: — Powiedziałem, jeszcze tutaj, co, Rottcodd? — Wpatrywał się z goryczą w rzeźbę Szmaragdowego Konia. — Jeszcze pan jest tutaj, co?

— Jestem tutaj niezmiennie — powiedział Rottcodd, zniżając połyskujące okulary i przebiegając oczyma po obliczu pana Flaya. — Dzień po dniu, niezmiennie. Upalna pogoda. Nadzwyczaj duszno. Czy chciał pan czegoś?

— Niczego — powiedział Flay i zwrócił się ku Rottcoddowi jakby z groźbą. — Nie chcę *niczego*. — Wytarł dłonie o biodra, gdzie ciemne sukno świeciło jak jedwab.

Rottcodd strzepnął popiół z butów miotełką z piór i przechylił podłużną głowę. — Ach — powiedział obojętnie.

— Mówi pan „ach" — powiedział Flay, odwracając się tyłem do Rottcodda i poczynając kroczyć wzdłuż kolorowej alei — ale powiadam panu, że to więcej niż „ach".

— Oczywiście — rzekł Rottcodd. — Znacznie więcej, jak sądzę. Ale nie mogę zrozumieć. Jestem kustoszem. — To mówiąc wyprostował ciało na całą wysokość i w kurzu wspiął się na palce.

— Czym? — powiedział Flay, szamocząc się ponad nim, gdyż zawrócił. — Kustoszem?

— Tak jest — powiedział Rottcodd potrząsając głową.

W gardle Flaya rozległ się ostry dźwięk. Dla Rottcodda oznaczało to zupełny brak zrozumienia i zirytowało go, że ten człowiek wtargnął na jego terytorium.

— Kustoszem — powiedział Flay po chwili upiornej ciszy. — Powiem panu coś. Wiem coś. Ha?

— Tak? — powiedział Rottcodd.

— Powiem panu — powiedział Flay. — Lecz najpierw, jaki dzień dzisiaj? Jaki miesiąc i jaki rok? Proszę odpowiedzieć.

Rottcodda zdziwiło to pytanie, lecz zaczynało go intrygować. Było oczywiste, że chudzielec coś zamyślał, więc odpowiedział. —

Jest ósmy dzień ósmego miesiąca, roku nie jestem pewien. Lecz dlaczego?

Prawie niedosłyszalnym głosem Flay powtórzył: — Ósmy dzień ósmego miesiąca. — Oczy miał niemal przezroczyste, jakby w krainie brzydkich wzgórz dwa odbijające niebo jeziora pośród dzikich skał. — Niech pan podejdzie — powiedział — niech pan podejdzie bliżej, Rottcodd, powiem panu. Nie rozumie pan Gormenghast, tego, co się dzieje w Gormenghast — rzeczy, które się dzieją — nie, nie. To pod panem jest wszystko, pod tym północnym skrzydłem. Czym są te rzeczy tutaj? Te drewniane przedmioty? Teraz bezużyteczne. Niech je pan przechowuje, ale bezużyteczne. Wszystko jest w ruchu. Zamek jest w ruchu. Dziś, pierwszy raz od lat jest sam, jego wysokość. Nie w zasięgu mego wzroku. — Flay wbił zęby w dłoń. — W sypialni jej wysokości, tam jest. Jego wysokość nie posiada się z radości: nie chce mnie, nie pozwala mi zobaczyć Nowego. Nowego. Zjawił się. Jest na dole. Nie widziałem go. — Flay wbił zęby w kostkę drugiej dłoni jak gdyby chcąc zrównoważyć doznanie. — Nikt nie był w środku. Oczywiście. Będę następny. Ptaki ustawiły się na poręczy łóżka. Kruki, szpaki, wszystkie nicponie i biały gawron. Jest pustułka; szpony wbite w poduszkę. Pani karmi je skórkami od chleba. Ziarnem i skórkami od chleba. Ledwie spojrzała na nowo narodzonego. Dziedzica Gormenghast. Nie patrzy na niego. Ale pan wpatruje się w niego. Widziałem przez kratę. Potrzebuje mnie. Nie pozwala mi wejść. Słucha pan?

Pan Rottcodd z pewnością słuchał. Po pierwsze, nigdy nie słyszał, by pan Flay kiedykolwiek przedtem mówił tak dużo, a po wtóre, wiadomość, że narodził się syn w dawnym i historycznym rodzie Groan, była przecież nie lada kąskiem dla kustosza mieszkającego samotnie na górnym piętrze odludnego północnego skrzydła. Było to coś, czym mógł zająć myśli na jakiś czas. Prawdą było, jak to zaznaczył pan Flay, że on, Rottcodd, nie mógł czuć pulsu zamku, leżąc w swym hamaku, a ściśle rzecz biorąc, Rottcodd nawet nie podejrzewał, że spodziewano się dziedzica. Jego posiłki przychodziły maleńką windą poprzez ciemność z pomieszczeń służby wiele pięter poniżej, a on sam spał w nocy w przedpokoju, w wyniku czego był zupełnie odcięty od świata i wszystkich wydarzeń. Flay przyniósł mu prawdziwą nowinę. Pomimo to nie podobało mu się, że mu przeszkodzono, nawet przynosząc informację o takiej doniosłości. W jego podłużnej głowie krążyło pytanie dotyczące zjawienia się pana Flaya. Dlaczegóż Flay, który w zwykłym biegu rzeczy nie uniósłby brwi, by zauważyć jego obecność, zadał sobie trud wspięcia się do tej tak obcej mu części zamku? I narzucania rozmowy tak niepozornej osobistości, jaką był. Z właściwym sobie pośpiechem przebiegł oczyma po postaci pana Flaya i sam siebie zadziwił, mówiąc nagle: — Czemu mogę przypisać pańską obecność, panie Flay?

— Co? — powiedział Flay — co? — Spojrzał z góry na Rottcodda, a jego wzrok stał się szklisty.

W gruncie rzeczy pan Flay dziwił się sam sobie. Rzeczywiście, pomyślał, czemu trudził się, by powiedzieć Rottcoddowi nowinę, która dla niego znaczyła tak wiele? Dlaczego właśnie Rottcoddowi? Nadal przyglądał się kustoszowi, a im dłużej stał i zastanawiał się, tym oczywistsze stawało się, że pytanie, które mu zadano, było co najmniej niepokojąco trafne.

Człowieczek przed nim zadał proste i szczere pytanie. Zabił mu klina. Zrobił kilka chwiejnych kroków w kierunku Rottcodda, a następnie, wepchnąwszy ręce w kieszenie spodni, odwrócił się wolno na pięcie.

— Ach — powiedział wreszcie. — Wiem, co masz na myśli, Rottcodd — wiem, co masz na myśli.

Rottcodd marzył o powrocie do hamaka i rozkoszowaniu się ponownie zbytkiem samotności, lecz na dźwięk tej uwagi oczy jego podążyły jeszcze szybciej ku twarzy gościa. Pan Flay powiedział, że wie, co Rottcodd ma na myśli. Czy rzeczywiście? Nadzwyczaj interesujące. Co, nawiasem mówiąc, *miał* na myśli? O czymże to dokładnie wiedział pan Flay? Strzepnął nie istniejący pyłek z pozłacanej głowy driady.

— Interesują pana narodziny na dole? — zapytał.

Flay stał przez chwilę, jak gdyby nie dosłyszał, lecz wkrótce stało się oczywiste, że był jak rażony piorunem. — Interesują! — wykrzyknął głębokim, chrapliwym głosem. — Interesują! To dziecko to Groan. Prawdziwy Groan płci męskiej. Wezwanie do Zmiany! Żadnych *zmian*, Rottcodd. Żadnych zmian!

— Ach — powiedział Rottcodd. — Widzę, o co chodzi, panie Flay. Ale jego wysokość nie jest umierający?

— Nie — powiedział pan Flay — nie był umierający, lecz *zęby rosną*! — i długimi, powolnymi krokami, jak czapla, podszedł do drewnianych okiennic, a kurz za nim wzbił się w górę. Gdy opadł, Rottcodd mógł dostrzec jego kanciastą, pergaminową głowę wspartą o framugę okna.

Pan Flay nie mógł być całkowicie zadowolony z odpowiedzi na pytanie Rottcodda dotyczące przyczyny jego pojawienia się w Sali Kolorowych Rzeźb. Gdy stał tak przy oknie, pytanie powracało raz po raz. Dlaczego Rottcodd? Dlaczego u licha Rottcodd? A jednak wiedział, że gdy tylko usłyszał o narodzinach dziedzica, a jego zimna natura wzburzyła się tak gwałtownie, że dygotał cały, by podzielić się z kimś swym zapałem — w tej samej chwili przyszedł mu na myśl Rottcodd. Ponieważ nigdy nie był człowiekiem towarzyskim ani narwanym, zdecydował się z trudem, mimo wzburzenia spowodowanego przyjściem tu, zapoznać Rottcodda z faktami. I jak już wspomniano, zadziwił sam siebie, nie tylko dlatego, że w ogóle się zwierzył, lecz że zrobił to tak szybko.

Odwrócił się i ujrzał, że kustosz stoi znużony obok Cętkowanego Rekina, poruszając małą, okrągłą, ostrzyżoną głową jak ptak, z dłońmi zaciśniętymi na miotełce z piór. Widać było, że Rottcodd czeka uprzejmie, by poszedł sobie. Pan Flay był w bardzo dziwnym stanie ducha. Zdumiewało go, że Rottcodd tak się nie przejął nowiną, i dziwił się sobie, że ją przyniósł. Wyjął z kieszeni zegarek i położył go płasko na dłoni. — Muszę już iść — powiedział niezręcznie. — Słyszy mnie pan, Rottcodd, muszę już iść.

— To bardzo uprzejmie, że pan przyszedł — powiedział Rottcodd. — Czy zechce pan wpisać się przy wyjściu do księgi odwiedzin?

— Nie! Nie odwiedzin. — Flay podniósł ramiona aż na wysokość uszu. — Jestem z jego wysokością od trzydziestu siedmiu lat. Wpisać się do *księgi* — dodał pogardliwie i splunął w odległy kąt sali.

— Jak pan sobie życzy — powiedział pan Rottcodd. — Miałem na myśli część księgi odwiedzin przeznaczoną dla personelu.

— Nie! — powiedział Flay.

Mijając kustosza w drodze ku drzwiom, spojrzał na niego uważnie, zrównawszy się z nim, a pytanie poczęło go nurtować. Dlaczego? Zamek był pełen podniecenia z powodu narodzin. Kłębiły się domysły. Brakowało kontroli. Wieść niosła się po twierdzy. Wszędzie, w korytarzu, bramie, krużganku, refektarzu, kuchni, sypialni czy sali, wszędzie było to samo. Dlaczego wybrał obojętnego Rottcodda? A potem nagle zrozumiał. Musiał podświadomie wiedzieć, że wieść nie będzie nowa dla nikogo innego; Rottcodd był dla nowiny nietkniętym terenem, kustosz Rottcodd, mieszkający samotnie wśród Kolorowych Rzeźb, był jedynym, komu mógł wyjawić nowiny bez narażania na szwank swej posępnej godności, a chociaż wiedza ta mogła wzbudzić niewiele zapału, była przynajmniej czymś nowym.

Rozwiązawszy w myśli ten problem i stwierdziwszy tępo, że wniosek był nadzwyczaj przyziemny i banalny i że nie było mowy, by dusza jego mogła wołać wzdłuż korytarzy i schodów ku duszy Rottcodda, pan Flay ruszył na cienkich rozkraczonych nogach wzdłuż korytarzy północnego skrzydła i spiralą kamiennych schodów prowadzących na kamienny dziedziniec, odczuwając dziwne rozczarowanie, utratę godności i ulgę, że jego wizyta u Rottcodda przeszła nie zauważona, a sam Rottcodd był dobrze skryty przed światem w Sali Kolorowych Rzeźb.

WIELKA KUCHNIA

Przeszedłszy przez bramę dla służby i zstąpiwszy po dwunastu stopniach prowadzących do głównego korytarza w pomieszczeniach kuchennych, Flay uświadomił sobie wyraźną odmianę nastroju. Osamotnienie sanktuarium pana Rottcodda, wciąż snujące się w jego myślach, zostało zakłócone. Tu w kamiennych korytarzach wszystko wskazywało na sprośne podniecenie. Pan Flay przygarbił kościste barki i wsunąwszy ręce w kieszenie surduta, wyciągnął je do przodu tak, że tylko czarne sukno rozdzielało zaciśnięte pięści. Materiał napiął się, jakby miał pęknąć na karku. Rozglądnąwszy się posępnie na prawo i lewo, ruszył naprzód, a jego długie pajęcze nogi trzaskały, gdy torował sobie drogę przez falujący tłum służących. Rechotali grubiańsko, a jeden z nich, oczywiście dowcipniś, wykrzywiał twarz, giętką jak kit, w kształty, które wydawały się niezależne od czaszki, jeśli istotnie miał czaszkę pod tą elastyczną powłoką. Pan Flay przepchnął się pomiędzy nimi.

Korytarz wrzał. Gromkie postaci w fartuchach łączyły się i rozdzielały. Niektórzy śpiewali. Niektórzy spierali się, a inni przywarli do ściany, cisi z wyczerpania, z dłońmi zwieszonymi lub klaszczącymi głupio w takt jakiegoś kuchennego szlagiera. Wrzawa była nieznośna. W zasadzie był to nastrój, jaki Flay chciałby oglądać, lub w każdym razie, uważał za bardziej stosowny na tę okazję. Brak entuzjazmu Rottcodda oburzył go, a tutaj przynajmniej świętowano tradycyjny obrządek radości z powodu narodzin dziedzica Gormenghast. Sam jednak nie byłby w stanie przejawiać jakichkolwiek oznak entuzjazmu, gdy otaczał go entuzjazm innych. Sunąc zatłoczonym korytarzem i mijając kolejno ciemne odgałęzienia prowadzące do rzeźni z odorem świeżej krwi, piekarnie ze słodkimi bochnami i schody wiodące w dół do piwnic z winem i do podziemnej sieci zamkowych lochów, odczuwał pewną satysfakcję, widząc, jak wielu hulaków chwiejnie ustępowało mu z drogi, gdyż jego pozycja przybocznego jego wysokości budziła szacunek, a skrzywione usta i mars, trwale zagnieżdżony na wypukłym czole, były przestrogą.

Nieczęsto się zdarzało, by Flay pochwalał szczęście innych. Widział w szczęściu ziarna niezależności, a w niezależności ziarna buntu. Jednakże przy tej okazji było inaczej, gdyż ściśle przestrzegano konwenansu, a pan Flay odczuwał pomiędzy żebrami ukłucia rozkoszy.

Doszedł do miejsca, gdzie po lewej stronie, w połowie korytarza służby, widniały uchylone ciężkie, drewniane drzwi Wielkiej Kuchni. Przed nim, zwężając się w ciemnej perspektywie, gdyż nie było tam okien, ciągnęła się cicho dalsza część korytarza. Nie miała drzwi z żadnej strony, a odległy kraniec zamykała krzemienna ściana. Jak można było przypuszczać, ten bezużyteczny korytarz był zwykle pusty, lecz pan Flay zauważył kilka postaci rozciągniętych w mroku. Jednocześnie ogłuszyły go na chwilę donośne ryki, łoskot i tupanie.

Gdy pan Flay wszedł do Wielkiej Kuchni, uderzyło go duszne, parujące stężenie potwornego gorąca. Poczuł, że jego ciału zadano cios. Zwykłą, przyprawiającą o mdłości atmosferę kuchenną potęgowały nie tylko promienie słońca wlewające się do pomieszczenia w rozmaitych miejscach przez wysokie okna; w świątecznym rozpasaniu niebezpiecznie podsypano do palenisk. Jednakże pan Flay uświadomił sobie, że *słusznie* była ona tak nieznośna. Uświadomił sobie nawet, że czterej kucharze, którzy ciężkimi buciorami upychali udziec za udźcem między metalowymi drzwiczkami, aż piekarnik zaczął pękać pod nadmiernym ciężarem, dostosowali się do właściwego nastroju wydarzenia. Okoliczność, że nie mieli pojęcia, co robią i dlaczego to robią, nie miała żadnego znaczenia.

Hrabina powiła dziecię; czyż była to chwila dla rozumnego postępowania?

Ściany tego obszernego pomieszczenia, po których spływała wilgoć, zbudowano z szarych płyt kamiennych, a znajdowały się one pod osobistą pieczą zespołu osiemnastu ludzi zwanych „Szarymi Czyścicielami". Był to ich przywilej, że osiągnąwszy wiek młodzieńczy, odkrywali, iż jako synowie swych ojców mieli już ułożoną przyszłość i że rozciągały się przed nimi jednakowe żywoty składające się z prozaicznego choć chwalebnego obowiązku. Było nim przywracanie każdego rana niepokalanego wyglądu ogromnej szarej podłodze i wyniosłym ścianom kuchni. Każdego dnia roku, od trzeciej godziny przed świtem aż do około jedenastej, gdy rusztowania i drabiny zaczynały przeszkadzać kucharzom, Szarzy Czyściciele wypełniali swe dziedziczne powołanie. Ze względu na rodzaj pracy ich ramiona stały się niezwykle potężne, a gdy zwieszali luźno u boków ogromne dłonie, dość wyraźnie przypominali małpy. Choć ludzie ci wydawali się nieokrzesani, byli integralną częścią Wielkiej Kuchni. Gdyby nie Szarzy Czyściciele, socjologowi poszukującemu w tym parnym pomieszczeniu dopełnienia kręgu temperamentów, gamy niższych wartości ludzkich, zabrakłoby czegoś bardzo przyziemnego, bardzo ciężkiego, bardzo rzeczywistego.

Dzięki codziennemu obcowaniu z wielkimi kamiennymi płytami twarze Szarych Czyścicieli same stały się podobne płytom. Na osiemnastu twarzach nie było żadnego wyrazu, chyba że jego brak jest sam w sobie wyrazem. Były to po prostu płyty, z których Szarzy Czyściciele mówili czasami, z których spoglądali nieustannie, którymi rzadko kiedy słuchali. Byli tradycyjnie głusi. Tkwiły w nich oczy, małe i płaskie jak monety, o barwie ścian, jak gdyby poprzez długie godziny zawodowego patrzenia szary kamień odbił się w nich niezatarty, raz na zawsze. Tak, były tam oczy, trzydzieści sześć oczu i osiemnaście nosów, a także linie ust, które przypominały chropowate pęknięcia przecinające kamienne płyty. Chociaż niczego fizycznego nie brakowało żadnej z osiemnastu twarzy, nie można było w nich dostrzec najdrobniejszej oznaki ożywienia, a gdyby nawet wymieszać dobrze w misce cechy ich twarzy, wybrać każdą na chybił trafił i przykleić do woskowej głowy manekina w dowolnym miejscu lub pod dowolnym kątem, nie sprawiłoby to żadnej różnicy, gdyż nawet najbardziej fantastyczny, najbardziej wymyślny układ nie mógłby ożywić wzoru, którego części składowe były martwe. W sumie, wliczając uszy, które od czasu do czasu potrafią być przerażająco wyraziste, sto osiem elementów nie było w stanie, w najlepszych chwilach, zdobyć się, pojedynczo czy *en masse*, na najlżejszy cień czegoś, co mogłoby wskazywać na czynności tego, co leżało pod nimi.

Śledząc podniecenie rosnące wokół nich w Wielkiej Kuchni i nie potrafiąc pojąć, o co chodzi, ze względu na brak słuchu, jeszcze godzinę lub dwie temu nie mogli wprowadzić się w ten świąteczny nastrój, który zawojował samo serce i trzewia kuchennego personelu.

Jednakże teraz, w tym dniu tak uroczystym, osiemnastu Szarych Czyścicieli, nareszcie świadomych pojawienia się nowego pana, leżało pokotem na kamiennych płytach pod wielkim stołem, a wszyscy spici jak jeden mąż. Uczcili wydarzenie i nie liczyli się już, gdyż wtoczono ich pod stół jednego po drugim jak tak wiele beczek piwa, którymi istotnie byli.

Poprzez wrzawę głosów w Wielkiej Kuchni, która rosła i opadała, zmieniała tempo i trwała, póki piskliwy pęd lub dychawiczny poślizg dźwięku nie zamarł na chwilę, aż rozpętał ją na nowo wstrętny rechot śmiechu lub podniecony szept, lub chrząknięcie czyjegoś ochrypłego gardła — poprzez całą tę gęstą i splątaną gmatwaninę harmideru niosło się potężne chrapanie Szarych Czyścicieli jako rozpoznawalny temat żałośliwej wytrwałości.

Należy powiedzieć na pochwałę Szarych Czyścicieli, że dopiero gdy ściany i podłoga kuchni lśniły dzięki ich wysiłkom, przypuścili atak na szpunty, jak niemowlę na smoczek. Jednakże nie tylko oni się poddali. Ten sam nie kwestionowany dowód lojalności można było zauważyć u co najmniej czterdziestu pracowników kuchni, którzy podobnie jak Szarzy Czyściciele, uznawszy butelkę za najlepszy środek, jakim uzewnętrzniali swe przywiązanie dla rodu Groan, widzieli zjawy i śnili.

Pan Flay, wierzchem szponiastej dłoni ścierając pot, który już zdążył się zebrać na czole, zatrzymał wzrok na chwilę na bezwładnych i skurczonych ciałach pijanych Szarych Czyścicieli. Ich ostrzyżone do szarej szczeciny głowy były zwrócone ku niemu. Pod stołem zagnieździł się cień, więc resztę ciał, oddalających się równoległymi szeregami, wkrótce wchłonęła ciemność. Na pierwszy rzut oka przypomniało mu to rząd zwiniętych jeży i dopiero po jakimś czasie uświadomił sobie, że spogląda na szereg kolczastych czaszek. Zadowoliwszy się tym, powędrował zgorzkniałymi oczyma wokół Wielkiej Kuchni. Wszędzie panował zamęt, lecz poza potokiem przesuwających się postaci i tymczasowym chaosem poprzewracanych stołów, podłogi zaśmieconej garnkami, patelniami, potłuczonymi miskami i talerzami oraz resztkami jedzenia pan Flay mógł dostrzec główne urządzenia oraz zapamiętać je jako punkty odniesienia, gdyż kuchnia pływała mu przed oczyma w lepkiej mgle. Oddzielony masywną kamienną ścianą, w której znajdowały się drzwi wahadłowe z mocnego drewna, był tu *gare-de-manger* ze stosami zimnego mięsiwa i wiszącymi całymi sztukami zwierzyny, a wewnątrz ściany był ruszt. Na stole zamocowanym wzdłuż całej długości ściany stały ogromne misy zdolne pomieścić pięćdziesiąt porcji. Gary wrzały ustawicznie, wykipiawszy już, a podłoga wokół nich była zapaćkana czarnym płynem i skorupkami jaj, które pływały w garach w celu wyklarowania zupy. Trociny, którymi każdego ranka posypywano schludnie podłogę, skopano teraz na kupki i poplamiono rozchlapanym winem. Tam, gdzie rozsypane po podłodze kawałeczki tłuszczu potrącono lub wdepnięto, trociny przywarły do nich, nadając im wygląd sznycli. Wzdłuż ociekających ścian wisiały rzędy ostrzy i noży do zarzynania, noży do oddzielania kości, noży do ściągania skóry oraz oburęcznych toporów, a pod nimi znajdował się pniak rzeźniczy, długi na dwanaście i szeroki na dziewięć stóp, porąbany i wydrążony przez całe dziesięciolecia ran.

Po drugiej stronie pomieszczenia, po lewej ręce pana Flaya, pojemny ogromny kocioł, rząd piekarników oraz wąskie drzwi wyznaczały mu punkty oparcia. Drzwi piekarników były szeroko otwarte, a żrące płomienie wyskakiwały niebezpiecznie, gdyż tłuszcz wrzucony do ognia bulgotał i cuchnął.

Pan Flay był w rozterce. Wzdragał się przed tym, co widział, gdyż ze wszystkich pomieszczeń w zamku najbardziej nie znosił kuchni, dla wielce istotnej przyczyny; a jednak dreszcz w jego chudzielczym ciele uświadomił mu, jak słuszne było to wszystko. Nie mógł, oczywiście, analizować swych odczuć, ani też nie narzuciła mu się taka myśl, był jednak tak bardzo częścią Gormenghast, iż wyczuwał instynktownie, kiedy istota tradycji biegła właściwym torem, z mocą i bez odchyleń.

Jednakże fakt, iż pan Flay doceniał, z najgłębszych powodów, wulgarność Wielkiej Kuchni, nie zmniejszał w żadnym razie jego pogardy dla postaci, które widział przed sobą, jako jednostek. Gdy spoglądał na nie, zadowolenie, jakiego pierwotnie doświadczał na ich zbiorowy widok, ustąpiło odrazie, gdy obserwował je pojedynczo.

Ogromna kręta belka, spaczona do kształtu spirali, unosiła się, lub tak się wydawało w oparach, w poprzek Wielkiej Kuchni. Tu i ówdzie wzdłuż jej spodniej powierzchni wkręcono w słoje żelazne haki. Zwisali z niej jak worki, na pół wypełnione trocinami, tak bowiem wydawali się bez życia, dwaj pasztetnicy, wiekowy *poissonier*, *rotier* z nogami tak krzywymi, że tworzyły niekształtne koło, rudowłosy *légumier* i pięciu *sauciers* z zielonymi szalikami wokół szyi. Jeden z nich w pobliżu tego końca, gdzie stał Flay, poruszał się trochę, lecz poza tym był spokój. Byli bardzo szczęśliwi.

Pan Flay zrobił kilka kroków i atmosfera go wchłonęła. Uprzednio stał przy drzwiach nie zauważony, lecz gdy posunął się naprzód, jeden z hulaków wyskoczywszy nagle w górę, uchwycił się haka w ciemnej belce. Wisiał na jednej ręce, idiotyczny człowieczek z twarzą pełną zuchwalstwa. Musiał posiadać siłę nieproporcjonalną do wzrostu, gdyż mimo całego ciężaru ciała uwieszonego u jednego ramienia tak się podciągnął w górę, że jego głowa dosięgła poziomu żelaznego haka. Gdy pan Flay przechodził pod nim, karzeł, przekręciwszy się z niewiarygodną szybkością do góry nogami, opasał nogami krętą belkę i opuściwszy się pionowo w dół, z twarzą o kilka cali od twarzy pana Flaya, wyszczerzył się do niego błazeńsko, z głową w dół, a Flay zdążył jedynie zatrzymać się gwałtownie. Następnie karzeł podciągnął się ponownie na belkę i biegał po niej na czworakach ze zwinnością częściej spotykaną w dżungli niż w kuchni.

Donośny ryk, który zagłuszył wielką kakofonię, sprawił, że odwrócił głowę od karła. Po lewej, w cieniu podtrzymującego filaru, mógł rozróżnić mglisty nieomylny kształt tego, co w istocie tkwiło w jego umyśle jak tumor, od kiedy tylko przestąpił próg Wielkiej Kuchni.

SWELTER

Kuchmistrz Gormenghast, utrzymując z trudnością równowagę na beczułce wina, przemawiał do grupy czeladników w pasiastych i przemoczonych kaftanach i białych czapeczkach. Podpierali się, obejmując się ramionami. Ich młodzieńcze twarze, ociekające potem od żaru pobliskich piekarników, były całkiem ogłupiałe, a gdy śmiali się czy oklaskiwali ogromniastość w górze, czynili to z szaleńczym, przypochlebnym zapałem. Gdy pan Flay przybliżył się na kilka jardów do zgromadzenia, nowy ryk, podobny temu, jaki słyszał przed chwilą, potoczył się w żar ponad baryłką wina.

Młodzi podkuchenni słyszeli ten ryk wielokrotnie, jednakże kojarzył im się on jedynie z gniewem. Tak więc początkowo przeraził ich, lecz wkrótce spostrzegli, że w jego tonie nie było dziś rozdrażnienia.

Górując tak nad nimi, kuchmistrz, pijany, wyniosły i pedantyczny, po prostu się bawił.

Czeladnicy, zataczając się w podchmieleniu wokół beczułki wina, z twarzami to w cieniu, to w świetle wlewającym się przez wysokie okno, także, w pijacki sposób, bawili się. Echa najoczywiściej bezzasadnego ryku kuchmistrza zamilkły, a chwiejny krąg wokół baryłki zatupał gorączkowo i wydał piskliwe okrzyki radości, gdyż ujrzeli bezmyślny uśmiech rozwijający się w plamie ogromnej głowy w górze. Nigdy dotąd nie dostąpili takiego faworu w obecności kuchmistrza. Prześcigali się nawzajem, pozwalając sobie na rzeczy dotąd niesłychane. Ubiegali się o łaski, wykrzykując najgłośniej jego imię. Próbowali przyciągnąć jego wzrok.

Byli bardzo zmęczeni, ociężali, zamroczeni od picia i gorąca, lecz żyli gwałtownie pijackimi resztkami nerwowej energii. Wszyscy, oprócz jednego chłopca o stromych ramionach, który podczas tej sceny zachował ponure milczenie. Odczuwał wstręt do postaci w górze i gardził swymi towarzyszami. Wspierał się o zacieniony bok słupa, poza zasięgiem wzroku kuchmistrza.

Nawet w taki dzień pana Flaya rozdrażniła ta scena. Chociaż teoretycznie to pochwalał, w praktyce wydawało mu się, że widowisko było niesmaczne. Przypomniał sobie, że gdy zetknął się po raz pierwszy ze Swelterem, on i kuchmistrz natychmiast poczuli wzajemną niechęć, i że ta antypatia zaogniała się. Dla Sweltera sam widok w kuchni kościstej, łysawej postaci pierwszego służącego Lorda Sepulchrave'a był nieznośny, a łagodziła to jedynie okazja, by wyładować na nim swój przedni dowcip.

Pan Flay wstąpił na parujący teren Sweltera dla jednej tylko przyczyny. Aby dowieść zarówno sobie, jak innym, że on, przyboczny Lorda Groan, nie da się zastraszyć żadnemu członkowi personelu.

Dla zachowania tego faktu w świadomości, często obchodził pomieszczenia służby, jednakże zawsze wstępował do kuchni z mdłościami w żołądku, a opuszczał ją ponownie w złym humorze.

Długie promienie słońca, odbite roziskrzoną mgiełką od wilgotnych ścian, przystroiły ciało kuchmistrza plamami upiornego światła. Z dołu wyglądało to jak pstrokata masa ciepłej i niewyraźnej bieli i szarości rozpływającej się w błota nocy — masa górująca nad wszystkim i rozpływająca się wśród belek sufitu. Jak nakazywała sytuacja, oparł się on o pobliski kamienny słup, a wówczas plamy świetlne przesunęły się po sfatygowanej bieli jego napiętej liberii. Gdy pan Flay zobaczył go po raz pierwszy, głowa kuchmistrza znajdowała się całkowicie w cieniu. Wznosiła się nad nią obojętnie wysoka czapa służbowa, jak niewyraźny żagiel na poły ginący na tle kapryśnego nieba. Ogólny wygląd istotnie przypominał galion.

Jedna z plam odbitego światła kołysała się w poprzek brzucha. Ten właśnie krąg światła, posuwający się mesmerycznie w przód i w tył, uwidaczniał od czasu do czasu podłużną czerwoną wyspę rozlanego wina. Wydawało się, że wyskakuje ona z cętkowanego materiału, gdy zatrzymało się na niej światło, zadziwiająco kontrastując ze światłocieniem, i że zaprzecza prawom kolorytu. Ta jawna oznaka rozpusty Sweltera, przybrawszy wzdętą linię płótna, jednakże fascynowała, ku jego zdumieniu, pana Flaya. Przez chwilę patrzył, jak pojawiała się, znikała i pojawiała znowu — romb szkarłatu — gdy ciało z tyłu zataczało się.

Nowy głupi wybuch tupania i wrzasku przerwał zauroczenie, więc uniósłszy wzrok, rozejrzał się spode łba. Nagle, na chwilę, wkradło się wspomnienie pana Rottcodda w zakurzonej i odludnej sali i uświadomił sobie zaskoczony, jak bardzo przenosił słabą i pozornie nielojalną niezależność kustosza nad to piekło uświęconej przez czas hulanki. Ruszył chwiejnie ku dogodnemu miejscu, skąd mógł widzieć, nie będąc widziany, i zauważył stamtąd, że Swelter odzyskiwał równowagę i ogromną dłonią dawał znaki wyrostkom w dole, by pohamowali języki. Flay zauważył, że zwykła wojowniczość jego tonu i zachowania zmieniła się dziś w coś obleśnego, w wesołość ciążącą cukrem i ołowiem, w upiorną zażyłość straszniejszą niż jego najstraszliwsze gniewy. Jego głos staczał się z cienia ogromnymi zwojami dźwięku lub jak ciepłe mdłe tony jakiegoś kolosalnego butwiejącego filcowego dzwonu.

Miękką dłonią uciszył wrzenie czeladników, a ochrypły głos wydobył mu się z twarzy.

— Kamienie żółciowe! — i rozkrzyżował ramiona w półmroku tak, że wyrwał guziki z fartucha, a jeden z nich przeleciał ze świstem przez pomieszczenie i ogłuszył karalucha na przeciwległej ścianie. — Zewrzyjcie szeregi, zewrzyjcie szeregi i słuchajcie najuważniej. Podejdźcie bliżej, morze główek, podejdźcie jeszcze bliżej, maleńcy.

Czeladnicy zaczęli przysuwać się, potykając się i nadeptując na siebie, a najbliższych przyciśnięto do samej baryłki wina.

— Właśnie tak. Właśnie tak — powiedział Swelter, łypiąc na nich okiem. — Teraz z nas scęśliwa rodzinka. Doborowa i psednia.

Potem wsunął tłustą dłoń przez otwór białego służbowego ubrania i wydobył z zanadrza butelkę. Wyrwawszy korek wargami, które uchwyciły go z niesamowitą krzepą, wlał w gardło kwaterkę, nie usuwając z ust korka, gdyż przytknął palec do otworu butelki, rozdzielając w ten sposób strumień wina na dwie odrębne strużki, które strzelały pomysłowo w oba policzki, a łącząc się w jamie ustnej, leciały jednym głuchym bulgotem przez gardło ku nieopisanym parowom jeszcze niżej.

Czeladnicy wrzeszczeli, tupali i szarpali się nawzajem w przypływie uciechy i podziwu.

Kuchmistrz wyjął korek i obrócił go między dwoma palcami, a upewniwszy się, że podczas zabiegu pozostał idealnie suchy, zakorkował butelkę i wsunął ją przez otwór na powrót do kieszeni.

Znowu uniósł dłoń i ponownie zapanowała cisza z wyjątkiem ciężkich, podnieconych oddechów.

— Powiedzcie mi, śmierdzący cherubinkowie. Powiedzcie mi, i to żaraż, kim ja jestem? Powiedzcie mi, i to żaraż.

— Swelter — zakrzyknęli. — Swelter, proszę pana! Swelter!

— To *wszystko* co wiecie? — brzmiał głos. — To *wszystko* co wiecie, morze główek? Cisza! i szłuchajcie mnie dobrze, głównego kuchmistrza Gormenghast, męża i chłopca od czterdziestu lat, pogoda czy niepogoda, słońce czy deszcze, piasek i trociny, wiedźmy i jelenie, i cała resta psypiecona i polana sosem aloesowym ze szczyptą piekącego pieprzu.

— Ze szczyptą piekącego pieprzu — wrzeszczeli czeladnicy, obejmując się nawzajem. — Czy mamy to ugotować, proszę pana? Zrobimy to zaraz, proszę pana, zwalimy do kotła, proszę pana, i wymieszamy. Och, jaka smaczna potrawa, proszę pana, och, jaka smaczna potrawa!

— Cisa! — ryknął kuchmistrz. — Cisa, chłopaczki. Cisza, czkający aniołkowie. Podejdźcie bliżej, przybliżcie maślane buzie, a powiem wam, kim jestem.

Chłopiec o stromych ramionach, który nie brał udziału w rozochoceniu, wyciągnął fajeczkę z węźlastego drzewa i począł ją niespiesznie nabijać. Usta miał całkiem bez wyrazu, nie wygięte ani w górę, ani w dół, lecz oczy miał ciemne i płonące dojrzałą nienawiścią. Były wpółprzymknięte, lecz ich wyraz tlił się poprzez rzęsy, gdy śledził postać na baryłce pochylającą się niebezpiecznie ku przodowi.

— Szłuchajcie dobrze — ciągnął głos — a powiem wam dokładnie, kim jestem, a potem zaszpiewam wam pioszenkę i poznacie, kto wam szpiewa, upiorne niewydarzone fileciki.

— Piosenkę! Piosenkę! — rozległ się piskliwy chór.

— Po pierwse — powiedział kuchmistrz pochylając się ku przodowi i rzucając poufne słowa jak kule armatnie posmarowane syropem. — Po pierwse, jestem nikt inny jak Abiatha Swelter, co znacy, bo nie wiecie, że jestem szymbolem doskonałości i dostatku. Jestem *ojcem* doskonałości i dostatku. Powiedziałem, że kim jesztem?

— Abafer Swelter — rozległ się wrzask.

Kuchmistrz zatoczył się do tyłu na opuchniętych nogach i wykrzywił kąciki ust, aż zniknęły w cieniu gorącego podgardla.

— Abiatha — powtórzył powoli, podkreślając środkowe „a". — Abiatha. Powiedziałem, że jak się nażywam?

— Abiatha — rozległ się znowu wrzask.

— Słusznie, słusznie. Abiatha. Szłuchacie, śliczne robaczki, szłuchacie?

Czeladnicy dali mu do zrozumienia, że słuchają bardzo uważnie.

Nim przemówił, kuchmistrz przypiął się ponownie do butelki. Tym razem trzymał szklaną szyjkę w zębach, a przechyliwszy głowę do tyłu, aż butelka stanęła pionowo, wysączył ją i wypluł ponad głowami oniemiałego tłumu. Dźwięk czarnego szkła roztrzaskującego się na kamiennej posadzce zagłuszyły wrzaski uznania.

— Jadło — powiedział Swelter — jest niebiańszkie, a napitek upojny — takie napuszone kwiatki. Takie banieczki gazowe. Podejdźcie bliżej, *przysuńcie się*, to zaszpiewam. Wzniosę me słodkie serce ku powale i zaszpiewam wam pioszenkę. Starą pioszenkę wielce szmutną, nadzwyczaj szmętny utwór. Podejdźcie bliżej.

Czeladnicy nie mogli przycisnąć się już bliżej do kuchmistrza, lecz szamotali się i wołali o piosenkę, obracając w górę lśniące twarze. — Och, jaka z was miła gromadka udeczek — powiedział Swelter, przyglądając im się i ocierając dłonie o tłuste biodra. — Co za ociekająca gromadka udeczek. Och, lecz *tak* niedopieczonych. Poszłuchajcie, koguciki, poruszę szłodko wasze babcie w grobach. Poruszymy je, kochani, poruszymy je — jakaż to dla nich przysługa, najmilsi, i dla robączków, co skubią. Gdzie Steerpike?

— Steerpike! Steerpike! — wrzasnęli młodzieńcy, ci z przodu obracając głowy i wspinając się na palce, ci z tyłu wyciągając szyje i rozglądając się. — Steerpike! Steerpike! Jest gdzieś tutaj, proszę pana! O, jest tam, proszę pana! Jest tam, proszę pana! Za słupem, proszę pana!

— Cisza! — ryknął kuchmistrz, zwracając dyniowatą głowę w kierunku wyciągniętych rąk, gdy wypchnięto do przodu chłopca o stromych ramionach.

— Jest tutaj, proszę pana! Jest tutaj, proszę pana!

Chłopiec Steerpike wydawał się niesamowicie mały, gdy tak stał przed olbrzymim pomnikiem.

— Zaszpiewam dla *ciebie*, Steerpike, dla *ciebie* — wyszeptał kucharz, zataczając się i wspierając się jedną ręką o kamienny słup, połyskujący od stężonego żaru, ze strużkami wilgoci spływającymi po wyżłobieniach. — Dla ciebie, nowicjuszu, utracjuszu, próżniaku w buszu — dla ciebie, wstrętny, podstępny i przerażająco kretyński koźle w smrodliwym domu.

Czeladnicy zataczali się z uciechy.

— Dla ciebie, tylko dla *ciebie*, moja grudko zakrzepłej kociej żółci. Jedynie dla ciebie, więcz posłuchaj pilnie. Czy oszukujecie? Czy wszyscy słuchacie, bo tak to idzie. Moja pioszenka sprzed stu lat, moja żałośliwie melancholijna pioszenka.

Wydawało się, iż Swelter zapomniał, że miał zaśpiewać, a otarłszy spocone ręce o głowę jakiegoś młodzieńca w dole, znów poszukał wzrokiem Steerpike'a.

— A dlaczego dla ciebie, mętny promyczku słońca? Dlaczego jedynie dla ciebie? Zakładając, mój maleńki Steerpike — a nawet więcej niż zakładając, że ty, stworzenie mniejszej wagi niż krew gronostaja, tak znacznie odbiegasz od czegokolwiek podobnego naturze — jednak powiedz mi, a raczej, nie powiedz, dlaczego twoje uszy, wymyszlone kiedysz jako lepy na muchy, są, dla jakiegosz powodu lepij ci znanego, tak nieprzyzwoicze nierozwinięte. Co proponujesz zrobicz w tej baterii? Chodzisz sobie tu i tam na tych nędznych nóżkach. Widziałem cię. Sapiesz po całej mojej kuchni. Patrzysz na wszystko żuchwałymi zwierzęcymi oczkami. Widziałem cię przy tym. Widziałem, że patrzyłeś na mnie. Teraz na mnie patrzysz. Szteerpike, moja niecierpliwa papużko, czo to wszystko znaczy i dlaczego mam dla ciebie szpiewać?

Swelter wyprostował się i zdawał się zastanawiać przez chwilę nad swym pytaniem, ocierając czoło rękawem przedramienia. Lecz nie czekając na odpowiedź, wyrzucił zwisające ramiona w bok, a gdzieś na orbicie ogromnego łuku coś się załamało.

Steerpike nie był pijany. Stojąc poniżej pana Sweltera, odczuwał jedynie pogardę dla człowieka, który jeszcze wczoraj zdzielił go po głowie. Jednakże nic nie mógł zrobić, jak tylko stać, popychany i potrącany z tyłu przez sługi, i czekać.

Głos rozległ się ponownie w górze. — To jest pioszenka, mój Steerpike, dla urojojonego potwora, żupełnie takiego jak ty, gdybysz był tłoszeczkę większy i jeszcze tłochę potworniejszy. To jeszt pioszenka dla zatwardziałego potwora, więcz szłuchaj łuważnie, moja brodaweczko. Bliżej, bliżej! Nie możecie podejszcz bliżej do żałobnego arczydzieła?

Wino zaczynało zdwajać wywrotową działalność w mózgu kuchmistrza. Opierał się teraz niemal bez przerwy o spotniały słup i zwisał obrzydliwie.

Steerpike przyglądał mu się spod wysokiego kościstego czoła. Kucharz wytrzeszczał oczy jak przekrwione pęcherzyki. Jedno ramię zwisało ciężko wzdłuż żłobkowanej powierzchni podpory. Kolosalny przestwór twarzy sflaczał. Połyskiwał jak galareta.

W twarzy pojawił się otwór. Wydobył się z niego głos, teraz nagle osłabły.

— Jestem Szwelter — powtórzył — wielki kuchmistrz Abiatha Szwelter, skucharz jego wyszokoszci, statkoszci i wszystkich oszci, co prują prędkie przestwory. Abiafa Szwelter, mąż i chłopiec, dziewczyny i wstążki, mnóstwo kociąt, czterdzieści lat w zimnie i gorącu, gdzie szą pieniądze, tłusty i owłosiony, podobny do dziwożony! Jestem szpiewakiem! Szłuchajcie dobrze, szłuchajcie dobrze!

Pan Swelter pochylił głowę na poplamiony winem tors, nie poruszając ramion i usiłował dojrzeć, czy słuchacze są już w odpowiednim nastroju, by wysłuchać początkowych tonów. Niczego jednak nie mógł rozróżnić w dole oprócz „morza główek", o których już wspominał, lecz morze to w zasadzie zacierała pływająca mgła.

— Szłuchacie?

— Tak, tak! Piosenka, piosenka!

Swelter ponownie pochylił głowę ku gorącej parze, po czym wzniósł chwiejnie prawą rękę. Zrobił nieśmiały wysiłek, by oderwać się od słupa i wygłosić tekst w bardziej imponującej postawie, lecz nie będąc w stanie zebrać sił, opadł ponownie, potem zaś, gdy szeroki bezmyślny uśmiech rozwarł mu dolną połowę twarzy, podczas gdy pan Flay przyglądał mu się z wykrzywionymi wąskimi ustami, kuchmistrz zaczął się stopniowo zwijać, jak gdyby składając się w oczekiwaniu śmierci. W kuchni panowała cisza jak w gorącym grobie. Wreszcie poprzez ciszę począł się przesączać nikły bulgoczący dźwięk, lecz trudno było powiedzieć, czy była to pierwsza linijka wyczekiwanego wiersza, gdyż kuchmistrz, jak galion, przechylał się na kotwicy. Żagle wielkiego statku obwisły i zmarszczyły się, a potem nagle ogrom runął i zatonął. Rozległ się odgłos, jakby coś się rozlewało, a powierzchnię siedmiu kamiennych płyt posadzki przysłoniła kataleptyczna masa przesyconego winem tranu.

KAMIENNE ULICZKI

Pana Flaya mdliło coraz bardziej, a w miarą upływu straszliwych minut ogarnął go wstręt tak przemożny, iż gdyby nie to, że kuchmistrza otaczali ze wszystkich stron młodzieńcy, rzuciłby się na pijaka. Obnażył więc tylko piaskowej barwy zęby i po raz ostatni utkwił w kucharzu wzrok z wyrazem niesamowitej groźby. Wreszcie odwrócił głowę i splunął, potem zaś, roztrącając tych, co stali mu na drodze, ruszył wielkimi krokami, jak kościotrup, ku wąskim drzwiom po przeciwległej stronie. Nim monolog Sweltera dowlókł się do zapitego końca, pan Flay kroczył przed siebie, a każdy krok oddalał go o pięć stóp od zaduchu i okropności Wielkiej Kuchni.

Jego czarne ubranie, z łatami zatłuszczonego sukna w kolorze sepii na łokciach i na kołnierzu, źle na nim się układało, lecz przynależało do niego tak niechybnie, jak głowa żółwia wychylająca się ze skorupy czy głowa sępa spod zwału piór należą do tego gada czy ptaka. Jego głowa, koścista i pergaminowej barwy, była zrośnięta z tym czarnym materiałem. Wystawała z górnego okna wysokiej czarnej budowli, jak gdyby nie znała żadnego innego miejsca.

Podczas gdy pan Flay kroczył korytarzami ku tej części zamku, gdzie Lord Sepulchrave pozostał sam po raz pierwszy od wielu tygodni, kustosz, śpiąc spokojnie w Sali Kolorowych Rzeźb, chrapał pod żaluzją. Hamak kołysał się jeszcze lekko, bardzo lekko, od poruszenia, które spowodował pan Rottcodd, układając się w nim natychmiast po przekręceniu klucza w drzwiach za panem Flayem. Słońce paliło poprzez okiennice, tworzyło złote opaski wokół piedestałów podtrzymujących rzeźby i kładło tygrysie pasy w poprzek zakurzonych desek podłogi.

Podczas gdy pan Flay szedł przed siebie, promienie słoneczne wciąż jeszcze dotykały kuchennego okna, oświetlając spotniały kamienny słup, teraz uwolniony z obowiązku podpierania kuchmistrza, gdyż opój spadł z baryłki wina w chwilę po odejściu pana Flaya i spoczywał rozciągnięty u stóp swej trybuny.

Wokół niego leżały rozrzucone nieliczne spłaszczone kawałeczki mięsa, obtoczone trocinami. Czuć było silną woń przypalanego tłuszczu, lecz oprócz cielska kuchmistrza na podłodze, Szarych Czyścicieli pod stołem oraz panów zwisających z belki u sufitu nie było nikogo w ogromnej, gorącej i pustej sali. Wszyscy co do jednego, ktokolwiek był w stanie się poruszać, udali się do chłodniejszych pomieszczeń.

Steerpike przyglądał się dramatycznemu końcowi oracji pana Sweltera z mieszaniną zdziwienia, ulgi i złośliwego rozbawienia. Przez chwilę wpatrywał się w zbryzganą winem postać swego pana rozciągniętą w dole, potem zaś rozejrzawszy się i stwierdziwszy, że został sam, ruszył ku drzwiom, przez które wyszedł pan Flay, i gnał korytarzami, zwracając się w prawo i w lewo, szaleńczo próbując wydostać się na świeże powietrze.

Nigdy przedtem nie przekraczał tych drzwi, lecz wyobrażał sobie, że wkrótce wydostanie się na otwartą przestrzeń i w miejsce, gdzie mógłby być sam. Skręcając to w tę, to w tamtą stronę, przekonał się, że zabłądził w labiryncie kamiennych korytarzy, rozświetlonych tu i ówdzie przez świece zanurzone we własnym wosku i umieszczone w niszach ściennych. W rozpaczy biegnąc, złapał się za głowę, gdy nagle, w chwili gdy biegł po zakręcie, w korytarzu przed nim przemknęła szybko postać, nie rozglądając się na boki.

Gdy tylko pan Flay, gdyż był to służący jego wysokości w drodze do apartamentów mieszkalnych, gdy tylko zniknął mu z oczu, Steerpike wyjrzał zza rogu i poszedł za nim, starając się iść krok w krok, aby stłumić odgłos własnych stąpnięć. Było to niemal niemożliwe, gdyż pająkowaty chód pana Flaya, oprócz nadzwyczajnej długości kroku, odznaczał się, jak lont wolnotlący, opóźnieniem przed ostatecznym postawieniem stopy. Lecz młody Steerpike, w poczuciu, że była to w każdym razie jedyna szansa ucieczki z tych nie kończących się korytarzy, postępował za nim w nadziei, że pan Flay wreszcie skieruje się ku jakiemuś chłodnemu dziedzińcowi lub otwartej przestrzeni, gdzie będzie można się odłączyć. Chwilami, tam gdzie świece znajdowały się co trzydzieści lub czterdzieści stóp, pan Flay ginął z oczu i tylko odgłos jego stóp na posadzce służył wskazówką idącemu z tyłu. Potem powoli, w miarę jak jego błędny kształt zbliżał się ku następnej skwierczącej poświacie, stawał się stopniowo sylwetką, aż tuż przed świecą pojawiał się na chwilę jak atramentowy strach na wróble, modliszka z czarnej tektury poruszana za pomocą sznurków. Potem postęp światła odwracał się, więc w chwilę po minięciu płomienia Steerpike widział go całkiem wyraźnie jako oświetlony przedmiot na tle głębi kamiennych alei do przejścia. W takich chwilach tłuszcz połyskiwał na wytartym suknie na ramionach, a bliźniacze pionowe mięśnie szyi wyrastały ze zniszczonego kołnierzyka nagie i wyraźne. W miarę jak posuwał się naprzód, światło gasło mu na grzbiecie i Steerpike tracił go z oczu, słysząc jedynie trzaskanie stawów w kolanach i uderzenia stóp o posadzkę, póki następna świeca nie zarysowała go ponownie. Bardzo wyczerpany, najpierw przez nieznośną atmosferę Wielkiej Kuchni, teraz zaś przez tę wędrówkę, zdawało się bez końca, chłopiec, gdyż miał tylko siedemnaście lat, osunął się nagle na ziemię z wyczerpania, uderzając z łoskotem o posadzkę, szurając zgrzytliwie butami po kamieniach. Na ten hałas Flay zatrzymał się nagle i odwrócił powoli, podciągając ramiona aż na wysokość uszu. — Co to? — wyskrzeczał, oglądając się w ciemność.

Nie było odpowiedzi. Pan Flay zaczął się cofać, rozglądając się, z głową do przodu. Tak idąc, wstąpił w światło świecy na ścianie. Zbliżywszy się, z oczkami ciągle skierowanymi w ciemność za sobą, wyrwał ze ściany świecę wraz z dużym podkładem sędziwego wosku, a z jej pomocą wkrótce natknął się na chłopca pośrodku korytarza o parę jardów dalej. Pochylił się i przybliżywszy wielki kawał migotliwego wosku o parę cali do Steerpike'a, który upadł na twarz, przyglądał się nieruchomemu kłębkowi kończyn. Odgłos jego kroków i trzaskanie stawów kolanowych ustąpiły miejsca zupełnej ciszy. Otworzył usta i wyprostował się nieco. Potem stopą odwrócił chłopca. To ocuciło z omdlenia Steerpike'a, który dźwignął się trochę na łokciu.

— Gdzie jestem? — wyszeptał. — Gdzie jestem?

Jeden ze szczurków Sweltera — pomyślał Flay, nie zwracając uwagi na pytanie. — Jeden ze Sweltera, co? Jeden z jego pasiastych szczurów.

— Wstawaj — powiedział pan Flay głośno. — Co tu robisz? — i przysunął chłopcu świecę do twarzy.

— Nie wiem, gdzie jestem — powiedział młody Steerpike. — Zabłądziłem tutaj. Zabłądziłem. Chcę na światło dzienne.

— Co tutaj robisz, powiedziałem... co tutaj robisz? — powiedział Flay. — Nie chcę tutaj chłopców Sweltera. Do licha z nimi!

— Ja nie *chcę* być tutaj. Chcę na światło dzienne i pójdę sobie. Daleko stąd.

— Daleko? Gdzie?

Steerpike odzyskał przytomność, choć nadal było mu gorąco i czuł się straszliwie zmęczony. Zauważył szyderstwo w głosie pana Flaya, gdy ten powiedział: „Nie chcę tutaj chłopców Sweltera", więc na pytanie pana Flaya: „Daleko gdzie?" Steerpike odpowiedział szybko: — Och, gdziekolwiek, byle dalej od tego okropnego pana Sweltera.

Flay przypatrywał mu się przez chwilę, parę razy otwierał usta, by przemówić, lecz zamykał je znowu.

— Nowy? — powiedział Flay, patrząc bez wyrazu poprzez chłopca.

— Ja? — spytał młody Steerpike.

— *Ty* — powiedział Flay, patrząc poprzez szczyt głowy chłopca. — Nowy?

— Mam siedemnaście lat, proszę pana — powiedział młody Steerpike — ale nowy w tej kuchni.

— Kiedy? — powiedział Flay, który opuszczał większą część każdego zdania.

Steerpike, który, jak się wydawało, potrafił zrozumieć ten rodzaj stenograficznej rozmowy, odpowiedział:

— Zeszły miesiąc. Chcę odejść od tego okropnego Sweltera — dodał, zagrywając ponownie jedyną możliwą kartą i spoglądając na głowę w świetle świecy.

— Zabłądziłeś, co? — powiedział Flay po chwili milczenia, lecz może z nieco słabszym odcieniem ciemności. — Zabłądziłeś w Kamiennych Uliczkach, co? Jeden ze szczurków Sweltera, zabłąkany w Kamiennych Uliczkach, co? — i pan Flay ponownie uniósł wychudłe ramiona.

— Swelter zwalił się jak kłoda — powiedział Steerpike.

— Całkiem słusznie — rzekł Flay — czyniąc honory. Co zrobiłeś?

— Zrobiłem, proszę pana? — zapytał Steerpike. — Kiedy?

— Co za Szczęście? — powiedział Flay, wyglądał jak głowa śmierci. Świeca zaczynała gasnąć. — Jak wiele Szczęścia?

— Nie mam żadnego szczęścia — powiedział Steerpike.

— Co! Żadnego Wielkiego Szczęścia? Bunt. Czy to bunt?

— Nie, chyba że przeciw panu Swelterowi.

— Swelter! Swelter! Pozostaw to imię w tłuszczu i mazi. Nie wymawiaj tego imienia w Kamiennych Uliczkach. Swelter, zawsze Swelter! Milcz. Weź tę świecę. Prowadź. Postaw ją w niszy. Bunt, tak? Prowadź, lewo, lewo, prawo, na lewo, teraz na prawo... Nauczę cię być nieszczęśliwym, gdy narodził się Groan... naprzód... prosto naprzód...

Młody Steerpike stosował się do pouczeń z mroku za sobą.

— Narodził się Groan — powiedział Steerpike, z modulacją w głosie, którą można było rozumieć jako pytanie lub twierdzenie.

— Narodził — powiedział Flay. — A ty się smucisz w Uliczkach. Ze mną, chłopiec Sweltera. Pokażę ci, co to znaczy. Chłopiec z rodu Groan. Nowy, co? Siedemnaście? Uch! Nigdy nie zrozumie. Nigdy. Skręć na prawo i znowu w lewo — znowu... pod łukiem.

Uch! Nowy pod starymi kamieniami — także jeden Sweltera... nie lubisz go, co?

— Nie, proszę pana.

— Hm — powiedział Flay. — Zaczekaj tutaj.

Steerpike zaczekał, jak mu kazano, a pan Flay, wyjąwszy z kieszeni pęk kluczy i wybrawszy jeden bardzo ostrożnie, jak gdyby miał do czynienia z rzadkimi przedmiotami, wsunął go w zamek niewidocznych drzwi, gdyż ciemność była głęboka. Steerpike usłyszał zgrzyt żelaza w zamku.

— Tutaj! — powiedział Flay z ciemności. — Gdzie ten chłopiec Sweltera? Chodź tutaj.

Steerpike skierował się ku głosowi, obmacując rękami ścianę niskiego łuku. Nagle znalazł się tuż przy woniejącym wilgocią ubraniu pana Flaya, więc wyciągnął rękę i uchwycił sługę Lorda Groan za luźną część długiego surduta. Pan Flay uderzył nagle ramię chłopca kościstą dłonią, odtrącając je, a w gardle wysokiego stworu zadźwięczało tk, tk, tk, ostrzegając przed dalszymi próbami poufałości.

— Pokój koci — powiedział Flay, kładąc dłoń na żelaznej gałce drzwi.

— Och — powiedział Steerpike, myśląc szybko i powtarzając: „Pokój koci", by zająć czas, nie widział bowiem sensu tej uwagi. Okrzyk ten mógł interpretować jedynie w ten sposób, że Flay jego miał na myśli, wzmiankując kota, a chciał, żeby mu dać spokój. A jednak w jego głosie nie było rozdrażnienia.

— Pokój koci — powiedział znowu Flay w zamyśleniu i przekręcił żelazną gałkę u drzwi. Z wolna otworzył je, a Steerpike, zaglądając obok niego, nie musiał już szukać wyjaśnienia.

Pokój wypełniały późne promienie słońca. Steerpike stał całkiem spokojnie, a dreszcz rozkoszy przebiegł mu ciało. Uśmiechnął się szeroko. Podłogę wypełniał dywan błękitną murawą. Siedziało na niej w setce ozdobnych póz lub stało nieruchomo jak rzeźby czy też kroczyło przepysznie po szafirowej oprawie, przeplatając się niczym żywa arabeska, mrowie śnieżnobiałych kotów.

Gdy pan Flay kroczył ku środkowi pokoju, Steerpike'owi narzucił się kontrast pomiędzy wędrującą ciemną postacią o niezdarnych ruchach i monotonnym trzaskaniu kolan, kontrast pomiędzy nią i wspaniałą elegancją i milczeniem białych kotów. Nie zwróciły one najmniejszej uwagi ani na pana Flaya, ani na niego, poza nagłym przerwaniem mruczenia. Gdy przedtem stali w ciemności, zanim pan Flay wyciągnął pęk kluczy z kieszeni, Steerpike'owi wydawało się, że słyszy silne, głębokie warczenie, jednostajne dudnienie jakby morza, a teraz wiedział, że musiało to być rojenie się tej gromady.

Gdy przeszli pod rzeźbionymi odrzwiami w drugim końcu pokoju i zamknęli za sobą drzwi, usłyszał wibrowanie ich gardeł, bowiem teraz, gdy białe koty były znowu same, podjęły je na nowo, a głębokie, niespieszne mruczenie było jak głos oceanu w gardzieli muszli.

„JUDASZ"

Czyje one są? — zapytał Steerpike. Wspinali się kamiennymi schodami. Ścianę po prawej przyozdabiały ohydne tapety, które odpadały ukazując ponure plamy butwiejącego tynku. Mieszanina wielu dziwacznych barw ożywiała tę spodnią powierzchnię, której ciemne smugi miały jakąś podwodną i niewiarygodną urodę. W innym suchszym miejscu, gdzie wielki żagiel tapety zwisał ze ściany, tynk popękał w sieć zawiłych szczelin o różnej głębokości, przypominających widok z lotu ptaka czy też mapę jakiejś bajecznej delty. Można by odbyć tysiąc urojonych podróży wzdłuż brzegów rzek tego niezbadanego świata.

Steerpike powtórzył pytanie: — Czyje one są?

— Czyje co? — powiedział Flay, zatrzymując się na schodach i odwracając. — Jeszcze tutaj? Ciągle idziesz za mną?

— Dał mi pan do zrozumienia, że powinienem — powiedział Steerpike.

— Cz! Cz! — powiedział Flay — czego chcesz, chłopcze Sweltera?

— Obrzydliwy Swelter — powiedział Steerpike przez zęby, śledząc jednym okiem pana Flaya — wstrętny Swelter.

Nastąpiła cisza, podczas której Steerpike stukał paznokciem w żelazną poręcz.

— Nazwisko? — powiedział pan Flay.

— Moje nazwisko? — zapytał Steerpike.

— Twoje nazwisko, tak, twoje nazwisko. Znam *swoje* nazwisko. — Pan Flay położył kościstą dłoń na poręczy w zamiarze wchodzenia dalej po schodach, lecz czekał na odpowiedź, spoglądając krzywo przez ramię.

— Steerpike, proszę pana — powiedział chłopiec.

— Queerpike, hę? hę? — powiedział Flay.

— Nie, Steerpike.

— Co?

— Steerpike. Steerpike.

— Po co?

— Słucham pana?

— Po co, hę? Dwóch Squeertike'ów, was dwóch. Dwa razy. Po co? Jeden wystarczy dla chłopca Sweltera.

Młodzieniec czuł, że nie warto wyjaśniać problemu swego nazwiska. Przez chwilę utkwił ciemne oczy w niezdarnej postaci ponad sobą i niedostrzegalnie wzruszył ramionami. Potem powiedział znowu, nie okazując rozdrażnienia.

— Czyje to były koty, proszę pana? Czy mogę zapytać?

— Koty? — spytał Flay. — Kto powiedział koty?

— Białe koty — powiedział Steerpike. — Wszystkie białe koty w Kocim Pokoju. Do kogo należą?

Pan Flay uniósł palec. — Jej wysokości — powiedział. Jego szorstki głos wydawał się częścią tej zimnej i wąskiej klatki schodowej z kamienia i żelaza. — Należą do jej wysokości. To białe koty jej wysokości. Chłopcze Sweltera. Wszystkie jej.

Steerpike nadstawił uszu. — Gdzie ona mieszka? — zapytał. — Czy jesteśmy blisko miejsca, gdzie mieszka?

Za całą odpowiedź pan Flay wyrzucił głowę z kołnierza i zaskrzeczał: — Cisza, ty kuchenny pomiocie! Trzymaj język za zębami, ty zatłuszczony widelcu. Mówisz za dużo — i ruszył na rozkraczonych nogach w górę, minął dwa półpiętra, a potem na trzecim skręcił ostro w lewo i wszedł do ośmiobocznej komnaty, gdzie naturalnej wielkości portrety w ogromnych zakurzonych złotych ramach spoglądały z siedmiu ścian. Steerpike wszedł za nim.

Pan Flay przebywał z dala od jego wysokości dłużej niż zamierzał i niż uważał za słuszne, trapił się więc, że hrabia może go potrzebować. Gdy tylko wszedł do ośmiobocznej komnaty, podszedł do jednego z portretów w przeciwległym końcu i odsunąwszy nieco w bok zawieszoną ramę, ukazał w boazerii mały okrągły otwór wielkości grosza. Przyłożył oko do otworu, a Steerpike patrzył, jak zmarszczki jego pergaminowej skóry zbierają się poniżej wystającej kości u podstawy czaszki, bowiem pan Flay musiał zarówno pochylić się, jak i podnieść głowę, aby przyłożyć oko pod nieodzownym kątem. Zobaczył to, czego oczekiwał.

Ze swego dogodnego punktu mógł widzieć dokładnie troje drzwi w korytarzu, z których środkowe należały do komnaty jej wysokości, siedemdziesiątej szóstej hrabiny Groan. Były czarnej barwy, z wymalowanym ogromnym białym kotem. Ściany klatki schodowej pokrywały obrazy ptaków, były też trzy sztychy kwitnących kaktusów. Drzwi te były zamknięte, lecz gdy pan Flay patrzył, drzwi po obu stronach nieustannie otwierano i zamykano, a postaci szybko wchodziły i wychodziły, wchodziły i schodziły po schodach, rozprawiały, żywo gestykulując lub stały z podbródkami w zwiniętych dłoniach jakby w głębokim zamyśleniu.

— Tutaj — powiedział Flay, nie odwracając się.

Steerpike znalazł się natychmiast przy łokciu Flaya.

— Drzwi z kotem jej — powiedział Flay, wycofując oko, potem zaś, rozłożywszy ramiona, wyprostował je po czubki palców i ziewnął przepastnie.

Młody Steerpike przylepił oko do otworu, przytrzymując ramieniem ciężką złoconą ramę, by się nie ześliznęła. Ujrzał naraz przed sobą mężczyznę o wąskim torsie, z czupryną siwych włosów i w okularach, które tak powiększały mu oczy, że wypełniały one szkła aż po złotą oprawę, gdy oto drzwi środkowe otwarły się i wymknęła się z nich ciemna postać, zamykając za sobą drzwi cicho i z głębokim przygnębieniem. Steerpike zauważył, że zwróciła ona oczy na mężczyznę z czupryną, który pochylił się ku przodowi, zaciskając dłonie przed sobą. Ten drugi nie zwrócił na to uwagi, lecz począł przemierzać korytarz, zaciskając wokół siebie ciemny płaszcz, który wlókł się za nim po podłodze. Za każdym razem, gdy mijał doktora, gdyż on to był, pan ów pochylał się ku przodowi, lecz podobnie jak przedtem, bez odzewu, aż nagle tamten, zatrzymując się tuż przed lekarzem na służbie, wydobył spod peleryny smukłą srebrną laskę zakończoną prostą gałką z czarnego nefrytu, którego krawędzie płonęły szmaragdowym ogniem. Tym niezwykłym orężem ponura postać uderzyła smutnie w pierś doktora, jak gdyby chcąc się dowiedzieć, czy jest ktoś w domu. Doktor zakasłał. Przyrząd ze srebra i nefrytu wskazał na podłogę, a Steerpike ujrzał ze zdumieniem, że doktor, podciągnąwszy o parę cali starannie zaprasowane spodnie, usiadł w kucki. Jego ogromne błędne oczy pływały za szkłami powiększającymi jak dwie meduzy oglądane przez sążeń wody. Ciemnosiwe włosy miał sczesane na oczy jak strzechę. Pomimo upokarzającej pozycji usadowił się z wielkim poczuciem stylu, śledząc wzrokiem pana, który zaczął z wolna chodzić wokół niego. Wreszcie postać ze srebrną laską przystanęła.

— Prunesquallor — powiedział.

— Panie hrabio? — powiedział doktor, pochylając w lewo siwy stóg siana.

— Zadowalająco, Prunesquallor?

Doktor złączył czubki palców. — Jestem nadzwyczaj zadowolony, panie hrabio, nadzwyczaj. Istotnie. Bardzo, bardzo; ha, ha, ha. Bardzo, bardzo.

— Zawodowo, jak sądzę? — powiedział Lord Sepulchrave, gdyż jak Steerpike zaczął sobie uświadamiać ku swemu zdumieniu, człowiek o tragicznym wyglądzie był nikim innym jak siedemdziesiątym szóstym hrabią Groan i właścicielem, jak to określił Steerpike, całego kramu, cegieł, dział i chwały.

— Zawodowo... — zastanawiał się w duchu doktor — o co mu chodzi? — Głośno zaś powiedział: — Zawodowo, panie hrabio, jestem niewymownie usatysfakcjonowany, ha, ha, ha, a towarzysko, to jest... eee... jako gest, ha, ha, jestem przerażony. Dumny ze mnie człowiek, panie hrabio, ha, ha, ha, ha, bardzo dumny.

Śmiech doktora Prunesquallora stanowił część konwersacji, dość zatrważającą, gdy słyszało się go po raz pierwszy. Wydawało się że wymyka się kontroli, jak gdyby był częścią głosu, górnym rejestrem skali głosu, ujawniającym się tylko wtedy, gdy doktor śmiał się. Było w tym coś z wiatru poświstującego w wysokim wiązaniu dachu, sporo końskiego rżenia i domieszka śpiewu kulika. Gdy doktor dawał temu upust, jego usta pozostawały niemal nieruchome jak uchylone drzwi sekretarzyka. Pomiędzy wybuchami śmiechu mówił bardzo szybko, co sprawiało, że nagła nieruchomość jego pięknie wygolonych szczęk podczas śmiechu była tym bardziej niezwykła. Śmiech niekoniecznie wiązał się z humorem. Był po prostu częścią rozmowy.

— Technicznie, jestem tak zadowolony, że sam tego nie mogę znieść, ha, ha, ha, he, he, ha. Och, było to bardzo, bardzo zadowalające. Bardzo.

— Miło mi — powiedział jego wysokość, spoglądając na niego przez chwilę. — Czy zauważył pan coś? (Lord Sepulchrave rozejrzał się po korytarzu). — Dziwnego? Coś w nim niezwykłego?

— Niezwykłego? — zapytał Prunesquallor. — Powiedział pan, niezwykłego, panie hrabio?

— Tak — powiedział Lord Sepulchrave przygryzając dolną wargę. — Czy coś z nim nie w porządku? Nie powinien się pan obawiać.

Jego wysokość ponownie rozejrzał się po korytarzu, lecz nie było widać nikogo.

— Strukturalnie, zdrowe dziecko, zdrowe jak dzwon, dzyń, dzyń, strukturalnie, ha, ha, ha — powiedział doktor.

— Do licha ze strukturą! — zawołał Lord Groan.

— Zachodzę w głowę, panie hrabio, ha, ha. Zupełnie zachodzę w głowę. Jeśli nie strukturalnie, to jak, panie hrabio?

— Jego twarz — powiedział hrabia. — Nie widział pan jego twarzy?

Na to doktor zasępił się głęboko i potarł podbródek dłonią. Kątem oka spostrzegł, że jego wysokość przygląda mu się badawczo. — Ach! — powiedział słabo — twarz. Twarz jego małej wysokości. Aha!

— Czy zauważył pan, powiadam? — ciągnął Lord Groan. — Mów pan!

— Zauważyłem jego twarz, proszę pana. Och tak, z pewnością zauważyłem. — Tym razem doktor się nie zaśmiał, lecz wciągnął głęboko powietrze wąską piersią.

— Pomyślał pan czy nie, że jest dziwna? Tak czy nie?

— Mówiąc zawodowo — powiedział doktor Prunesquallor — powiedziałbym, że twarz jest nieregularna.

— To znaczy, jest brzydka? — powiedział Lord Groan.

— Jest nienaturalna — powiedział Prunesquallor.

— Cóż za różnica, człowieku — powiedział Lord Groan.

— Słucham pana? — zapytał doktor.— Pytałem, czy jest brzydka, proszę pana, a pan odpowiada, że jest nienaturalna. Czy musi się pan asekurować?

— Panie hrabio! — powiedział Prunesquallor, lecz ponieważ nie nadał barwy wypowiedzi, trudno było ją zrozumieć.

— Gdy powiadam „brzydka", niech pan będzie łaskaw użyć tego słowa. Rozumie pan? — Lord Groan mówił spokojnie.

— Pojmuję, proszę pana. Pojmuję.

— Czy chłopiec jest ohydny — naciskał Lord Groan, jak gdyby pragnął wyjaśnić sprawę. — Czy odebrał pan kiedyś ohydniejsze dziecko? Niech pan powie prawdę.

— Nigdy — powiedział doktor. — Nigdy, ha, ha, ha, ha. Nigdy. I nigdy chłopca z takimi — ee, ha, ha, ha, nigdy chłopca z takimi niezwykłymi oczyma.

— Oczyma? — powiedział Lord Groan — co im dolega?

— Dolega? — wykrzyknął Prunesquallor. — Powiedział pan „dolega", wasza wysokość? Czy nie widział ich pan?

— Nie, szybko, człowieku. Pospiesz się. Co z nimi? Co z oczyma mojego syna?

— Są fiołkowe.

FUKSJA

Podczas gdy jego wysokość przypatrywał się doktorowi, zjawiła się nowa postać, dziewczynka mniej więcej piętnastoletnia, z długimi, rozwichrzonymi, czarnymi włosami. Była niezgrabna w ruchach i właściwie brzydka, lecz bardzo niewiele brakowało, aby nagle stała się piękna. Jej posępne usta były pełne i wspaniałe — w jej oczach tlił się płomień.

Żółty szal zwisał jej luźno wokół szyi. Bezkształtna suknia była płomiennoczerwona.

Pomimo prostej postawy jej chód był ociężały.

— Chodź tutaj — powiedział Lord Groan, gdy zamierzała minąć jego i doktora.

— Tak, ojcze — powiedziała ochrypłym głosem.

— Gdzie podziewałaś się przez ostatnie dwa tygodnie, Fuksjo?

— Och, tu i tam, ojcze — powiedziała, patrząc na pantofle. Potrząsnęła długimi włosami, które załopotały na plecach jak flaga piracka. Stała tak niezdarnie, jak tylko można sobie wyobrazić. Zupełnie w niekobiecy sposób — żaden mężczyzna nie mógłby tego wymyślić.

— Tu i tam? — powtórzył jej ojciec znużonym głosem. — Co znaczy „tu i tam"? Ukrywałaś się. Gdzie, dziewczyno?

— W bibliotece i w zbrojowni, i chodziłam dużo — powiedziała Lady Fuksja, a jej posępne oczy zwęziły się. — Właśnie usłyszałam głupie plotki o matce. Mówią, że mam brata — idioci! idioci! Nienawidzę ich. Nie mam, prawda? Prawda?— Małego braciszka — wtrącił doktor Prunesquallor. — Tak, ha, ha, ha, ha, ha, ha, ha, maleńki, maciupeńki, mikroskopijny przydatek słynnego rodu znajduje się teraz za tymi oto drzwiami sypialni. Ha, ha, ha, ha, ha, ha, he, he, he! Och, tak! Ha, ha! Och, tak, doprawdy! Zaiste!

— Nie! — powiedziała Fuksja tak głośno, że doktor zakasłał sucho, a jego wysokość zrobił krok naprzód ze zmarszczonymi brwiami i smutnym grymasem w kąciku ust.

— To nieprawda! — zawołała Fuksja, odwracając się od nich i nawijając duże pasmo czarnych włosów na przegub ręki. — Nie wierzę! Puśćcie mnie! Puśćcie mnie!

Ponieważ nikt jej nie dotykał, krzyk był zbyteczny, odwróciła się więc i pobiegła w dziwnych podskokach wzdłuż korytarza prowadzącego z podestu schodów. Zanim zniknęła z oczu, Steerpike dosłyszał jej głos wołający w oddali: — Och, jak nienawidzę, nienawidzę, nienawidzę! Jak *nienawidzę* ludzi! Och, jak *nienawidzę* ludzi!

Przez cały ten czas pan Flay spoglądał z wąskiego okna w ośmiobocznej komnacie, zaabsorbowany tym, w jaki sposób najlepiej dać poznać Lordowi Groan, że on, Flay, jego służący od przeszło czterdziestu lat, nie pochwala tego, iż jak gdyby odsunięto go na bok w chwili, gdy narodził się syn — w jedynej chwili, kiedy on, Flay, byłby nieocenionym sprzymierzeńcem. Pan Flay był dość urażony z tego powodu i bardzo chciał dać to poznać Lordowi Groan, a zarazem trudno mu było obmyślić sposób, w jaki mógłby przekazać swe rozgoryczenie człowiekowi równie posępnemu jak on sam. Pan Flay z goryczą gryzł paznokcie. Przebywał przy oknie znacznie dłużej niż zamierzał, a odwróciwszy się z podniesionymi ramionami, w typowej dla siebie postawie, ujrzał młodego Steerpike'a, o którego obecności zupełnie zapomniał. Podszedł do chłopca i pochwyciwszy go za poły surduta, szarpnął na środek pokoju. Wielki obraz opadł, zakrywając judasz.

— Teraz — powiedział — z powrotem! Widziałeś jej drzwi, chłopcze Sweltera.

Steerpike, pogrążony w świecie za dębowym przepierzeniem, był oszołomiony i potrzebował chwili, by oprzytomnieć.

— Z powrotem do tego obrzydliwego kuchmistrza? — wykrzyknął wreszcie — och, nie! Nie mogę!

— Zbyt zajęty, żebyś tu był — powiedział Flay — zbyt zajęty, nie mogę czekać.

— Jest brzydki — powiedział Steerpike zapalczywie.

— Kto? — zapytał Flay. — Nie zatrzymuj się tu na rozmowy.

— Och, jest tak brzydki. Lord Groan tak powiedział. Doktor tak powiedział. Uch! Tak ohydny.

— Kto jest ohydny, ty kuchenny pomiocie — powiedział Flay, groteskowo podrzucając głową.

— Kto? — powtórzył Steerpike. — Dziecko. Nowe dziecko. Obaj tak powiedzieli. Jest bardzo przerażający.

— Co to? — wykrzyknął Flay. — O czym te wszystkie kłamstwa? Czyją rozmowę słyszałeś? Kogo podsłuchiwałeś? Urwę ci uszy, ty ogryzku! Gdzie byłeś! Chodź tu!

Steerpike, który postanowił uciec z Wielkiej Kuchni, teraz uparł się, że znajdzie zajęcie tutaj, w komnatach, gdzie mógłby podpatrywać sprawy tych, którzy stali ponad nim.

— Jeśli wrócę do Sweltera, powiem mu i im wszystkim, co słyszałem z ust jego wysokości, i wtedy...

— Chodź tu! — powiedział Flay przez zęby. — Chodź tu albo połamię ci kości. Gapiłeś się, co? Ja cię urządzę. — Flay popchnął Steerpike'a pospiesznie ku wyjściu i zatrzymał się w połowie wąskiego korytarza przed drzwiami. Otworzył je jednym ze swych licznych kluczy i wepchnąwszy Steerpike'a do środka, zamknął je za chłopcem.

„ŁÓJ I SIEMIĘ"

Jak ogromny pająk zawieszony u metalowej struny, kandelabr panował w pokoju dziewięć stóp ponad podłogą. Z jego rozłożystych żelaznych ramion długie stalaktyty wosku opuszczały blade rozpryski, kropla po kropli, kropla po kropli. Prosty stół z na wpół otwartą szufladą, wypełnioną siemieniem, znajdował się w takiej pozycji poniżej żelaznego pająka, że w jednym rogu stożek wosku urastał stopniowo w migotliwą piramidę wielkości kapelusza.

Pokój był tak niechlujny, że przypominał jatkę. Wszystko wyglądało, jakby było chwilowo odsunięte na bok. Nawet łóżko było pod kątem, odchylone od ściany i aż wołało, by przysunięto je z powrotem równo pod czerwoną tapetę. W miarę jak świece dopalały się lub rozbłyskiwały, cienie przesuwały się z jednej strony ściany na drugą lub w górę i w dół, a wraz z tymi poruszeniami kołysały się za łóżkiem cienie czterech ptaków. Pomiędzy nimi chwiała się ogromna głowa. Cień ów rzucała jej wysokość, siedemdziesiąta szósta hrabina Groan. Wspierała się na kilku poduszkach, a czarny szal otulał jej ramiona. Wydawało się, że jej włosy, ciemnorudej barwy o świetnym połysku, porzucono nagle przy skręcaniu ich w zawiłą konstrukcję na czubku głowy. Grube pukle wciąż jeszcze opadały jej na ramiona lub osiadały na poduszkach jak płomieniste węże.

Jej oczy były bladozielone, co jest powszechne u kotów. Oczy były duże, lecz w stosunku do bladej powierzchni jej twarzy wydawały się małe. Nos był dostatecznie duży, by wydawać się takim pomimo otaczającej go przestrzeni. Sprawiała wrażenie masywności, choć spod pościeli widoczne były jedynie głowa, szyja, ramiona i ręce.

Sroka, która przesuwała się po jej lewym przedramieniu leżącym nieruchomo na pościeli, dziobała od czasu do czasu kupkę ziarna na jej dłoni. Na jej barkach usiadł kamieńczyk, a także ogromny uśpiony kruk. Poręcz łóżka pyszniła się dwoma szpakami, drozdem i sówką. Od czasu do czasu ptak pojawiał się pomiędzy kratami niewielkiego wysokiego okna, które niemal nie przepuszczało światła. Przedostał się przez nie z zewnątrz bluszcz i począł wypuszczać wąsy w dół po wewnętrznej ścianie i po szkarłatnej tapecie. Choć bluszcz zdławił tę resztkę światła, jakie mogłoby się przesączyć do pokoju, to jednak nie był w stanie zagrodzić ptakom wejścia i przeszkodzić im w składaniu wizyt Lady Gertrudzie o każdej porze dnia i nocy.

— Już dosyć, już dosyć, już dosyć! — powiedziała hrabina głębokim, ochrypłym głosem do sroki. — Już dosyć na dzisiaj, moja droga. — Sroka podskoczyła parę cali w górę, opadła znowu na jej przegub i potrząsnęła piórkami; jej długi ogonek uderzał o kołdrę.

Lady Groan cisnęła resztkę ziarna w poprzek pokoju, a kamieńczyk, zeskoczywszy z poręczy łóżka na jej głowę, wzbił się z trzepotem z tego wściekłego lądowiska, dwakroć okrążył pokój, kierując się w drugim oblocie pomiędzy stalaktytami lśniącego wosku, aż wylądował na podłodze obok ziarna.

Hrabina Groan wbiła łokcie w poduszki, teraz spłaszczone i niewygodne, i dźwignęła w górę swój ciężar na silnych, mocarnych ramionach. Potem odprężyła się ponownie i rozciągnęła ramiona na boki wzdłuż poręczy łóżka poza sobą, a dłonie jej zwisały bezwładnie z nadgarstków z obu stron poza krańce łóżka. W linii ust nie było smutku ani rozbawienia, gdy spoglądała z roztargnieniem na piramidę wosku rosnącą na stole. Śledziła każdą powolną kroplę, jak spływała na tępy szczyt kopca, sunęła ospale w dół po nierównym boku i krzepła w długi mięsisty płatek.

Nie można było zgadnąć, czy hrabina myślała nad czymś głęboko, czy też pogrążona była w próżnej zadumie. Spoczywała ogromna i nieruchoma, z ramionami wyciągniętymi wzdłuż żelaznej poręczy, gdy nagle głośny trzepot i łomot wdarły się w pachnącą woskiem ciszę pokoju, a zwróciwszy oczy ku zakrytemu bluszczem oknu, czternaście stóp nad ziemią, hrabina ujrzała, nie poruszając głową, że liście się rozsuwają i wyłaniają się chyłkiem biała głowa i barki gawrona-albinosa.

— Ach-cha — powiedziała z wolna, jak gdyby wyciągała jakiś wniosek — więc to ty, nieprawdaż? A więc wagarowicz wrócił. Gdzie bywał? Co porabiał? Na jakich drzewach siadywał? Przez jakie chmury przelatywał? Cóż z niego za chłopiec! Co za garść pierzastej bieli. Co za garść zepsucia!

Gawron siedział okolony ze wszystkich stron liśćmi bluszczu, z głową przechyloną to na tą, to na tamtą stronę; słuchał lub zdawało się, że słucha, z wielkim zajęciem i z niejakim wyrazem zakłopotania, bowiem z ruchu liści bluszczu od czasu do czasu poznać było, że biały gawron przestępował z nogi na nogę.

— To trzy tygodnie — ciągnęła hrabina — od trzech tygodni byłam bez niego; nie byłam dostatecznie dobra dla *niego*, och nie, nie dla Pana Kredy, a oto jest z powrotem, chce przebaczenia! Och tak! Chce całego drzewa przebaczenia dla ciężkiego starego dzioba, i miesięcy rozgrzeszenia dla swych piór.

Hrabina dźwignęła się ponownie w łożu, okręciła pasmo ciemnych włosów wokół długiego palca wskazującego i z twarzą zwróconą ku drzwiom, lecz z oczyma na ptaku powiedziała jak gdyby do siebie i niemal niedosłyszalnie: — A więc chodź. — Bluszcz ponownie zaszeleścił, a zanim dźwięk przebrzmiał, łoże zadrgało od nagłego przylotu białego gawrona.

Usiadł na poręczy w nogach łoża, objąwszy ją szponami, i spoglądał na Lady Groan. Biały gawron chwilę był nieruchomy, potem zaś zadreptał na poręczy, a następnie, zeskoczywszy na pościel u stóp jej wysokości, wykręcił głowę do tyłu i zaczął dziobać swój własny ogon, a pióra na szyi sterczały mu przy tym sztywno jak kreza. Skończywszy dziobanie, ruszył poprzez pofałdowany teren łoża, zatrzymując się o parę cali od twarzy jej wysokości, a wówczas przekrzywił dużą głowę w charakterystyczny sposób i zakrakał.

— A więc prosisz mnie o przebaczenie, prawda — powiedziała Lady Groan — i myślisz, że na tym koniec? Żadnych pytań o to, gdzie byłeś czy gdzie latałeś przez te trzy długie tygodnie? Więc o to chodzi, prawda, Panie Kredo? Chcesz, żebym ci przebaczyła ze względu na dawne czasy? Chodź tu z tym starym dziobem i potrzyj go o moje ramię. Chodź, mój najbielszy, a więc chodź. Chodź. — Kruk na ramieniu Lady Groan przebudził się ze snu i uniósł sennie czarne skrzydło o cal czy dwa. Następnie skupił twardy wzrok na gawronie. Siedział zupełnie przebudzony, z puklem ciemnorudych włosów pomiędzy łapkami. Sówka zasnęła, jak gdyby chciała go zastąpić. Jeden ze szpaków obrócił się trzema powolnymi krokami do ściany. Drozd nie poruszył się, a gdy świeca zaskwierczała, upiorny cień spod wysokiej szafy przemieścił się i przesunął po podłodze, wspiął się na łoże i przepełznął przez pół kołdry, po czym powrócił tą samą drogą, by zwinąć się i ułożyć do snu ponownie pod szafą.

Wzrok Lady Groan powrócił do rosnącej piramidy łoju. Jej blade oczy albo skupiały się bezlitośnie na jakimś przedmiocie lub wydawały się nie widzące, puste, ze śladem ledwie czegoś dziecinnego. W ten właśnie roztargniony sposób spoglądały poprzez bladą piramidę, podczas gdy jej ręce, jak gdyby działając oddzielnie, poruszały się lekko po piersi, głowie i gardzieli białego gawrona.

Przez pewien czas w pokoju panowała zupełna cisza, stukanie do drzwi sypialni wyrwało więc gwałtownie Lady Groan z zadumy.

Oczy jej przybrały teraz skupiony, obojętny, koci wyraz.

Ptaki, obudziwszy się natychmiast, sfrunęły równocześnie na odleglejszą poręcz łoża, gdzie stały, chwiejąc się w długim nierównym szeregu, wszystkie w pogotowiu, z głowami zwróconymi w stronę drzwi.

— Kto tam? — spytała ociężale Lady Groan.

— To ja, jaśnie pani — zawołał drżący głos.

— Kto stuka do moich drzwi?

— To ja z jego wysokością — odrzekł głos.

— Co? — wykrzyknęła Lady Groan. — Czego chcesz? Po co stukasz do moich drzwi?

Tamta natężyła głos nerwowo i zawołała: — To Niania Slagg. To ja, jaśnie pani, Niania Slagg.

— Czego chcesz? — powtórzyła jej wysokość, usadawiając się wygodniej.

— Ja z jego wysokością pokazać pani — krzyczała Niania Slagg, nieco mniej nerwowo.

— Och, tak, prawda. Z jego wysokością. A więc chcesz wejść? Z jego wysokością. — Nastąpiła chwila ciszy. — Po co? Po co z nim do mnie?

— Pokazać, jeśli pani pozwoli, jaśnie pani — odrzekła Niania Slagg. — Jest po kąpieli.

Lady Groan opadła jeszcze głębiej w poduszki. — Och, masz na myśli *nowego*, prawda? — wymamrotała.

— Czy mogę wejść? — zawołała Niania Slagg.

— Więc się pospiesz! Więc się pospiesz! Przestań drapać w drzwi. Na co czekasz?

Szczęk klamki zmroził ptaki na żelaznej poręczy, a gdy tylko drzwi się otworzyły, wszystkie znalazły się natychmiast w powietrzu i przeciskały się, jeden po drugim, poprzez szorstkie liście okienka.

ZŁOTY PIERŚCIEŃ DLA TYTUSA

Niania Slagg weszła, niosąc w ramionach dziedzica bezładnych kamieni i zaprawy; Wieży Krzemieni i stojącej fosy; kanciastych wzgórz i jasnozielonej rzeki, gdzie dwanaście lat później będzie łowił ohydne ryby swego dziedzictwa.

Przyniosła dziecko do łóżka i zwróciła jego twarzyczkę ku matce, która popatrzyła poprzez nią i powiedziała:

— Gdzie jest ten doktor? Gdzie jest Prunesquallor? Połóż dziecko i otwórz drzwi.

Pani Slagg posłuchała, a gdy odwróciła się, Lady Groan nachyliła się i przyjrzała dziecku. Oczka były szkliste od snu, a blask świec igrał na łysej główce, kształtując budowę czaszki za pomocą wędrującego cienia.

— Hm — powiedziała Lady Groan — co chcesz, żebym z nim zrobiła?

Niania Slagg, która była bardzo siwa i stara, z czerwonymi obwódkami wokół oczu i której inteligencja była ograniczona, spoglądała bezmyślnie na jej wysokość.

— Jest po kąpieli — powiedziała. — Jest właśnie po kąpieli, na zdrowie serduszka jego wysokości.

— Co z tego? — zapytała Lady Groan.

Stara piastunka zręcznie podniosła dziecko i zaczęła je lekko kołysać zamiast odpowiedzi.

— Czy Prunesquallor jest tam? — powtórzyła Lady Groan.

— Na dole — szepnęła Niania, wskazując ku podłodze drobnym pomarszczonym palcem — n-na dole; o tak, myślę, że jest dalej na dole i pije poncz w Zimnym Pokoju. Och Boże, tak, na zdrowie maleństwa.

Jej ostatnia uwaga odnosiła się przypuszczalnie do Tytusa, nie zaś do doktora Prunesquallora. Lady Groan dźwignęła się w łożu i spoglądając groźnie w stronę otwartych drzwi, ryknęła jak mogła najgłębiej i najgłośniej: — SQUALLOR!

Słowo rozbrzmiało wzdłuż korytarzy i w dół po schodach, a wpełznąwszy pod drzwiami i wzdłuż czarnego dywanu w Zimnym Pokoju, zdołało, wspiąwszy się po ciele doktora, znaleźć drogę do obu uszu jednocześnie, w stanowczej, choć zmienionej postaci. Aczkolwiek zmienione, postawiło doktora Prunesquallora natychmiast na nogi. Jego rybie oczy pływały wokół szkieł, póki nie zatrzymały się na ich szczycie, co nadało mu wyraz fantastycznego męczeństwa. Przesuwając długie, wybornie ukształtowane palce przez czuprynę siwych włosów, jednym łykiem wychylił szklaneczkę ponczu i ruszył ku drzwiom, strzepując kuleczki płynu z kamizelki.

Nim dotarł do jej pokoju, rozpoczął próbę rozmowy, jakiej oczekiwał, a jego nieznośny śmiech przerywał co drugie zdanie niezależnie od treści.

— Wasza wysokość — powiedział, dotarłszy do jej drzwi i ukazawszy hrabinie i pani Slagg, zanim wszedł, jedynie głowę w futrynie, jak gdyby obciętą przez kata. — Wasza wysokość, ha, ha, he, he. Usłyszałem głos pani na dole, gdy właśnie ee...

— Popijałem — powiedziała Lady Groan.

— Ha, ha — jakąż ma pani słuszność, jakąż ma pani wielką słuszność, ha, ha, ha, he, gdy właśnie, jak to pani tak obrazowo ujęła, ha, ha, popijałem. Dotarł na dół, ha, ha — dotarł na dół.

— Co dotarło? — przerwała głośno hrabina.

— Głos pani — powiedział Prunesquallor, unosząc prawą dłoń i rozmyślnie zwierając czubki kciuka i małego palca — głos pani znalazł mnie w Zimnym Pokoju. O tak, naprawdę!

Hrabina przyglądała mu się ponuro, po czym wbiła łokcie w poduszkę.

Pani Slagg ukołysała dziecko do snu.

Doktor Prunesquallor przesuwał długim wysmukłym palcem wskazującym w górę i w dół po stalaktycie wosku i uśmiechał się straszliwie.

— Zawołałam cię — powiedziała hrabina — żeby ci powiedzieć, Prunesquallor, że jutro wstaję.

— Och, he, ha, ha, och, ha, ha, wasza wysokość, och, ha, ha, wasza wysokość — *jutro*?

— Jutro — powiedziała hrabina — czemuż nie?

— Z zawodowego punktu widzenia... — zaczął doktor Prunesquallor.

— Czemuż nie? — powtórzyła hrabina, przerywając mu.

— Ha, ha, nadzwyczaj nienormalne, nadzwyczaj niezwykłe, ha, ha, ha, nadzwyczaj wyjątkowe, tak *bardzo* szybko.

— A więc wniósłbyś przeciwko mnie sprawę, prawda, Prunesquallor? Tak myślałam; domyśliłam się. Wstaję jutro — jutro o *świcie*.

Doktor Prunesquallor wzruszył wąskimi ramionami i uniósł w górę oczy. Potem zaś, złączywszy czubki palców i zwracając się do ciemnego sufitu, powiedział: — *Doradzam*, lecz nigdy nie rozkazuję — tonem wskazującym na to, że z pewnością by rozkazywał, gdyby uznał to za konieczne. — Ha, ha, ha, och, nie! Ja tylko doradzam.

— Głupstwo — powiedziała hrabina.

— Nie sądzę — odparł Prunesquallor, wciąż spoglądając w górę. — Ha, ha, ha, ha, och, nie! Wcale nie. — Skończywszy mówić, na sekundę przemknął oczyma w dół z wielką szybkością, wchłonął wizerunek hrabiny w łożu i jeszcze szybciej popłynął nimi ku szczytowi szkieł. To, co ujrzał, zaniepokoiło go, dostrzegł bowiem w jej twarzy takie spotęgowanie niesmaku, że odwróciwszy od niej wzrok, spostrzegł, iż nogi jego same sunęły do tyłu i że znalazł się przy drzwiach, zanim postanowił, co robić. Skłoniwszy się szybko, usunął ciało z sypialni.

— Czyż nie jest słodki, och, czyż nie jest najsłodszą w świecie drobiną cukru? — powiedziała pani Slagg.

— Kto? — zawołała hrabina tak głośno, że pasemko łoju zakołysało się w chwiejnym świetle.

Niemowlę obudziło się na ten dźwięk i zaczęło zawodzić, zaś
Niania Slagg cofnęła się.

— Jego maleńka wysokość — zaskomlała słabo — jego śliczna
maleńka wysokość.

— Slagg — powiedziała hrabina — idź sobie! Chcę zobaczyć
chłopca, gdy będzie miał sześć lat. Znajdź mamkę w Zewnętrznych Chatach. Uszyj mu zielone ubranka z aksamitnych zasłon.
Weź ten mój złoty pierścień. Przymocuj do niego łańcuszek. Niech
to nosi na krzywej szyjce. Nazwij go Tytus. Idź sobie i zostaw drzwi
otwarte na sześć cali.

Hrabina sięgnęła ręką pod poduszkę i wydobyła niewielką
trzcinę, umieściła w szerokich ustach i dmuchnęła. Dwa długie
słodkie tony rozbrzmiały w ciemnym powietrzu. Na ten dźwięk
pani Slagg, pochwyciwszy złoty pierścień z pościeli, gdzie rzuciła
go hrabina, pospieszyła z pokoju tak prędko, jak tylko jej stare
nogi potrafiły, jak gdyby ścigał ją wilkołak. Lady Groan pochyliła
się w łożu ku przodowi, z oczyma jak u dziecka: szerokimi, słodkimi i podnieconymi. Utkwione były w drzwiach. Jej dłonie ściskały
brzegi poduszki. Zastygła.

W oddali pulsowanie stawało się coraz głośniejsze, aż siła
dźwięku zdawała się wypełniać komnatę, gdy nagle przez wąski
otwór drzwi wsunęła się i wpłynęła w dymiącą atmosferę pokoju
fala bieli, tak że w mgnieniu oka nie było w całym pokoju ani cienia, który nie byłby wybielony kotami.

SEPULCHRAVE

Każdego ranka, pomiędzy godziną dziewiątą i dziesiątą, można go znaleźć zasiadającego w Kamiennej Sali. To tam, przy długim stole, spożywa śniadanie. Stół wznosi się na podwyższeniu, więc ze swego miejsca może ogarniać wzrokiem całą długość szarego refektarza. Po obu jego stronach wzdłuż całej długości wielkie filary wspierają malowany strop, gdzie cherubiny gonią się po przestworze łuszczącego się nieba. Musi być ich ogółem około tysiąca, przewijających się pomiędzy obłokami, z tłustymi członkami zawsze w ruchu, a jednak nie poruszającymi się, gdyż przedstawiono je niedoskonale. Barwy, niegdyś jaskrawe, przyblakły i złuszczyły się, strop ma więc teraz bardzo delikatny odcień szarości i liszajowatej zieleni, starej róży i srebra.

Być może, iż Lord Sepulchrave zauważył cherubiny już dawno. Przypuszczalnie, będąc dzieckiem, nieraz próbował je policzyć, jak to robił jego ojciec i jak z kolei młody Tytus będzie próbował; jednakże od wielu już lat Lord Groan nie wzniósł oczu ku starym niebiosom. Nie rozglądał się też nigdy teraz. Jakżeż mógł *kochać* to miejsce? Był jego częścią. Nie mógł sobie wyobrazić świata poza nim; lecz myśl o kochaniu Gormenghast zgorszyłaby go. Pytać go o uczucia względem dziedzicznej siedziby byłoby to jak pytać człowieka o uczucia względem własnej ręki czy gardła. Jednakże jego wysokość pamiętał o cherubinach na suficie. Jego pradziad wymalował je z pomocą zapalonego sługi, który spadł siedemdziesiąt stóp z rusztowania i zabił się na miejscu. Wydawało się wszakże, iż obecnie Lord Sepulchrave przejawiał zainteresowanie jedynie dla ksiąg w bibliotece oraz dla nefrytowej gałki na srebrnej lasce, którą mógł badać całymi godzinami.

Po przybyciu każdego ranka, jak było to jego stałym zwyczajem, dokładnie o godzinie dziewiątej, wkraczał do długiej sali i sunął z miną nadzwyczaj melancholijną pomiędzy rzędami długich stołów, gdzie czekali służący wszelkich stopni, stojąc na swoich miejscach, z pochylonymi głowami.

Wstąpiwszy na podwyższenie, zwracał się ku krańcowi stołu, gdzie wisiał ciężki mosiężny dzwon. Uderzał weń. Służący, siadając natychmiast, rozpoczynali posiłek złożony z chleba, wina ryżowego i ciasta.

Menu Lorda Groan było odmienne. Zasiadając tego ranka w krześle z wysokim oparciem, widział przed sobą — poprzez mgiełkę melancholii, która spowijała mu umysł i osłabiała serce, pozbawiając je mocy, zaś członki zdrowia — widział przed sobą śnieżnobiały obrus. Nakryto dla dwóch osób. Połyskiwało srebro, a serwetki zwinięto na kształt pawi i usadowiono ozdobnie na obu talerzach. Wybornie pachniał chleb, słodki i zdrowy. Były tam jajka pomalowane w wesołe barwy, grzanki spiętrzone jak pagoda, warstwa na warstwie, każda krucha jak zwiędły liść; a ryby z ogonami w pyszczkach leżały zwinięte na błękitnych talerzykach. Była kawa w urnie uformowanej w kształcie lwa, z dziobkiem wystającym spomiędzy srebrnych szczęk zwierzęcia. Były wszelkie odmiany barwnych owoców, które wydawały się dziwnie tropikalne w tej ciemnej sali. Były miody i konfitury, galaretki, orzechy i korzenie, a rodową zastawę śniadaniową rozłożono z ogromnym smakiem pośród złotych sztućców rodu Groan. Pośrodku stołu znajdowała się cynowa miseczka z mleczami i pokrzywami.

Lord Sepulchrave siedział w milczeniu. Wydawało się, iż nie dostrzega przysmaków przed sobą, ani też, gdy chwilami unosił głowę, nie wyglądało na to, że widzi długą, zimną salę jadalną i służących przy stołach. Po jego prawej ręce, w przyległym rogu stołu, ustawiono sztućce i fajansową zastawę, co wskazywało na bliskie przybycie towarzysza śniadania jego wysokości. Lord Groan, z oczyma na nefrytowej gałce laski, którą z wolna obracał na okuciu, ponownie uderzył w mosiężny dzwon, zaś w ścianie poza nim otwarły się drzwi. Wkroczył Sourdust z wielkimi księgami pod pachą. Odziany był w szkarłatne workowate płótno. Brodę miał zmierzwioną, a włosy w niej były czarne i białe. Twarz miał pomarszczoną, jak gdyby była z brunatnego papieru zmiętego przez jakąś okrutną dłoń, po czym wygładzonego pospiesznie i rozciągniętego na tkankach. Oczy miał osadzone głęboko i niemal ginące w cieniu rzucanym przez wspaniałe czoło, które pomimo zmarszczek zachowało rozległą szerokość.

Starzec usiadł na krańcu stołu, położył cztery tomy obok porcelanowej karafki i wzniósłszy zapadnięte oczy ku Lordowi Groan, wymruczał te słowa słabym i drżącym głosem, jednakże z pewną godnością, jak gdyby nie chodziło po prostu o odbycie rytuału, lecz jakby zarówno teraz, jak zawsze miało to duże znaczenie.

— Ja, Sourdust, pan na bibliotece, osobisty doradca waszej wysokości, starzec dziewięćdziesięcioletni i badacz wiedzy o rodzie Groan, przekazuję waszej wysokości pozdrowienia o ciemnym poranku, odziany w łachmany, badacz foliałów i dziewięćdziesięcioletni starzec, jakim jestem względem wieku.

Wypowiedział to jednym tchem, po czym kilkakrotnie zakasłał nieprzyjemnie, z ręką na piersi.

Lord Groan wsparł podbródek na kostkach dłoni obejmujących nefrytową gałkę. Twarz miał podłużną, oliwkowej barwy. Oczy miał duże, wymowne, nieobecne. Nozdrza ruchliwe i wrażliwe. Usta, wąska linia. Na głowie miał żelazną koronę Groanów, przymocowaną paskiem pod brodą. Miała ona cztery iglice ukształtowane jak groty strzał. Pomiędzy owymi kolcami wisiały pętle łańcuszków. Posiadając prerogatywę precedensu, spowity był w ciemnoszary szlafrok.

Zdawał się nie słyszeć pozdrowień Sourdusta, lecz po raz pierwszy skupiwszy wzrok na stole, odłamał brzeg grzanki i odruchowo umieścił w ustach. Zakotwiczył ją za policzkiem przez czas trwania niemal całego posiłku. Ryby wystygły na talerzach. Sourdust nałożył sobie jedną, plaster melona i płomiennozielone jajko, lecz wszystko inne na rytualnym stole utraciło świeżość lub ciepło. Poniżej, w długiej suterenie sali, ustał szczęk noży. Wino ryżowe krążyło przedtem wokół stołu, teraz zaś dzbany były próżne. Czekano na znak, by oddalić się do swych obowiązków.

Otarłszy stare usta serwetką, Sourdust zwrócił oczy na jego wysokość, który odchylony ku oparciu krzesła, pił małymi łykami szklankę mocnej herbaty, z oczyma jak zwykle nie widzącymi. Bibliotekarz śledził lewą brew jego wysokości. Na zegarze w odległym krańcu sali była za dwadzieścia jeden minut dziesiąta. Lord Groan zdawał się spoglądać poprzez zegar. Minęło trzy czwarte minuty, była za dziesięć sekund — pięć sekund — trzy sekundy — jedną sekundę — za dwadzieścia dziesiąta. Lewa brew Lorda Groan uniosła się odruchowo na czole i trwała zawieszona pod trzema zmarszczkami. Potem z wolna opadła. W tej samej chwili powstał Sourdust i tupnął w ziemię cienką starczą nogą. Szkarłatne workowate płótno na jego ciele zadrżało, a broda z czarnych i białych węzłów chwiała się gwałtownie.

Stoły opróżniły się natychmiast, w pół minuty ostatni ze świty zniknęli z sali, a wejście dla służby na krańcu sali zamknięto i zaryglowano.

Sourdust usiadł ponownie, dysząc nieco i brzydko kaszląc. Następnie pochylił się przez stół i drapnął widelcem biały obrus przed Lordem Groan.

Jego wysokość zwrócił czarne i wodniste oczy ku staremu bibliotekarzowi i doradcy. — Cóż? — powiedział nieprzytomnie — o co chodzi, Sourdust?

— To dziewiąty dzień miesiąca — powiedział Sourdust.

— Ach — powiedział jego wysokość.

Nastąpiła chwila ciszy, a Sourdust wykorzystał pauzę, by rozsupłać kilka chwostów swej brody.

— Dziewiąty — powtórzył jego wysokość.

— Dziewiąty — wymamrotał Sourdust.

— Ciężki dzień — zadumał się jego wysokość — bardzo ciężki.

Sourdust, zwróciwszy zapadnięte oczy na pana, zawtórował: — Ciężki dzień, dziewiąty... zawsze ciężki dzień.

Wielka łza stoczyła się po policzku Sourdusta, wijąc się po zmiętej powierzchni. Oczy miał zbyt głęboko osadzone w oczodołach, by można je było dostrzec. Nawet najmniejszym znakiem czy ruchem Sourdust nie zaznaczył, że jest w stanie napięcia emocjonalnego. Nigdy też w nim nie bywał, chyba że zdarzało się, iż w momentach refleksji nad sprawami związanymi z tradycjami Zamku wielkie łzy wypływały mu z cieni poniżej czoła. Pomacał wielkie księgi obok talerza. Jego wysokość, jak gdyby podjąwszy decyzję po długich deliberacjach, umieścił laskę na stole i poprawił żelazną koronę. Następnie, wsparłszy dłońmi długi oliwkowy podbródek, zwrócił głowę ku starcowi: — Zaczynaj — szepnął.

Sourdust zgarnął workowatą szatę szybkim, chwiejnym ruchem i powstawszy, przeszedł poza oparcie swego krzesła, które przysunął parę cali bliżej do stołu, a wcisnąwszy się pomiędzy stół i krzesło, usadowił się ponownie z wielką ostrożnością, przy czym było mu wyraźnie znacznie wygodniej niż przedtem. Następnie z wielką rozwagą, pochylając nad każdym pofałdowane czoło, odsunął sprzed siebie rozmaite rodzaje półmisków, flakoników, szklanek, sztućców i letnich teraz przysmaków, oczyszczając półkole białego obrusa. Dopiero wówczas przyciągnął trzy księgi leżące przy jego łokciu. Otworzył je jedna po drugiej, ustawiając ostrożnie na welinowych grzbietach i pozwalając im się otworzyć na stronicach zaznaczonych haftowanymi zakładkami.

Stronice po lewej oznaczono datą, pierwsza zaś z ksiąg zawierała następnie listę czynności, które jego wysokość miał wykonać w ciągu dnia godzina po godzinie. Dokładny czas; ubiór, jaki należało nosić na każdą okazję i symboliczne gesty, jakich należało użyć. Wykresy po przeciwnej stronie przedstawiały szczegóły szlaków, jakimi jego wysokość powinien dotrzeć na rozmaite sceny działania. Wykresy były ręcznie barwione.

Druga księga posiadała puste stronice i miała całkowicie symboliczny charakter, podczas gdy trzecia zawierała masę odsyłaczy.

Gdyby, na przykład, jego wysokość, Sepulchrave, obecny hrabia Groan, był niższy o trzy cale, ubiór, gesty, a nawet szlaki różniłyby się od opisanych w pierwszej księdze, a z przeogromnej biblioteki należałoby wybrać inny tom, który byłby odpowiedni. Gdyby miał jasną cerę lub gdyby był cięższy, gdyby miał oczy zielone, niebieskie czy brązowe zamiast czarnych, wówczas, automatycznie, inny zestaw archaicznych reguł pojawiłby się tego ranka na stole. Jedynie Sourdust pojmował w całej pełni ten złożony system — szczegóły techniczne wymagały studiów całego życia, aczkolwiek wszyscy pojmowali świętego ducha tradycji przejawiającego się w tych codziennych obchodach.

Przez następne dwadzieścia minut Sourdust pouczał jego wysokość o mniej oczywistych szczegółach dziennej pracy, jaka go czekała, wysokim, starczym, łamiącym się głosem, a pokreskowana skóra w kącikach ust drgała pomiędzy zdaniami. Jego wysokość potakiwał w milczeniu. Czasem szlaki zaznaczone na „dziewiątego" w wykresach pierwszej księgi są przestarzałe, jak na przykład, gdzie o godzinie 2.37 po południu Lord Groan miał zejść żelaznymi schodami do szarego przedsionka prowadzącego do sadzawki z karpiami. Schody owe spaczyły się i wykrzywiły siedemdziesiąt lat temu, gdy przedsionek spłonął doszczętnie podczas wielkiego pożaru. Należało zaplanować inny szlak. Plan, który duchem byłby najbliższy właściwemu pomysłowi i który wymagałby tyle samo czasu. Sourdust skreślił chwiejnie końcem widelca nowy szlak na obrusie. Jego wysokość przytakiwał.

Wyjaśniwszy dzienne obowiązki, na minutę przed dziesiątą, Sourdust odprężył się w krześle, a ślina pociekła mu na czarno--białą brodę. Co parę sekund spoglądał na zegar.

Jego wysokość westchnął głęboko. Na chwilę oczy jego rozbłysły i zgasły. Wydawało się, że linia jego ust chwilowo złagodniała.

— Sourdust — powiedział — czy słyszałeś o moim synu?

Sourdust, z oczyma na zegarze, nie dosłyszał pytania jego wysokości. Hałasowało mu w gardle i w piersiach, a usta poruszały się w kącikach.

Lord Groan spojrzał szybko na niego, a twarz mu pobladła pod oliwkową barwą. Ujawszy łyżkę, zgiął ją w trzy czwarte koła. W ścianie za podwyższeniem otwarły się nagle drzwi i wkroczył Flay.

— Już czas — powiedział, podchodząc do stołu.

Lord Sepulchrave uniósł się i skierował ku drzwiom.

Flay skinął ponuro głową człowiekowi w szkarłatnej workowatej szacie i napełniwszy kieszenie brzoskwiniami, podążył za jego wysokością pomiędzy filarami Kamiennej Sali.

RZEPKA PRUNESQUALLORA

Cztery kąty sypialni Fuksji zawalone były porzuconymi zabawkami, książkami i zwojami kolorowych tkanin. Sypialnia mieściła się pośrodku zachodniego skrzydła, na drugim piętrze. Orzechowe łoże zagarnęło całą odleglejszą ścianę, w której znajdowały się drzwi. Dwa trójkątne okna w przeciwległej ścianie wychodziły na blanki, po których snuli się mistrzowie rzeźbiarscy z glinianych lepianek, rysując się na tle zachodzącego słońca co drugi miesiąc przy pełni księżyca. Poza blankami rozpościerały się płaskie pastwiska, a poza pastwiskami były Splątane Bory cierni, które wspinały się na coraz bardziej urwiste zbocza góry Gormenghast.

Fuksja pokryła ściany swego pokoju porywczymi rysunkami węglem. Nie próbowała stworzyć żadnego planu na koralowym tynku w obu krańcach sypialni. Rysunki powstały w rozmaitych chwilach wstrętu lub podniecenia, a chociaż brakowało im subtelności czy proporcji, wypełniała je niezwykła energia. Te gwałtowne pomysły nadały dwom ścianom sypialni wyraz takiego rozpasania, że bezładne sterty zabawek i książek w czterech kątach w porównaniu z tym wydawały się zwarte.

Na strych, jej królestwo, można było dotrzeć jedynie przez ten pokój sypialny. Drzwi na spiralną klatkę schodową, która wznosiła się w ciemność, znajdowały się tuż za łóżkiem, aby więc otworzyć te drzwi, przypominające drzwiczki szafy, trzeba było wysunąć łóżko na środek pokoju.

Fuksja nigdy nie zapominała, by postawić łóżko z powrotem na miejsce, aby zapobiec wtargnięciu do swego sanktuarium. Było to zbyteczne, gdyż nikt, oprócz pani Slagg, nie wchodził do jej sypialni, a stara piastunka w żadnym wypadku nie mogła przedostać się po mniej więcej stu wąskich, ciemnych stopniach, jakie w końcu wychodziły na strych, który, odkąd tylko mogła sięgnąć pamięcią, był dla Fuksji nieskalanym światem.

W ciągu paru pokoleń część rupieci Gormenghast znalazła się w tej strefie zapylonego półmroku, w tym ciepłym, dusznym, bezczasowym miejscu, gdzie wielkie krokwie poruszały się w powietrzu rojącym się od moli. Gdzie kurz był jak pyłek kwiatowy i lekko na wszystkim osiadał.

Strych składał się z dwóch głównych galerii oraz stryszku, a druga galeria odchodziła od pierwszej pod kątem prostym, za zejściem po trzech chybotliwych stopniach. Na jej krańcu drewniana drabina wznosiła się ku balkonowi przypominającemu wąską werandę. W lewym krańcu balkonu zwisające niemo na jednym zawiasie drzwi prowadziły do trzeciego z trzech pomieszczeń, z których składał się strych. Był to stryszek, który dla Fuksji stanowił najbardziej sekretne miejsce, coś w rodzaju pogańskiej kaplicy, orlego gniazda, cytadeli, królestwa, o którym się nigdy nie wspominało, gdyż byłoby to złamaniem słowa — rodzajem bluźnierstwa.

W dniu narodzin brata, gdy cały zamek, pokój pod pokojem, galeria pod galerią, w dół do samych piwnic, wrzał od pogłosek, Fuksja, podobnie jak Rottcodd w Sali Kolorowych Rzeźb, była nieświadoma wypełniającego wszystko podniecenia.

Pociągnęła za długi, czarny warkocz sznura zwisającego z sufitu w kącie sypialni i uruchomiła dzwonek w odległym pomieszczeniu, które pani Slagg zamieszkiwała od lat dwudziestu.

Światło słoneczne przesączało się przez wschodnie wieżyczki, oświetlało Blankę Rzeźbiarzy i dotykało zbocza góry poza nią. W miarę jak słońce wznosiło się, krzewy cierni na górze Gormenghast ukazywały się jeden po drugim w bladym świetle i stawały widmami, jeden po drugim, to tu, to tam, na tle ogromnej masy, póki cały kształt nie spłaszczył się w świetlisty strzępiasty trójkąt na tle ciemności. Siedem chmurek, jak grupa nagich cherubinków lub prosiątek, płynęło pulchnymi różowymi ciałkami po szaronie-bieskim niebie. Fuksja śledziła je ponuro przez okno. Potem wydę-ła dolną wargę. Ręce miała na biodrach. Bose stopy tkwiły całkiem nieruchomo na podłodze.

— Siedem — powiedziała, spoglądając na każdą spode łba. — Jest ich siedem. Jedna, druga, trzecia, czwarta, piąta, szósta, siódma. Siedem chmur.

Mocniej otuliła ramiona żółtym szalem, gdyż drżała w nocnej koszuli, i ponownie pociągnęła za warkocz na panią Slagg. Pobu-szowawszy w szufladzie, znalazła kawałek czarnej kredy i zbli-żywszy się do miejsca na ścianie, które było stosunkowo wolne, nakreśliła zjadliwą 7, a wokół niej narysowała kółko ze słowem „CHMÓRY" wypisanym u dołu dużymi, zdecydowanymi literami.

Odwróciwszy się od ściany, Fuksja zrobiła niezgrabny, chwiejny krok w kierunku łóżka. Jej czarne jak smoła włosy opadały luźno na ramiona. Oczy, w których zawsze tlił się ogień, utkwiła w drzwiach. Tak pozostała, z jedną wysuniętą stopą, aż klamka się poruszyła i weszła pani Slagg.

Na jej widok Fuksja podjęła przechadzkę z miejsca, gdzie ją przerwała, lecz zamiast iść w kierunku łóżka, pięciu krokami zbliżyła się do pani Slagg i zarzuciwszy szybko ramiona na szyję staruszki, ucałowała ją gwałtownie, odskoczyła, a potem, przyzy-wając ją do okna, wskazała ku niebu. Pani Slagg zerknęła wzdłuż wyciągniętego ramienia i palca Fuksji i zapytała, co tam widać.

— Tłuste chmury — powiedziała Fuksja. — Jest ich siedem.

Staruszka zmrużyła oczy i zerknęła raz jeszcze, lecz tylko przez chwilę. Potem wydała dźwięk, który zdawał się oznaczać, że nie zrobiło to na niej wrażenia.

— Dlaczego siedem? — powiedziała Fuksja. — Siedem jest dla-czegoś. Co to jest siedem? Jeden to świetna złota mogiła — dwa to potworna pochodnia z blachy; trzy to kopa kapryśnych koni; cztery to rycerz z gałązką perzu; pięć to ryba z przydatnymi płetwami, sześć — zapomniałam sześć, a siedem? Co to jest siedem? Osiem to żaba z oczyma jak kamyki, dziewięć, co to jest dziewięć? Dziewięć to — dziewięć, dziewięć — dziesięć to góra niesfornych grzanek. Ale co jest siedem. Co jest siedem?

Fuksja tupnęła nogą i spojrzała w twarz nieszczęsnej staruszki. Niania Slagg zaczęła wydawać słabe gardłowe dźwięki, co było jej metodą zyskiwania na czasie, a potem powiedziała: — Czy nie zechciałabyś gorącego mleka, mój skarbie? Powiedz mi zaraz, bo jestem zajęta, muszę nakarmić białe koty twojej matki, kochanie. Właśnie dlatego, że jestem energicznego usposobienia, serdeńko, każą mi wszystko robić. Dlaczego dzwoniłaś? Szybko, szybko, moje ziółko. Dlaczego dzwoniłaś?

Fuksja przygryzła dużą, czerwoną dolną wargę, odrzuciła nocną czuprynę z czoła i wyglądała przez okno, objąwszy dłońmi łokcie za plecami. Stała się bardzo sztywna i kanciasta.

— Chcę duże śniadanie — powiedziała wreszcie Fuksja. — Chcę dużo do jedzenia, będę dzisiaj myśleć.

Niania Slagg badała brodawkę na lewym przedramieniu.

— Nie wiesz, gdzie idę, ale idę gdzieś, gdzie mogę myśleć.

— Tak, kochanie — powiedziała stara piastunka.

— Chcę gorącego mleka i jajka, i mnóstwo grzanek przypieczonych tylko z jednej strony — Fuksja zmarszczyła się, zamilknąwszy na chwilę — i chcę torebkę jabłek, żeby je zabrać z sobą na cały dzień, bo chce mi się jeść, kiedy myślę.

— Tak, kochanie — powiedziała znowu pani Slagg, wyciągając urwaną nitkę z obrąbka sukni Fuksji. — Dołóż do ognia, moje ziółko, a ja przyniosę śniadanie i pościelę ci łóżko, chociaż niezbyt dobrze się czuję.

Fuksja nagle rzuciła się znowu na starą piastunkę i ucałowawszy ją w policzek, wypuściła z pokoju, zamykając drzwi za oddalającą się postacią z hukiem, który rozbrzmiał w ponurych korytarzach.

Gdy tylko drzwi się zamknęły, Fuksja wskoczyła na łóżko i zanurkowawszy głową naprzód pomiędzy pledy, wpełzła do samego końca, gdzie, jak wszystko wskazywało, wdała się w walkę na śmierć i życie z jakimś zaczajonym potworem. Falowanie pościeli skończyło się tak nagle, jak się zaczęło, a ona wynurzyła się z parą długich wełnianych pończoch, które musiała skopać w nocy. Usiadłszy na poduszkach, zaczęła je wciągać, kolejnymi szarpnięciami, z trudnością przekręcając, bardzo późno, piętę z przodu do tyłu.

— Z nikim się dzisiaj nie zobaczę — powiedziała do siebie — nie, zupełnie z nikim. Pójdę do mojego tajemnego pokoju i przemyślę rzeczy. — Uśmiechnęła się do siebie. Był to uśmiech przebiegły, lecz tak dziecinnie przebiegły, że sympatyczny. Jej wargi, duże, ładnie ukształtowane i niezwykle dojrzałe, zawinęły się jak pulchne płatki kwiatowe ukazując białe zęby.

Zaledwie się uśmiechnęła, jej twarz zmieniła się znowu i opanował ją wyraz rozdrażnienia, obcy jej rysom. Czarne brwi ściągnęły się.

Ubieranie zaczęły przerywać, pomiędzy dodaniem każdej nowej części garderoby, taneczne ruchy jej własnego pomysłu. Nie było nic eleganckiego w postawach, które przybierała, stojąc czasem tuzin sekund w jakiejś niezwykłej pozycji i utrzymując równowagę. Oczy jej zachodziły mgłą jak oczy jej matki, a wyraz oderwanego spokoju na chwilę zaprzeczał naturalnemu skupieniu twarzy. Wreszcie wciągnęła przez głowę krwistoczerwoną suknię, zupełnie bezkształtną. Nie pasowała nigdzie, z wyjątkiem miejsca, gdzie zielony sznur był zamotany w talii. Wydawało się, że Fuksja raczej zamieszkiwała, niż nosiła swe ubrania.

Tymczasem pani Slagg nie tylko przygotowała śniadanie dla Fuksji w swym pokoiku, ale powracała już z wyładowaną tacą chwiejącą się jej w rękach. Gdy mijała załamanie korytarza, zatrzymało ją z łoskotem nagłe pojawienie się doktora Prunesquallora, który uniknął zderzenia, zatrzymawszy się gwałtownie.

— No, no, no, no, no, ha, ha, ha, czyż to nie droga pani Slagg, ha, ha, ha, jakże bardzo, bardzo, bardzo dramatyczne — powiedział doktor, z długimi dłońmi splecionymi pod brodą, a jego wysoki śmiech zazgrzytał wzdłuż drewnianego sufitu korytarza. Jego okulary zatrzymały w soczewkach maleńkie odbicie Niani Slagg.

Stara piastunka nigdy naprawdę nie pochwalała doktora Prunesquallora. Prawda, że należał do Gormenghast, tak samo jak Wieża. Nie był intruzem, a jednak w oczach pani Slagg był zdecydowanie *nie na miejscu*. Po pierwsze, nie odpowiadał jej wyobrażeniu o doktorze, chociaż nie mogła udowodnić dlaczego. Nie mogła również przypisać swej niechęci żadnej przyczynie. Niani Slagg przychodziło z trudnością uporządkowanie myśli nawet w najlepszych chwilach, lecz kiedy splatały się one z jej uczuciami, stawała się całkiem bezradna. Czuła, choć nigdy tego nie analizowała, że doktor Prunesquallor raczej gra dla niej, a nawet, że w tępy sposób się z niej wyśmiewa. Nigdy tego nie pomyślała, lecz czuła to w kościach.

Spojrzała na człowieka o zmierzwionej czuprynie i zdziwiła się, czemu nigdy nie czesał włosów, potem zaś zawstydziła się, że pozwala sobie na takie myśli o gentlemanie, a taca się zatrzęsła i oczy nieco rozbiegały.

— Ha, ha, ha, ha, ha, moja droga pani Slagg, proszę mi dać tacę, ha, ha, póki nie pokosztuje pani owoców dysputy i nie powie, co pani porabiała przez ostatni miesiąc czy dłużej. Czemu to pani nie widziałem, Nianiu Slagg? Czemu uszy moje nie słyszały pani kroków na schodach ani pani głosu o zmroku, wołającego... wołającego...?

— Jej wysokość nie chce mnie już więcej, proszę pana — powiedziała Niania Slagg, patrząc na doktora z wyrzutem. — Trzyma się mnie teraz w zachodnim skrzydle, proszę pana.

— Więc to tak, prawda? — powiedział doktor Prunesquallor, odbierając Niani Slagg wyładowaną tacę i opuszczając jednocześnie ją i siebie na podłogę długiego korytarza. Przysiadł tam na piętach z tacą u boku i spoglądał na starszą panią, która wlepiała przerażony wzrok w jego oko pływające potężnie za powiększającymi szkłami.

— *Trzyma się* panią w zachodnim skrzydle? Więc to tak? — doktor Prunesquallor pogładził podbródek palcem wskazującym i kciukiem w głębokiej zadumie i zmarszczył się wspaniale. — To słowo „trzyma" mnie drażni, droga pani Slagg. Czy jest pani zwierzęciem, pani Slagg? Powtarzam, czy jest pani zwierzęciem? — Mówiąc to, dźwignął się na poły w górę i z wysuniętą ku przodowi szyją powtórzył pytanie po raz trzeci.

Biedna Niania Slagg zbyt była przestraszona, by mogła udzielić odpowiedzi na zapytanie.

Doktor ponownie opuścił się na pięty.

— Odpowiem sam na moje pytanie, pani Slagg. Znam panią od jakiegoś czasu. Powiedzmy, od dziesięciu lat? Prawda, nigdy nie zgłębialiśmy razem tajników czarnoksięstwa ani też nie dyskutowaliśmy o znaczeniu bytu —— ale z pewnością mogę powiedzieć, iż znam panią od dłuższego czasu i że nie jest pani *zwierzęciem*. Nie jest pani *absolutnie* zwierzęciem. Niech mi pani usiądzie na kolanie.

Niania Slagg, przerażona propozycją, podniosła drobne kościste dłonie ku ustom i uniosła w górę ramiona. Potem obrzuciła spłoszonym wzrokiem korytarz i już miała rzucić się do ucieczki, gdy pochwycono ją pod kolana, jednak nie niegrzecznie, choć mocno, i ani się obejrzała, gdy siedziała na wysokiej, kościstej rzepce kolanowej przykucniętego doktora.

— Pani *nie* jest zwierzęciem — powtórzył Prunesquallor — prawda?

Stara piastunka zwróciła pomarszczoną twarz ku doktorowi i słabo potrząsnęła głową.

— Oczywiście, że nie. Ha, ha, ha, ha, ha, oczywiście, że nie. Proszę mi powiedzieć, kim pani jest?

Piąstka Niani znowu powędrowała do ust, a w oczach znów pojawił się przestrach.

— Jestem... jestem starą kobietą — powiedziała.

— Jest pani bardzo niezwykłą starą kobietą — powiedział doktor — a jeśli się nie mylę, już wkrótce okaże się pani niezwykle nieocenioną starą kobietą. Och tak, ha, ha, ha, och tak, istotnie, bardzo nieocenioną starą kobietą. (Nastąpiła chwila milczenia.) — Od jak dawna nie widziała pani jej wysokości, hrabiny? Pewnie od bardzo dawna.

— Tak, tak — powiedziała Niania Slagg — od bardzo dawna. Od całych miesięcy.

— Tak myślałem — powiedział doktor. — Ha, ha, ha, tak właśnie myślałem. A więc nie ma pani pojęcia, dlaczego będzie pani nieodzowna?

— Och nie, proszę pana! — powiedziała Niania Slagg, spoglądając na tacę śniadaniową, której zawartość szybko stygła.

— Czy lubi pani niemowlęta, moja droga pani Slagg? — zapytał doktor, przesuwając nieszczęsną kobietę na drugie ostro sklepione kolano i rozprostowując pierwszą nogę, jak gdyby chciał jej ulżyć. — Czy lubi pani maleńkie stworzonka, tak ogólnie?

— Niemowlęta? — powiedziała pani Slagg z niezwykłym u niej ożywieniem. — Mogłabym jeść maleństwa, proszę pana, mogłabym je jeść!

— Właśnie — powiedział doktor Prunesquallor — właśnie, moja dobra kobieto. Mogłaby je pani jeść. To nie będzie potrzebne. Prawdę mówiąc, byłoby to z pewnością szkodliwe, droga pani Slagg, a zwłaszcza w okolicznościach, co do których muszę teraz panią oświecić. Powierzy się dziecko pani opiece. Niech go pani nie pożre, Nianiu Slagg. Będzie je pani wychowywać, to prawda, ale nie będzie potrzeby wpierw go połykać. Połknęłaby pani, ha, ha, ha, ha — jednego z Groanów.

Wiadomość ta przeniknęła stopniowo do mózgu Niani Slagg i nagle oczy jej poszerzyły się bardzo.

— Nie, och, nie, proszę pana!

— Tak, och, tak, proszę pana! — odrzekł lekarz. — Chociaż ostatnio hrabina odsunęła panią od swej osoby, jednakże, Nianiu Slagg, z konieczności przywróci się pani, ha, ha, ha, przywróci się pani bardzo ważną pozycję. Kiedyś tam dzisiaj, o ile się nie mylę, moja szerokooka Nianiu Slagg, odbiorę nowiutkiego Groana. Czy pamięta pani, kiedy odebrałem Lady Fuksję?

Niania Slagg poczęła się cała trząść, a łza stoczyła się po jej policzku, gdy splótłszy dłonie pomiędzy kolanami, omal nie spadła z niepewnego siedliska.

— Pamiętam każdą najdrobniejszą rzecz, proszę pana — każdą najdrobniejszą rzecz. Któż by pomyślał?

— Właśnie — przerwał doktor Prunesquallor. — Któż by pomyślał. Ale muszę już iść, ha, ha, ha, muszę usunąć panią, Nianiu Slagg, z mojej rzepki — ale proszę mi powiedzieć, czy nic pani nie wiedziała o stanie jej wysokości?

— Och, proszę pana — powiedziała starsza pani, gryząc dłoń i umykając z oczyma. — Nic! nic! Nikt mi nigdy nic nie mówi.

— Jednak wszystkie obowiązki spadną na panią — powiedział doktor Prunesquallor. — Choć niewątpliwie będzie pani zadowolona. Nie ma wątpliwości. Prawda?

— Och, proszę pana, nowe dziecko, po tak długim czasie! Och, mogłabym go już wycałować.

— Go? — zapytał doktor. — Ha, ha, ha, bardzo jest pani pewna rodzaju, droga pani Slagg.

— Och, tak, proszę pana, to będzie on. Och, co za szczęście. Ale *pozwolą* mi go wziąć, proszą pana? Pozwolą mi, prawda?

— Nie mają wyboru — powiedział doktor, nieco zbyt żwawo jak na gentlemana, uśmiechając się szeroko i bezmyślnie, a jego cienki nos wskazywał prosto ku pani Slagg. Szary stóg włosów odsunął się od ściany. — A co z Fuksją? Czy coś podejrzewa?

— Och, nie, niczego nie podejrzewa. Niczego nie podejrzewa, proszę pana, Bóg z nią. Rzadko kiedy wychodzi ze swego pokoju, chyba w nocy, proszę pana. Nic nie wie, proszę pana, i nigdy nie rozmawia z nikim, tylko ze mną.

Doktor powstał, usunąwszy Nianię Slagg z kolana. — Cała reszta Gormenghast nie mówi o niczym innym, lecz zachodnie skrzydło nic nie wie. Bardzo, bardzo, bardzo dziwne. Piastunka dziecka i siostra dziecka nic nie wiedzą, ha, ha, ha. Ale już niedługo, już niedługo. Na wszystko, co światłe, już niedługo!

— Proszę pana? — zagadnęła Niania Slagg, gdy doktor zabierał się do odejścia.

— Co? — powiedział doktor Prunesquallor, badając swe paznokcie. — O co chodzi, droga pani Slagg? Tylko szybko.

— Eee — jak się *ona* miewa? Jak się miewa jej wysokość?

— Krzepka jak zwierz — powiedział Prunesquallor i za chwilę był już za zakrętem, a Niania Slagg, z ustami i oczyma szeroko otwartymi, usłyszała, podnosząc zimną tacę, jak stopy jego elegancko bębniły w odległym korytarzu, kiedy sunął jak ptak w kierunku sypialni hrabiny Groan.

Gdy pani Slagg zapukała do drzwi Fuksji, serce jej biło szybko. Mijało zawsze sporo czasu, zanim zdała sobie sprawę z tego, co jej powiedziano, więc dopiero teraz odczuwała w pełni to, co wyjawił jej doktor. Być znowu, po tylu latach, piastunką dziedzica rodu Groan — móc kąpać bezbronne członeczki, prasować ubranka i wybrać mamkę w zewnętrznych domostwach. Mieć pełnię władzy we wszystkim związanym z opieką nad drogim maleństwem — wszystko to teraz ciążyło ciężarem bolesnej dumy jej bijącemu szybko sercu.

Uczucie to opanowało ją tak bardzo, że zapukała dwukrotnie, zanim zauważyła kartkę przypiętą na drzwiach. Przyjrzawszy się jej, odczytała wreszcie, co Fuksja nabazgrała nieodłącznym węglem.

Nie mogę czekać wiecznie — jesteś tak POWOLNA!

Pani Slagg nacisnęła klamkę, choć wiedziała, że drzwi będą zamknięte. Pozostawiwszy tacę i jabłka na macie przed drzwiami, powróciła do swego pokoju, gdzie mogła zagłębić się w błogie obrazy przyszłości. Wydawało się, że życie jeszcze się dla niej nie skończyło.

STRYCH

Tymczasem Fuksja, niecierpliwie wyczekująca śniadania, podeszła do szafki, gdzie trzymała podręczny zapas jedzenia — pół starego makowca i nieco mleczowego wina. Było tam także pudełko daktyli, skradzione przez Flaya i przyniesione jej przed paroma tygodniami, oraz dwie pomarszczone gruszki. Zawinęła to w kawałek tkaniny. Następnie zapaliła świecę i umieściła ją na podłodze tuż przy ścianie, po czym wyprężywszy silny młody grzbiet, pochwyciła poręcz łóżka i odciągnęła je na tyle, by się przecisnąć pomiędzy poręczą a ścianą i odryglować drzwiczki. Sięgnąwszy ponad poręczą, chwyciła zawiniątko z jedzeniem, po czym podniosła świecę z ziemi i pochyliwszy głowę, wsunęła się przez wąski otwór i znalazła na najniższych stopniach schodów wiodących w górę ciemnymi spiralami. Zamknąwszy za sobą drzwi, zaciągnęła zasuwę, a drżenie, którego zawsze doświadczała w chwili zamykania się, opanowało ją teraz, przez chwilę więc dygotała od stóp do głów.

Potem zaczęła wstępować w swoją krainę, a świeca oświetlała jej twarz i trzy pochyłe stopnie tuż przed nią.

W miarę jak Fuksja wspinała się w krętą ciemność, ciało jej przenikał i osłabiał niepokój jakby zielonego kwietnia. Jej serce biło boleśnie.

Jest to miłość równa potęgą miłości mężczyzny do kobiety i równie głęboka. Jest to miłość mężczyzny lub kobiety do swego własnego świata. Świata własnego ja, gdzie życie ich spala się szczerze i swobodnie.

Miłość nurka do świata chybotliwego światła. Świata pereł i pnączy, i własnego oddechu na piersi. Buszujący w głębiach od urodzenia, jednoczy się on z każdą ławicą bladozielonych ryb, z każdą barwną gąbką. Przywarłszy do bajecznego dna oceanu, z dłonią wspartą o zagrzebane w piasku żebro wieloryba, jest całkowity i nieskończony. Puls, potęga i wszechświat władają jego ciałem. Jest zakochany. Miłość malarza, który stoi samotnie i patrzy, patrzy na tworzoną przez siebie wielką barwną powierzchnię. Rozpostarte płótno w pokoju spogląda na niego tymczasowymi kształtami zatrzymanymi w rozwoju, poruszającymi się nowym rytmem od podłogi do sufitu. Pogięte tubki, świeża farba wyciśnięta i rozmazana na suchej farbie na palecie. Kurz pod sztalugami. Farba spływa po trzonkach pędzli. Ciche białe światło na północnym niebie. Okno szeroko otwarte, gdy wdycha swój świat. Swój świat: wynajęty pokój i terpentyna. Podchodzi ku na wpół narodzonemu. Jest zakochany.

Żyzna ziemia przesypuje się pomiędzy palcami wieśniaka. Tak jak poławiacz pereł mruczy: „Jestem w domu", poruszając się mgliście w dziwnych podwodnych światłach, tak jak malarz szepce: „Jestem sobą" na samotnej tratwie podłogi, tak powolny rolnik na karze iłu powiada wraz z Fuksją na krętych schodach: — Jestem w domu.

Fuksja doświadczała tego uczucia przynależności do krętych schodów i strychu, przesuwając prawą dłonią wzdłuż drewnianej ściany w miarę wspinania, aż napotkała obluzowaną deskę, jak tego oczekiwała. Wiedziała, że pozostało tylko osiemnaście stopni i że za dwoma jeszcze zakrętami schodów powita ją nieopisana, szaro-złota, przesączająca się poświata strychu.

Osiągnąwszy najwyższy stopień, przygarbiła się i pochyliła ku wysokim na trzy stopy drzwiom wahadłowym, jak drzwi obory, odemknęła zasuwę i weszła do pierwszej z trzech części strychu.

Przenikające poranne słońce nadawało rozmaitym przedmiotom pewien mglisty kształt, lecz w żadnym wypadku nie rozpraszało ciemności. Tu i ówdzie ciepły, zadumany mrok przecinał wąski promień światła, pełen wolno sunących pyłków, jak rozrzedzony firmament gwiazd krążących w uroczystym porządku.

Jeden z tych wąskich promieni oświetlił czoło i ramię Fuksji, inny wydobył ton szkarłatu z jej sukni. Na prawo znajdowały się ogromne, rozsypujące się organy. Miały rozbite piszczałki i połamaną klawiaturę. Dziesięcioletnia praca szarych pająków utkała pajęczyny w koronkowy szal przepasujący cały przód. Brakowało tylko, by z pyłu powstał duch infantki i owinął go wokół głowy i ramion jak najbajeczniejszą mantylę.

W mroku z trudem można było dojrzeć oczy Fuksji, gdyż światło na czole pogłębiło, poprzez kontrast, cienie na jej twarzy. Były jednak spokojne. Podniecenie, które zrodziło się w nich na schodach, ustąpiło miejsca dziwnemu spokojowi. Stała u szczytu schodów niemal jak inna osoba.

To było najciemniejsze pomieszczenie. W lecie światło zdawało się przenikać przez szczeliny w wypaczonym drewnie i przez obluzowane części kamiennej dachówki mniej wyraźnie niż w większym pomieszczeniu czy też galerii na prawo. Trzeci, najmniejszy strych, na który wiodły z galerii schody z ogrodzoną werandą, był najlepiej oświetlony, gdyż szczycił się oknem z okiennicami, które, gdy je otwarto, wychodziło na panoramę dachów, wież i blanek rozciągających się poniżej ogromnym półkolem. Pomiędzy wysokimi bastionami można było dojrzeć, setki stóp w dole, część dziedzińca, gdzie jakakolwiek poruszająca się postać wydałaby się nie większa niż naparstek.

Fuksja zrobiła trzy kroki naprzód na pierwszym strychu, po czym zatrzymała się na chwilę, by zawiązać sznurek nad kolanem. Nad jej głową majaczyły niewyraźne krokwie, które wyprostowawszy się, zauważyła, poczuwszy ku nim nieświadomą miłość. Była to rupieciarnia. Choć długa i wysoka, wydawała się znacznie mniejsza, gdyż fantastyczne sterty wszelkich możliwych przedmiotów, począwszy od wielkich organów do urwanej malowanej głowy zniszczonego dziecinnego lwa, który był z pewnością zabawką któregoś z przodków Fuksji, rozciągały się wzdłuż ścian, tak że pozostała jedynie uliczka do przyległego pomieszczenia. Owa wysoka, wąska uliczka wiła się przez środek pierwszego strychu, po czym nagle skręcała ostro na prawo. To, że pomieszczenie wypełniały rupiecie, nie oznaczało, że Fuksja je lekceważyła i używała jedynie do przejścia. Och nie, gdyż tutaj właśnie spędziła niejedno długie popołudnie, wpełznąwszy głęboko w zakamarki i znalazłszy sobie niejedną dziwną pieczarę pomiędzy dziwacznymi szczątkami przeszłości. Znała przejścia przez sam środek tego, co wydawało się pagórkami mebli, pudeł, instrumentów muzycznych i zabawek, latawców, obrazów, bambusowych zbroi i hełmów, flag i wszelkich szczątków, tak jak Indianin zna zielone tajne ścieżki. W zasięgu jej ręki głowa i skóra zdarta z pawiana wisiały w kurzu na połamanym bębnie, wznoszącym się ponad niewyraźnymi wzgórzami strychowej zbieraniny. W ciepłym nieruchomym półmroku wydawały się one ogromne i nieprzebyte, lecz Fuksja, gdyby tylko chciała, mogłaby schować się niezdarnie, lecz nagle w tych fantastycznych górach, dotrzeć do wnętrza, położyć się na starożytnej otomanie z książką z obrazkami w ręku i całkowicie zniknąć z oczu w ciągu paru chwil.

Tego ranka udawała się do trzeciego pomieszczenia, więc szła przez wąwóz, schyliwszy się pod wypchaną nogą żyrafy, którą dotknęło pasemko zapylonego słońca, i która, stercząc w poprzek drogi Fuksji, tworzyła coś w rodzaju niskiego nadproża tuż przed miejscem, gdzie korytarz zakręcał na prawo. Minąwszy zakręt, Fuksja zobaczyła to, czego oczekiwała. Dwanaście stóp dalej znajdowały się drewniane stopnie wiodące w dół na drugi strych. Krokwie ponad nimi spaczyły się w obwisłe wygięcie, przez co nie można było w pełni zobaczyć dalszego pomieszczenia. Jednakże widoczna przestrzeń pustej podłogi dawała pojęcie o całości. Zeszła po stopniach. Było to oberwanie chmur; przed nią rozpościerało się niebo, pustynia, zapomniany ląd.

Krocząc po pustej podłodze, szła jak gdyby w przestrzeń. Przestrzeń, jaką przenikliwie przeczuwają kondory, a orzeł dostrzega krwią.

Była tam cisza o głośnym rytmie. Sale, wieże i komnaty Gormenghast znajdowały się na innej planecie. Fuksja pochwyciła gruby pukiel włosów i odchyliła głowę do tyłu, a serce jej biło głośno, dreszcz przebiegał ją od stóp do głów, a w kącikach oczu pojawiły się brylanciki.

Jakimiż osobami napełniała tę zagubioną scenę pustki! To tutaj widziała ludzi swej wyobraźni, stworzone przez nią groźne postaci, które chodziły z kąta w kąt, dumały jak potwory lub fruwały w powietrzu jak serafiny o płonących skrzydłach, lub tańczyły, walczyły, śmiały się lub płakały. To był jej strych udawania, gdzie śledziła towarzyszy swych myśli zbliżających się lub oddalających po zakurzonej podłodze.

Ściskając mocno jedzenie w zawiniątku, kroczyła ku przymocowanej drabinie wiodącej na balkon w końcu sali, a echo jej stóp dzwoniło głucho. Wspięła się po drabinie, stawiając razem obie stopy na każdym szczeblu, gdyż trudno było jej się wspinać z butelką i jedzeniem na cały dzień pod pachą. Nikt nie widział jej mocnych, prostych pleców i ramion ani niezgrabnych, nieprzystojnych ruchów nóg, gdy wspinała się w szkarłatnej sukni; ani też długich, splątanych, atramentowoczarnych włosów. W połowie drogi zdołała unieść tobołek nad głowę i wsunąć go na podest, a potem wdrapała się na balkon i stanęła na nim, z wielką sceną poniżej jak puste i nie pamiętane serce.

Patrząc w dół, z dłońmi na drewnianej poręczy biegnącej wzdłuż strychowej werandy, wiedziała, że na zawołanie może uruchomić pięć głównych postaci, jakie wymyśliła. Te, które tak często śledziła w dole, niemal jak gdyby były tam naprawdę. Najpierw nie udawało się ich zrozumieć lub powiedzieć im, co mają robić. Lecz teraz byłoby łatwo, przynajmniej im, odegrać sceny, które tak często przedstawiali na jej oczach. Munster, który pełzałby wśród krokwi i zeskoczył z chichotem na środek podłogi, ukłoniwszy się Fuksji, nim się odwróci i zacznie szukać swej beczułki błyszczącego złota. Lub Deszczowy Człowiek, który poruszał się zawsze z opuszczoną głową i założonymi do tyłu rękami, i któremu wystarczyło jedynie unieść powiekę, by poskromić tygrysa chodzącego za nim na łańcuchu.

Te i inne dramaty, w których brali udział, drzemały teraz w sali na dole, lecz Fuksja minęła krzesło z wysokim oparciem, na którym siadywała na krańcu werandy, i ostrożnie pociągnąwszy za drzwi na jednym zawiasie, weszła do trzeciego z pomieszczeń.

Położyła zawiniątko na stole w kącie, podeszła do okna i otworzyła okiennice. Pończocha znów jej się zsunęła, więc mocniej zawiązała sznurek na udzie. Miała zwyczaj często myśleć głośno w tym pokoju. Dyskutować z sobą. Spoglądając z okienka na dachy zamku i na przyległe budynki, rozkoszowała się swą izolacją. — Jestem sama — powiedziała, z podbródkiem wspartym na rękach, z łokciami na parapecie. — Jestem całkiem sama, tak jak to lubię. Teraz mogę myśleć, bo nikt tu mnie nie drażni. Nie w moim pokoju. Nikt mi nie mówi, co powinnam robić, bo jestem damą. Och, nie. Tutaj robię właśnie to, co chcę. Fuksja dobrze się tu czuje. Nikt nie wie, gdzie idę. Flay nie wie. Ojciec nie wie. Matka nie wie. Nikt nie wie. Nawet Niania nie wie. Tylko ja wiem. Wiem, gdzie idę. Idę tutaj. Tutaj idę. Po schodach i do mojej rupieciarni. Przez rupieciarnię do mojej teatralnej sali. Poprzez teatralną salę po drabinie na moją werandę. Przez drzwi na mój tajemny strych. I oto jestem tutaj. Jestem tu teraz. Byłam tutaj mnóstwo razy, ale to jest przeszłość. To minęło, ale kiedy jestem tu teraz, to teraźniejszość. To jest teraźniejszość. Patrzę na teraźniejsze dachy i opieram się na teraźniejszym parapecie, a później, kiedy będę starsza, będę się znowu opierać na tym parapecie. Znowu i znowu.

Teraz się rozgoszczę i zjem śniadanie — ciągnęła do siebie, lecz odwracając się, zauważyła bystrym wzrokiem w rogu jednego z pomniejszonych dziedzińców daleko w dole niezwykle liczną gromadę, w której z trudem rozpoznała służących z kuchni. Tak przywykła do tego, że panorama w dole była pusta o tej porannej porze, bowiem służebni zajmowali się rozlicznymi obowiązkami w zamku, że odwróciła się nagle ku oknu, spoglądając w dół podejrzliwie i niemal ze strachem. Cóż ją tak wzburzyło, iż czuła, że stało się coś nieodwracalnego? Ktoś obcy nie widziałby nic niestosownego czy niezwykłego w fakcie, że setki stóp w dole grupa zebrała się w rogu nasłonecznionego kamiennego dziedzińca, lecz Fuksja, urodzona i wychowana w żelaznym rytuale Gormenghast, wiedziała, że zanosi się na coś niesłychanego. Patrzyła, a grupa powiększała się. Wystarczyło to, by wytrącić Fuksję z nastroju, zaniepokoić ją i rozzłościć.

— Coś się stało — powiedziała — coś, o czym mi nikt nie powiedział. Nie powiedzieli mi. Nie lubię ich. Nikogo nie lubię. Co oni tam robią jak mrówki w dole? Dlaczego nie pracują, jak powinni? — Odwróciła się twarzą do wnętrza pokoju.

Wszystko się zmieniło, wzięła jedną gruszkę i w roztargnieniu odgryzła kawałek. Spodziewała się, że spędzi ranek na rozmyślaniach i może jednej czy dwu sztukach na pustym strychu, zanim zejdzie po schodach, by domagać się od pani Slagg obfitego podwieczorku. Było coś złowieszczego w grupie na dole. Jej dzień był zniszczony.

Rozglądnęła się po ścianach swego pokoju. Wisiały na nich obrazy wybrane kiedyś przez nią jako ulubione spośród dziesiątków, jakie odkryła w rupieciarni. Jedną ścianę wypełniała wielka scena górska, gdzie drogę wijącą się jak wąż wokół najokazalszej turni zalewały dwie armie, jedna żółta, a druga, siła nacierająca z dołu, purpurowa. Oświetlona jakby blaskiem pochodni, scena ta stale zadziwiała Fuksję, lecz tego ranka patrzyła na nią obojętnie. Inne ściany przyozdobiono mniej okazale, rozwieszając na trzech piętnaście obrazów. Głowa jaguara; portret dwudziestego drugiego hrabiego Groan o śnieżnobiałych włosach i z twarzą barwy dymu w wyniku nieumiarkowanego tatuowania; oraz gromadka dzieci w różowych i białych muślinowych sukienkach bawiących się żmiją były wśród dzieł, które najbardziej się jej podobały. Setki nieciekawych głów i pełnych portretów jej przodków pozostały w rupieciarni. Fuksja żądała od obrazu czegoś nieoczekiwanego. Tak jakby lubiła, by artysta mówił jej coś zupełnie świeżego i nowego. Coś, o czym nigdy przedtem nie pomyślała.

Pośrodku pokoju stał wielki powykrzywiany korzeń, dawno temu przywleczony z lasów na górze Gormenghast. Wypolerowany był do niezwykłego połysku, tak że lśniła każda fałda. Fuksja rzuciła się na najokazalszy przedmiot w pokoju, na sofę o wypłowiałej wspaniałości i miękkim kształcie, na której kanciastość jej wpółrozpartego ciała uwydatniała się z nieugiętą wyrazistością. Jej oczy, które odkąd weszła na strych, przybrały tak jej obcy wyraz spokoju, znów się żarzyły. Obiegały pokój, jak gdyby na próżno szukając miejsca, by spocząć, lecz ani fantastyczny korzeń, ani wymyślne wzory dywanu na podłodze nie były w stanie ich przyciągnąć.

— Wszystko jest nie tak. Wszystko. Wszystko — powiedziała Fuksja. Znowu podeszła do okna i wyjrzała na gromadę na dziedzińcu. Powiększyła się teraz tak, że wypełniała cały widoczny kamienny plac. Poprzez przyporę na lewo miała widok na cztery dalekie uliczki w ubogiej dzielnicy Gormenghast. Uliczki te przystrajały grupki ludzi, a Fuksja była przekonana, że słyszy odległy gwar ich głosów wzbijający się w górę. Fuksja nie odczuwała żadnego szczególnego zainteresowania dla „okazji" czy uroczystości, które mogłyby wywołać podniecenie na dole, lecz tego ranka wyraźnie uświadamiała sobie, że działo się coś, co będzie i jej dotyczyło.

Na stole leżała duża kolorowa książka z wierszami i obrazkami. Czekała tam zawsze, by mogła ją otworzyć i pochłaniać. Fuksja zwykła przewracać stronice i czytać głośno wiersze głębokim dramatycznym głosem. Tego ranka pochyliła się, obojętnie przewracając strony. Gdy dotarła do ulubionego, zatrzymała się i przeczytała go powoli, lecz myślami była gdzie indziej.

SWAWOLNE CIASTKO

Pewne ciastko w cętki i swawolne
  Po rozległym morzu żeglowało,
Po jeziorze też mogło dowolnie
  Lekko sobie żeglować i śmiało.
Więc pływało ciasteczko wspaniale
  Wciąż po wodach oceanu, który
Kłębiąc swoje obojętne fale
  Ciskał ryby ku niebu do góry.

Och, jak dorsza tam było mnóstwo,
Że nie sposób mu znaleźć równego,
A ryby wszelakiej mnóstwo
Wytryskało w liliowe niebo.

Poprzez morskie gładkie przestworza
I przez grzywy bałwanów srogie
Płynie ciastko w towarzystwie noża,
Mieszcząc w środku z rodzynek załogę.

Skacząc w górę niby ryba piła
Nóż błękitny po falach mknął srogo,
A swawolne ciastko się cieszyło
Wraz ze swą rodzynkową załogą.

Och, jak dorsza tam było mnóstwo,
Że nie sposób mu znaleźć równego,
A ryby wszelakiej mnóstwo
Wytryskało w liliowe niebo.

Wokół Wysp Eleganckich wybrzeży
Morskie koty na słońcu mruczą,
Liżąc łapki i zęby szczerząc,
Futrzanymi płetwami powłóczą.
Tam pod nieba liliowym przestworzem,
Kreśląc kręgi na świata wsze strony,
Fruwa ciastko swawolne wraz z nożem,
Mrugającym do przyszłej swej żony.

Mkną okruchy po morza błękicie,
Czuła noża stal dobrze to czuje,
W ciastka serca zasłuchana bicie,
Że to miłość wraz z nimi wędruje.

Mkną okruchy ku dorszom ku górze,
Słońca poblask na morzu już kona,

Drży gorące powietrze przy wtórze
Pieśni ciastka w miłości szponach.

Przeczytała pospiesznie ostatnią linijkę, zupełnie nie rozumiejąc treści. Skończywszy odruchowo, ani się spostrzegła, gdy wstała i skierowała ku drzwiom. Zawiniątko pozostało na stole, otwarte, lecz nietknięte, z wyjątkiem gruszki. Znalazła się na balkonie, potem, opuściwszy się po drabinie, na pustym strychu, i w kilka chwil dotarła do szczytu schodów w rupieciarni. Schodząc po spiralnych schodach, myślała bez ustanku.

— Co zrobili? Co zrobili? — W porywczym nastroju weszła do sypialni i pobiegła do kąta, gdzie chwyciwszy warkoczyk od dzwonka, szarpnęła, jak gdyby chcąc wyrwać z sufitu.za chwilę pani Slagg przybiegła pod drzwi, a jej stopy w pantoflach nierówno szurały po podłodze. Fuksja otworzyła jej drzwi, a gdy tylko biedna głowina ukazała się w nich, krzyknęła na nią: — Co się dzieje, Nianiu, co się dzieje na dole? Powiedz mi zaraz, Nianiu, albo nie będę cię kochać. Powiedz, powiedz.

— Spokojnie, moje ziółko, spokojnie — powiedziała pani Slagg. — O co ten rwetes, dlaboga! Och, moje biedne serduszko. Przyprawisz mnie o śmierć.

— Musisz mi powiedzieć, Nianiu. Zaraz! Zaraz! Albo cię uderzę — powiedziała Fuksja.

Obawy Fuksji wzrastały od niewielkiego podejrzenia, tak że teraz, utwierdzona przez wzbierającą intuicję, omal nie uderzyła starej piastunki, którą tak rozpaczliwie kochała. Niania Slagg chwyciła dłoń Fuksji ośmioma starymi palcami i ścisnęła.

— Maleńki braciszek dla ciebie, moja śliczna. *Oto* nieniespodzianka, żeby cię uspokoić; maleńki *braciszek*. Zupełnie jak ty, moje brzydkie kochanie — urodzony przez pomyłkę.

— Nie! — krzyknęła Fuksja, a krew nabiegła jej do twarzy. — Nie! Nie! Nie chcę tego. Och, nie, nie, nie! Nie chcę! Nie chcę! To *nie może* być, *nie może*! — I rzuciwszy się na podłogę, Fuksja wybuchnęła gwałtownym płaczem.

„PANI SLAGG PRZY ŚWIETLE KSIĘŻYCA"

Tak więc ukazano w dniu narodzin czynności Lorda Sepulchrave'a, hrabiny Gertrudy, Fuksji, ich najstarszego dziecka, doktora Prunesquallora, pana Rottcodda, Flaya, Sweltera, Niani Slagg, Steerpike'a i Sourdusta, co być może nakreśliło atmosferę, w jakiej zrządzeniem losu urodził się Tytus.

Przez kilka pierwszych lat swego życia Tytus miał pozostawać pod opieką Niani Slagg, która dumnie dźwigała tę ogromną odpowiedzialność na chudych, przygarbionych ramionkach. W pierwszej połowie tego wczesnego okresu dziecko poddano jedynie dwóm ważniejszym ceremoniom, których Tytus był na szczęście nieświadomy, a mianowicie chrzcinom, na dwunasty dzień po narodzeniu, i uroczystemu śniadaniu w dniu pierwszych urodzin. Oczywiście pani Slagg każdy dzień dostarczał szeregu ważnych wydarzeń, gdyż była pogrążona głęboko w realiach wychowania.

Owego pamiętnego wieczoru narodzin szła wąską kamienną ścieżką pośród drzew akacji, w dół ku bramie w murach zamkowych, wiodącej w sam środek lepianek. Gdy tak spieszyła, słońce zachodziło za górą Gormenghast w powodzi szafranowego światła, a jej cień spieszył wraz z nią pośród drzew akacji. Rzadko zdobywała się na wyjście, więc w sporym podnieceniu podniosła z trudem ciężkie wieko skrzyni w swym pokoju i wydobyła spod kopca kamfory najlepszy kapelusz. Był bardzo czarny, lecz dla urozmaicenia miał na wysokim denku kruchą garść szklanych winogron. Cztery, a może pięć, było stłuczonych, ale nie bardzo to było widać.

Niania Slagg uniosła kapelusz na wysokość ramion i przypatrzyła mu się z ukosa, nim dmuchnęła na szklane winogrona, by usunąć kurz. Spostrzegłszy, że zmatowiła je oddechem, uniosła halkę i zgiąwszy się wpół nad kapeluszem, szybko przetarła każdy owoc po kolei. Potem zbliżyła się do drzwi pokoju niemal chyłkiem i przyłożyła do nich ucho.

Niczego nie było słychać, lecz gdy tylko przyłapała się na czymś niezbyt utartym, choćby bardzo koniecznym, czuła się winna, więc rozglądała się szeroko otwartymi, czerwono podkrążonymi oczyma, a głowa nieco się jej przy tym trzęsła, albo też, gdy była sama w pokoju, jak w tej chwili, biegła do drzwi i nadsłuchiwała.

Upewniwszy się całkowicie, że nie było za nimi nikogo, otwierała szybko drzwi i wyglądała na pusty korytarz, po czym powracała do swej czynności z większą pewnością siebie. Tym razem wkładanie najlepszego kapelusza o dziewiątej wieczór w zamiarze wyruszenia z zamku, długim podjazdem, a potem na północ aleją akacjową, wystarczyło zupełnie, by podeszła do swych drzwi, jak gdyby podejrzewając, że ktoś tam może być, ktoś podsłuchujący jej myśli. Powróciwszy na palcach do łóżka, dodała sobie czternaście cali wzrostu wsuwając się w aksamitny kapelusz. Następnie wyszła z pokoju, a schody wydały jej się przerażająco puste, gdy schodziła dwa piętra w dół.

Mijając główną bramę zachodniego skrzydła, przypomniała sobie, że sama hrabina rozkazała jej wykonać to niezwykłe zadanie, więc poczuła się nieco pewniej, lecz bez względu na to, czyj to był rozkaz, niepokoiło ją coś znacznie głębszego, coś wspartego na domniemanej i żelaznej tradycji tego miejsca. Sprawiało to, iż czuła, że postępuje źle. Jednakże trzeba było znaleźć mamkę dla niemowlęcia, więc oczywista logika popychała ją naprzód. Wychodząc z pokoju, wzięła z sobą parę czarnych wełnianych rękawiczek. Był łagodny, ciepły letni wieczór, lecz Niania Slagg czuła się pewniej w rękawiczkach.

Drzewa akacjowe rysujące się na prawo tworzyły wzory na tle góry, zaś na lewo żarzyły się niewyraźnie jakby podziemnym światłem. Ścieżkę przecinały, niby ciemna skóra zebry, cienie pni akacjowych. Pani Slagg, drobna figurka pod wznoszącą się i zwisającą nawą ciemnego listowia, budziła, idąc, słabe echa wśród pobliskich skał, gdyż jej obcasy wybijały szybki nierówny rytm na kamiennej ścieżce.

Aleja owa ciągnęła się na znacznej przestrzeni, a gdy stara piastunka znalazła się wreszcie na jej północnym krańcu, powitało ją chłodne światło wschodzącego księżyca. Zewnętrzne mury Gormenghast spiętrzyły się nagle ponad nią. Przeszła przez bramę.

Pani Slagg wiedziała, że o tej porze Mieszkańcy siedzieli przy kolacji. Gdy stukotała przed siebie, w jej świadomości odżyła pamięć podobnego wydarzenia: czas, gdy wysłano ją, by dokonała podobnego wyboru dla Fuksji. Było to również wieczorem, chociaż chyba o godzinę wcześniej. Pogoda była wietrzna i przypomniała sobie, jak głos jej zagłuszał wiatr i jak źle ją zrozumieli, sądząc, że umarł Lord Groan.

Tylko trzykrotnie od owego dnia była w tej części krainy Mieszkańców, a zdarzyło się to, gdy zabierała Fuksję na długie spacery, przy których się ona kiedyś upierała, w deszczu czy przy pogodzie.

Dni długich spacerów pani Slagg dawno minęły, lecz podczas jednego z nich przechodziła kiedyś obok lepianek, gdy Mieszkańcy spożywali ostatni posiłek. Wiedziała, że Mieszkańcy zawsze jedli kolację na dworze, przy stołach, które czterema długimi rzędami przecinały jednostajny, szary kurz. Jak pamiętała, w owym kurzu jedynie parę krzewów kaktusowych zdołało zapuścić korzenie.

Schodząc po pochyłym zboczu okaleczonej zieleni, spływającej od bramy w murze i niknącej w kurzu, na którym zbudowano nory, ujrzała nagle, podniósłszy oczy znad ścieżki, jeden z owych kaktusów.

Piętnaście lat to rozległa przestrzeń czasu, by mogła ją zgłębić pamięć starej kobiety — rozleglejsza niż wody dzieciństwa, jednakże ujrzawszy kaktus, pani Slagg przypomniała sobie wyraźnie i szczegółowo, jak się zatrzymała i patrzyła w dniu urodzin Fuksji na wielkiego okaleczałego potwora.

Oto był znowu, a jego łuszczący się pień rozszczepiał się na cztery odnogi, jakby ramiona ogromnego szarego świecznika wysadzanego cierniami, z których każdy był duży i dziki jak róg nosorożca. Żaden płomienisty kwiat nie łagodził jego czarnej bez-barwności, choć wiadomo było, że dawno temu drzewo to wy-buchło trzygodzinną świetnością. Za drzewem teren wznosił się niewielkim ponurym pagórkiem, więc dopiero wspiąwszy się nań, pani Slagg ujrzała przed sobą Mieszkańców przy długich stołach. Poza nimi lepianki tłoczyły się szarą ciżbą, ciągnąc się do samych murów. Cztery kaktusy, a może pięć, rosły pomiędzy stołami, wznosząc się w górze nad nimi.

Kaktusy zarówno rozmiarami, jak i rozszczepieniem na wyso-kie, niezgrabne rozwidlenia przypominały ten, który pani Slagg najpierw ujrzała, a w miarę jej zbliżania się obrysował je gorący poblask słońca.

Przy stołach tuż obok zewnętrznych murów zasiadali starcy, dziadkowie, chorzy. Po lewej znajdowały się zamężne kobiety i wychowywane przez nie dzieci.

Pozostałe dwa stoły zajmowali mężczyźni i chłopcy. Dziew-częta pomiędzy dwunastym i dwudziestym trzecim rokiem życia spożywały posiłki same w długiej chacie, a kilka z nich wyznacza-no każdego dnia do usługiwania starszym przy stołach tuż pod blankami.

Za nimi ziemia opadała w płytką suchą dolinę z chatami, więc przybliżając się krok za krokiem widziała postaci przy stołach na tle prostych glinianych dachów, gdyż ściany chat kryły się poza linią terenu. Był to ponury widok. Z soczystego cienia alei akacjo-wej pani Slagg wtargnęła nagle w świat jałowy. Ujrzała surowe kawałki białego korzenia i misy tarninowego wina na stole. Dłu-gi rurowaty korzeń, wykopywany codziennie w pobliskim lesie, znajdował się na stole co wieczór, pokrojony w mnóstwo wąskich walców. Jak pamiętała, było to ich tradycyjne pożywienie.

Zauważywszy białe korzenie w długim szeregu, każdy ze swym cieniem, przypomniała sobie z niepokojem, że jej pozycja społeczna znacznie przewyższała pozycję biednych mieszkańców lepianek. Prawda, wykonywali śliczne rzeźby, lecz nie znajdowali się *wewnątrz* murów Gormenghast, więc zbliżając się do pierwszego stołu, Niania Slagg mocniej naciągnęła rękawiczki i wygładziła je wokół palców, marszcząc drobne pomarszczone usta.

Mieszkańcy ujrzeli ją, skoro tylko jej kapelusz pojawił się ponad suchym szczytem wzgórza, każda więc głowa się ku niej zwróciła i każde oko w nią wpatrywało. Matki zastygły, niektóre z łyżkami w pół drogi ku dziecięcym ustom.

Było rzeczą niezwykłą, by „Zamkowi", jak określali każdego zza murów, przychodzili w porze posiłków. Patrzyli bez ruchu i bez słowa.

Pani Slagg zatrzymała się. Światło księżyca połyskiwało na szklanych winogronach.

Powstał starzec podobny do proroka i zbliżył się ku niej. Podszedłszy, stał w milczeniu, póki staruszka, czekając, aż on się zatrzyma, nie dźwignęła się z pomocą innych na nogi, za jego przykładem podeszła do pani Slagg i stanęła, milcząc, u boku starca. Następnie od stołu matek przysłano dwóch wspaniałych pięcioczy sześcioletnich urwisów. Podszedłszy do pani Slagg, stanęli obaj spokojnie, po czym uniósłszy ramiona tak jak starsi i złączywszy nadgarstki, zwinęli dłonie i skłonili głowy.

Pozostali w tej postawie czas jakiś, póki starzec nie dźwignął kudłatej głowy i nie rozwarł długiej, surowej linii ust.

— Gormenghast — powiedział, a głos jego był jak pomruk głazów przetaczających się przez odległe doliny; gdy wymówił: — Gormenghast — intonacja wskazywała na głęboki szacunek. Tak pozdrawiali Mieszkańcy wszystkich z Zamku, a na to słowo osoba, do której się tak zwrócono, odpowiadała: — Kolorowi Rzeźbiarze. Po czym następowała rozmowa. Owa odpowiedź, choć Mieszkańcy byli głusi na pochlebstwa, uważając się za najlepszych znawców własnej pracy, którym obojętne jest zainteresowanie postronnych, była czymś w rodzaju środka uśmierzającego, gdyż umieszczała ich tam, gdzie przeczuwali, iż należą — na poziomie duchowym, jeśli nie światowym czy dziedzicznym. Wprowadzała na początku pewną zgodność. Było to mistrzowskie posunięcie, opoka taktu, siedemnastego hrabiego Groan, kiedy setki lat temu wprowadził tę zasadę do zamkowego rytuału.

Sami rzeźbiarze zupełnie nie byli kolorowi. Ubrani byli jednakowo w ciemnoszare ubrania, przewiązane w pasie mocnymi rzemykami zdartymi z zewnętrznej powierzchni korzenia, którego twardy biały miąższ zjadali. W ich wyglądzie nie było niczego jasnego, poza jednym. Blask w oczach młodszych dzieci. Także w oczach młodzieńców i dziewcząt do dziewiętnastu, a czasem do dwudziestu lat. Owi młodzi Mieszkańcy tak bardzo się różnili od starszych, nawet tych po dwudziestce, iż trudno było sobie wyobrazić, że należą do tej samej rasy. Tragiczna przyczyna tkwiła w tym, iż osiągnąwszy fizyczną dojrzałość cielesną, tracili wdzięk i więdli jak kwiaty po kilku godzinach blasku i siły.

Nikt nie wyglądał na wiek średni. Matki, poza tymi nielicznymi, które urodziły dzieci przed dwudziestką, wydawały się równie sędziwe jak ich rodzice.

A jednak nie umierali, jak by to sobie można było wyobrazić, wcześniej niż zwykle. Przeciwnie, można było sądzić z długiego rzędu sędziwych twarzy przy trzech stołach najbliżej murów, iż ich długowieczność była wyjątkowa.

Tylko ich dzieci posiadały blask w oczach, połysk na włosach i w nieco inny sposób, w ruchach i w głosie. Były jasne czymś w rodzaju *nienaturalnej* jasności. Nie była to zdrowa świetność płomienia, lecz gorączkowy blask, jaki błyskawica nadaje gałęziom drzew o północy; nagłe rozbłyski w ciemności, okruch rozświetlony w widmo światłem pochodni.

Nawet to nienaturalne promieniowanie zamierało w młodzieńcach i dziewczętach, gdy osiągnęli dziewiętnasty rok życia; blask ten znikał wraz z urodą rysów. Tylko *w głębi* ciał dorosłych Mieszkańców było coś w rodzaju światła, a jeśli nie światła, to przynajmniej żaru — żaru twórczego niepokoju. Byli to Kolorowi Rzeźbiarze.

Pani Slagg podniosła drobną szponiastą dłoń wysoko w górę. Czwórka w szeregu przed nią przybrała mniej oficjalną postawę, a dzieci przyglądały się jej, objąwszy się szczupłymi, zakurzonymi ramionami.

— Przyszłam — powiedziała głosem wysokim jak u kulika, lecz docierającym wszędzie przy stołach — przyszłam — choć jest tak późno — by powiedzieć wam o czymś cudownym. — Poprawiła kapelusz dotykając przy tym z ogromną przyjemnością lśniącej masy szklanych winogron.

Starzec zwrócił się ku stołom, a jego głos przetoczył się ponad nimi. — Przyszła powiedzieć nam o czymś cudownym — zaś staruszka naśladując go jak zniekształcane echo, wykrzyknęła: — O czymś cudownym.

— Tak, tak, to cudowna nowina — ciągnęła stara piastunka. — Będziecie bardzo dumni, jestem przekonana.

Gdy już raz zaczęła, pani Slagg zasmakowała w tym. Mocniej zaciskała dłonie w rękawiczkach, gdy tylko odczuwała nerwowy niepokój.

— Jesteśmy dumni. Wszyscy. Zamek (powiedziała to z pewną próżnością) jest nadzwyczaj zadowolony, a gdy powiem wam, co się stało, wy także będziecie szczęśliwi; och tak, z pewnością. Gdyż wiem, że jesteście *zależni* od Zamku.

Pani Slagg nigdy nie była zbyt taktowna. — Zrzuca się wam jedzenie z blanek co rana, prawda? — Ściągnęła usta i urwała na chwilę, by złapać oddech.

Młody człowiek uniósł gęste czarne brwi i splunął.

— A więc Zamek bardzo o was myśli. Codziennie o was myśli, prawda? I dlatego właśnie będziecie tak szczęśliwi, gdy powiem wam o tym czymś cudownym, jak to mam zamiar.

Pani Slagg uśmiechnęła się do siebie, lecz nagle odczuła pewną nerwowość pomimo swej głębszej wiedzy, przebiegła więc szybko wzrokiem, jak ptak, po twarzach. Zadarła główkę i spojrzała jak mogła najsurowiej na chłopaczka, który odpowiedział jej szerokim uśmiechem. Włosy spadały mu na ramiona. Gdy uśmiechnął się, pomiędzy zębami błysnęła biała bryłka korzenia.

Odwróciła wzrok i zaklaskała ostro w dłonie dwa lub trzy razy, jakby żądając ciszy, choć nikt nie hałasował. Potem nagle poczuła, że chce być z powrotem w zamku i w swoim pokoiku, więc ani się obejrzawszy, powiedziała: — Narodził się nowy Groan, mały chłopczyk. Mały chłopczyk Krwi. Opiekuję się nim, oczywiście, i chcę *natychmiast* mamki dla niego. Muszę ją mieć *natychmiast* i zabrać ją z sobą. No! Powiedziałam wam wszystko.

Staruszki spojrzały na siebie, po czym oddaliły się do swych chat. Powróciły z ciasteczkami i butelkami tarninowego wina. Tymczasem mężczyźni utworzywszy wielkie koło, powtórzyli nazwę Gormenghast siedemdziesiąt siedem razy. Podczas gdy pani Slagg czekała, śledząc dzieci oddane zabawie, podeszła do niej kobieta. Powiedziała pani Slagg, że jej dziecko zmarło w kilka godzin po urodzeniu parę dni temu, lecz ona jest dość silna i pójdzie z nią. Miała, być może, dwadzieścia lat, była dobrze zbudowana, lecz tragiczny rozkład urody już się zaczął, choć w oczach był jeszcze poblask. Przyniosła koszyk i wyglądało na to, że nie spodziewa się odmowy. Gdy zaś Niania Slagg miała jej zadać kilka pytań, jak należało, jeden z Mieszkańców, zapakowawszy tarninowe wino i ciastka do koszyka, ujął panią Slagg spokojnie pod ramię i stara piastunka wkrótce znalazła się na drodze ku Wielkim Murom. Spojrzała na młodą kobietę u boku, dziwiąc się, czy dobrze wybrała, potem zaś, uświadomiwszy sobie, że w ogóle nie wybierała, zatrzymała się na chwilę, oglądając się za siebie nerwowo.

KEDA

Kaktusy stały bezbarwne pomiędzy długimi stołami. Mieszkańcy byli znów na miejscach. Przestali się zajmować panią Slagg. Nie było cieni z wyjątkiem krótkich cieni tuż pod każdym przedmiotem. Księżyc stał wysoko w górze. Był to obraz malowany na srebrze. Towarzyszka pani Slagg czekała obok spokojnie. W tym, jak chodziła i milczała, była jakaś siła. W ciemnej tkaninie zwisającej do kostek i przepasanej rzemykiem z korzenia; z bosymi nogami i stopami, z głową, która jeszcze zatrzymała zachód ciemniejącego dnia, odbijała dziwnie od maleńkiej Niani Slagg, z jej szybkim nierównym chodem, ciemną satynową suknią, czarnymi rękawiczkami i monumentalnym kapeluszem ze szklanymi winogronami. Nim zeszły z suchego pagórka ku bramie w murach, nagły gardłowy krzyk, jakby kogoś duszono, ściął krew staruszki, więc uchwyciwszy silne ramię u swego boku, przywarła do niego jak dziecko. Potem spojrzała w kierunku stołów. Były zbyt daleko, by mogła dobrze zobaczyć słabymi oczyma, lecz wydało jej się, że może rozpoznać stojące postaci i kogoś skulonego jakby do skoku.

Wydawało się, iż towarzyszka pani Slagg, spojrzawszy obojętnie w kierunku dźwięku, nie zwracała więcej uwagi na to wydarzenie, schwyciwszy bowiem mocniej starszą panią, kierowała ją ku kamiennej bramie.

— To nic — było jedyną odpowiedzią udzieloną pani Slagg, a nim obie znalazły się w alei akacjowej, jej krew uspokoiła się.

Gdy zwracały się z długiego podjazdu ku bramie Gormenghast, którą Niania przekroczyła, wychodząc potajemnie na wieczorne powietrze mniej więcej godzinę przedtem, spojrzała na swą towarzyszkę i wzruszywszy ramionami, usiłowała przybrać wyraz udanej powagi.

— Twoje imię? Twoje imię? — powiedziała.

— Keda.

— Keda, kochanie, jeśli pójdziesz ze mną, zaprowadzę cię do chłopczyka. Sama ci go pokażę. Jest przy oknie w moim pokoju. — Głos Niani przybrał nagle poufny, niemal żałosny ton. — Nie mam dużego pokoju — powiedziała — ale zawsze miałam ten sam, nie chcę żadnego innego — dodała, raczej niezgodnie z prawdą — jestem bliżej Lady Fuksji.

— Może ją zobaczę — powiedziała dziewczyna po chwili. Niania nagle zatrzymała się na schodach. — Nie *wiem* — powiedziała — och nie, nie jestem *pewna*. Ona jest bardzo dziwna. Nie wiem, co ma zamiar zrobić.

— Zrobić? — powiedziała Keda. — Co to znaczy?

— Z małym Tytusem. — Oczy Niani rozbiegały się. — Nie, nie wiem, co zrobi. Jest taką diablicą — najgorszą diablicą w zamku — może być.

— Czemu pani się boi? — powiedziała Keda.

— Wiem, że go znienawidzi. Wiesz, chce być jedynaczką. Lubi marzyć, że jest królową i że gdy wszyscy umrą, nie będzie nikogo, kto mógłby jej rozkazywać. Powiedziała, kochanie, że spali to wszystko, spali Gormenghast, gdy będzie rządzić, i że będzie żyć sama, a ja powiedziałam, że jest zła, a ona powiedziała, że wszyscy są źli — wszyscy i wszystko z wyjątkiem rzek, chmur i paru królików. Czasami mnie przeraża.

Wspięły się w milczeniu po schodach, przeszły korytarz i jeszcze jedną kondygnację na drugie piętro.

Dotarłszy do pokoju, pani Slagg położyła palec na ustach i uśmiechnęła się w sposób niemożliwy do opisania. Była to mieszanina chytrości i ckliwości. Następnie obracając ostrożnie klamkę, otworzyła stopniowo drzwi, a wsunąwszy wysoki kapelusz ze szklanymi winogronami przez wąski otwór jako straż przednią, podążyła za nim chyłkiem resztą swego ciała.

Keda weszła do pokoju. Jej bose stopy stąpały bezszelestnie po podłodze. Podszedłszy do kołyski, pani Slagg położyła palce na ustach i zajrzała w nią, jak gdyby w najgłębsze tajniki nieodkrytego świata. Był tam. Dziecię Tytus. Oczy miał otwarte, lecz był całkiem spokojny. Pofałdowana twarzyczka noworodka, stara jak świat, mądra jak korzenie drzew. Był w niej grzech i było dobro, miłość, litość i przerażenie, a nawet piękno, gdyż oczy miał zupełnie fiołkowe. Namiętności ziemskie, ziemskie smutki, ziemskie dziwaczne, śmieszne nastroje — jeszcze drzemiące, lecz już widoczne w wykrzywionej pesteczce twarzy.

Pochyliwszy się nad nim Niania Slagg pokiwała mu przed oczyma zakrzywionym palcem. — Mój cukiereczku — zachichotała. — Jak *mogłeś*? Jak *mogłeś*?

Pani Slagg odwróciła się do Kedy z nowym wyrazem twarzy. — Czy myślisz, że powinnam była go zostawić? — powiedziała. — Kiedy poszłam po ciebie. Myślisz, że powinnam była go zostawić?

Keda spojrzała na Tytusa. Przypatrywała się dziecku ze łzami w oczach. Potem odwróciła się do okna. Mogła dostrzec wielki mur ograniczający Gormenghast. Mur odgradzający jej lud, jakby dla powstrzymania zarazy; mury zasłaniające przestrzeń wypalonej ziemi poza lepiankami, gdzie tak niedawno pochowano jej dziecko.

Już samo wejście poza mury było czymś podniecającym dla tych z lepianek, czymś zarezerwowanym w zwykłym biegu rzeczy na dzień Kolorowych Rzeźb, lecz przebywanie wewnątrz zamku było czymś zupełnie wyjątkowym. Jednakże na Kedzie nie robiło to wrażenia, nawet nie zadała sobie trudu, by zapytać o coś panią Slagg, czy też rozejrzeć się dokoła. Nieszczęsna pani Slagg czuła, że było to zuchwalstwo, lecz nie wiedziała, czy powinna powiedzieć coś o tym, czy nie.

Tytus był jednak na pierwszym planie, więc obojętność Kedy wkrótce poszła w niepamięć, zaczął bowiem płakać, a płacz wzmagał się, mimo że pani Slagg machała mu naszyjnikiem tuż przed przymrużonymi oczkami i próbowała zaśpiewać kołysankę z na wpół zapomnianego repertuaru. Wzięła go na ręce, lecz jego przenikliwy płacz potężniał. Keda miała oczy utkwione w murze, lecz nagle, oderwawszy się od okna, podeszła do Niani Slagg i rozsunąwszy ciemnobrązowy materiał u szyi i odsłoniwszy lewą pierś, wzięła dziecko z rąk staruszki. W jednej chwili przycisnęła do siebie małą twarzyczkę, a szamotania i szlochy ustały. Potem, gdy odwróciwszy się, usiadła przy oknie, ogarnął ją spokój, w miarę jak mleko jej ciała i zniweczona miłość wytryskały z samego jej środka, krzepiąc maleńkie stworzonko powierzone jej opiece.

„PIERWSZA KREW"

Tytus, pod opieką Niani Slagg i Kedy w zachodnim skrzydle, rozwijał się z każdą godziną. Jego dziwna główka zmieniała kształt z dnia na dzień jak główki niemowląt, by wreszcie ustalić proporcje. Była tak długa i takiej wielkości, iż mogła się najpewniej rozwinąć w coś niemal niezwykłego.

Jego fiołkowe oczy wynagradzały, zdaniem pani Slagg, wszelką dziwaczność w kształcie główki i w rysach, które jednakże nie były wyjątkowe jak na członka rodu.

Od samego początku było coś miłego w Tytusie. Prawda, jego wysoki płacz bywał niemal nieznośny, a panią Slagg, upierającą się przy wyłącznym pielęgnowaniu go pomiędzy posiłkami, ogarniała czasami nerwowa rozpacz.

Na czwarty dzień przygotowania do chrztu były w toku.

Ceremonia ta odbywała się zawsze po południu na dwunasty dzień, w ładnym przestronnym pokoju na parterze, którego okna wykuszowe wychodziły na drzewa cedrowe i strzyżone trawniki spływające ku tarasom Gormenghast, gdzie o świcie spacerowała hrabina ze swymi śnieżnobiałymi kotami.

Pokój był chyba najprzytulniejszy i zarazem najwykwintniejszy w całym zamku. Nie było cieni czających się po kątach. Sprawiał wrażenie spokojnej i miłej wytworności, a gdy popołudniowe słońce rozświetliło trawniki za oknami wykuszowymi w zielonozłoty dywan, pokój ten, o chłodniejszych barwach, stawał się miejscem, gdzie miło było przebywać. Używano go rzadko.

Hrabina nigdy tam nie wchodziła, przedkładając nad niego te części zamku, gdzie światła i cienie były w ciągłym ruchu i gdzie nie było tak jasno. Wiedziano, że w rzadkich wypadkach przechadzał się po nim wzdłuż i wszerz Lord Sepulchrave, zatrzymując się, gdy mijał okno, by popatrzeć na cedry na trawniku, potem zaś opuszczał pokój na miesiąc lub dwa, póki nie nawiedził go nowy kaprys.

Parę razy siedziała tu Niania Slagg, robiąc ukradkiem na drutach, z papierową torbą wełny na długim stole jadalnym pośrodku, a wysokie oparcie rzeźbionego krzesła górowało nad nią. Wokół była przestronność chłodnego pokoju. Stoły z wazami ogrodowych kwiatów, zerwanych przez Pentecosta, starszego ogrodnika. Lecz zazwyczaj pokój pozostawał pusty, tydzień po tygodniu, z wyjątkiem godziny codziennie rano, gdy Pentecost zwykł układać kwiaty. Choć pokój był opustoszały, Pentecost nie dopuszczał, by któregoś dnia nie zmienić wody w wazach i nie napełnić ich znów ze smakiem i maestrią, urodził się bowiem w Lepiankach i posiadał wrodzoną miłość i zrozumienie barw, co było znamieniem Kolorowych Rzeźbiarzy.

W poranek chrzcin wyszedł naścinać kwiatów do pokoju. Wieże Gormenghast wznosiły się w poranne mgły, zasłaniając kłębowisko słotnych chmur na wschodnim niebie. Przystanąwszy na chwilę na trawniku, spojrzał ku ogromnym zwałom budowli, gdzie pośród cieni mógł mgliście rozpoznać zmurszałe rzeźby i obtłuczone szczyty z szarego kamienia.

Trawniki pod zachodnim murem, gdzie stał, czarne były od rosy, lecz tam, gdzie muskający promień słońca padł krążkiem światła u stóp jednego z siedmiu cedrów, wilgotna trawa rozbłysła brylantami wszelakiej barwy. Świt był chłodny, otulił się więc szczelniej skórzaną peleryną, okrywającą mu głowę jak mnichowi. Była mocna i giętka, poplamiona i poczerniała od burz i deszczu kapiącego z omszałych drzew. Nóż ogrodowy zwisał na sznurze u boku.

Ponad wieżyczkami, jak skrzydło wyszarpnięte z ciała orła, samotna chmura sunęła ku północy w rześkim powietrzu naznaczonym krwią.

Cedry nad Pentecostem, jak ogromne rysunki węglem, zaczęły nagle odsłaniać swą budowę, warstwy płaskiego listowia wznoszące się jedna nad drugą, z brzeżkami obrysowanymi przez wschód słońca.

Pentecost odwrócił się tyłem do zamku i skierował pomiędzy cedry, pozostawiając na połyskliwych plamach rosy czarne odciski stóp wykrzywionych do środka. Wydawało się, że idąc, zstępuje w ziemię. Każdy krok był gestem, badaniem. Było to poszukiwanie idące w dół, w głąb, jak gdyby wiedział, że to, co było dla niego ważne, co naprawdę rozumiał i o co dbał, znajdowało się pod nim, pod wolno poruszającymi się stopami. Było w ziemi — było ziemią.

Pentecost, w skórzanym kapturze, nie był imponujących rozmiarów, a w jego chodzie, choć pełnym znaczenia, było jednak coś śmiesznego. Nogi były zbyt krótkie w stosunku do ciała, lecz głowa, sędziwa i poorana bruzdami, była szlachetnie ukształtowana i majestatyczna, z wielkokościstym, pomarszczonym czołem i prostym nosem.

O kwiatach posiadał wiedzę przerastającą wiedzę botanika czy artysty, powodowany raczej rozwojem niż spełnieniem, organicznym przypływem znajdującym szczytowy wyraz w złocie czy błękicie, nie zaś w barwach, wzorach czy czymś dostrzegalnym.

Był dla kwiatów jak matka, która nie kochałaby dziecka mniej, gdyby zniekształcono mu twarz. Dzielił tę wiedzę i miłość z wszystkimi rosnącymi rzeczami, lecz jabłoni oddał się zupełnie.

Na północnym zboczu niskiego pagórka opadającego stopniowo ku strumieniowi wznosiły się wyraźnie drzewa owocowe, każde będące dla Pentecosta samodzielną osobowością.

W sierpniowe dni Fuksja mogła go dostrzec z okna na strychu, daleko w dole, czasem stojącego na krótkiej drabinie, a czasem, gdy gałęzie zwisały dostatecznie nisko, na trawie, z długim ciałem i krótkimi nóżkami, w dużym skrócie, z kapturem na urodziwej głowie zakrywającym rysy twarzy; a chociaż z tej ogromnej wysokości wydawał się maleńki, mogła rozpoznać, że polerował do zwierciadlanego połysku jabłka zwisające z gałęzi, pochylając się do przodu i dmuchając na nie, a potem pocierając je kawałkiem jedwabiu, aż mogła dostrzec lśnienie na szkarłatnych skórkach — nawet z wysokości swego orlego gniazda na cienistym poddaszu. Następnie oddalał się od drzewa, które doprowadził do połysku, i obchodził je z wolna, podziwiając różnorodne ugrupowania jabłek i skręcony trzon podtrzymującego je pnia.

Pentecost spędził jakiś czas w opasanym murem ogrodzie, gdzie ścinał kwiaty do Pokoju Chrzcielnego. Chodził z jednego krańca w drugi, póki nie wyobraził sobie wypełnionych waz w pokoju i nie zdecydował o barwie na ów dzień.

Słońce oswobodziło się już z mgieł i podobne lśniącemu półmiskowi na niebie podnosiło się, jakby podciągane niewidzialnym sznurkiem. W Pokoju Chrzcielnym jeszcze nie było widno, lecz Pentecost wszedł przez okno wykuszowe, ciemna niekształtna postać z tlącymi się kwiatami w ramionach.

Tymczasem zamek obudził się już lub właśnie się budził. Lord Sepulchrave jadł śniadanie z Sourdustem w jadalni. Pani Slagg szarpała i szturchała stertę kocy, pod którymi leżała Fuksja skulona w ciemności. Swelter popijał w łóżku szklankę wina, przyniesioną przez jednego z czeladników, tylko na pół obudzony, z ogromnym ciałem pofałdowanym w obrzydliwy sposób. Flay mruczał do siebie, przechadzając się szarym bezkresnym korytarzem, a stawy kolanowe tykały jak zegarek przy każdym kroku. Rottcodd odkurzał trzecią rzeźbę, wzbijając stopami obłoczki kurzu; doktor Prunesquallor zaś śpiewał sobie w porannej kąpieli. Ściany łazienki pokrywały wykresy anatomiczne wymalowane na długich zwojach. Nawet w kąpieli nosił okulary, a pochyliwszy się, by podnieść kawałek pachnącego mydła, śpiewał swemu skośnemu odbiciu, jakby było jego miłością.

Steerpike przeglądał się w lustrze, badając głupawy wąsik, a Keda w swym pokoju w północnym skrzydle śledziła światło słoneczne przesuwające się po Splątanych Borach.

Lord Tytus Groan, nieświadomy, że wstający dzień zwiastował mu godzinę chrztu, spał smacznie. Głowę miał przechyloną na bok, a twarz niemal całkowicie zasłoniętą poduszką, zaś jedną piąstkę włoczoną w usta. Ubrany był w żółtą jedwabną koszulkę w niebieskie gwiazdki, a światło padające przez na pół zasunięte zasłony pełzało mu po twarzy.

Ranek upływał. Było mnóstwo krzątaniny. Niania niemal postradała zmysły z podniecenia i bez cichej pomocy Kedy nie byłaby w stanie sobie poradzić.

Należało wyprasować ubranko do chrztu i dostarczyć chrzcielnych pierścieni i maleńkiej, wysadzanej kamieniami korony z żelaznej skrzyni w zbrojowni, do której jedynie Shrattle miał klucz, a był zupełnie głuchy.

Kąpiel i ubieranie Tytusa musiały być szczególnie staranne, a przy tylu rzeczach do zrobienia godziny umykały zbyt szybko dla pani Slagg, więc nim się obejrzała, była druga po południu.

Keda odnalazła wreszcie Shrattle'a i przekonała go wymyślnymi znakami, że jest chrzest po południu i potrzebna korona i że ją zwróci natychmiast po uroczystości, a w istocie wygładziła i rozwiązała wszystkie trudności, które doprowadzały Nianię Slagg do tego, że załamywała ręce i trzęsła starą głową z rozpaczy.

Popołudnie było idealne. Wielkie cedry pławiły się wspaniale w nieruchomym powietrzu. Przystrzyżone trawniki były jak matowe szmaragdowe lustro. Rzeźby na ścianach, wchłonięte przez noc i chwiejne o świcie, były teraz wycyzelowane i swobodne w blasku.

Pokój Chrzcielny wydawał się chłodny, jasny i niezmącony. Przestronnie i z godnością oczekiwał na wejście osób. Kwiaty w wazach były niewiarygodnie wdzięczne. Pentecost wybrał lawendę jako dominujący ton w pokoju, lecz tu i ówdzie biały kwiat rozmawiał chłodno z białym kwiatem poprzez zielone przestrzenie dywanu, a złotej orchidei wtórowała inna.

Można było zauważyć wielkie ożywienie w wielu pomieszczeniach Gormenghast w miarę zbliżania się trzeciej godziny, jednakże chłodny pokój oczekiwał w spokojnej ciszy. Życie w owym pokoju spoczywało jedynie w szyjach kwiatów.

Nagle otwarły się drzwi i wszedł Flay. Miał na sobie długie, czarne, nadgryzione przez mole ubranie, lecz zrobił pewien wysiłek, by usunąć co większe plamy i przyciąć co bardziej wystrzępione brzegi mankietów i spodni w proste nieobrobione linie. Nad owymi poprawkami miał na szyi ciężki mosiężny łańcuch. W jednej ręce trzymał na tacy misę z wodą. Neutralizująca dostojność pokoju uwydatniała go jak istny strach na wróble. Był tego zupełnie nieświadomy. Pomagał ubierać się Lordowi Sepulchrave i odbył szybką podróż z misą chrzcielną, gdy jego wysokość, ukończywszy toaletę, stał przy oknie sypialni, polerując paznokcie. Napełnienie misy i umieszczenie jej na środkowym stole w Chłodnym Pokoju było jego jedynym obowiązkiem, póki nie rozpocznie się właściwa ceremonia. Ustawiwszy misę bezceremonialnie na stole, podrapał się w tył głowy, po czym wsunął dłonie głęboko w kieszenie spodni. Od dłuższego czasu nie był w Chłodnym Pokoju. Nie był to pokój, który by go obchodził. Jego zdaniem, nie był w ogóle częścią Gormenghast. Hardym ruchem wyrzucił do przodu podbródek jak maszynę i począł okrążać pokój, spoglądając złowrogo na kwiaty, gdy posłyszał głos za drzwiami, gruby, morderczo obłudny głos.

— Prr, do tyłu, prr, do tyłu! uważajcie na nogi, szczurze oczka! Na *bok*. Na *bok*, albo was posiekam! Stójcie spokojnie! Stójcie *spokojnie*! Miłosierna naturo, żebym musiał zadawać się z gamoniami!

Gałka u drzwi poruszyła się, potem zaś drzwi poczęły się otwierać, a fizyczne przeciwieństwo Flaya pojawiać w otworze. Flayowi zdawało się, że przez pewien czas napięta tkanina rozwijała się w ogromny łuk, potem ponad nią zjawiła się w drzwiach głowa, a tkwiące w niej oczy skupiły spojrzenie na panu Flayu.

Flay zesztywniał — o ile to możliwe, by coś sztywnego jak kawałek drewna tekowego mogło jeszcze bardziej zesztywnieć — pochylił głowę do linii obojczyków i uniósł ramiona jak sęp. Ręce miał całkiem proste, od wysokich barków po pięści zaciśnięte w kieszeniach spodni.

Ujrzawszy go, Swelter stanął jak wryty, a przez miąższ twarzy przebiegały mu zwinnie drobne fale, póki, jakby postanowiwszy kierować się tym samym bodźcem, nie spłynęły w dwa oceany miękkich policzków, pozostawiając pomiędzy sobą pustkę, ziejący wycinek jak płat wykrojony z melona. Było to straszne. Tak jakby natura straciła panowanie. Jak gdyby uśmiech jako pojęcie, jako wyraz przyjemności, był pomyłką, gdyż tutaj, na twarzy Sweltera, idea ta została wypaczona.

Z twarzy wydobył się głos: — No, no, no — powiedział — niech mnie ugotują na kwaśne jabłko, jeśli to nie pan Flee. Jeden i jedyny Flee. No, no, no. Tu przede mną w Chłodnym Pokoju. Przemknął przez dziurkę od klucza, jak sądzę. Och, na moje cudowne ślepia i śledzionę, to pan Flee we własnej osobie.

Linia ust pana Flaya, zawsze cienka i surowa, stała się jeszcze cieńsza, jak gdyby nakreślona igłą. Oczyma mierzył białą górę, zwieńczoną śnieżną, wysoką, płócienną czapą służbową, gdyż nawet niechlujny Swelter ubrał się na tę okazję.

Chociaż pan Flay unikał kucharza jak mógł, sporadyczne przypadkowe spotkania, jak to właśnie, były nieuniknione, a przygodne spotkania w przeszłości nauczyły pana Flaya, że ogromny gmach mięsa, pomimo wszystkich błędów, zdolny był do sarkazmu znacznie przerastającego jego własną małomówną naturę. Było zatem zwyczajem pana Flaya ignorować kuchmistrza w miarę możności, tak jak dół kloaczny przy drodze, a chociaż błędna wymowa jego nazwiska przez Sweltera i uwagi na temat chudości raniły jego dumę, Flay panował nad zjeżonymi namiętnościami, więc jedynie podszedł do drzwi, oszacowawszy wprzód ogrom tamtego i splunął przez okno wykuszowe, jak gdyby chcąc wydalić coś szkodliwego z organizmu. Choć doświadczenie nauczyło go milczenia, każde jątrzące słowo Sweltera nie omieszkało powiększyć jądra nienawiści płonącego mu pod żebrami.

Gdy pan Flay splunął, Swelter pochylił się w tył, udając przerażenie, z głową wtuloną w ramiona, i z wyrazem komicznego skupienia spoglądał na przemian to na pana Flaya, to za okno. — No, no, no — powiedział nadzwyczaj drażniącym tonem zdającym się przeciekać z ciasta — no, no, no — pańskie talenty są niewyczerpane. Siekajcie mnie! Niewyczerpane. Życie nas uczy. Na węgorzyka — którego oporządziłem w piątek wieczór, życie nas uczy. — Okręciwszy się, stanął tyłem do pana Flaya i zaryczał: — Naprzód, a żywo! Naprzód, triumwiracie, stworzonka, które oplotły mi serce. Naprzód i dajcie się poznać.

Do pokoju wkroczyło trzech chłopców mniej więcej dwunastoletnich. Każdy dźwigał wielką tacę pełną przysmaków.

— Przedstawię pana, panie Flee — powiedział Swelter, gdy chłopcy zbliżyli się, wlepiając przerażone oczy w niebezpieczne ładunki. — Pan Flee — panicz Springers — panicz Springers — pan Flee. Pan Flee — panicz Wrattle, panicz Wrattle — pan Flee. Pan Flee — panicz Spurter, panicz Spurter — pan Flee. Flee — Springers — Flee — Wrattle — Flee — Spurter — Flee!

Wypowiedział to z taką mieszaniną elokwencji i impertynencji, że pan Flay nie mógł tego znieść. Przedstawianie jego, pierwszego służącego Gormenghast — powiernika Lorda Sepulchrave'a — tanim kuchcikom Sweltera, to była próba ponad siły, kierując się więc nagle obok kuchmistrza ku drzwiom (gdyż i tak powinien powrócić do jego wysokości), zsunął łańcuch z szyi i smagnął ciężkimi mosiężnymi ogniwami poprzez twarz szydercy. Nim Swelter oprzytomniał, pan Flay był już daleko w korytarzu. Na twarzy kuchmistrza zaszła zmiana. Wszystkie obszerne środki wyrazu tej głowy poddały się, jak glina w rękach modelarza, uzewnętrznieniu namiętności. Napisano na niej miazgą słowo *zemsta*. Oczy niemal natychmiast utraciły blask, stając się jak kawałeczki szkła.

Trzej chłopcy rozłożyli przysmaki na stole, pozostawiwszy na środku prostą misę chrzcielną, a teraz skulili się przy oknie, pragnąc całym sercem uciec, uciec jak nigdy przedtem, na słońce i poprzez trawniki, poprzez strumienie i pola, póki nie będą daleko, daleko od tej białej zjawy z krwistoczerwonymi śladami ogniw łańcucha na twarzy.

Kuchmistrz, którego nienawiść tak się skupiła na osobie Flaya, zapomniał o nich i nie wyładował na nich złego humoru. Jego nienawiść nie była z tych, co wzbierają nagle jak burza i równie nagle cichną. Gdy minął początkowy wstrząs gniewu i bólu, było to coś wyrachowanego, wzmagającego się bezkrwawo. Fakt, że trzech służących widziało, jak ich budzący przerażenie pan ścierpiał zniewagę, nic w tej chwili nie znaczył dla Sweltera, był bowiem w stanie rozpatrywać sytuację we właściwych rozmiarach, a owe dzieci nie wchodziły tu w rachubę.

Bez słowa przeszedł na środek pokoju. Tłustymi dłońmi przesunął zręcznie parę półmisków na stole. Następnie podążył do lustra wiszącego ponad wazą z kwiatami i krytycznie obejrzał rany. Bolały go. Przesuwając głowę, by przyjrzeć się sobie bliżej, bowiem za jednym razem mógł dostrzec jedynie część twarzy, spostrzegł trzech chłopców i dał im znak, by sobie poszli. Wkrótce podążył za nimi, kierując się do swego pokoju ponad piekarnią.

Była to już właściwie pora zbiórki, zainteresowane osoby poczęły więc wyruszać z rozmaitych komnat. Każdy czy każda swym właściwym krokiem. Z właściwymi sobie oczyma, nosem, ustami, włosami, myślami i uczuciami. Zamknięci w sobie, niosący z sobą całą swoją istotę, jak naczynie zawierające właściwe sobie wino, wytrawne lub słodkie. Tych siedmioro zamknęło za sobą drzwi, tak straszliwie będąc *sobą*, gdy wyruszali do Chłodnego Pokoju.

W zamku były dwie damy, które widywano bardzo rzadko, były jednak z krwi Groanów, więc gdy dochodziło do takiej rodzinnej uroczystości, zapraszano je oczywiście. Były to ich wysokości Cora i Clarice, szwagierki Gertrudy, siostry Sepulchrave'a i bliźniaczki. Mieszkały w apartamentach w południowym skrzydle i miały wspólną pochłaniającą pasję dumania nad ironią losu, który sprawił, że nia miały głosu w sprawach Gormenghast. Wraz z innymi udawały się teraz do Chłodnego Pokoju.

Nieubłagana tradycja zmusiła Sweltera i Flaya do powrotu do Chłodnego Pokoju, by oczekiwać na pierwszego przybysza, lecz na szczęście był tam ktoś przed nimi — Sourdust, w swym workowatym odzieniu. Stał za stołem, z otwartą książką przed sobą. Przed nim znajdowała się misa z wodą, a wokół niej rozsiadły się przykłady sztuki Sweltera, przycupnąwszy na złotych paterach i pucharach połyskujących odbitym światłem.

Swelter, który zdołał ukryć pręgi na twarzy za pomocą mieszaniny mąki i miodu, zajął miejsce po lewej sędziwego bibliotekarza, nad którym górował jak galion nad igłą skalną. Na szyi nosił uroczysty łańcuch, podobny do łańcucha Flaya, który zjawił się w parę chwil później. Przeszedł godnie przez pokój, nie spojrzawszy na kuchmistrza i stanął po drugiej stronie Sourdusta, równoważąc składniki obrazu z artystycznego, jeśli nie racjonalnego punktu widzenia.

Wszystko było gotowe. Uczestnicy ceremonii przybywać będą pojedynczo, najmniej ważni najpierw, póki wejście hrabiny jako przedostatniej nie zwiastuje niezbędnego chodzącego mebla, Niani Slagg, niosącej w ramionach szal pełen przeznaczenia — Przyszłość Krwi. Niewielki ciężar, który stanowił Gormenghast, Groana w prostej linii — Tytusa, Siedemdziesiątego Siódmego.

„ZGROMADZENIE"

Pierwszy przybył obcy — człowiek z gminu — którego ze względu na usługi świadczone rodzinie uhonorowano pewną sztuczną równością stanu, łatwą do obalenia w każdej chwili — doktor Prunesquallor.

Wszedł, wymachując pięknymi dłońmi, a podszedłszy drobnym kroczkiem do stołu, potarł je na poziomie podbródka szybkim, żwawym ruchem, zaś oczy jego przebiegały po rozstawionej uczcie.

— Mój drogi Swelter, ha, ha, czy mogę złożyć panu moje gratulacje, ha, ha, jako doktor, który zna się trochę na żołądkach, mój drogi Swelter, istotnie, trochę na żołądkach? I nie tylko na żołądkach, lecz także na podniebieniach, językach, na membranie, mój dobry człowieku, która pokrywa sklepienie jamy ustnej, i nie tylko na membranie, która pokrywa sklepienie jamy ustnej, lecz także na uczulonych końcówkach nerwowych, które, mogę to stwierdzić z całą pewnością, aż świerzbią, mój drogi i wspaniały Swelter, na samą myśl zetknięcia się z tymi smakowicie wyglądającymi drobiazgami, które zapewne zrobił pan na poczekaniu w wolnych chwilach, ha, ha, bardzo, bardzo możliwe, powiedziałbym, och tak, bardzo, bardzo możliwe.

Doktor Prunesquallor uśmiechał się, obnażając dwa rzędy nowiutkich nagrobków pomiędzy wargami i wyrzuciwszy piękną białą dłoń z małym palcem zgiętym pod kątem prostym, uniósł szmaragdowe ciasteczko z kropelką kremu na wierzchu z samego wierzchołka półmiska podobnych drobiazgów tak zręcznie, jak gdyby znajdował się w domu w swym prosektorium, usuwając z żaby jakiś organ. Lecz nim wziął je do ust, powstrzymało go syczenie. Pochodziło ono od Sourdusta i sprawiło, że doktor położył zielone ciasteczko z powrotem na szczycie stosu prędzej, niż je stamtąd wziął. Zapomniał na chwilą, czy też udawał, że zapomniał, jakim pedantem na punkcie etykiety jest stary Sourdust. Jedzenie nie mogło się rozpocząć, póki hrabina nie znajdzie się w pokoju.

— Ha, ha, ha, ha, bardzo, bardzo słusznie i właściwie, panie Sourdust, zaiste, bardzo słusznie i właściwie — powiedział doktor, mrugając na Sweltera. Powiększony wygląd oczu czynił tę poufałość szczególnie nieprzyjemną. — Zaiste, bardzo, bardzo słusznie. Ale to właśnie sprawia Swelter, dzięki swym nieodpartym rajskim kąseczkom — ha, ha, czyni człowieka zupełnym barbarzyńcą, czyż nie, Swelter? Barbaryzuje go, ha, ha, czyż nie? Zupełnie barbaryzuje.

Swelter, nie w nastroju do takich żartów i przedkładający własne przemówienie w sytuacji pozwalającej na mowy, skrzywił jedynie usta niewesoło i nadal wyglądał przez okno. Sourdust przesuwał palcem po wierszu w czytanej ponownie książce, a Flay był drewnianą kukłą.

Nic jednakże nie było w stanie pozbawić żywości doktora Prunesquallora, który szybko przebiegłszy wzrokiem twarze, zaczął przyglądać się swym paznokciom, po kolei, z komicznym zainteresowaniem; skończywszy badanie dziesiątego paznokcia, porzucił nagle tę czynność, podskoczył ku oknu, co było groteskowo niestosowne w jego wieku, i wsparłszy się o framugę w nader eleganckiej pozie uczynił lewą dłonią swój ulubiony zniewieściały gest, łącząc koniuszki kciuka i palca wskazującego i tworząc w ten sposób O, podczas gdy trzy pozostałe palce odchylone do tyłu zwinęły się w litery C malejących rozmiarów. Lewy łokieć, ostro zgięty, ustawił dłoń w odległości mniej więcej stopy, na poziomie kwiatu w butonierce. Wąska pierś, jak czarna rura, odziany był bowiem w ubranie barwy śmierci, wydała szereg owych irytujących śmiechów, które można przedstawić symbolicznie jako „ha, ha, ha", lecz których wysoki ton zgrzytał o wewnętrzną ściankę czaszki.

— Cedry — powiedział doktor Prunesquallor, zerkając na drzewa z głową odchyloną do tyłu i z półprzymkniętymi oczyma — to wspaniałe drzewa. Nadzwyczaj, nadzwyczaj wspaniałe. Stanowczo uwielbiam cedry, lecz czy cedry stanowczo uwielbiają mnie? Ha, ha — prawda, drogi panie Flay, prawda? — czy też jest to zbyt trudne dla pana, człowieku, czy moja filozofia jest troszeczkę dla pana za trudna? Ponieważ jeśli uwielbiam cedr, lecz cedr nie, ha, ha, uwielbia mnie, wówczas z pewnością znajduję się natychmiast w pozycji kompromisowej, będąc jak gdyby ignorowany przez świat roślinny, który dobrze by się zastanowił, zauważ, mój dobry człowieku, dobrze by się zastanowił, zanim zignoruje wóz mierzwy, ha, ha, albo wyraziwszy to inaczej...

Tutaj rozważania doktora Prunesquallora przerwało przybycie pierwszych członków rodziny, sióstr bliźniaczek, ich wysokości Cory i Clarice. Otworzyły drzwi bardzo powoli i rozejrzały się, nim weszły. Od paru miesięcy nie opuszczały swych komnat, traktowały więc podejrzliwie wszystkich i wszystko.

Doktor Prunesquallor natychmiast przybliżył się od strony okna.

— Wasze wysokości wybaczą, ha, ha, śmiałość przyjmowania ich tutaj, ha, ha, w pokoju mimo wszystko bardziej należącym do waszych wysokości niż do mnie, ha, ha, ha, niemniej, jak mogę przypuszczać, dla nich nieco obcym, jeśli mogę się wyrazić tak jaskrawie; w istocie, tak niedorzecznie niedyskretny...

— To doktor, kochanie — szepnęła Lady Cora apatycznie do siostry bliźniaczki, przerywając Prunesquallorowi.

Lady Clarice jedynie skierowała wzrok na rzeczonego chudego pana tak długo, że każdy, z wyjątkiem doktora, odwróciłby się i uciekł.

— Wiem — powiedziała wreszcie. — Co się stało z jego oczyma?

— Sądzę, że to z pewnością jakaś choroba. Czy nie wiedziałaś? — odparła Lady Cora.

Ona i siostra ubrane były w purpurę, ze złotymi klamerkami u szyi zamiast broszek i ze złotymi klamerkami na końcach szpil, które miały w siwych włosach, by dostroić je do broszek. Ich twarze, jednakowe do nieprzyzwoitości, zupełnie nie posiadały wyrazu, jak gdyby były wstępnymi zarysami twarzy oczekującymi na wstrzyknięcie czucia.

— Co pan tu robi? — powiedziała Cora, przyglądając się nieubłaganie.

Doktor Prunesquallor pochylił się ku niej, ukazując zęby. Następnie splótł dłonie. — Jestem uprzywilejowany — powiedział — bardzo, bardzo, och tak, bardzo, bardzo.

— Dlaczego? — powiedziała Lady Clarice. Jej głos był tak idealną kopią głosu siostry, iż można było przypuszczać, że jej struny głosowe odcięto z tej samej struny w owych mrocznych okolicach, gdzie tworzą się takie istoty.

Siostry stały teraz po obu stronach doktora, patrząc na niego z tak pustym wyrazem, że zmuszony był pospiesznie zwrócić oczy ku sufitowi, gdyż poprzednio przeniósł je z jednej na drugą, szukając wytchnienia, lecz na próżno. Dla odmiany biały sufit obfitował w rzeczy ciekawe, więc zatrzymał na nim wzrok.

— Wasze wysokości — powiedział — czy to możliwe, że jesteście nieświadome roli, jaką odgrywam w życiu towarzyskim Gormenghast? Powiadam, w życiu towarzyskim, lecz kto, ha, ha, ha, kto mógłby mi zaprzeczyć, gdybym się chełpił, że to coś więcej niż życie *towarzyskie*, ha, ha, ha, że, drogie wasze wysokości, to, co pielęgnuję i kontroluję, to stanowczo organiczne życie zamku, ha, ha, w tym sensie, że, wykształcony, jak niewątpliwie jestem, w wiedzy o tym i owym, ha, ha, ha, w związku z całym tym aromatycznym kramem od stóp do głów. Ja, jako część mej pracy tutaj, pomagam przy narodzinach nowych pokoleń starym pokoleniom — bezgrzesznych grzesznym, ha, ha, ha, nieskazitelnych splamionym. — Och, Boże, białych czarnym, zdrowych schorowanym. Zaś dzisiejsza uroczystość, drogie wasze wysokości, jest rezultatem mojej zawodowej zręczności, ha, ha, ha, z okazji nowiuteńkiego Groana.

— Co pan powiedział? — powiedziała Lady Clarice, patrząca na niego przez cały czas bez drgnienia jednego mięśnia.

110

Doktor Prunesquallor zamknął oczy i trwał tak bardzo długo. Potem otworzywszy je, postąpił krok naprzód i wciągnął tyle powietrza, na ile mu pozwoliła wąska pierś. Po czym odwróciwszy się nagle, pokiwał palcem na dwie damy w purpurze.

— Wasze wysokości — powiedział. — Muszą panie słuchać, nie powiedzie się paniom w życiu, jeśli nie będą panie *słuchać*.

— *Powiedzie* się w życiu? — powiedziała natychmiast Lady Cora — *powiedzie* się w życiu. To mi się podoba. Jaką mamy szansę, jeśli Gertruda ma to, co my powinnyśmy mieć?

— Tak, tak — powiedziała druga, jakby dalszy ciąg głosu siostry w innej części pokoju. — Powinnyśmy mieć to, co ona ma.

— A cóż *to* jest, drogie wasze wysokości? — zagadnął doktor Prunesquallor, przechylając ku nim głowę.

— Władza — odparły obojętnie i razem, jak gdyby przećwiczyły tę scenę. Zupełna bezdźwięczność ich głosów kontrastowała tak niestosownie z istotą rzeczy, że nawet doktor Prunesquallor zdumiał się na chwilę i palcem wskazującym rozluźnił sztywny biały kołnierzyk u szyi.

— Chcemy władzy — powtórzyła Lady Clarice. — Chciałybyśmy ją mieć.

— Tak, tego chcemy — zawtórowała Cora — mnóstwo władzy. Wtedy mogłybyśmy zmusić ludzi, żeby robili różne rzeczy — powiedział głos.

— Ale Gertruda ma całą władzę — nadbiegło echo — jaką my powinnyśmy mieć, ale jakiej nie mamy.

Następnie spojrzały po kolei na Sweltera, Sourdusta i Flaya.

— *Oni* muszą być tutaj, jak sądzę? — powiedziała Cora, wskazując na nich, nim ponownie skierowała wzrok na doktora Prunesquallora, który powrócił do oglądania sufitu. Nim zdążył odpowiedzieć, otworzyły się drzwi i weszła Fuksja, ubrana na biało.

Dwanaście dni upłynęło od chwili, gdy odkryła, że nie jest już jedynym dzieckiem. Uparcie odmawiała zobaczenia brata, a dziś po raz pierwszy będzie zmuszona z nim przebywać. Początkowy ból, niezrozumiały dla niej samej, stępiał do niechętnej akceptacji.

111

Nie wiedziała dlaczego, ale jej smutek był bardzo rzeczywisty. Nie wiedziała, dlaczego czuła się urażona.

Pani Slagg nie miała czasu pomóc Fuksji, by dobrze wyglądała, powiedziała jej tylko, by się uczesała i włożyła białą suknię w *ostatniej* chwili, żeby jej nie wymiął i żeby zjawiła się w Chłodnym Pokoju dwie minuty po trzeciej.

Słońce na trawnikach, kwiaty w wazach i sam pokój zdawały się dobrą wróżbą na popołudnie, zanim weszli dwaj służący i miało miejsce nieszczęsne wydarzenie. Ów gwałt nadał następnym godzinom gorzki ton.

Fuksja weszła z oczyma czerwonymi od płaczu. Dygnęła niezgrabnie szwagierkom matki i usiadła w odległym kącie, lecz niemal natychmiast zmuszona była powstać, gdyż jej ojciec, a tuż za nim hrabina, weszli, krocząc wolno ku środkowi pokoju.

Bez słowa ostrzeżenia Sourdust zastukał wierzchem dłoni w stół i wykrzyknął starczym głosem: — Zgromadzili się wszyscy oprócz tego, dla którego zgromadziło się to zgromadzenie. Wszyscy są tu oprócz tego, dla którego wszyscy tutaj jesteśmy. Ustawcie się przed stołem chrzcielnym w szyku oczekiwania, gdy ja zapowiem wejście wchodzącego w Życie i dziedzica Groanów, nieskalanego zwierciadła Gormenghast w kształcie dziecka.

Sourdust zakaszlał chorobliwie i położył rękę na piersi. Spojrzawszy na księgę, przesunął palcem po nowym wierszu. Potem obszedł chwiejnie stół, ze splątaną czarno-białą brodą kołyszącą się nieco, i ustawił pięcioro półkolem wokół stołu, plecami do okna. Pośrodku znajdowali się hrabina i Lord Sepulchrave, Fuksja po lewej stronie ojca, a doktor Prunesquallor po prawej stronie hrabiny, lecz nieco poza półkolem. Bliźniaczki rozdzielono, ustawiając je po obu krańcach łuku. Flay i Swelter cofnęli się o kilka kroków i stali nieruchomo. Flay gryzł palce.

Sourdust powrócił na swe miejsce za stołem, gdzie był teraz sam, wyglądając bardziej imponująco, nie przytłaczany już skałą Flaya i kopcem Sweltera. Znów podniósł głos, lecz było mu trudno mówić, miał bowiem łzy w gardle, a wielkość urzędu przytłaczała go. Jako znawca tradycji Groanów uważał się za odpowiedzialnego duchowo za prawidłową procedurę. Takie chwile były doniosłymi wydarzeniami w rytualnym cyklu jego życia.

— Słońca i zmienne księżyce; liście z drzew, co nie mogą utrzymać liści, i ryby z oliwkowych wód mają głos!

Trzymał ręce przed sobą niby w modlitwie, a jego pomarszczona głowa była zaskakująco widoczna w jasnym świetle pokoju. Jego głos spotężniał.

— Kamienie mają głos i pióra ptaków; gniew cierni, zranione duchy, rogi, zakrzywione żebra, chleb, łzy i igły. Tępe głazy i cisza zimnych bagien — mają głos — buntownicze chmury, kogucik i robak.

Pochyliwszy się nad księgą, Sourdust odnalazł palcem miejsce i odwrócił stronicę.

— Głosy zgrzytające nocą z płuc granitu. Płuc błękitnego powietrza i z białych płuc rzek. Głosy nawiedzają wszystkie chwile dni; głosy wypełniają rozpadliny wszystkich krain. Głosy, które usłyszy on, gdy posłucha i gdy zwróci ucho ku Gormenghast; którego głos jest nieskończoność nieskończoności. To starodawny dźwięk, którego musi usłuchać. Głos kamieni spiętrzonych w szare wieże, póki nie umrze w baszcie śmierci Groana. I zerwą sztandary ze ścian i przypór, i poniosą go do Wieży Wież, i złożą pośród prochów ojców.

— Czy dużo tego jeszcze? — powiedziała hrabina. Słuchała z mniejszą uwagą, niż wymagała tego okazja, karmiąc szarego ptaka na ramieniu okruszkami z kieszeni sukni.

Sourdust spojrzał znad księgi na to pytanie Lady Groan. Oczy zaszły mu mgłą, gdyż zabolała go irytacja w jej głosie.

— Starożytne słowo dwunastego hrabiego dokonało się, wasza wysokość — powiedział z oczyma na księdze.

— Dobrze — powiedziała Lady Groan. — Co teraz?

— Myślę, że odwracamy się i wyglądamy do ogrodu — powiedziała niezdecydowanie Clarice — prawda, Coro? Pamiętasz, tuż zanim wniesiono maleńką Fuksję, wszyscy odwróciliśmy się i wyjrzeliśmy przez okno do ogrodu. Jestem tego pewna — dawno temu.

— Gdzie byłyście od tego czasu? — powiedziała Lady Groan, zwracając się nagle do szwagierek i przyglądając im się po kolei. Ciemnorude włosy zaczęły się jej rozsypywać wokół szyi, a ptak zniszczył nóżkami miękki, atramentowoczarny meszek jej aksamitnej sukni, która była teraz wystrzępiona i poszarzała na ramieniu.

— Byłyśmy cały czas w południowym skrzydle, Gertrudo — odparła Cora.

— Właśnie tam byłyśmy — powiedziała Clarice. — Cały czas w południowym skrzydle.

Lady Groan posłała czułe spojrzenie ku lewemu ramieniu, a szary ptak stojący tam z głową pod skrzydłem zbliżył się szybko o trzy kroki ku jej gardłu. Następnie zwróciła wzrok ku szwagierkom. — Co robiłyście? — zapytała.

— Myślałyśmy — powiedziały razem bliźniaczki — właśnie to robiłyśmy — myślałyśmy dużo.

Wysoki niepohamowany śmiech wybuchł tuż spoza pleców hrabiny. Doktor Prunesquallor skompromitował się. Nie była to pora na podkreślanie jego obecności. Tolerowano go tam, lecz gwałtowne pukanie w stół uratowało go, a uwaga wszystkich skupiła się na osobie Sourdusta.

— Wasza wysokość — powiedział powoli Sourdust — napisane jest w prawie, że jako siedemdziesiąty szósty hrabia Groan i pan na Gormenghast postępuje teraz wasza wysokość ku drzwiom Pokoju Chrzcielnego i woła syna poprzez pusty korytarz.

Lord Sepulchrave, który do tej chwili, podobnie jak córka u jego boku, pozostawał zupełnie nieruchomy i milczący, utkwiwszy melancholijny wzrok w brudnej kamizelce swego służącego Flaya, którą dostrzegał poprzez stół, zwrócił się ku drzwiom, a dotarłszy do nich zakaszlał, by przeczyścić gardło.

Hrabina śledziła go wzrokiem, lecz z nazbyt mglistym wyrazem, by można go było pojąć. Bliźniaczki podążyły za nim twarzami — dwoma powierzchniami jednakowego ciała. Fuksja ssała palce i wydawała się jedyną osobą nie zainteresowaną poruszeniami ojca. Flay i Swelter utkwili w nim wzrok, a choć myśli ich były wciąż zajęte gwałtem sprzed pół godziny, tak bardzo byli częścią rytuału Groanów, że śledzili każdy ruch jego wysokości z pewnym gburowatym zafascynowaniem.

Sourdust, niepokojąc się o doskonałość tradycyjnej procedury, skręcał czarno-białą brodę w supły nie do rozsupłania. Pochylił się nad misą chrzcielną, z rękoma na stole jadalnym.

Tymczasem Keda uspokajała Nianię Slagg, z Tytusem w ramionach, ukrytą za zakrętem korytarza i oczekującą na wezwanie.

— No, proszę się uspokoić, pani Slagg, proszę się uspokoić, a zaraz się to skończy — powiedziała Keda do roztrzęsionej istotki, ubranej w najbardziej błyszczącą ciemnozieloną satynę, na której głowie wznosił się kapelusz z winogronami, wspaniale nieproporcjonalny do drobnej twarzyczki.

— Rzeczywiście, uspokoić się — powiedziała Niania Slagg cienkim ożywionym głosem. — Gdybyś wiedziała, co to znaczy być tak uhonorowanym — och, moje biedne serduszko! Nie śmiałabyś mnie uspokajać! Nigdy nie słyszałam takich głupstw. Czemu to tak długo trwa? Czy nie pora, żeby mnie zawołał? A drogie maleństwo takie spokojne i dobre i może zapłakać w każdej chwili — och, moje biedne serduszko! Czemu to tak długo trwa? Wyczyść mi suknię.

Keda, której przykazano wziąć ze sobą miękką szczotkę, czyściłaby satynową suknię Niani niemal całe rano, gdyby stara piastunka postawiła na swoim. Niecierpliwym ruchem dłoni pani Slagg pouczyła ją teraz, by ponownie wyczyściła, by więc ułagodzić staruszkę, spełniła prośbę paroma ruchami.

Tytus śledził twarz Kedy fiołkowymi oczyma, a ciemne światło w kącie korytarza tonowało jego groteskowe rysy. W jego twarzy była historia człowieka. Cząstka olbrzymiej skały ludzkości. Liść z lasu ludzkiej namiętności, ludzkiej wiedzy i ludzkiego bólu. To była starożytność Tytusa.

Głowa Niani była stara, ze zmarszczkami i zapadłą skórą, z czerwonymi obwódkami oczu i fałdami ust. Bierna anatomiczna starożytność.

Starość Kedy była dziełem losu, alchemii. Tajemna sędziwość. Przezroczysta ciemność. Złamany, tajemniczy gaj. Tragedia, chwała, uwiąd.

Owe trzy zwiędłe istoty oczekiwały w mrocznym kącie. Niania miała lat sześćdziesiąt dziewięć, Keda dwadzieścia dwa, Tytus dwanaście dni.

Lord Sepulchrave odchrząknął. Następnie zawołał:

— Mój Synu!

„TYTUS ZOSTAŁ OCHRZCZONY"

Głos jego rozbrzmiał korytarzem i opłynął kamienny zakręt, a gdy tylko hrabia usłyszał odgłos podnieconych kroków pani Slagg, podjął tę część procedury, którą mu Sourdust recytował przy śniadaniu przez ostatnie trzy dni.

Ilość czasu potrzebna do wygłoszenia mowy powinna być idealnie równa czasowi potrzebnemu Niani Slagg na dotarcie z ciemnego kąta do drzwi Chłodnego Pokoju.

— Dziedzicu mojej władzy — rozległ się w drzwiach jego zadumany głos — piastunie rasy kamieni, potoku nieskończonej rzeki, zbliż się teraz ku mnie. Ja, jedynie ogniwo w łańcuchu dynastycznym, wzywam cię, byś się przybliżył, jak biały ptak na żelaznym niebie poprzez ściany ciemnych chmur. Zbliż się teraz do misy, gdzie nazwany i uczczony, poświęcony będziesz w Gormenghast. Dziecię! Witaj!

Niestety, Niania, potknąwszy się o luźną płytę, znajdowała się przy słowie „Witaj" w odległości dziesięciu stóp, a Sourdust, na którego potężnym czole pojawiło się nagle kilka kropelek potu, odczuł, że trzy długie sekundy mijają potwornie powoli, zanim zjawiła się w drzwiach pokoju. Tuż przed wyruszeniem z kąta korytarza Keda delikatnie i ku zadowoleniu Niani umieściła maleńką żelazną koronę na główce niemowlęcia, a obie, pojawiwszy się przed zgromadzeniem, nadrobiły trzysekundową opieszałość swym niedorzecznym wyglądem, idealnie zharmonizowanym z sytuacją.

Ujrzawszy je, Sourdust odczuł zadowolenie, zapominając o oburzającym spóźnieniu. Zbliżył się do pani Slagg z wielką księgą w ręku i stanąwszy przed nimi, otworzył ją tak, że rozwarła się na dwie równe części, po czym wyciągnąwszy ją ku Niani Slagg powiedział:

— Napisane jest, i dotrzymuje się pisma, że pomiędzy te oto stronice, gdzie len posiwiał od mądrości, opuści się i położy pierworodne dziecię płci męskiej rodu Groan, z głową ku misie chrzcielnej, i że ciężkie od słów stronice załamie się nad nim, by ogarnął go zamierzchły Tekst określony Głębokością i aby stał się jednym z nienaruszalnym Prawem.

Niania Slagg, z bezmyślnym wyrazem ważności na twarzy, opuściła Tytusa na półotwartą księgę rozwartą na kształt V, tak że szczyt główki pokrywał się z grzbietem księgi po stronie Sourdusta, a nóżki po stronie pani Slagg.

Następnie Lord Sepulchrave załamał dwie stronice ponad bezbronnym ciałkiem i złączył w środku tubę grubego pergaminu za pomocą agrafki.

Spoczywając tak na grzbiecie księgi, z maleńkimi nóżkami wystającymi z jednej strony papierowego kadłuba, a z żelaznymi kolcami małej korony wystającymi z drugiej, stanowił dla Sourdusta samą kwintesencję tradycyjnej stosowności. Do tego stopnia, że gdy dźwigał obciążoną księgę ku jadalnemu stołowi, oczy zaszły mu łzami zadowolenia, tak że z trudem posuwał się pomiędzy stolikami zagradzającymi mu drogę, a dwie wazy z kwiatami, rysujące się tak nieruchomo i wyraźnie w chłodnym powietrzu pokoju, stały się w jego oczach liliowym oparem i śnieżną plamą.

Nie mógł przetrzeć oczu, by lepiej widzieć, gdyż ręce miał zajęte, czekał więc, póki zniknie przesłaniająca je wilgoć.

Fuksja przyłączyła się do Niani Slagg, chociaż wiedziała, że powinna pozostać na miejscu. Zirytowała ją próba Clarice potrącenia jej łokciem, ukradkiem, gdy sądziła, że nikt tego nie zauważył.

— Nigdy mnie nie odwiedzasz, chociaż jesteś krewną, ale to dlatego, że nie chcę, żebyś przychodziła i nigdy cię nie zapraszam — powiedziała ciotka, rozglądając się, czy nikt jej nie obserwuje, a zauważywszy, że Gertruda znajduje się jakby w ogromnym transie, ciągnęła:

— Widzisz, moje biedne dziecko, ja i moja siostra Cora jesteśmy znacznie od ciebie starsze i miałyśmy spazmy, gdy byłyśmy w twoim wieku. Być może zauważyłaś, że nasze lewe ramiona, a także lewe nogi, są nieco sztywne. To nie nasza wina.

Głos jej siostry dobiegł ochrypłym, bezbarwnym szeptem z drugiej strony półkola postaci, jak gdyby próbując dosięgnąć uszu Fuksji z ominięciem szeregu uszu pomiędzy nimi. — Zupełnie nie nasza wina — powiedziała — ani trochę. Zupełnie.

— Ataki epileptyczne, moje biedne dziecko — ciągnęła Cora, przytaknąwszy wtrętowi siostry — praktycznie zamorzyły nas z prawej strony. Praktycznie zamorzyły. Widzisz, miałyśmy te spazmy.

— Kiedy byłyśmy w twoim wieku — nadbiegło puste echo.

— Tak, właśnie w twoim wieku — powiedziała Cora — a ponieważ byłyśmy praktycznie zamorzone z prawej strony, musiałyśmy haftować jedną ręką nasze makatki.

— Tylko jedną ręką — powiedziała Clarice. — To bardzo sprytne. Lecz nikt nas nie widzi.

Wciskając tę uwagę, pochyliła się, narzucając ją Fuksji, jak gdyby zależała od niej cała przyszłość Gormenghast.

Fuksja bezmyślnie i wściekle oplatała włosy wokół palców.

— Nie rób tego — powiedziała Cora. — Twoje włosy są zbyt czarne. Nie rób tego.

— Stanowczo zbyt czarne — nadbiegło bezbarwne echo.

— Zwłaszcza gdy suknię masz tak białą.

Cora pochyliła się w biodrach tak, że jej twarz znalazła się o stopę od twarzy Fuksji. Potem powiedziała, jedynie odwróciwszy oczy, lecz z twarzą zwróconą ku bratanicy: — Nie *lubimy* twojej matki.

To zaskoczyło Fuksję. Potem usłyszała ten sam głos z drugiej strony: — To prawda — powiedział głos — nie lubimy.

Fuksja odwróciła się nagle, kołysząc atramentowym ciężarem włosów. Cora sprzeciwiła się wszelkim zasadom, nie będąc bowiem w stanie pozostać z dala od rozmowy, przesunęła się z tyłu jak lunatyk, z oczyma utkwionymi w czarnoaksamitnym masywie hrabiny.

Miało ją jednak spotkać rozczarowanie, gdyż skoro tylko przybliżyła się, Fuksja, rozejrzawszy się gorączkowo, zauważyła panią Slagg i usunęła się od kuzynek, by śledzić ceremonię przy stole, gdzie Sourdust trzymał jej brata pomiędzy kartami księgi. Skoro tylko Nianię uwolniono od Tytusa, Fuksja podeszła do niej i ujęła jej chude ramię w zielonej satynie. Sourdust dotarł do stołu, a Lord Sepulchrave za nim. Powrócił na swe miejsce. Lecz zadowolenie z postępu uroczystości znikło nagle, gdy jego wzrok, oczyszczony z mgiełki, nie napotkał uroczystego łuku wybrańców, lecz pokój rozpierzchłych jednostek. Był wstrząśnięty. Jedynymi osobami w szeregu byli: hrabina, która pozostała w tej samej pozycji, w jakiej zastygła na początku, nie z poczucia posłuszeństwa, lecz z powodu pewnego rodzaju śpiączki, oraz jej mąż, który powrócił na miejsce u jej boku. Sourdust kuśtykał wokół stołu z pełną księgą. Cora i Clarice stały blisko siebie, ciałami zwrócone ku sobie, lecz z głowami spoglądającymi w kierunku Fuksji. Pani Slagg i Fuksja stały razem, a Prunesquallor, na palcach, przyglądał się pręcikowi białego kwiatu w wazie przez szkło powiększające, które wydobył z kieszeni. Nie musiał stawać na palcach, gdyż ani stół nie był wysoki, ani waza, ani kwiat. Jednakże postawa, jaka najbardziej go zadowalała przy patrzeniu na kwiaty, wymagała wygięcia ciała ponad płatkami w eleganckim łuku.

Sourdust był wstrząśnięty. Kąciki jego ust drgały. Stara, pomarszczona twarz stała się fantastyczną pokreskowaną przestrzenią, a słabe oczy przybrały wyraz rozpaczy. Gdy próbował opuścić ciężkie tomisko na stół przed misą chrzcielną, gdzie pozostawiono miejsce, palce mu zdrętwiały rozluźniając się na skórze i księga wyślizgnęła mu się z rąk, a Tytus zsunął się poprzez stronice na ziemię, oderwawszy przy tym róg karty, w którą go spowito, bowiem jego rączka zacisnęła się na nim przy upadku. Był to jego pierwszy zanotowany akt bluźnierstwa. Pogwałcił Księgę Chrztu. Metalowa korona spadła mu z główki. Niania Slagg chwyciła ramię

Fuksji, a potem z okrzykiem „Och, moje biedne serduszko" rzuciła się chwiejnie tam, gdzie dziecko leżało na podłodze, płacząc żałośnie.

Sourdust próbował rozerwać workowate ubranie, jęcząc bezsilnie i prężąc stare palce. Był na mękach. Białe kostki dłoni doktora Prunesquallora powędrowały ku ustom z zadziwiającą szybkością, a on sam chwiał się nieco. Chwilę później zwrócił się ku Lady Groan.

— Przypominają gumę, wasza wysokość, ha, ha, ha, ha. Właśnie rdzeń gumy arabskiej, z elastycznym środkiem. Och tak, naprawdę. Bardzo, bardzo. Sprężystość to nie jest słowo. Ha, ha, ha, to wcale nie to słowo — och Boże, nie. Każdy łut i fiut, ha, ha, ha! Każdy łut i fiut.

— O czym pan mówi, człowieku! — powiedziała hrabina.

— To dotyczyło pani dziecka, które właśnie upadło na podłogę.

— Upadło? — zapytała hrabina grubym głosem. — Gdzie?

— Na ziemię, wasza wysokość, ha, ha, ha. Upadło zdecydowanie na ziemię. Na ziemię, to znaczy, z warstewką lub dwoma kamienia, drewna i dywanu pomiędzy własnym barbarzyństwem i jego malutką wysokością, której wrzask z pewnością pani słyszy.

— A więc to jest to — powiedziała Lady Groan, z której ust, złożonych jakby do gwizdania, szary ptak wybierał kąsek suchego ciasta.

— Tak — powiedziała po jej prawej stronie Cora, która podbiegła do niej natychmiast po upadku dziecka i spoglądała w twarz bratowej. — Tak, to jest to.

Clarice, która pojawiła się z drugiej strony jak przeciwieństwo pozycji siostry, potwierdziła opinię siostry: — To właśnie jest to.

Następnie obie zerknęły wokół krawędzi hrabiny, patrząc porozumiewawczo na siebie.

Gdy szary ptak, wydobywszy kawałek ciasta z dużych, ściągniętych ust jej wysokości, sfrunął z jej ramienia, siadając na zgiętym palcu, do którego przywarł nieruchomo jak rzeźba, ona, pozostawiwszy bliźniaczki (które, jak gdyby jej odejście pozostawiło pomiędzy nimi pustkę, natychmiast zbliżyły się do siebie, by ją zapełnić), zbliżyła się ku miejscu tragedii. Ujrzała tam, że Sourdust przychodził do siebie, lecz drżał jeszcze w szkarłatnym worku. Jej mąż, wiedząc, że nie ma tu pola do działania dla mężczyzny, stał na uboczu, spoglądając nerwowo na syna. Gryzł okucie zakończonej nefrytową gałką laski, a jego smutne oczy błądziły wokół, zawsze powracając do płaczącego niemowlęcia bez korony w ramionach piastunki.

Hrabina wzięła Tytusa od pani Slagg i podeszła do okna wykuszowego.

Patrząc na matkę, Fuksja poczuła wbrew sobie przypływ czegoś zbliżonego do litości dla niesionego przez nią drobnego ciężaru. Niemal niepokój bliskości, czułości, od chwili bowiem, gdy ujrzała brata drącego okrywające go karty, wiedziała, że w pokoju jest jeszcze druga istota, dla której cała górnolotność Gormenghast stanowiła coś, od czego należało uciekać. W gorącym porywie zazdrości wyobraziła sobie, że brat będzie pięknym dzieckiem, lecz gdy go ujrzała i zobaczyła, że wcale nie jest piękny, polubiła go, a jej żarzące się oczy przybrały na chwilę wyraz podobny temu, jaki jej matka miała wyłącznie dla swych ptaków i białych kotów.

Hrabina podniosła Tytusa w świetle z okna i obejrzała mu twarz, gruchając przy tym do szarego ptaka. Następnie odwróciła go i przez długi czas badała tył głowy.

— Przynieście koronę — powiedziała.

Doktor Prunesquallor podszedł, łokcie miał uniesione i wykręcone palce obu rąk, na których zawieszona była korona. Przewracał oczyma za szkłami.

— Czy mam go ukoronować w świetle słońca? ha, he, ha. Zdecydowanie ukoronować go — powiedział, ukazując hrabinie ten sam rząd nieugiętych zębów, którymi parę minut przedtem uraczył Corę.

Tytus przestał płakać, a w ogromnych ramionach matki wydawał się niewiarygodnie maleńki. Nic mu się nie stało, tylko wystraszył się upadkiem. Zostało tylko łkanie, wstrząsające nim co parę sekund.

— Niech pan włoży mu to na głowę — powiedziała hrabina.

Doktor Prunesquallor pochylił się od bioder w prostej skośnej linii. Jego nogi wydawały się tak chude w czarnych pokrowcach, że gdy lekki wiaterek powiał z ogrodu, wydawało się, że wtłoczył materiał głębiej niż miejsce, gdzie powinny znajdować się golenie. Opuścił koronę na białą ziemniakowatą główkę.

— Sourdust — powiedziała, nie odwracając się — chodź tutaj.

Sourdust uniósł głowę. Podniósłszy Księgę z podłogi, dopasowywał oddarty kawałek papieru do rogu naddartej stronicy i wygładzał drżącym palcem wskazującym.

— Chodź tu, chodź tu zaraz! — powiedziała hrabina.

Obszedłszy róg stołu, stanął przed nią.

— Pójdziemy sobie na spacer po trawie, Sourdust, a potem dokończysz chrztu. Uspokój się, człowieku — powiedziała. — Przestań szczękać.

Sourdust skłonił się i przekonany, że takie przerywanie chrztu dziedzica w prostej linii jest świętokradztwem, podążył za nią przez drzwi do ogrodu, ona zaś zawołała przez ramię: — Wszyscy! Wszyscy! Służący także!

Wyszli wszyscy i wybrawszy każdy swój równoległy odcień strzyżonej trawy, które zbiegały się wszystkie w oddali idealnie prostymi liniami zieleni, spacerowali w milczeniu szeregiem przez czterdzieści minut.

Dostosowali krok do najpowolniejszego, którym był Sourdust. Gdy rozpoczynali wędrówkę, od północnej strony rozpościerały się nad nimi cedry. Ich postaci malały w miarę, jak oddalali się po pasiastym szmaragdzie strzyżonego trawnika. Jak zabawki; jak zdejmowane, malowane zabawki poruszali się, każdy na swoim strzyżonym pasie.

Lord Sepulchrave spacerował wolnym krokiem, z pochyloną głową. Fuksja ociągała się. Doktor Prunesquallor drobił. Bliźniaczki posuwały się obojętnie. Flay stąpał jak pająk. Swelter toczył się.

Hrabina trzymała Tytusa cały czas w ramionach, pogwizdując rozmaite melodie, które zwabiły ku niej nieznajome ptactwo z nieznanych lasów poprzez złocone powietrze.

Gdy wreszcie zebrali się ponownie w Chłodnym Pokoju, Sourdust był bardziej opanowany, choć zmęczony spacerem.

Wskazawszy, by zajęli miejsca, niespokojnie położył dłonie na naddartej księdze, po czym zwrócił się do półkola przed sobą.

Tytusa umieszczono ponownie w Księdze, a Sourdust ostrożnie opuścił go na stół.

— Kładę ciebie, Dziecię-Dziedzicu — powiedział, podejmując tam, gdzie przeszkodziła mu starość palców — Dziecię-Dziedzicu rzek, Wieży Krzemieni, ciemnych zakamarków pod zimnymi schodami i słonecznych letnich trawników. Dziecię-Dziedzicu wiosennych wietrzyków wiejących z lasów i jesiennej niedoli płatków, łusek i skrzydeł. Białego zimowego blasku na tysiącu wieżyczek i letniej ociężałości pośród walących się murów — posłuchaj. Słuchaj z pokorą książąt i pojmij rozumieniem mrówek. Słuchaj, Dziecię-Dziedzicu, i dziw się. Przyswój sobie to, co teraz mówię.

Następnie Sourdust podał Tytusa matce poprzez stół i zwinąwszy dłoń, zanurzył ją w misie chrzcielnej. Potem, gdy dłoń i przegub ociekały wodą, pozwolił jej kapać przez palce na główkę niemowlęcia, gdzie pomiędzy iglicami korony znajdował się owalny kawałek napiętej skóry.

— Twoje imię jest TYTUS — powiedział po prostu Sourdust. — Tytus, siedemdziesiąty siódmy hrabia Groan i pan na Gormenghast. Zaklinam cię, byś czcił każdy kamień tkwiący w tych szarych murach przodków. Zaklinam cię, byś czcił ciemną ziemię, żywiącą twe wysokie bujnoliściaste drzewa. Zaklinam cię, byś czcił zasady rozszerzające wierzenia Gormenghast. Poświęcam cię zamkowi twego ojca. Tytusie, bądź prawy.

Tytus powrócił do Sourdusta, który przekazał go Niani Slagg. Pokój był rozkoszny od chłodnej woni kwiatów. Gdy po paru chwilach zadumy Sourdust dał znak, że można rozpocząć jedzenie, wystąpił Swelter i począł obchodzić pokój, balansując po cztery półmiski przysmaków na każdym przedramieniu i po półmisku w każdej dłoni. Potem napełnił szklanki winem, a Flay postępował za Lordem Sepulchrave'em jak cień. Nikt nie próbował prowadzić rozmowy, wszyscy stali w milczeniu rozsiani po pokoju, jedząc lub pijąc, lub stali przy oknie wykuszowym, chrupiąc i popijając, spoglądając na rozległe trawniki. Jedynie bliźniaczki siedziały w kącie pokoju, dając Swelterowi znaki, gdy tylko skończyły, co miały na talerzu. Popołudnie owo będzie stanowiło dla nich przez wiele dni temat podniecających wspomnień. Lord Sepulchrave nie tknął żadnego z roznoszonych przysmaków, a gdy Swelter zbliżył się z tacą pieczonych skowronków, Flay odpędził go stanowczo, zauważywszy zaś przy tym zły wyraz w świńskich oczkach kuchmistrza, uniósł ku uszom kościste ramiona.

W miarę upływu czasu Sourdust zaczął coraz bardziej sobie uświadamiać swe obowiązki mistrza ceremonii, wreszcie więc, odczytawszy godzinę ze słońca, rozdartego na pół smukłą gałęzią klonu, zaklaskał w dłonie i poczłapał ku drzwiom.

Wówczas zgromadzeni mieli się zebrać pośrodku pokoju, po czym przechodzić kolejno obok Sourdusta i pani Slagg, usadowionej u jego boku z Tytusem na kolanach.

Miejsca zajęto jak trzeba, a pierwszy podszedł ku drzwiom Lord Sepulchrave, który uniósłszy melancholijną głowę, wyrzekł, mijając syna, jedno słowo „Tytus" poważnym, obojętnym głosem. Za nim poczłapała ogromna hrabina, rycząc „Tytus" na pomarszczone niemowlę.

Wszyscy podchodzili kolejno: bliźniaczki, przeszkadzając sobie nawzajem, by jako pierwsza wymówić słowo, doktor, wywijając zębami przy słowie „Tytus", jak gdyby dając znak do romantycznej szarży kawalerii z szablami. Fuksja odczuwała zakłopotanie i patrzyła na iglice korony braciszka.

Wreszcie przeszli wszyscy, wymówiwszy właściwym sobie tonem ostatnie słowo „Tytus" wraz z podniesieniem głowy, a pani Slagg pozostała sama, gdyż nawet Sourdust ją opuścił, idąc w ślad za panem Flayem.

Pozostawszy sama w Chłodnym Pokoju, pani Slagg spojrzała wokół nerwowo na pustkę i na światło słoneczne wlewające się przez wielkie okno wykuszowe.

Nagle zaczęła płakać ze zmęczenia i podniecenia, i z powodu szoku, jakiego doznała, gdy hrabina ryknęła na nią i na jego maleńką wysokość. Wyglądała jak zwiędła, żałosna istota na wysokim krześle, z lalką w koronie w ramionach. Zielona satyna połyskiwała drwiąco w popołudniowym świetle. — Och, moje serduszko — łkała, a łzy spełzały po suchych jak skóra gruszki zmarszczkach jej miniaturowej twarzy — moje biedne, biedne serduszko — jakby zbrodnią było go kochać. — Przycisnęła twarzyczkę dziecka do mokrego policzka. Oczy miała zamknięte, wilgoć przywarła jej do rzęs, a usta drżały; wtedy właśnie Fuksja powróciła ukradkiem i uklękła, obejmując starą piastunkę i brata silnymi ramionami.

Pani Slagg otworzyła nabiegłe krwią oczy i pochyliła się, a wszyscy troje złączyli się w silnym przypływie uczucia. *Kocham cię* — szepnęła Fuksja, unosząc smutne oczy.

— Kocham cię, kocham cię — potem zaś zwróciwszy głowę ku drzwiom — doprowadziliście ją do płaczu — zawołała, jak gdyby zwracając się do szeregu postaci, które tak niedawno przez nie przeszły — doprowadziliście ją do płaczu, bydlęta!

SPOSÓB UCIECZKI

Pana Flaya dręczyły dwa utrapienia. Pierwszym była nienawiść, jaka zrodziła się pomiędzy nim a górą bladego mięsa; nienawiść, która wybuchła i owocowała atakiem na kuchmistrza. Jeszcze skrupulatniej unikał teraz korytarzy, dziedzińców i krużganków, gdzie mogły zamajaczyć niewątpliwe rozmiary wroga. Wykonując swe obowiązki, pan Flay był nieustannie świadomy obecności wroga w zamku i prześladowało go przeświadczenie, że ta obrzękła głowa knuje cały czas jakąś szatańską intrygę — jakiś piekielny spisek, słowem — *zemstę*. Flay nie mógł przypuścić, jaką okazję kuchmistrz znajdzie lub stworzy, lecz stale był w pogotowiu i ciągle rozważał w ciemnej czaszce wszelkie możliwości, jakie mu przychodziły na myśl. O ile Flay się jeszcze nie bał, to przynajmniej się lękał, co było bliskie strachu.

Drugi z owych lęków obracał się wokół zniknięcia Steerpike'a. Czternaście dni temu zamknął łobuza, a powróciwszy dwanaście godzin później z dzbankiem wody i półmiskiem ziemniaków, nie znalazł go w pokoju. Od tej pory ślad po nim zaginął, a choć pana Flaya sam chłopiec nie interesował, niepokoiło go jednak tak niezwykłe zniknięcie, jak również fakt, że był on jednym z kuchcików Sweltera i mógł, w razie powrotu w cuchnące okolice, które opuścił, wyjawić, że się spotkali, a może nawet podsunąć kuchmistrzowi w zniekształconym opisie wydarzenia, że go zwabiono w inne strony i uwięziono dla jakiegoś groźnego powodu jego własnego wymysłu. Poza tym pan Flay pamiętał, że chłopiec podsłuchał uwagi Lorda Groan o swym synu, uwagi, które przyniosłyby ujmę godności Gormenghast, gdyby je rozgłoszono motłochowi zamkowemu. Nie wypadało, by na początku kariery nowego Lorda Groan stało się powszechnie wiadome, że dziecko jest brzydkie i że Lord Sepulchrave się tym martwi. Flay nie zdecydował jeszcze, w jaki sposób można zapewnić milczenie chłopca, lecz było oczywiste, że pierwszą koniecznością stało się odnalezienie go. W wolnych chwilach przeszukał pokój po pokoju, balkon po balkonie, lecz nie znalazł żadnego śladu jego pobytu.

Leżąc nocą przed drzwiami pana, drgał, budził się i siadał wyprostowany na zimnych deskach podłogi. Najpierw zjawiała mu się przed oczyma twarz Sweltera, ogromna i niewyraźna, z paciorkami oczu w fałdach mięsa, zimna i nieubłagana. Wysuwał naprzód twardą, ostrzyżoną głowę i ocierał spocone dłonie o ubranie. Potem, gdy odrażające widziadło rozpływało się w ciemności, błądził myślą do pustego pokoju, gdzie po raz ostatni widział Steerpike'a, i w wyobraźni obchodził ściany, obmacywał rękami boazerię i wreszcie docierał do okna, skąd patrzył na dziedziniec w dole odległy o setki stóp gładkiej ściany.

Przy ponownym prostowaniu nóg stawy kolanowe trzaskały mu w ciemności, gdy się wyciągał, z kluczem o smaku żelaza w zębach.

*

A oto, co się właściwie stało w Ośmiokątnej Komnacie i co się później przydarzyło Steerpike'owi:

Usłyszawszy zgrzyt klucza w zamku, chłopiec podbiegł do drzwi i przykleiwszy oko do dziurki od klucza zobaczył, jak siedzenie spodni pana Flaya oddala się korytarzem. Usłyszał, że zakręcił, potem w oddali zamknęły się z łoskotem drzwi, a potem zapanowała cisza. Większość ludzi próbowałaby nacisnąć klamkę. Instynkt, choć irracjonalny, byłby zbyt potężny: pierwszy odruch tego, kto chce uciec. Steerpike spoglądał przez chwilę na gałkę w drzwiach. Słyszał zgrzyt klucza. Był posłuszny prostej logice umysłu. Odwrócił się od jedynych drzwi w pokoju i wychyliwszy się przez okno popatrzył na przepaść w dole.

Jego ciało sprawiało wrażenie zniekształconego, choć trudno byłoby powiedzieć, co nadawało mu ów garbaty wygląd. Wydawało się, że każdy członek po kolei był w porządku, lecz suma kilku urastała w nieoczekiwanie pokrętną całość. Twarz miał bladą jak glina i podobną do maski, z wyjątkiem oczu. Oczy miał blisko osadzone, maleńkie, ciemnoczerwone i pełne niezwykłego skupienia. Pasiasty kuchenny kaftan miał bardzo dopasowany. Małą białą czapeczkę zsunął na tył głowy.

Patrząc spokojnie w dół na urwisty spadek, ściągnął usta, a oczy przebiegły szybko dziedziniec w dole. Potem nagle odszedł od okna i w sobie właściwy sposób, pół biegnąc, pół idąc, okrążył pospiesznie pokój, jak gdyby musiał dotrzymywać kroku umysłowi, poruszając członkami. Potem powrócił do okna. Wszędzie panowała cisza. Popołudniowe światło poczynało już blednąć na niebie, chociaż obraz wieżyczek i dachów zawarty w ramach okiennych miał jeszcze ciepłe barwy. Ostatnim ogólnym spojrzeniem przez ramię obrzucił ściany i sufit więzienia, po czym założywszy ręce do tyłu, ponownie skupił uwagę na oknie.

Tym razem, wychyliwszy się niebezpiecznie poza parapet i z twarzą zwróconą ku niebu, zbadał chropowate kamienie ściany *ponad* wnęką okienną i zauważył, że dwadzieścia stóp powyżej kończyły się przy spadzistym dachu z dachówek. Dach ten zakończony był długim poziomym grzbietem jak skarpa, który z kolei prowadził ogromnymi łukami ku głównym dachom Gormenghast. Owe dwadzieścia stóp w górze, choć na pierwszy rzut oka wydawały się nie do przebycia, było, jak zauważył, niebezpieczne tylko przez pierwszych dwanaście stóp, gdzie jedynie niekiedy kamienne nieregularne występy dawały oparcie przyprawiające o zawrót głowy. Powyżej mizerne, na pół uschłe pnącza, skłębione szaro na dachówkach, opuszczało włochate ramię, po którym, jeśli nie załamałoby się pod jego ciężarem, można by się dość łatwo wspiąć.

Steerpike zastanowił się, że gdy przełoży nogę przez gzyms, będzie mógł stosunkowo łatwo przedostać się ponad zewnętrzną skorupą głównego budynku Gormenghast.

Ponownie utkwił wzrok w pierwszych dwunastu stopach pionowego kamienia, wybierając i badając chwyty, których użyje. Badanie zaniepokoiło go. To będzie nieprzyjemne. Im bardziej obszukiwał ścianę skupionym wzrokiem, tym mniej podobała mu się ta perspektywa, lecz widział, że to *jest* możliwe, jeśli skoncentruje na tym każdą myśl i każdy mięsień. Wciągnął się z powrotem do pokoju, który nagle wzbogacił swą ciszę atmosferą bezpieczeństwa. Dwie drogi stały przed nim otworem. Mógł albo czekać, a przypuszczalnie Flay pojawiłby się w swoim czasie i, jak podejrzewał, próbował go ponownie skierować do kuchni — lub też mógł podjąć ryzykowną próbę.

Nagle, usiadłszy na podłodze, zdjął buty i uwiązał je za sznurowadła u szyi. Potem wepchnął skarpetki do kieszeni i wstał. Wspiąwszy się na palce pośrodku pokoju, rozstawił palce u nóg i poczuł w nich mrówki spowodowane świadomością, potem brutalnie rozsunął palce, pobudzając dłonie. Nie było na co czekać. Ukląkł na parapecie okna, a potem, odwróciwszy się, podniósł się powoli i stanął na zewnątrz okna, z pustym zmierzchem u ramion.

„POLE KAMIENNYCH PŁYT"

Nie dopuścił do siebie myśli o mdlącej przepaści i przywarł oczyma do pierwszego chwytu. Lewą ręką uchwycił nadproże, gdy prawą stopą obmacywał, by zacisnąć palce na chropowatym rogu kamienia. Prawie natychmiast zaczął się pocić. Palce popełzły w górę i znalazły szczelinę, którą przedtem zbadał bez pośpiechu. Zagryzając wargę, aż krew pociekła na podbródek, podsunął lewe kolano po powierzchni ściany. Być może zajęło mu to siedemnaście minut według zegara, lecz według czasu jego bijącego serca spędził cały wieczór na kołyszącej się ścianie. Czasami postanawiał skończyć z tym wszystkim, z życiem i tak dalej, i spaść w przestrzeń, gdzie byłby koniec wysiłkowi i mdłościom. Kiedy indziej, przywarłszy rozpaczliwie, posuwając się w górę w mdlącym otumanieniu, przyłapywał się na tym, że powtarza parę linijek jakiegoś dawno zapomnianego wiersza.

Palce miał prawie zdrętwiałe, a ręce i kolana trzęsły się strasznie, gdy poczuł, że twarz mu łaskocą strzępiaste korzonki zwisające z końca uschłego pnącza. Gdy uchwycił je prawą ręką, palce nóg straciły chwyt i przez chwilę kołysał się ponad pustką. Lecz ręce potrafiły uruchomić nie używane mięśnie, a choć ramiona mu pękały, wdrapał się pozostałe piętnaście stóp, a grube, kruche drzewo trzymało mocno, jedynie kawałeczki obłamywały się z boku. Prześliznąwszy się ponad rynną, leżał twarzą w dół, osłabły i niesamowicie roztrzęsiony. Leżał tam przez godzinę. Potem, uniósłszy głowę i znalazłszy się w pustej krainie dachów, uśmiechnął się. Był to młody uśmiech, uśmiech stosowny do jego siedemnastu lat, który nagle przeobraził pustkę dolnej części twarzy i równie nagle zniknął; z miejsca, gdzie leżał pochyło na rozgrzanych słońcem dachówkach, widać było jedynie kawałki tej nowej krainy dachów oraz przestwór gasnącego nieba. Dźwignął się na łokciach i nagle spostrzegł, że tam, gdzie stopy jego wparły się w rynnę, podpora niemal puszczała. Jedynie zżarty metal oddzielał ciężar jego ciała leżącego stromo i pochyło na dachówkach od długiego spadku na dziedziniec. Bez chwili zwłoki począł przesuwać się w górę po pochyłości, podpierając się bosymi stopami i trąc barkami po omszałym dachu.

Chociaż członki były silniejsze po odpoczynku, mdliło go, gdy posuwał się po stromiźnie dachówek. Spad był dłuższy, niż się to wydawało z dołu. W istocie rozmaite struktury dachu — parapet, wieżyczka i gzyms — okazały się większych rozmiarów, niż przypuszczał.

Osiągnąwszy grzbiet dachu, Steerpike usiadł na nim okrakiem i ponownie złapał oddech. Otaczały go jeziora blednącego światła.

Mógł dostrzec, że grzbiet, na którym siedział, prowadził szerokim łukiem ku miejscu, gdzie na zachodzie przecinała go pierwsza z czterech wież. Poza nimi, daleko po prawej, łuk dachu biegł dalej, tworząc półkole. Kończyło się ono wysokim bocznym murem. Kamienne stopnie prowadziły z grzbietu na szczyt muru, skąd można było dotrzeć wąskim chodnikiem na obszar wielkości pola, który otaczały położone niżej ciężkie, rozpadające się budowle przyległych dachów i wież, pomiędzy nimi zaś widać było inne odległe dachy i inne wieże.

Oczy Steerpike'a, biegnąc po szczytach dachów, dotarły wreszcie do parapetu otaczającego ów obszar. Z miejsca, gdzie się znajdował, nie mógł się oczywiście domyślić kamiennego podniebnego pola, odległego o milę i leżącego powyżej zasięgu wzroku, lecz ponieważ główne zbiorowisko Gormenghast wznosiło się ku zachodowi, zaczął pełznąć w tym kierunku wzdłuż łuku grzbietu.

Minęła przeszło godzina, nim Steerpike dotarł do miejsca, gdzie jedynie otaczający parapet zasłaniał mu widok kamiennego podniebnego pola. Wspinając się na ów parapet znużonymi, wytrwałymi członkami, nie uświadamiał sobie, że jedynie parę sekund i kilka bloków pionowego kamienia dzieliło go od widoku nie oglądanego od przeszło czterystu lat. Gramoląc kolano ponad szczytowymi kamieniami, podźwignął się na chropowaty mur. Uniósłszy znużoną głowę, by spojrzeć na następną przeszkodę, ujrzał przed sobą pustynię szarych kamiennych płyt, rozciągającą się na przestrzeni czterech kwadratowych akrów. Parapet, na którym siedział wyprostowany, otaczał całą przestrzeń, przerzuciwszy więc przezeń nogi, zeskoczył około czterech stóp na ziemię. Gdy zeskoczył i odchylił się do tyłu, by się oprzeć o mur, z odległego końca kamiennego pola wzbił się żuraw i wolno bijąc skrzydłami, poszybował ponad odległymi blankami, ginąc wkrótce z oczu. Słońce zaczynało zachodzić w fioletowej mgiełce, a kamienne pole rozciągało się puste, poza malutką postacią Steerpike'a, jego zaś zimne płyty przybierały dominującą barwę nieba. Pomiędzy płytami rósł ciemny mech i długie ostre szyje sypiących się traw. Łakome oczy Steerpike'a wchłonęły przestrzeń. Jak można to wykorzystać? Od czasu ucieczki była to najsilniejsza karta w talii, jaką miał zamiar zebrać. Nie mógł powiedzieć, dlaczego, jak i kiedy użyje zgromadzonych okrawków wiedzy. To na przyszłość. Teraz wiedział tylko, że ryzykując życie natknął się na ogromny dziedziniec, zarówno tajemny jak nagi, ukryty jak i otwarty na gniew czy czułość żywiołów. Gdy ugiąwszy kolana, osunął się przy murze jak półśpiący, półomdlały tobół, kamienne pole zamigotało purpurowym rumieńcem i słońce zgasło.

„PONAD KRAINĄ DACHÓW"

Ciemność zstąpiła na zamek, na Splątane Bory i na Górę Gormenghast. Długie stoły Mieszkańców skryły się w gęstości bezgwiezdnej nocy. Drzewa kaktusowe i akacje, obok których szła Niania Slagg, i sędziwy głóg na dziedzińcu służby wyglądały tak samo w swych całunach. Ciemność ponad czterema skrzydłami Gormenghast. Ciemność kładąca się na szklane drzwi Pokoju Chrzcielnego i przeciskająca swe niewyczuwalne ciało przez liście bluszczu dławiące okno Lady Groan. Przywierająca do ścian, skrywająca je przed wszystkim z wyjątkiem dotyku; skrywająca je i skrywająca wszystko; pochłaniająca wszystko w nienasyconej wszechobecności. Ciemność ponad kamiennym podniebnym polem, po którym niewidocznie przesuwały się chmury. Ciemność ponad Steerpike'em, który spał, budził się, zasypiał nierówno i znowu się budził — jedynie w skąpym ubraniu, bardziej przydatnym w dusznej atmosferze kuchni niż w nagości nocnego powietrza. Drżąc wpatrywał się w ścianę nocy, nie rozjaśnioną ani jedną bladą gwiazdą. Potem przypomniał sobie o fajce. Zostało trochę tytoniu w blaszanym pudełku w bocznej kieszeni.

W ciemności napełnił lulkę, ugniatając ją chudym, usmolonym palcem, i z trudem zapalił mocny, gruby tytoń. Nie mógł dojrzeć dymu wychodzącego z lulki i wypływającego z ust, lecz żarzenie się pasemek i rosnące ciepło lulki przynosiły ulgę. Owinąwszy wokół niej chude dłonie, z kolanami podciągniętymi pod brodę, przez długie wlokące się minuty smakował na języku gorący tytoń. Gdy wreszcie skończył fajkę, okazało się, że zbyt się rozbudził i zbyt mu było zimno, by zasnąć, więc przyszło mu do głowy, żeby okrążyć na oślep kamienne pole, z jedną ręką na niskim murze, dopóki nie powróci w to samo miejsce. Zdjąwszy czapkę z głowy, położył ją na parapecie i począł wymacywać drogę na prawo, a dłonią pocierał o chropowatą kamienną powierzchnię tuż poniżej ramienia. Początkowo liczył kroki, aby po powrocie zabić nieco więcej czasu obliczaniem powierzchni kwadratu, lecz wkrótce stracił rachubę wśród trudów powolnej podróży. O ile pamiętał, nie należało spodziewać się przeszkód ani wyrw w parapecie, lecz wspomnienia wspinaczki i pierwszego widoku podniebnego pola pogmatwały się, nie mógł więc polegać na pamięci w atramentowej ciemności. Dlatego wymacywał przed każdym krokiem, czasem przekonany, że przeszkodzi mu mur lub wyrwa w płytach, więc zatrzymywał się i posuwał naprzód cal po calu, by przekonać się, że intuicja zawiodła go i że jednostajny, bezkresny, równy bieg ciemnego obwodu stał przed nim pusty. Jeszcze nim znalazł się w połowie pierwszego z czterech boków, począł obmacywać balustradę, szukając czapki, by potem sobie przypomnieć, że nie dotarł jeszcze do pierwszego rogu.

Wydawało mu się, że idzie tak od wielu godzin, gdy poczuł, że rękę zatrzymał, jakby uderzeniem, nagły kąt prosty parapetu. Jeszcze trzykrotnie miał doświadczyć nagłej zmiany kierunku w ciemności, po czym, szukając po omacku, odnaleźć czapkę.

Zrozpaczony upływem czasu od chwili rozpoczęcia podróży na oślep, stał się, jak mu się to wydało w ciemności, niemal lekkomyślny, nierówno krocząc naprzód, stopa za stopą. Raz czy dwa, wzdłuż drugiej ściany, zatrzymał się i wychylił poza parapet. Zrywał się wiatr, więc skulił się.

Gdy zbliżał się nieświadomie do trzeciego rogu, zdawało się, że jakiś ciężar uniósł się z powietrza, a choć nie mógł niczego dostrzec, atmosfera wokół wydała się lżejsza, więc zatrzymał się, jak gdyby z oczu opadł mu częściowo bandaż. Stanąwszy, oparł się o mur i spojrzał w górę. Była tam ciemność, lecz nie ta nieprzenikniona ciemność, jaką znał.

Potem raczej wyczuł niż dostrzegł w górze poruszenie mas. Nie można było niczego rozróżnić, lecz nie miał wątpliwości, iż jakieś siły podążały poprzez ciemność; potem nagle, jak gdyby z oczu ściągnięto mu następną warstwę dławiącego płótna, Steerpike rozróżnił w górze olbrzymie, niewyraźne kształty chmur, płynące jedna za drugą w statecznym porządku, jakby zdążające w jakimś złowieszczym poselstwie.

Nie była to, jak Steerpike początkowo przypuszczał, zapowiedź świtu. Choć czas mu się dłużył od chwili wdrapania się przez parapet, była jeszcze godzina do nowego dnia. W ciągu kilku chwil przekonał się, że zawiodły go nadzieje, bowiem gdy patrzył, niewyraźne chmury zaczęły przecierać się, przesuwając w górze, a pomiędzy nimi inne, w głębi, ustępowały z kolei jeszcze odleglejszym. Trzy warstwy chmur posuwały się w górze, a najbliższe — najciemniejsze — najszybciej. Kamienne pole było jeszcze niewidoczne, lecz Steerpike mógł rozróżnić dłoń przed oczyma.

Potem szara zasłona opadła z oblicza nocy, a poza najdalszą warstwą spiętrzonych chmur wytrysnęło nagle mrowie płonących kryształków, a pomiędzy nimi łukowata drzazga ognia.

Zauważywszy kąt księżyca i stwierdziwszy ku swemu zmartwieniu, że pora jest znacznie wcześniejsza niż się spodziewał, Steerpike zaobserwował z konieczności, spoglądając w górę, że chmury jak gdyby przestały się poruszać, a w ich miejsce ruszyła gromadka gwiazd i chudy księżyc, ślizgając się skośnie w poprzek nieba.

Owe promienne cuda biegły rączo i jak chmury, z natychmiastowym skutkiem. Tu i ówdzie na rozległym przestworze postrzępionego nieba odłamywały się punkciki ognia i biegły, póki ostatni ciemny kłąb chmur nie ześliznął się z firmamentu, a wówczas wzniosłe, zwinne piękno płynących słońc powstrzymało się w przypływie, a noc nieruchomych gwiazd rozświetliła upiorne pole kamieni.

Teraz, gdy niebiosa jarzyły się żółtymi kamykami, Steerpike mógł iść dalej bez strachu, szedł więc naprzód, potykając się, gdyż wolał zakończyć obchód niż skierować się wprost do czapki w poprzek płyt. Dotarłszy do punktu wyjścia, wcisnął czapkę na głowę, gdyż cenne było wszystko, co mogło zmniejszyć zimno. Czuł się teraz niewymownie utrudzony.

Przejścia ostatnich dwunastu czy piętnastu godzin nadwerężyły jego siły. Duszne piekło pijanej krainy Sweltera, okropność Kamiennych Uliczek, gdzie zemdlał i gdzie znalazł go Flay, a potem koszmar wspinaczki po murze i dachu z dachówek, a stamtąd mniej niebezpiecznie, ale wcale nie łatwiej ku wielkiemu kamiennemu polu, gdzie teraz stał i gdzie przybywszy, zemdlał po raz wtóry tego dnia: to wszystko zebrało żniwo. Teraz nawet zimno nie mogło go powstrzymać od snu, położywszy się więc nagle, z głową na podwiniętych ramionach, zasnął, póki nie obudził go głód szarpiący żołądek i słońce świecące silnie na porannym niebie.

*

Gdyby nie ból w członkach, dający bolesne świadectwo rzeczywistości, jakiej doświadczył, przejścia poprzedniego dnia zyskałyby nierzeczywistość snu. Gdy wstał tego ranka w świetle słonecznym, było to, jakby go przeniesiono w nowy dzień, niemal w nowe życie w nowym świecie. Jedynie głód powstrzymał go od pochylenia się z zadowoleniem ponad nagrzanym parapetem i planowania dla siebie niewiarygodnej przyszłości, spoglądając na setkę wież poniżej.

Najbliższe godziny nie zapowiadały odpoczynku. Dzień wczorajszy wyczerpał go, lecz wstępujący dzień miał okazać się równie trudny, a chociaż wymagana wspinaczka nie miała być tak rozpaczliwa jak najgorsze wczorajsze przygody, to głód i osłabienie przepowiadały koszmar w słońcu na najbliższe godziny.

W ciągu godziny od chwili przebudzenia zszedł po długim pochyłym dachu, zeskoczywszy dziewięć stóp z parapetu, po czym dotarł do krętych, kamiennych schodków, prowadzących poprzez lukę pomiędzy dwoma wysokimi ścianami do miejsca, gdzie skupisko stożkowatych dachów zmusiło go do długiego i niebezpiecznego obejścia. Dotarłszy wreszcie na przeciwległy kraniec skupiska, osłabły i oszołomiony ze zmęczenia, pustki i żaru wzmagającego się słońca, ujrzał rozciągającą się górzystymi fasadami rozsypującą się panoramę, krainę dachów Gormenghast, z turniami i litymi skałami ścian pocętkowanych niezliczonymi oknami. Steerpike'a opuściła na chwilę odwaga, znalazł się bowiem na obszarze jałowym jak księżyc, więc nagle ogarnęła go rozpacz w osłabieniu, opadł na kolana i dostał silnych mdłości. Jego rzadkie płowe włosy przykleiły się do dużego czoła i pociemniały na brąz. Kąciki ust lekko opadły. Każda zmiana w masce jego rysów była bardzo widoczna. Klękając, zataczał się. Potem usiadł zdecydowanie i odgarnąwszy z czoła zlepione włosy, tak że sterczały mu wokół głowy sztywne i wilgotne, oparł brodę na założonych rękach, a następnie zaczął bardzo powoli przesuwać oczyma po skalistym rozpostartym przed nim płótnie, z tą samą metodyczną dokładnością, jaką wykazał, badając mur ponad oknem swego więzienia.

Mimo że wygłodniały, nie ustał ani na chwilę w badaniu, choć dopiero godzinę później, przeszukawszy każdy kąt i każdą powierzchnię, rozprężył się i odwrócił oczy od panoramy, po czym zamknąwszy je na chwilę, utkwił je ponownie w pewnym oknie, które znalazł parę minut wcześniej w odległej przepaści szarego kamienia.

„BLISKO I DALEKO"

Któż może powiedzieć, ile czasu potrzebuje oko sępa czy rysia, by ogarnąć całość krajobrazu, lub czy we wszechogarniającej chwili pozornie niewyczerpany zamęt szczegółów nie narzuca się ich oczom jako uporządkowany i czytelny ciąg odległości i kształtów, w którym ostatni szczegół postrzega się w stosunku do całej masy? Możliwe, że jastrząb nie dostrzega niczego poza trawiastymi wyżynami, a pośród szorstkich traw, wyraźniej niż samo pole, królika czy szczura, i że nie widzi nigdy krajobrazu w całej rozciągłości, lecz jedynie te miejsca, jakby rozświetlone pochodnią, gdzie przemyka się zdobycz, podczas gdy przyległe obszary zachodzą w żółtych oczach mgłą i ciemnością.

O ile grasujące, bezpłciowe oko ptaka lub drapieżnego zwierzęcia rozprasza się i widzi wszystko, czy też skupia się i unika wszystkiego z wyjątkiem tego, czego szuka, to z całą pewnością mniej silne oko ludzkie nie może ogarnąć, nawet po ćwiczeniu przez całe życie, sceny w całej jej rozciągłości. Oko nie może patrzeć beznamiętnie. Nie ma pojmowania na pierwszy rzut oka. Jedynie rozpoznanie panny, konia czy muchy i domniemanie panny, konia czy muchy; podobnie ze snami i tym, co poza nimi, bowiem to, co pokutuje w sercu, napotkane wyskakuje, zaślepiając oczy i pogrążając w ciemności ocean Życia.

Gdy Steerpike rozpoczął badanie, kraina dachów była ni mniej, ni więcej jak skupiskiem kamiennych struktur rozciągających się na prawo, lewo i w głąb. Była to mgła kamieniarki. Gdy tak patrzył, rozpatrując każdą strukturę pojedynczo, poczuł się widzem w nieruchomym zbiorowisku kamiennych osobowości. W ciągu godziny skupienia zobaczył drzewo, wyrastające z trzech czwartych wysokości gładkiej, ślepej fasady pustej ściany, wygięte na zewnątrz i ku górze, rozszczepiające się i rozwidlające, póki labirynt gałązek nie rozmazał zarysu rozsłonecznionym dymkiem. Drzewo było uschłe, lecz ponieważ wyrastało z południowej ściany, osłonięte było od gwałtowności wiatrów i sądząc z harmonijnego, wachlarzowatego piękna kształtu, nie utraciło ani jednego uschłego członka. Jego idealny cień leżał na oświetlonej ścianie jakby wyryty ponadludzką sztuką. Choć kruche i suche, i tak stare, że pierwszy pęd musiał z pewnością wystrzelić zanim ukończono ścianę, drzewo to miało jednak wdzięk młodej dziewczyny, a Steerpike ujrzał najpierw jego kunsztowny, koronkowy cień na murze. Dziwił się, dopóki nie zmaterializowało się stare drzewo, którego zarys stopił się z jasną ścianą w tle.

Na głównym pniu, wyrastającym poziomo z muru, Steerpike zobaczył dwie idące postaci. Wydawały się mniej więcej wielkości ogryzków ołówka, wyrzucanych jako nazbyt niewygodne do trzymania. Domyślił się, że to kobiety, gdyż jeśli mógł dostrzec, ubrane były w jednakowe purpurowe suknie, na pierwszy rzut oka zaś wydawało się, że ryzykowały życie, krocząc po owym poziomym pniu ponad spadkiem kilkuset stóp, jednakże z porównania wielkości postaci i pnia drzewa wynikało jasno, że były bezpieczne, jak gdyby przechadzały się po moście.

Obserwował je, jak dotarły do miejsca, gdzie konar rozwidlał się na trzy części i gdzie, jak mógł dostrzec, ocieniając oczy, usiadły na krzesłach naprzeciw siebie przy stole. Jedna z nich uniosła łokieć w taki sposób, jak ktoś nalewający herbatę. Druga wstała wówczas i pospieszyła na powrót wzdłuż głównego pnia, aż dotarła do powierzchni ściany, w której nagle znikła; a Steerpike, wytężając wzrok, mógł rozróżnić nieregularność w kamieniu, wywnioskował więc, że tuż powyżej miejsca, skąd drzewo wyrastało ze ściany, musiało znajdować się okno lub drzwi. Zamknąwszy oczy, by odpoczęły, potrzebował chwili, by odnaleźć drzewo, gdyż było odległe i zagubione pośród dziesiątków dachów; odnalazłszy je, zobaczył ponownie dwie postaci siedzące przy stole. Poniżej płynęły przezroczyste masy porannego powietrza. Powyżej rozpościerało się zwiędłą elegancją uschłe drzewo, a po lewej jego koronkowy cień.

Steerpike spostrzegł od razu, że byłoby niepodobieństwem dotrzeć do drzewa lub okna, oczy jego podjęły więc bezkresne poszukiwanie.

Zobaczył wieżę z kamiennym wydrążeniem w wierzchołku. Owa płytka sadzawka nachylała się od kamiennego występu otaczającego wieżę, a woda deszczowa wypełniała ją do połowy. W tym krążku wody, którego połyskiwanie przyciągnęło jego oko, a które wydawało się wielkości monety, pływało, jak to mógł dostrzec, coś białego. Jak sądził, był to koń. W miarę patrzenia zauważył coś mniejszego pływającego u jego boku, a musiało to być źrebię, białe jak matka. Wokół krawędzi wieży unosiły się chmary wron, które rozpoznał jedynie wówczas, gdy jedna z nich, odfrunąwszy od reszty, z wielkości komara urosła do wielkości czarnej ćmy, krążąc i zbliżając się, zanim nie zawróciła w locie i poszybowała bez najmniejszego drgnienia rozpostartych skrzydeł z powrotem ku kamiennej sadzawce, lądując tam z trzepotem pośród towarzyszek.

Gdy oczy jego przywykły do szczegółów przestrzeni, ujrzał, trzydzieści stóp poniżej i przerażająco blisko, wynurzającą się nagle głowę u podstawy czegoś, co bardziej przypominało pionową czarną szramę w nasłonecznionej ścianie niż okno. Nie miało framugi, zasłon ani parapetu. Wyglądało, jakby czekało, by wypełniono je dwunastoma kamiennymi blokami, jeden nad drugim. Pomiędzy Steerpike'em a tą ścianą znajdowała się luka osiemnastu, może dwudziestu stóp. Ujrzawszy wynurzającą się głowę, Steerpike opuścił się stopniowo poza przyległą wieżyczkę, by nie zwracać uwagi, i śledził ją jednym okiem spoza budowli.

Była to podłużna głowa.

Był to klin, pas, groteskowy płat, w którym zmuszono rysy, jak się zdawało, do wytyczenia granic, a one uczyniły to bardzo pospiesznie, bez jakiejkolwiek próby stworzenia, z korzyścią dla siebie, jakiegoś symetrycznego wzoru. Nos pojawił się z pewnością pierwszy na scenie i rozparł się przez całą długość klina, zaczynając się w siwej szczecinie włosów i kończąc w siwej szczecinie brody, rozprzestrzeniając się na obie strony i bezlitośnie lekceważąc oczy i usta, które znalazły jedynie niepewne punkty oparcia. Położenie pozostawionego im terenu zmusiło usta do skrzywienia się pod kątem, który nadał prawej stronie wyraz ponurego rozbawienia, a lewej, opadającej ku podbródkowi, bezlitosny grymas. Usta musiały być krótkie nie tylko ze względu na nieprzyjazny monopol nosa, lecz również przez zwężający się kształt głowy; lecz było oczywiste, że w normalnych warunkach zajęłyby podwójny obszar. Oczy, w których wyrazie można było wyczytać bezdenną zawiść względem nosa, były małe jak kamyki i wyglądały spomiędzy szarej trawy włosów.

Głowa ta, usadowiona pochyło na szyi krzywej jak u żółwia, przecinała wąski, pionowy, czarny pas okna.

Steerpike śledził, jak wolno obraca się wokół szyi. Nie zdziwiłoby go, gdyby odpadła, gdyż kąt jej tak bardzo przypominał zabawkę.

Gdy patrzył zafascynowany, usta otwarły się i głos dziwny i głęboki jak echo posępnego oceanu wypłynął w poranek. Nigdy jeszcze głos nie zadał tak kłamu twarzy.

Wymowa posiadała tak dziwaczny rytm, że początkowo Steerpike nie mógł pojąć więcej niż jedno zdanie na trzy, lecz szybko przywykł do swoistej intonacji, a gdy słowa uporządkowały się, Steerpike zorientował się, że spogląda na poetę.

Wyrzuciwszy z siebie powolny, pełen zadumy monolog, długa głowa spozierała przez czas jakiś nieruchomo w niebo. Potem odwróciła się, jakby badając ciemne wnętrze pokoju znajdującego się poza wąskim oknem.

W silnym świetle i cieniu wystające kręgi jego szyi przy obrocie głowy rysowały się jak twarde gałeczki pokryte pergaminem. Głowa zwróciła się nagle ponownie ku słońcu, a oczy pomknęły szybko we wszystkie strony, nim spoczęły. Jedna dłoń podparła szczeciniasty kołek brody. Druga, zwisając bezwładnie z chropawej, pozbawionej parapetu krawędzi otworu, kołysała się wolno w takt prostych wierszy, jakie następnie wygłosił.

Zostań ze mną, Ideale,
    Snuj się ze mną we śnie błogim
Po pradawnej, stromej skale,
    Więcej chcieć nie mogą bogi.
Posnuj się, gdzie ja się snuję,
    Po tych samych stąpaj płytach,
Rozprosz lęki, jakie czuję,
    Ducha mego w pęta schwytaj.

Przyjdź, miłości, ma jedyna,
    Poprzez blanki zamku Groan;
Snucie smutne być zaczyna,
    Gdy ktoś snuje się tak sam.

Snułem się w krużgankach nocą
    Przy północnych zamku murach,
Z nieba ostryg rój migocąc
    Po świetlistych perłach szurał.

Bezlitosne długie cienie
    Lękiem zdjęły mnie wspaniałym.
Snułem się przez zimne błonie,
    Moknąc w deszczu miesiąc cały.

Przyjdź, najsłodsza, ma jedyna,
    Poprzez gzymsy zamku Groan,
Snucie smutne być zaczyna,
    Gdy ktoś snuje się tak sam.

Snułem się ja po komnatach,
    Gdzie wymarłe rody drzemią,

Snułem się po kazamatach,
  Dziuplach i norach pod ziemią.

I niejeden z tych, co krążą
  Nocą poprzez schody kręte,
W zadziwienie się pogrążył,
  Gdy mnie ujrzał za zakrętem.

Tęsknię bardzo, ma jedyna,
  Słuchaj! kroki rodu Groan!
Snucie smutne być zaczyna,
  Gdy ktoś snuje się tak sam.

Przyjdź, o przyjdź i snuj się ze mną!
  I rozważaj ze mną raczej
Naturę rzeczy tajemną,
  Co mistycznie nam majaczy.

Bowiem dawna moja chwała
  Ginie marnie, gdym samotny,
A potęga myśli cała
  Blednie, gaśnie bezpowrotnie.

Przybądź, przybądź, ma jedyna,
  Przez Gormenghast, zamek Groan.
Snucie smutne być zaczyna,
  Kiedy snuję się tak sam!

Z końcem drugiego wiersza Steerpike przestał zwracać uwagę na słowa, uświadomiwszy sobie bowiem, że straszliwa głowa nie jest wykładnikiem charakteru, powziął myśl objawienia swej obecności poecie i błagania go przynajmniej o trochę jedzenia i wody. W miarę wznoszenia się głosu zdał sobie sprawę, że jego nagłe pojawienie się ogromnie przerazi poetę, który najwidoczniej był przekonany, że jest sam. Jednak cóż innego można było zrobić?

Przyszło mu do głowy, by przed pojawieniem się wydać wstępnie jakiś dźwięk ostrzegawczy, zakasłał więc lekko tuż po zakończeniu ostatniego refrenu. Rezultat był piorunujący. Twarz zmieniła się natychmiast ponownie w bezduszną i groteskową maskę, jaką Steerpike ujrzał na początku, a którą podczas recytacji przekształciło coś w rodzaju wewnętrznego piękna. Zabarwiła się, a pergamin suchej skóry poczerwieniał od szyi w górę, jak kawałek bibuły, której róg zanurzono w czerwonym atramencie.

Steerpike zobaczył teraz, że w następstwie jego kaszlu z czarnego okna wyjrzały chłodno świdrujące oczka w szkarłatnym klinie. Uniósł się i ukłonił twarzy poprzez rów.

W chwilę potem, nim zdążył otworzyć usta, znikła stamtąd. Zamiast twarzy poety było tam teraz niesamowite zamieszanie. Najrozmaitsze przedmioty zaczęły się nagle pojawiać w oknie, poczynając od podstawy i rosnąc jak idiotyczna narośl, piętrząc się chwiejnie, w miarę jak przedmiot po przedmiocie wciskano pomiędzy ściany.

Wieża przedmiotów rosła gorączkowo do szczytu okna, ograniczona z obu stron przez chropawe kamienie. Steerpike nie mógł dojrzeć dłoni tak szybko wznoszących ową szaloną mieszaninę. Widział tylko, że z ciemności wywalano jeden na drugi przedmioty, kolejno oświetlane słońcem w miarę zajmowania miejsca w fantastycznej pagodzie.

Podczas gorączkowego wypełniania framugi wiele z nich przewracało się i spadało. Ciemnozłoty dywan ześliznął się i spłynął w głąb przepaści, a wzór na odwrocie odznaczał się wyraźnie, póki nie sfrunął w kilka ostatnich sążni cienia. Trzy ciężkie księgi spadły razem, trzepocząc stronicami, a także stare krzesło z wysokim oparciem, które, jak chłopiec zdołał dosłyszeć, roztrzaskało się daleko w dole.

Steerpike wbił paznokcie w dłonie, częściowo, bo obwiniał siebie za niepowodzenie, a częściowo, by pomimo rozczarowania nie ustawać w badaniu krainy dachów. Odwróciwszy głowę od najbliższego przedmiotu, jął przeczesywać dachy, ściany i wieże.

Ujrzał na prawo kopułę pokrytą czarnym mchem. Ujrzał wysoką fasadę ściany pomalowanej w zielono-czarną kratę. Była wypłowiała, częściowo porośnięta pnącym się zielskiem i spękana z góry na dół w gigantycznym zygzakowatym łuku.

Ujrzał dym wypływający z dziury pomiędzy płytami długiego tarasu. Ujrzał ulubione gniazda bocianie i mur szmaragdowy od jaszczurek.

„KURZ I BLUSZCZ"

Przez cały czas poszukiwał jednej tylko rzeczy — sposobu wejścia do zamku. Odbył sto podróży w wyobraźni, biorąc pod uwagę własne osłabienie, lecz jedna po drugiej prowadziły one do ślepych niezdobytych ścian i krawędzi dachów. Wybierał jako cel okno po oknie, próbując prześledzić drogę, lecz jak się okazywało, bez powodzenia. Dopiero po upływie niemal godziny podróż, jaką snuł w myśli, zakończyła się wejściem przez wysokie okno w zachodnim skrzydle.

Była teraz druga po południu, a słońce prażyło niemiłosiernie. Zdjął kaftan i zostawiwszy go, wyruszył chwiejnie.

W ciągu następnych trzech godzin pożałował, że kiedykolwiek opuścił kuchnię. Gdyby można było sztuką czarodziejską przenieść się z powrotem do ogromnego boku Sweltera, przyjąłby taką propozycję w swym osłabieniu. Gdy dzień począł blednąć, dwadzieścia cztery godziny po tym, gdy leżał na pochyłym dachu ponad swym więzieniem, dotarł do podnóża tej wysokiej ściany, w której u szczytu znajdowało się owo okno ujrzane kilka godzin wcześniej. Tutaj odpoczął. Znajdował się mniej więcej w połowie drogi pomiędzy ziemią dwieście stóp w dole a oknem. Zaobserwował, przedtem prawidłowo domyślając się, że powierzchnię ściany pokrywał na całej przestrzeni gęsty, sędziwy porost bluszczu. Usiadłszy przy ścianie, wsparty o olbrzymi włochaty pień pnącza, gruby jak pień drzewa, ujrzał, że spogląda w przepaścisty i zakurzony labirynt. Wiedział, że będzie się musiał wspinać w ciemności, bowiem tak gęsta była plątanina szorstkiego, jednostajnego listowia; jednakże konary wybujałej rośliny tak były grube i mocne, że mógł czasem odpocząć podczas wspinaczki i wesprzeć na nich całym ciężarem. Wiedząc, że z upływem każdej minuty jego osłabienie rosło, nie czekał dłużej, niż trzeba było na wyrównanie oddechu, potem zaś, wykrzywiwszy w grymasie usta, przywarł jak mógł najbliżej do ściany i pogrążony w pachnącej kurzem ciemności bluszczu począł się znowu wspinać.

To, jak długo Steerpike wdrapywał się w gryzącej ciemności czy jak długo wdychał suche, zgniłe, zakurzone powietrze, nie ma znaczenia w porównaniu z bezkresnym koszmarem w jego mózgu. To była rzeczywistość, a zbliżając się do okna, wiedział tylko, że przebywał pośród czarnych liści, jak daleko mógł sięgnąć pamięcią — że pień bluszczu był suchy, szorstki i włochaty w dotyku i że gorzkie liście wydzielały ostry i zdradliwy zapach.

Czasami mógł dostrzec błyski gorącego wieczoru odbite poprzez liście, lecz piął się w górę przeważnie w ciemności, a dłonie i kolana mu krwawiły, ramiona zaś omdlewały od odpychania włóknistego porostu i odrywania wąsów z ubrania i twarzy.

Nie mógł wiedzieć, że zbliża się do okna. Odległość przestała się dla niego liczyć w większym nawet stopniu niż czas, lecz nagle spostrzegł, że liście przerzedzały się, a plamy światła rozsiadły się wokół. Przypomniał sobie, że z dołu zauważył, iż w miarę zbliżania się do okna bluszcz wydawał się mniej obfity i bardziej przylegający do ściany. Włochate gałęzie mniej były teraz pewne, a kilka złamało się pod jego ciężarem, musiał więc trzymać się jednego z głównych pni przylegających w kurzu do ściany. Bluszcz gruby jedynie na stopę lub dwie leżał mu za plecami, częściowo osłaniając przed słońcem. Jeszcze chwila i sam znalazł się w słońcu. Palce z trudem znajdowały chwyty. Usiłując wcisnąć je pomiędzy ścianę a przylegające do niej gałęzie, posuwał się w górę cal po calu. Wydawało mu się, że wspina się tak całe życie. Całe życie jest chory i umęczony. Całe życie jest wystraszony; wirowały czerwone kształty. Waliły młoty i pot zalewał mu oczy.

Wątpliwi bogowie, którzy spuścili mu z dachu ponad więzieniem ową gałąź pnącza, gdy znajdował się w podobnym niebezpieczeństwie, znów byli przy nim, jego wymacująca dłoń natknęła się bowiem na kamienny występ. Była to podstawa prostego parapetu okiennego. Łkając, Steerpike posunął się w górę i oderwawszy na chwilę dłonie od pnącza, przerzucił je przez parapet. Zawisł tak, jak drewniana figura, z ramionami wyciągniętymi sztywno przed siebie, z dyndającymi nogami. Potem, kołysząc się słabo, przetoczył się wreszcie przez kamienną płytę, stracił równowagę i w wirującej ciemności runął z łomotem na deski podłogi tajemnego poddasza Fuksji.

„CIAŁO PRZY OKNIE"

Po południu w dzień po narodzinach brata Fuksja stała, milcząc, przy oknie sypialni. Płakała, a łzy spływały jedna za drugą po rozpalonych policzkach, gdy spoglądała poprzez piekącą zasłonę na Górę Gormenghast. Nic nie rozumiejąca pani Slagg na próżno starała się ją pocieszyć. Tym razem nie było wzajemnego obejmowania się i szlochania, a oczy pani Slagg miały płaczliwy, zawiedziony wyraz. Załamała drobne, pomarszczone dłonie.

— A więc o co chodzi, moje ziółko? O co chodzi, moja brzydoto? Powiedz! Powiedz mi natychmiast. Powiedz swojej starej Niani o swych smuteczkach. Och, moje serduszko! musisz mi wszystko powiedzieć. No, moje przeczucie, no.

Lecz Fuksja równie dobrze mogłaby być rzeźbą z ciemnego marmuru. Poruszały się jedynie jej łzy.

Wreszcie starsza pani wytuptała z pokoju, mówiąc, że przyniesie ciasto z rodzynkami dla swojego ziółka, że nikt jej nigdy nie odpowiada i że bolą ją plecy.

Fuksja słyszała tupot jej stóp w korytarzu. W jednej chwili pognała korytarzem za starą piastunką, uściskała ją gwałtownie, po czym pobiegła, potykając się, z powrotem, w wirze krwistoczerwonej sukni, w dół długimi schodami i przez szereg ponurych sal, póki nie znalazła się na otwartej przestrzeni, z dala od cienia zamkowych murów. Biegła w wieczornym słońcu. Wreszcie, okrążywszy sad Pentecosta i wspiąwszy się na skraj sosnowego lasku, przestała biec i szybko, potykając się, przedarła się przez niskie zbocze paproci ku miejscu, gdzie leżało nieruchomo jezioro. Nie było tam łabędzi. Nie było dzikich brodzących ptaków. Z odbitych w nim drzew nie dobiegały krzyki ptaków.

Fuksja rzuciła się na ziemię i zaczęła żuć trawę przed sobą. Jej spoglądające na jezioro oczy ciągle płonęły.

— Nienawidzę rzeczy! Nienawidzę wszystkich rzeczy! Nienawidzę każdej najmniejszej rzeczy. Nienawidzę świata — powiedziała głośno Fuksja, podnosząc się na łokciach, z głową zwróconą ku niebu.

— Będę mieszkać *sama*. Zawsze sama. W domu lub na drzewie. Fuksja zaczęła żuć nową trawkę.

— Wtedy ktoś przyjdzie, jeśli będę mieszkać sama. Ktoś z innego świata — nowego świata — nie z tego świata, ale ktoś, kto jest *inny*, i zakocha się od razu we mnie, bo mieszkam sama i nie jestem jak inne wstrętne rzeczy na tym świecie, i będzie się mną cieszył z powodu mojej dumy.

I popłynął następny strumień łez...

— Będzie wysoki, wyższy od pana Flaya, i mocny jak lew, i z żółtymi włosami jak u lwa, tylko bardziej kręconymi; i będzie miał duże, silne stopy, bo moje także są duże, ale nie będą wyglądały takie duże, jeśli jego będą większe; i będzie mądrzejszy od doktora, i będzie nosił długą czarną pelerynę, tak że moje ubranie będzie się wydawać jeszcze jaśniejsze; i powie; „Lady Fuksjo", a ja powiem: „O co chodzi?".

Usiadła i wytarła nos wierzchem dłoni.

Jezioro pociemniało, a gdy ona siedziała, spoglądając na nieruchomą wodę, Steerpike rozpoczynał wspinaczkę w bluszczu.

Pani Slagg opowiadała o swych kłopotach Kedzie, starając się zachować godność, jaką w swoim mniemaniu powinna okazać jako główna piastunka bezpośredniego i jedynego dziedzica Gormenghast, a jednocześnie pragnąc sobie ulżyć w bardziej naturalny sposób. Flay polerował ozdobny hełm, jaki Lord Groan miał nosić w ten pierwszy wieczór po narodzinach, a Swelter ostrzył długi nóż na osełce. Zgiął się przy tym jak wypchany wałek i widać było, że dokłada wszelkich starań, by nadać ostrzu niezwykłą ostrość. Osełka, śmiesznie pomniejszona przez górującą nad nią białą masę, obracała się w takt pedału. Gdy stal śmigała skośnie poprzez płaską powierzchnię wirującego kamienia, ostre, piaskowe pogwizdywanie najwyraźniej sprawiało przyjemność panu Swelterowi, gdyż wał mięsa przemieszczał mu się na twarzy.

Gdy Fuksja powstała i zaczęła przedzierać się przez wzgórze paproci, Steerpike znajdował się o czterdzieści stóp od okna, szarpiąc suche, brudne kupki starych jaskółczych gniazd zagradzających mu wspinaczkę.

Dotarłszy do zamku, Fuksja skierowała się prosto do swego pokoju, a zamknąwszy za sobą drzwi, zaciągnęła zasuwę i wyszukała w starym tekturowym pudle w kącie, pobuszowawszy w nim trochę, kawałek miękkiej kredy. Zbliżyła się do wolnego miejsca na ścianie i stała, patrząc na tynk. Potem narysowała serce i napisała wokół niego: *Jestem Fuksja. Zawsze muszę być. Jestem ja. Nie bój się. Poczekaj, to zobaczysz.*

Potem zatęskniła ogromnie za swą ilustrowaną książką z wierszami. Zapaliła świecę i odciągnąwszy łóżko, przesunęła się przez drzwi na schody i zaczęła się wspinać spiralnie do swego mrocznego sanktuarium.

Nieczęsto wspinała się na strych późnym popołudniem, więc ciemność pierwszego pokoju zatrzymała ją chwilę po wejściu na ostatnim stopniu. Gdy przechodziła wąskim wąwozem, świeca oświetlała kapryśnie dziwaczne zbiorowisko składające się na jego ściany, a doszedłszy do pustki swej sali teatralnej, posuwała się wolno, stąpając w bladym kręgu rzucanym przez płomień świecy.

Wiedziała, że parę tygodni temu zostawiła na trzecim specjalnym poddaszu zapas czerwono-zielonych świeczek woskowych, które gdzieś zdobyła, odłożyła i zapomniała o nich. Odnalazła je potem. Trzy pięknie oświetlą pokój, chciała bowiem mieć okno zamknięte. Wspiąwszy się po drabinie na balkon, otworzyła drzwi na jednym zawiasie i weszła, w przypływie ciemnej miłości.

Długie kolorowe świece znajdowały się tuż przy drzwiach, natychmiast więc odpaliła jedną od małej białej świeczki w swej dłoni. Gdy odwróciła się, by umieścić ją na stole, serce przestało jej bić, gdyż spostrzegła, że poprzez pokój spogląda na ciało leżące bezwładnie pod oknem.

*

Steerpike leżał już dość długo w głębokim omdleniu, gdy zaczęła przesączać się przez niego świadomość. Zmierzch zapadł nad Gormenghast. Z ciemności umysłu odległe kształty otaczające go w pokoju zaczęły się przybliżać, przybierać na wyrazistości i rozmiarze, póki nie stały się rozpoznawalne.

Leżał tam kilka minut. Znaczny chłód pokoju i nieruchomość ciała przywróciły wreszcie dociekliwość umysłowi. Oczywiście, nie pamiętał pokoju, ani jak się tam dostał. Wiedział jedynie, że paliło go w gardle, a poniżej pasa tygrys szarpał mu żołądek. Długi czas przypatrywał się pijanemu i groteskowemu kształtowi wznoszącemu się pośrodku podłogi. Gdyby się był ocknął ze snu i zobaczył go nad sobą, z pewnością porządnie by się wystraszył, lecz zbudziwszy się z omdlenia, całkiem był otępiały; był jedynie słaby. Byłoby dziwne, gdyby mógł rozpoznać w mrocznym świetle zmierzchu fantastyczny korzeń Fuksji ze Splątanych Borów.

Odwróciwszy wreszcie od niego oczy, zauważył pociemniałe obrazy na ścianach, lecz światło było zbyt słabe, by mógł rozpoznać ich zawartość.

Oczy jego poruszały się tu i ówdzie, odzyskując władzę; lecz ciało leżało bezwładnie, póki wreszcie nie dźwignął się na łokciu.

Ponad nim znajdował się stół, z wysiłkiem więc dźwignął się na kolana i uchwyciwszy się krawędzi, podnosił się stopniowo. Pokój zaczął mu pływać przed oczyma, a obrazy skurczyły się do rozmiarów znaczków, kołysząc się gwałtownie na ścianach. Jego ręce uchwycone krawędzi stołu były jakby nie jego. Były to ręce kogoś innego, ręce, w których w jakiś tajemniczy sposób mógł wytropić cień czucia. Lecz palce trzymały, niezależnie od umysłu i ciała, więc poczekawszy, aż odzyska wzrok, dostrzegł przed sobą nieświeże resztki żywności, przyniesione przez Fuksję na strych rankiem poprzedniego dnia.

Były rozrzucone na stole, każdy przedmiot bezlitosny w swej rzeczywistości.

W jego umyśle mglista chaotyczność rzeczy zmieniła się, gdy spoglądał na martwą naturę na stole, w przerażającą *bliskość*.

Dwie pomarszczone gruszki; połowa makowca; dziewięć daktyli w zniszczonym białym tekturowym pudełku i dzbanek mleczowego wina. Obok duża, ręcznie malowana książka, otwarta w miejscu, gdzie naprzeciw paru wierszy znajdował się purpurowo-szary obrazek. W niezwykłym fizycznym stanie wydało się Steerpike'owi, że ten obrazek jest światem i że on, w jakiejś przyległej zagadkowej krainie, dostrzega rzeczywistość.

Był duchem, a purpurowo-szary obrazek był prawdą i faktem rzeczywistym.

Przed nim stało trzech mężczyzn. Ubrani byli na szaro i mieli purpurowe kwiaty w ciemnych, splątanych puklach. Krajobraz w tle był opustoszały, wypełniały go stare metalowe mosty, a oni stali razem w przedzie, na melancholijnym szczycie wzgórka. Ich ręce i bose stopy miały wyborne kształty i wydawało się, że wsłuchują się oni w jakąś dziwną muzykę, ich oczy bowiem spoglądały poza stronicę, gdzie już nie sięgał Steerpike, poza wzgórze Gormenghast i Splątane Bory.

Równie rzeczywiste były w tej chwili dla chłopca proste szaro--czarne litery, z których składały się wyrazy, oraz znaczenie wierszy naprzeciwko. Nieugięcie widoczna oczywistość tego, co leżało na stole, spowodowała, że Steerpike na chwilę zapomniał o głodzie i mimo braku zainteresowania dla poezji lub obrazów, wbrew sobie, przeczytał z dziwnie powolnym i rozmyślnym skupieniem na stronicy z trzema starcami w szaro-purpurowym świecie.

> Prości, niezwykli i smutniśmy
> Bywali;
> Samotnie na Halibuta Wzgórzach
> W oddali,

Z szalonym, dawnym wyrazem
　　Słodyczy,
Który wszelako piękny jest
　　Nadzwyczaj.
Bo tak nam mówią istoty,
　　Co błądzą
W przestrzeni,
　　Gasnąc wśród cieni,
W noc, kiedy Uschły Gaj
　　Płacząc się mieni.

Czuli, niezwykli i smutni —
Czuli, niezwykli i smutni —
Prości, niezwykli i smutni
　　Będziemy,
Kiedy ku purpurowemu morzu
　　Spłyniemy —
Z szalonym, dawnym wyrazem
　　Słodyczy,
Który wszelako piękny jest
　　Nadzwyczaj,
W tę noc nad nocami,
　　Gdy w przestrzeni
　　Mkną wśród cieni
Kłęby chmur, gdy Uschły Gaj
　　Płacząc się mieni.

Czuli, niezwykli i smutni —
Czuli, niezwykli i smutni.

*

　Steerpike zauważył drobne ślady palców na marginesie stronicy. Były dla niego tak samo ważne jak wiersze czy obrazek. Wszystko było jednakowo ważne, gdyż to, co przedtem było zamazane,

teraz stało się rzeczywiste. Jego dłoń leżąca na stole była teraz jego własną dłonią. Natychmiast zapomniał, co oznaczały słowa, lecz napis trwał, czarny i zaokrąglony.

Wyciągnąwszy rękę, sięgnął po pomarszczoną gruszkę. Podnosząc ją do ust, spostrzegł, że już odgryziono z niej kawałek.

Wykorzystując maleńką, żłobkowaną przepaść w twardym, białym, bezbarwnym miąższu, gdzie zęby Fuksji pozostawiły równoległe rowki, ugryzł żarłocznie, górne zęby rozerwały pomarszczoną skórę gruszki, zęby dolnej szczęki zaś wbiły się w bladą skałę do połowy; spotkały się w tajemnym i mrocznym wnętrzu owocu — w tym najciemniejszym obszarze, gdzie od czasu, gdy jakiś odległy czerwcowy wietrzyk rozproszył płatki kwiatu gruszy, dniem i nocą postępowało ukradkowe i głębokie dojrzewanie.

Gdy ponownie ugryzł owoc, osłabienie wypełniło go znowu jakby rozrzedzoną atmosferą, więc opuścił się ostrożnie twarzą na stół, póki nie odzyskał sił, by skończyć potajemny posiłek. Uniósłszy głowę, zauważył długą otomanę o eleganckich kształtach. Ujawszy makowiec w jedną rękę, a dzban mleczowego wina w drugą i przesypawszy daktyle z tekturowego pudełka do kieszeni, posuwał się po omacku wzdłuż krawędzi stołu, by zatoczyć się na przestrzeni paru kroków dzielących go od otomany, gdzie usiadł nagle, podniósłszy zakurzone stopy jedna po drugiej na skórę w kolorze czerwonego wina.

Przypuszczał, że dzban zawiera wodę, gdyż podniósłszy go i poczuwszy ciężar w dłoni, nie zajrzał do środka, pokosztowawszy więc wina na języku, usiadł w nagłym przypływie siły, jak gdyby sama myśl o nim przywróciła mu życie. Zaiste, wino zdziałało cuda, w parę minut więc, gdy ciasto, daktyle i resztka drugiej gruszki wzmogły jego krzepiące właściwości, Steerpike przyszedł do siebie i wstawszy, szurał wokół pokoju w sobie właściwy sposób. Odsłoniwszy zaciśnięte zęby, pogwizdywał wysoko, przenikliwie i niemelodyjnie, przerywając od czasu do czasu, gdy jego przelotny wzrok zatrzymywał się na tym czy owym obrazie.

Światło gasło bardzo szybko, właśnie miał więc zamiar spróbować klamki u drzwi, by sprawdzić, choć było ciemno, czy nie można znaleźć wygodniejszego pokoju na spędzenie nocy, zanim się wreszcie rozciągnie na długiej otomanie, gdy posłyszał wyraźny odgłos kroków.

Z ręką wciąż jeszcze wyciągniętą ku drzwiom stał chwilę bez ruchu, potem nadsłuchując, pochylił głowę w lewo. Nie było wątpliwości, że ktoś poruszał się w przyległym pokoju lub dwa pokoje dalej.

Przysunąwszy się cicho jak duch o krok ku drzwiom, obrócił klamkę i odciągnął ją odrobinę, lecz dostatecznie, by umieścić oko w otworze i zobaczyć coś, co sprawiło, że wstrzymał oddech.

Z faktu, że pokój, w którym przebywał od mniej więcej godziny, był mały, nie powinien był wnosić, że drzwi prowadziły do pomieszczenia podobnej wielkości. Lecz wyjrzawszy przez szparę pomiędzy drzwiami i framugą i ujrzawszy, jak bardzo mylił się w swej intuicji co do wielkości pokoju, doznał wstrząsu ustępującego jedynie wstrząsowi na widok zbliżającej się postaci.

Nie była to tylko *wielkość*. Może większym wstrząsem była świadomość, że znajdował się *ponad*, przyległym pokojem. Śledził w mroku postać dziewczyny trzymającą zapaloną świecę rozpalającą w szkarłat stanik sukni. Wydawało się, że podłoga, po której stąpała wolno, lecz pewnie, rozciąga się bez końca z tyłu, na prawo i na lewo. Było tak nieoczekiwane, że znajdowała się poniżej i że w odległości paru stóp oddzielał go od niej balkon, iż ogarnęło go znów poczucie nierzeczywistości, jakiego doświadczył, ocknąwszy się z omdlenia. Lecz odgłos jej kroków był bardzo prawdziwy, a blask świecy na dolnej wardze przywołał go do rzeczywistości. Nawet w opałach nie opuszczało go pytanie, gdzie ją już widział. Nagłe poruszenie cieni na jej twarzy obudziło wspomnienie. Myśli przelatywały mu przez głowę. Z pewnością jakieś schody wiodły na balkon. Wejdzie do pokoju, gdzie jest. Szła pewnie. Nie wahała się. Nie bała się. Musiał wejść do jej pokoi. Dlaczego była tu o tej porze? Kim była? Cicho zamknął drzwi.

Gdzie już widział tę czerwoną suknię? Gdzie? Gdzie? Bardzo niedawno. Szkarłat. Słyszał, jak wspina się po schodach. Rozglądał się po pokoju. Nie było żadnej kryjówki. Jego błądzące oczy ujrzały księgę na stole. Jej książka. Spostrzegł parę okruchów, gdzie makowiec stał na obrusie. Na palcach podbiegł do okna i wyjrzał. Pustka ciemnego powietrza spadającego na szczyty wież przyprawiła go o mdłości, gdy obudziła się pamięć wspinaczki. Odwrócił się. Jeszcze słysząc jej kroki na balkonie, powtarzał: „Gdzie? Gdzie? Gdzie widziałem tę czerwoną suknię?", a gdy kroki zatrzymały się przy drzwiach, przypomniał sobie, opadając w tej samej chwili cicho pod oknem na ręce i kolana. Potem, skuliwszy się w niezręcznej pozie, z jedną ręką wyciągniętą bezwładnie, zamknął oczy, udając omdlenie, z jakiego nie tak dawno się ocknął.

Widział ją przez okrągłą dziurę w ścianie Ośmiokątnej Komnaty. Była to Lady Fuksja Groan, córa Gormenghast. Myśli goniły jedna drugą w głowie. Szalała wtedy. Była wściekła, że urodził się brat; uciekła korytarzem od ojca. *Tam* nie mogło być współczucia. Jak ojciec, czuła się nieswojo. Otwierała już drzwi. Powietrze zakołysało się w blasku świecy. Śledząc poprzez rzęsy, Steerpike spostrzegł, że powietrze się rozjaśnia, gdy zapaliła dwie długie świece. Usłyszał, że obraca się na pięcie i robi krok naprzód, a potem nastała zupełna cisza.

Leżał bez ruchu, z głową odrzuconą do tyłu na dywanie i z lekko przekręconą szyją.

Wydawało się, że dziewczyna była tak samo bez ruchu, a w przedłużającej się śmiertelnej ciszy dosłyszał, jak bije serce. Nie było to jego serce.

„UBYTEK SŁONECZNIKA"

Przez kilka pierwszych chwil Fuksja była jeszcze obojętna, otępiała na widok człowieka. Podobnie jak ci, którzy na wieść o śmierci ukochanego stają się najpierw odrętwiali, a dopiero potem szarpie ich ból, tak samo ona stała przez owe pierwsze chwile, nic nie pojmując, spoglądając pustym wzrokiem.

Potem zaś umysł jej poczęły targać rozmaite namiętności, a górowała udręka, że jej sekret odkryto — ograbiono jej szkatułkę z cudownościami — duszę jej jakby obnażono przed światem, który nigdy nie zrozumie.

Poza tą namiętnością leżał strach. A poza strachem była ciekawość — ciekawość, kim jest ta postać. Czy przychodził do siebie, czy konał; jak się tu dostał, a wreszcie praktyczne pytanie, co powinna zrobić. Wydawało się, że gdy tam stała, zapłonęło w niej ognisko. Potężniało aż do zenitu i zgasło, lecz pośród popiołów leżał niezniszczalny ból rany, na którą nie było ukojenia.

Przysunęła się nieco bliżej, wolno i podejrzliwie, sztywno trzymając świecę w wyciągniętej dłoni. Kropla gorącego wosku spadła jej na przegub, wzdrygnęła się więc, jakby ją ktoś uderzył. Dwa dalsze ostrożne kroki przywiodły ją do postaci, a pochyliwszy się, zajrzała w przechyloną twarz. Światło leżało na dużym czole, na kościach policzkowych i szyi. Przyglądając się z bijącym sercem, zauważyła poruszenie w napiętym przełyku. Żył. Topniejący wosk spływający po kolorowym brzegu świecy sprawiał jej ból. Na koślawej półce za otomaną stał świecznik, podniosła się więc, chcąc go znaleźć, i zaczęła oddalać się od Steerpike'a. Nie śmiejąc odwrócić od niego oczu, cofała nogę za nogą z groteskową uwagą, posuwając się w ten sposób do tyłu. Jednakże nim dotarła do ściany, jej łydka zetknęła się niespodziewanie z krawędzią otomany, usiadła więc na niej nagle, jakby ją uderzono pod kolanami. Świeca zadrżała w jej dłoni i światło przemknęło po twarzy postaci na podłodze. Choć wydało się jej, że głowa drgnęła nieco na odgłos uczynionego przez nią hałasu, przypisała to zmiennej grze światła na jego rysach, jednakże przyglądała mu się długo, by się przekonać. Wreszcie podkuliła pod siebie nogi na otomanie, dźwignęła się na kolana i wyciągnąwszy za siebie wolną rękę, poczuła, że palce uchwyciły półkę i poszperawszy trochę, zacisnęły się na żelaznym lichtarzu.

Natychmiast wcisnęła świecę w jedno z trzech żelaznych ramion i wstawszy, umieściła na stole obok książki.

Przyszło jej do głowy, że można by usiłować orzeźwić zmiętą istotę. Zbliżyła się znowu. Choć myśl, że jeśli miałaby przyczynić się do ocucenia, zmuszona byłaby rozmawiać z obcym w *swoim* pokoju, była straszliwa, to myśl, że leżałby tu bez końca, a być może umarł tutaj, była jeszcze bardziej przerażająca.

Zapomniawszy na chwilę o strachu, uklękła głośno przy nim na podłodze i potrząsnęła go za ramię, wysunąwszy pulchną dolną wargę, z policzkami przysłoniętymi przez czarne włosy. Przestała, by zdrapać trochę wosku z palców, po czym dalej nim potrząsała. Steerpike dał sobą szarpać, pozostając idealnie bezwładny; postanowił opóźnić ocucenie.

Fuksja nagle przypomniała sobie, że gdy dawno temu widziała omdlenie cioci Cory w głównej sali wschodniego skrzydła, ojciec kazał służącemu przynieść szklankę wody i że gdy nie mogli wlać napoju w gardło biednej bladej istoty, chlusnęli jej nim w twarz i że ocuciło ją to natychmiast.

Fuksja rozglądała się, czy nie ma wody w pokoju. Steerpike pozostawił dzbanek mleczowego wina tuż przy otomanie, lecz był poza zasięgiem jej wzroku i całkiem o nim zapomniała. Jej oczy wędrując po pokoju, zatrzymały się wreszcie na starej wazie z półprzezroczystego ciemnoniebieskiego szkła, którą Fuksja napełniła wodą mniej więcej przed tygodniem, gdyż znalazła wśród dzikiej trawy i pokrzyw przy fosie wysoki słonecznik o ciężkiej szyi, z ogromnym hebanowym okiem nasion i płatkami dużymi jak jej dłoń i tak żółtymi, jak tylko mogła pragnąć. Lecz długa, szorstka szyja była złamana, a głowa zwisała pośród wyki ognistym ciężarem. Przegryzła gorączkowo te włókna, których nie mogła rozerwać, w miejscu, gdzie złamano łodygę, i pobiegła ze zranionym skarbem poprzez zamek, po schodach na górę i do swego pokoju, potem znów w górę i dokoła wspinając się spiralnymi schodami, znalazła ciemnoniebieską szklaną wazę i napełniła ją wodą, a potem, zupełnie wyczerpana, opuściła suchą, włochatą szyję w czeluść wazy i usiadłszy na otomanie, przyglądała się, mówiąc głośno do siebie:

— Złamany słoneczniku, znalazłam cię, więc wypij trochę wody, a nie umrzesz — w każdym razie, nie tak szybko. Jeśli umrzesz, pochowam cię. Wykopię długi grób i pochowam cię. Pentecost da mi łopatę. Jeśli nie umrzesz, będziesz mógł zostać. Idę sobie — tak mówiąc, skończyła i zeszła do swego pokoju, gdzie znalazła piastunkę, lecz nie napomknęła o słoneczniku.

Słonecznik umarł. Zmieniła wodę tylko raz, więc z opadającymi płatkami wciąż jeszcze wychylał się sztywno z niebieskiej szklanej wazy.

Ujrzawszy go, Fuksja pomyślała natychmiast o wodzie w wazie. Napełniła ją do pełna czystą wodą. Nie przyszło jej do głowy, że mogła wyparować. Takie rzeczy nie należały do jej świata wiedzy.

Stół zasłaniał widok Steerpike'owi, gdyż zerkał chytrze przez rzęsy, kiedy nadarzyła się okazja, nie mógł więc dojrzeć, co robi Lady Fuksja. Usłyszał, że się zbliża, zacisnął powieki i pomyślał, że czas już jęknąć i zacząć się cucić, lecz zdrętwiał, zorientowawszy się, że pochyliła się tuż nad nim.

Fuksja wyjęła słonecznik i położyła na podłodze, zauważywszy przy tym niemiły, mdlący zapach. Było w nim coś ostrego, coś odrażającego. Przechyliwszy nagle wazę, ujrzała ze zdumieniem, że zamiast strugi orzeźwiającej wody na zwróconą ku górze twarz młodzieńca pociekła ospale śmierdząca maź, jak zielona zupa.

Wylała coś mokrego na twarz kogoś chorego, to była cała zasada Fuksji, więc się nie zdziwiła, ujrzawszy, że skutek był natychmiastowy.

Dla Steerpike'a był to zaiste okropny wstrząs. Smród zatęchłej mazi wypełnił mu nozdrza. Bełkotał i wypluwał błoto z ust, a przetarłszy twarz rękawem, rozsmarował je cieńszą, lecz dokładniejszą warstwą. Jedynie ciemnoczerwone, skupione oczy spoglądały nie skażone z brudnej, zielonej maski.

MYDŁO NA SZMINKĘ

Fuksja przykucnęła na piętach zdumiona, gdy usiadł wyprostowany, patrząc na nią. Nie dosłyszała, co mamrotał przez zęby.
Nadszarpnięto jego godność, może nie tyle godność co próżność.
Z pewnością posiadał namiętności, lecz był bardziej przebiegły niż
namiętny, nawet więc w tej chwili, pełen gwałtownego gniewu
i pod wpływem wstrząsu, trzymał się w ryzach, a umysł opanował złość, zatem uśmiechnął się ohydnie poprzez cuchnącą pianę.
Z trudem podniósł się na nogi.

Jego ręce miały matową brązowoczerwoną barwę zeschłej krwi,
gdyż posiniaczył się i pokaleczył podczas długich godzin wspinaczki. Ubranie miał podarte; włosy rozczochrane i zbite z kurzem,
gałązkami i brudem od wspinaczki w bluszczu.

Stojąc jak mógł najprościej, pochylił się lekko w stronę Fuksji,
która jednocześnie powstała.

— Lady Fuksjo Groan — powiedział Steerpike, kłaniając się.

Fuksja przyglądała mu się, zacisnąwszy dłonie u boków. Stała
sztywno, z palcami stóp lekko zwróconymi ku sobie, pochylona
nieco do przodu, chłonąc wzrokiem przemoczoną postać. Nie był
o wiele od niej większy, lecz znacznie mądrzejszy; spostrzegła
to od razu.

Teraz, gdy się ocknął z omdlenia, przerażała ją myśl o tym obcym na swobodzie w jej pokoju.

Nagle, zanim pojęła, co robi, zanim postanowiła przemówić, zanim zorientowała się, co powiedzieć, głos wymknął się jej ochryple:

— Czego chcesz? Och, czego chcesz? To mój pokój. *Mój* pokój.

Fuksja złożyła ręce przy łuku piersi w modlitewnej postawie. Lecz nie modliła się. Paznokcie wpijały się w dłonie. Oczy miała szeroko otwarte.

— Idź sobie — powiedziała. — Idź sobie z mojego pokoju. — A potem jej nastrój zmienił się, gdyż uczucia wezbrały jak burza. — Nienawidzę cię! — zawołała, tupiąc nogą. — Nienawidzę za to, że tu przyszedłeś. Nienawidzę cię w moim pokoju. — Obiema rękami pochwyciła krawędź stołu poza sobą i zatrzęsła nim.

Steerpike śledził ją uważnie.

Za wysokim czołem jego umysł nieustannie pracował. Choć sam pozbawiony był wyobraźni, rozpoznał w niej wyobraźnię: napotkał kogoś, czyja natura była zaprzeczeniem jego własnej natury. Pojął, że pod jej prostotą było coś, czego nigdy nie będzie mieć. Coś, czym pogardzał jako niepraktycznym. Coś, co nigdy nie wyniesie jej do władzy czy bogactw, lecz powstrzyma jej rozwój i zatrzyma w świecie własnych urojeń. By zyskać jej względy, musi przemawiać jej językiem.

Widząc, że stoi zdyszana przy stole i przebiega oczyma pokój, jakby szukając broni, przybrał postawę, uniósłszy dłoń i powiedział równym, matowym, surowym głosem, kontrastującym, jak to zauważyła nawet Fuksja w swej udręce, z jej własnym namiętnym okrzykiem:

— Dziś widziałem ogromny gościniec pośród chmur, uczyniony z szarych kamieni, większy niż łąka. Nikt tam nie chadza. Jedynie czapla.

Dziś widziałem drzewo wyrastające z wysokiego muru i ludzi przechadzających się po nim wysoko ponad ziemią. Dziś widziałem poetę wyglądającego przez wąskie okno. Lecz najbardziej spodobałoby się pani kamienne pole zagubione w chmurach. Nikt tam nie chadza. To dobre miejsce do gier i (zaryzykował chytrze) — i do *marzeń*. — Nie przerywał, gdyż czuł, że byłoby niebezpiecznie przerwać:

— Dziś widziałem konia pływającego na szczycie wieży: dziś widziałem milion wież. Ubiegłej nocy widziałem chmury. Było mi zimno. Zimniej niż na lodzie. Nie jadłem. Nie spałem. — Skrzywił wargi, usiłując się uśmiechnąć. — A potem pani wylewa na mnie zielone brudy — powiedział.

— I jestem teraz tutaj, czego pani nienawidzi. Jestem tutaj, bo nie miałem gdzie pójść. Tak wiele widziałem. Całą noc spędziłem na dworze. Uciekłem (wyszeptał to słowo dramatycznie) — i przede wszystkim, znalazłem pole w chmurach, kamienne pole.

Zatrzymał się, by zaczerpnąć powietrza, i opuściwszy dłoń zastygłą w geście, spojrzał na Fuksję.

Opierała się o stół, uchwyciwszy dłońmi jego brzegi. Być może ciemność wprowadziła go w błąd, lecz ku swemu ogromnemu zadowoleniu wyobraził sobie, że patrzyła *poprzez* niego.

Zdał sobie sprawę, że jeśli tak było i jego słowa poczęły działać na jej wyobraźnię, musi podążać bez przerwy, porywając jej myśli i pozwalając jej myśleć tylko o tym, co mówi. Był dość sprytny, by domyślić się, co do niej przemawiało. Wystarczyła mu jej szkarłatna suknia. Była romantyczna. Była naiwna; rozmarzona piętnastoletnia dziewczyna.

— Lady Fuksjo — powiedział, zaciskając dłoń u czoła — przychodzę po azyl. Jestem buntownikiem. Jestem na pani usługi jako marzyciel i człowiek czynu. Wspinałem się całe godziny i jestem głodny i spragniony. Stałem na kamiennym polu i pragnąłem ulecieć w chmury, lecz czułem jedynie ból w nogach.

— Idź sobie — powiedziała Fuksja oziębłe. — Idź sobie ode mnie. — Lecz Steerpike'a nie można było powstrzymać, gdyż zauważył, iż jej gwałtowność zgasła, a był nieustępliwy jak łasica.

— Dokąd mogę pójść? — zapytał. — Poszedłbym natychmiast, gdybym wiedział, dokąd uciec. Błądziłem już godzinami w długich korytarzach. Proszę mi dać najpierw trochę wody, bym mógł zmyć tę straszliwą maź z twarzy, i trochę czasu na odpoczynek, a potem pójdę, daleko stąd, i nigdy nie wrócę, lecz będę mieszkać samotnie na podniebnym kamiennym polu, gdzie czaple budują gniazda.

Głos Fuksji był tak mglisty i daleki, iż Steerpike'owi wydało się, że go nie słuchała, gdy powiedziała wolno: — Gdzie to jest? Kim jesteś?

Steerpike odpowiedział natychmiast.

— Nazywam się Steerpike — powiedział, opierając się o okno w ciemności — lecz nie mogę zdradzić, gdzie leży w chmurach zimne kamienne pole. Nie, tego nie mogę powiedzieć — jeszcze nie.

— Kim jesteś? — spytała znowu Fuksja. — Kim jesteś ty w moim pokoju?

— Powiedziałem już pani — odparł. — Jestem Steerpike. Wspiąłem się do pani ślicznego pokoju. Podobają mi się pani obrazy na ścianach i pani książka i okropny korzeń.

— Mój korzeń jest piękny. Piękny! — krzyknęła Fuksja. — Nie mów o moich rzeczach. Nienawidzę cię za to, że mówisz o moich rzeczach. Nie patrz na nie. — W chybotliwej ciemności podbiegła do skręconego i oświetlonego świecą korzenia z gładkiego drewna i stanęła pomiędzy nim a oknem, gdzie stał on.

Steerpike wyjął fajeczkę z kieszeni i possał cybuch. Dziwna z niej sztuka, pomyślał, potrzebuje starannie dobranej przynęty.

— Jak się dostałeś do mego pokoju? — zapytała Fuksja ochryple.

— Wspiąłem się — powiedział Steerpike. — Wspiąłem się po bluszczu do pani pokoju. Wspinałem się cały dzień.

— Odejdź od okna — rzekła Fuksja. — Idź do drzwi.

Steerpike posłuchał zdziwiony. Lecz ręce trzymał w kieszeni. Czuł się pewniej.

Fuksja skierowała się niezdarnie ku oknu, zabrawszy ze stołu świecę, a wyjrzawszy poza parapet, przytrzymała drżący płomień ponad przepaścią. Spadek, tak dobrze jej znany w świetle dziennym, wyglądał teraz jeszcze bardziej przerażająco.

Odwróciła się ku wnętrzu pokoju. — Musisz być dobrym wspinaczem — powiedziała ponuro, lecz z nutą podziwu w głosie, czego Steerpike nie omieszkał zauważyć.

— Tak — powiedział Steerpike. — Lecz nie zniosę dłużej takiej twarzy. Proszę mi dać trochę wody. Chcę umyć twarz, wasza wysokość; a potem, jeśli nie mogę tu pozostać, proszę mi powiedzieć, gdzie mogę pójść się przespać. Nie zmrużyłem oka. Jestem zmęczony; lecz prześladuje mnie kamienne pole. Muszę tam pójść znowu, gdy odpocznę.

Nastąpiła cisza.

— Masz na sobie kuchenne ubranie — powiedziała obojętnie Fuksja.

— Tak — powiedział Steerpike. — Ale je zmienię. To z kuchni uciekłem. Nie znosiłem jej. Chcę być wolny. Nigdy nie wrócę.

— Czy jesteś *poszukiwaczem przygód?* — spytała Fuksja, która nie sądziła, by na to wyglądał, lecz bardzo była pod wrażeniem jego wspinaczki i potoku słów.

— Tak — odparł Steerpike. — Właśnie nim jestem. Ale w tej chwili potrzebuję wody i mydła.

Na strychu nie było wody, lecz myśl, by zabrać go do sypialni, gdzie mógłby się umyć, a potem pójść coś zjeść, sprawiała jej ból, gdyż w takim razie przeszedłby przez resztę jej pomieszczeń na poddaszu. Potem uświadomiła sobie, że musi jednak opuścić jej sanktuarium, a jedyna droga, poza powrotnym zejściem po bluszczu, wiodła przez strych i spiralnymi schodami do sypialni. Pomyślała ponadto, że jeśli sprowadzi go teraz, to w ciemności zobaczy bardzo mało, podczas gdy jutro strych będzie zupełnie widoczny.

— Lady Fuksjo — powiedział Steerpike — jaką pracę mógłbym wykonywać? Czy zechce mnie pani przedstawić komuś, kto mnie zatrudni? Nie jestem kuchcikiem, wasza wysokość, jestem człowiekiem silnej woli. Proszę mnie dziś ukryć, Lady Fuksjo, a jutro przedstawić komuś, kto może mnie zatrudnić. Jedno spotkanie to wszystko, czego pragnę. Moja głowa dokona reszty.

Fuksja patrzyła na niego z otwartymi ustami. Potem powiedziała wysunąwszy dolną wargę:

— Co to za okropny zapach?

— To brudne męty, w których mnie pani skąpała — odrzekł Steerpike. — To zapach mojej twarzy.

— Och — powiedziała Fuksja. Znowu wzięła świecę. — Lepiej chodź za mną. Steerpike poszedł, przez drzwi, wzdłuż balkonu i w dół po drabinie. Fuksja nie pomyślała, by mu pomóc w słabo rozświetlonej ciemności, choć słyszała, że się potyka. Steerpike trzymał się jak mógł najbliżej niej i plamki wyprzedzającego ją bladego światła świecy na podłodze, lecz ponieważ zwinnie wybierała drogę pomiędzy rupieciami nagromadzonymi na pierwszym strychu, nieraz uderzył go w twarz to zwisający sznur kolczastych muszli, to noga żyrafy, pod którą Fuksja przemknęła, a raz zatrzymał się bez tchu przed mosiężną rękojeścią miecza.

Gdy dotarł do szczytu spiralnych schodów, Fuksja była już w ich połowie, klnąc, podążył więc za nią.

Upłynęło sporo czasu, nim poczuł, że duszne powietrze klatki schodowej rozrzedza się, a w chwilę później osiągnął ostatni z zstępujących kręgów i wkroczył do sypialni. Fuksja zapaliła lampę na ścianie. Nie zaciągnęła zasłon, i czarna noc wypełniała trójkąty okien.

Nalewała z dzbanka wodę, której Steerpike tak bardzo potrzebował. Odór zaczynał na niego działać, gdyż od chwili wejścia do pokoju miał ustawiczne nudności, a chude, kościste ręce trzymał na żołądku.

Słysząc bulgot wody lejącej się do miednicy na umywalce Fuksji, wciągnął przez zęby głęboki oddech. Usłyszawszy jego kroki na podłodze pokoju, Fuksja odwróciła się, z dzbankiem w ręku, a wówczas strumień wody przelał się przez miednicę, tworząc w świetle lampy jasne kałuże na ciemnym tle. — Woda — powiedziała — jeśli jej potrzebujesz.

Steerpike zbliżył się szybko do umywalki i zerwawszy surdut i kamizelkę, stanął w ciemności obok Fuksji bardzo chudy, o bardzo wypukłych barkach, niezwykle zuchwały postawą swego ciała.

— A co z mydłem? — spytał Steerpike, zanurzając ramiona w umywalce. Woda była zimna, więc zadygotał. Łopatki wystawały mu wyraziście z pleców, gdy pochyliwszy się, skulił ramiona. — Nie zmyję tego paskudztwa bez szczotki i mydła, wasza wysokość.

— Jest coś w tamtej szufladzie — powiedziała powoli Fuksja. — Pospiesz się i skończ, a potem idź sobie. Nie jesteś w swoim pokoju. Jesteś w moim pokoju, gdzie nikomu nie wolno przychodzić, tylko mojej starej niani. Więc pospiesz się i idź sobie.

— Pójdę — powiedział Steerpike, otwierając szufladę i buszując wśród zawartości, póki nie znalazł kawałka mydła. — Lecz proszę nie zapominać, że obiecała pani przedstawić mnie komuś, kto mógłby mnie zatrudnić.

— Nie obiecałam — powiedziała Fuksja. — Jak śmiesz mówić mi takie kłamstwa? Jak śmiesz!

Wówczas Steerpike zdobył się na genialny pomysł. Zrozumiał, że nie było sensu upierać się przy kłamstwie, dokonując więc śmiałego kroku w nieznane, odskoczył bardzo zwinnie od umywalki, z twarzą grubo pokrytą mydlinami. Ścierając białą pianę z warg, zarysował palcem wskazującym ogromne ciemne usta i przybrawszy postawę nadsłuchującego błazna, trwał nieruchomy z ręką przy uchu przez długich siedem sekund. Nie wiedział, jak wpadł na ten pomysł, lecz czuł od pierwszej chwili, gdy zobaczył Fuksję, że jeśli coś mogłoby zdobyć jej przychylność, byłoby to coś o posmaku teatru, coś dziwacznego, a jednocześnie coś całkiem prostego i szczerego, i to właśnie wydało się Steerpike'owi trudne. Fuksja patrzyła pilnie. Zapomniała go nienawidzić. Nie widziała go. Widziała błazna, żywe ramię nonsensu. Widziała coś, co kochała tak, jak kochała swój korzeń, swoją nogę żyrafy, swoją szkarłatną suknię.

— Świetnie! — zawołała, zaciskając ręce. — Świetnie! Świetnie! Świetnie! Świetnie! — Znalazła się natychmiast na łóżku, wylądowawszy na obu kolanach. Rękami uchwyciła poręcz.

Pod żebrami Steerpike'a począł się nagle zwijać wąż. Udało mu się. Zwątpił przez chwilę, czy będzie mógł utrzymać się na poziomie, który sam wyznaczył.

Kątem oka, które podobnie jak reszta jego twarzy było niemal przykryte mydlinami, dostrzegł niewyraźny kształt Lady Fuksji majaczący na łóżku nieco w górze. Wszystko zależało od niego. Wszystko zależało od niego. Niewiele wiedział o błaznach, lecz słyszał, że poważnie wykonują rzeczy irracjonalne, i wydało mu się, że Fuksji może się to podobać. Steerpike posiadał niezwykły dar.

Rozumiał temat, nie oceniając go. Jego podejście było wyłącznie umysłowe. Jednakże nie można było tego łatwo dostrzec; wydawało się, że tak chytrze, tak pewnie wchodzi w samo sedno tego, co zapragnie naśladować słowem lub czynem.

Wyprostował się powoli z komicznej nadsłuchującej postawy i przebiegł kilka kroków w kierunku kąta pokoju Fuksji, stawiając stopy przesadnie palcami na zewnątrz, a potem zatrzymał się, by znowu nadsłuchiwać, z ręką przy uchu. Podjąwszy bieg, dotarł do kąta i po kilkakrotnych wysiłkach, by dotknąć dłonią podłogi, podniósł kawałek zielonej tkaniny, z którą przyczłapał z powrotem, tak wykrzywiając stopy na zewnątrz, by tworzyły ciągłą linię.

Trzymając kostki prawej dłoni w ustach, Fuksja śledziła go w zachwycie, gdy rozpoczął drobiazgowe badanie poręczy łóżka tuż pod nią. Od czasu do czasu coś mu się bardzo nie podobało na żelaznej powierzchni poręczy, pocierał ją więc gorliwie szmatką, odstępował, by się lepiej przyjrzeć, z przechyloną na bok głową, z niespokojnie opuszczonymi kącikami ciemnych, bezmydlnych ust, potem zaś ponownie polerował plamkę, chuchając na nią i pocierając z nieludzkim skupieniem woli. Cały czas myślał: — Jakiż ze mnie głupiec, ale to odniesie skutek. — Nie mógł zatracić się. Nie był artystą. Był imitacją artysty.

Nagle palcem wskazującym usunął ze środka czoła sporą porcję mydlin, pozostawiając tam nierówny, ciemny krążek skóry, i plasnął w poręcz upienionym palcem trzy razy w równych odstępach, pozostawiając przy każdym plaśnięciu mniej więcej trzecią część mydła. Kiwając się przy krańcu łóżka, zbadał każdą plamkę po kolei, jakby próbując orzec, który okaz jest najbardziej imponujący, po czym usunął jedną po drugiej, aż zatrzymał się przy pozostawionych środkowych mydlinach i odsunąwszy niezwykle zręcznie jedną stopę, rzucił się na twarz w postawie posłuszeństwa.

Fuksja zbyt była przejęta, by mówić. Patrzyła tylko, niezmiernie szczęśliwa. Steerpike powstał, śmiejąc się, a światło lampy zabłysło na jego nierównych zębach. Natychmiast podszedł do umywalki i gorliwie ponowił ablucje.

Gdy Fuksja klęczała na łóżku, a Steerpike wycierał głowę i twarz starożytnym i brudnym ręcznikiem, rozległo się pukanie do drzwi i głos Niani Slagg zapiszczał cienko:

— Czy jest tam moje sumienie? Czy jest tam mój słodki kłopocik? Czy jesteś tam, drogie serduszko? Czy jesteś tam?

— Nie, Nianiu, nie, nie ma mnie. Nie *teraz*. Idź sobie i wróć niedługo, a będę tutaj — zawołała ochryple Fuksja, gramoląc się do drzwi. A potem z ustami przy dziurce od klucza: — Czego chcesz? Czego chcesz?

— Och, moje biedne serduszko! o co chodzi? O co chodzi? O co, moje sumienie?

— Nic, Nianiu. Nic. Czego chcesz? — spytała Fuksja, dysząc ciężko.

Niania przywykła do nagłych i dziwnych zmian nastroju Fuksji; więc po chwili, kiedy to Fuksja usłyszała, jak ssie pomarszczoną dolną wargę, stara piastunka powiedziała:

— To doktor, kochanie. Mówi, że ma prezent dla ciebie, dziecinko. Chce, żebyś przyszła do niego do domu, moja jedyna, i ja mam cię zaprowadzić.

Usłyszawszy z tyłu „tk! tk!", Fuksja odwróciła się i ujrzała, że Steerpike o schludnym wyglądzie daje jej znaki. Szybko skinął głową i machnął palcem w kierunku drzwi, po czym, stąpając palcem wskazującym i środkowym wzdłuż umywalki, dał jej do zrozumienia, że powinna przyjąć propozycję pójścia do doktora z Nianią Slagg.

— W porządku! — zawołała Fuksja — ale przyjdę do *twojego* pokoju. Idź i czekaj.

— Więc się pospiesz, kochana! — zawodził z korytarza cienki, zakłopotany głosik. — Nie każ mu czekać.

Gdy odgłos stóp pani Slagg oddalał się, Fuksja zawołała: — Co ma mi dać?

Lecz stara piastunka znajdowała się już poza zasięgiem głosu.

Steerpike odkurzał ubranie jak tylko mógł. Przyczesał rzadkie włosy, które wyglądały jak wilgotna trawa, leżąc płasko na dużym czole.

— Czy mogę też pójść? — zapytał.

Fuksja szybko zwróciła ku niemu oczy.

— Dlaczego? — wyrzekła wreszcie.

— Mam powód — powiedział Steerpike. — A w każdym razie, nie może mnie tu pani trzymać przez całą noc, prawda?

Ten argument wydał się Fuksji przekonywający, powiedziała więc natychmiast: — Och, tak, też możesz pójść. Ale co z Nianią — dodała wolno. — Co z moją piastunką?

— Proszę zostawić ją mnie — powiedział Steerpike.

Proszę zostawić ją mnie.

Fuksja znienawidziła go gwałtownie i głęboko za te słowa, ale nie odpowiedziała.

— Więc chodź — powiedziała. — Nie zostawaj w moim pokoju. Na co czekasz? — I odsunąwszy zasuwę drzwi, poszła przodem, a Steerpike postępował za nią jak cień do sypialni pani Slagg.

U PRUNESQUALLORÓW

Pani Slagg tak była podniecona widokiem dziwacznego młodzieńca w towarzystwie swej Fuksji, że upłynęło parę minut,
zanim przyszła do siebie na tyle, by słuchać wyjaśnień. Oczy jej
biegały od Fuksji ku twarzy intruza. Stała tak długo, skubiąc nerwowo dolną wargę, że Fuksja zdała sobie sprawę, iż nie ma sensu
dłużej wyjaśniać, i zastanawiała się, co dalej robić, gdy wtrącił się
Steerpike.

— Proszę pani — powiedział, zwracając się do pani Slagg — nazywam się Steerpike i proszę o wybaczenie, że tak nagle zjawiłem
się w drzwiach pani pokoju. — I skłonił się bardzo nisko, zezując
przy tym w górę.

Pani Slagg zrobiła trzy niepewne kroki ku Fuksji i schwyciła jej
ramię. — Co on mówi? Co on mówi? Och, moje biedne serduszko,
kim on jest? Co on ci zrobił, moja jedyna?

— On także idzie — rzekła Fuksja zamiast odpowiedzi. — Chce
się także zobaczyć z doktorem Prune. Co to za prezent? Dlaczego
daje mi prezent? Chodź. Pójdziemy do jego domu. Jestem zmęczona. Spiesz się, chcę się położyć.

Gdy Fuksja napomknęła o zmęczeniu, pani Slagg nagle bardzo się ożywiła i ruszyła ku drzwiom, trzymając dziewczynę za
ramię. — Będziesz migiem w łóżku. Sama cię położę i otulę i zga-
szę ci lampę jak zwykle, moja niegodziwa, i będziesz mogła spać,
póki cię nie obudzę, moja jedyna, i nie podam ci śniadania przy
kominku; więc się nie przejmuj, zmęczone maleństwo. Tylko kilka
minut z doktorem — tylko kilka minut.

Przeszli przez drzwi, a pani Slagg spoglądała podejrzliwie poprzez ramię Fuksji na szybkie ruchy chłopca o wysokich ramionach. Bez jednego słowa zaczęli schodzić kilka kondygnacji w dół po schodach, póki nie dotarli do sali, gdzie zbroje wisiały zimno na ścianach, a kąty wypełniała stara broń, tak obfitująca w rdzę jak żywopłot z zimowego buka. Nie było to miejsce, gdzie można by zabawić dłużej, gdyż chłód przenikał z kamiennej podłogi, a zimne kropelki wilgoci występowały jak pot na matową powierzchnię żelaza i stali.

Steerpike napiął nozdrza w zawilgłym powietrzu, przebiegając żwawo oczyma po zbieraninie rdzewiejących trofeów, wiszącego oręża zżeranego rdzą, po stercie drobnej broni, zauważywszy przy tym smukły pręt stalowy, którego koniec zdawał się tkwić w jakiejś rurze, lecz nie można było tego dostrzec dokładnie w słabym świetle. Przyszła mu do głowy laska ze szpadą w środku, a myśl ta zaostrzyła jego instynkt posiadania. Jednakże nie było w tej chwili czasu na grzebanie w górze metalu, gdyż czuł na sobie wzrok staruszki, wyszedł więc z sali za nią i za Fuksją, ślubując sobie, że przy pierwszej okazji odwiedzi ponownie lodowate miejsce.

Drzwi, przez które wyszli, znajdowały się naprzeciwko schodów wiodących w dół ku środkowi niezdrowej sali. Minąwszy je, znaleźli się na początku słabo oświetlonego korytarza, którego ściany pokrywały niewielkie sztychy o zblakłych barwach. Kilka było w ramach, lecz jedynie nieliczne miały całe szkło. Niania i Fuksja, oswojone z korytarzem, nie zwracały uwagi na jego zaniedbany stan ani na wiekowe sztychy przedstawiające w drobiazgowy, lecz prozaiczny sposób co bardziej malownicze aspekty Gormenghast. Steerpike przechodząc, przetarł kilka rękawem, usuwając znaczną ilość kurzu, i przyjrzał się im krytycznie, gdyż nie było do niego podobne, by przepuścił jakąś informację.

Korytarz urwał się nagle przy ciężkich drzwiach, które Fuksja otworzyła z wysiłkiem, wpuszczając nieco mniej przygnębiającą ciemność, był bowiem późny wieczór, a za drzwiami stadko chmur mknęło przez sine niebo, po którym żeglowała jedyna gwiazda.

— Och, moje biedne serduszko, jak późno się robi! — powiedziała Niania, spoglądając niespokojnie na niebo i zwierzając swe myśli Fuksji w tak potajemny sposób, że można było przypuszczać, iż bała się, by firmament jej nie podsłuchał. — Jak późno się robi, moja jedyna, a ja zaraz muszę wracać do twojej matki. Muszę jej przynieść coś do picia, biednej wielgachnej. Och, nie, nie możemy być długo!

Przed nimi znajdował się duży dziedziniec, a w przeciwległym rogu trzypiętrowy budynek połączony łukiem oporowym z główną bryłą zamku. W dzień wyodrębniał się osobliwie od wszechobecnego szarego kamienia Gormenghast, gdyż zbudowany był z twardego czerwonego piaskowca, z kamieniołomu, którego nie udało się ustalić.

Fuksja była bardzo zmęczona. Dzień był przeładowany wydarzeniami. Teraz, gdy resztki światła dziennego gasły na zachodzie, jeszcze nie spała i właśnie rozpoczynała, a nie kończyła, nowe doświadczenie.

Pani Slagg ściskała jej ramię, a gdy zbliżali się do głównego wejścia, zatrzymała się nagle i jak to miała w zwyczaju czynić w podnieceniu, podniosła rękę do ust, pociągając dolną wargę i spoglądając słabo na Fuksję starczymi załzawionymi oczyma. Właśnie miała coś powiedzieć, gdy odgłos kroków sprawił, że zarówno ona jak i jej towarzysze odwrócili się i spojrzeli na postać przybliżającą się w ciemności. Nikły dźwięk, jak gdyby łamania czegoś kruchego, towarzyszył jej nadejściu.

— Kto to? — powiedziała pani Slagg. — Kto to, moja jedyna? Och, jak ciemno!

— To tylko Flay — powiedziała Fuksja. — Chodź. Jestem zmęczona. — Lecz zawołano na nich z mroku.

— Kto? — zawołał surowy, szorstki głos. Sposób wyrażania się pana Flaya, choć czasem niezrozumiały, w żadnym wypadku nie było rozwlekły.

— Czego pan chce, panie Flay? — zawołała Niania, ku swemu własnemu i Fuksji zdziwieniu.

— Slagg? — zapytał znów surowy głos. — Potrzebna — dodał.

— Kto jest potrzebny? — zapiszczała w odpowiedzi Niania, gdyż czuła, że pan Flay był zawsze zbyt obcesowy w stosunku do niej.

— Kto jest z panią? — warknął Flay, znajdujący się teraz w odległości kilku jardów. — Przed chwilą troje.

Fuksja, która już dawno przyswoiła sobie sposób interpretacji wykrzykników służącego ojca, odwróciła natychmiast głowę i spostrzegła ku swemu zdumieniu i uldze, że Steerpike zniknął. Czy jednak nie było w tym odcienia rozczarowania? Wysunąwszy ramię, przycisnęła do swego boku starą piastunkę.

— Przed chwilą troje — powtórzył Flay, podchodząc.

Pani Slagg również zauważyła brak chłopca. — Gdzie on jest? — zapytała. — Gdzie jest ten brzydki młodzieniec?

Fuksja potrząsnęła posępnie głową, po czym zwróciła się nagle ku Flayowi, którego kończyny zdawały się rozciągać w noc. Zmęczenie rozdrażniło ją, teraz więc wyładowała napięte uczucia na surowym służącym.

— Idź sobie! Idź sobie — łkała. — Kto ciebie tu chce, ty kolczasty głupcze? Kto ciebie chce — gdy wykrzykujesz „Kto tam?" i uważasz się za ważnego, gdy jesteś tylko starym chudzielcem? Idź sobie do mego ojca, gdzie twoje miejsce, ale nas zostaw w spokoju. — I Fuksja, wybuchnąwszy z wyczerpania wielkim płaczem, podbiegła do wymizerowanego Flaya i objąwszy go w pasie ramionami, zmoczyła mu łzami kamizelkę.

Ręce zwisały mu wzdłuż boków, bowiem nie byłoby właściwe, gdyby dotknął Lady Fuksji, choćby z życzliwości, gdyż był mimo wszystko jedynie służącym, chociaż najważniejszym.

— Idź teraz, proszę — powiedziała wreszcie Fuksja, odstępując.

— Wasza wysokość — powiedział służący, podrapawszy się w tył głowy — jego wysokość potrzebuje jej. — Kiwnął głową w kierunku starej piastunki.

— Mnie? — zawołała Niania Slagg, która zajęta była cmokaniem.

— Pani — powiedział Flay.

Och, moje biedne serduszko! Kiedy? Kiedy mnie potrzebuje? Och, moje ciałko! Cóż on może chcieć?

— Potrzebuje pani jutro — odpowiedział Flay i odwróciwszy się, zaczął się oddalać i wkrótce zniknął z oczu, a po chwili zamarł nawet odgłos jego stawów kolanowych.

Nie zwlekając dłużej, poszły żwawo ku głównym drzwiom domu z piaskowca, a Fuksja zastukała donośnie kołatką, wycierając rękawem wilgoć z oczu.

Czekając, dosłyszały dźwięk skrzypiec.

Fuksja ponownie zapukała do drzwi i parę sekund później muzyka urwała się, a kroki zbliżyły się i zatrzymały. Odsunięto zasuwę, drzwi otwarły się, ukazując silne światło, a doktor gestem zaprosił je do środka. Następnie zamknął za nimi drzwi, lecz przedtem chudy młodzieniec przecisnął się przez nie do sieni, gdzie stanął pomiędzy Fuksją i panią Slagg.

— Proszę! Proszę! Proszę! Proszę! — powiedział doktor, strzepując włosek z rękawa surduta i błyskając zębami. — A więc wasza maleńka wysokość przyprowadziła z sobą przyjaciela, więc przyprowadziłaś z sobą przyjaciela — albo (i uniósł brwi) — nie przyprowadziłaś?

Po raz drugi pani Slagg i Fuksja odwróciły się, by ujrzeć przedmiot pytań doktora, i spostrzegły, że Steerpike znajduje się tuż za nimi.

Skłonił się ze wzrokiem utkwionym w doktora. — Na pańskie usługi — powiedział.

— Ha, ha, ha! Ale ja nie chcę *nikogo* na moje usługi — powiedział doktor Prunesquallor, splatając długie białe dłonie, jakby to były jedwabne szaliki. — Wolałbym raczej kogoś „w" usługach. Ale nie *na* usługi. Och, nie. Nie zostałyby mi żadne usługi, gdyby każdy młody pan, który przekracza moje progi, rzucał się nagle *na* nie. Wkrótce byłyby w strzępach. Ha, ha, ha! Całkiem w strzępach.

— Przyszedł — powiedziała Fuksja powoli — bo chce pracować, bo jest mądry, więc go przyprowadziłam.

— Zaiste — powiedział Prunesquallor. — Zawsze fascynowali mnie ci, co chcą pracować, ha, ha. Nadzwyczaj pasjonujący ich widok. Ha, ha, ha! Nadzwyczaj pasjonujący i niesamowity. Chodźcie, drogie panie, chodźcie. Droga pani Slagg, każdego dnia wygląda pani o sto lat młodziej. Tędy, tędy. Proszę uważać na róg tego krzesła, droga pani Slagg, och, moja droga kobieto, *musi* pani patrzeć, gdzie pani idzie, na rozwagę, naprawdę musi pani. Teraz proszę mi pozwolić otworzyć te drzwi i zaraz się rozgościmy. Ha, ha, ha! Słusznie. Fuksjo, moja droga, podtrzymaj ją! Podtrzymaj ją!

Tak rozprawiając i prowadząc je przed sobą, a jednocześnie cały czas przebiegając powiększonymi oczyma po niezwykłym odzieniu Steerpike'a, doktor dotarł wreszcie do swego pokoju i ostro zatrzasnął drzwi za sobą. Usadził panią Slagg w fotelu o miękkim pokryciu w kolorze wina, gdzie wydawała się nadzwyczaj drobna, a Fuksję w innym podobnym. Wskazał gestem Steerpike'owi dębowe krzesło z wysokim oparciem, sam zaś zajął się przyniesieniem szklanek i butelek z kredensu wpuszczonego w ścianę.

— Co ma być? Co ma być? Fuksja, drogie dziecko! Czego sobie życzysz?

— Dziękuję, nie chcę niczego — powiedziała Fuksja. — Chce mi się spać, doktorze Prune.

— Aha! aha! Może coś pobudzającego. Coś, co wyostrzy ci umysł, moja droga. Coś, co pozwoli ci przetrwać, póki — ha, ha, ha! — nie znajdziesz się w wygodnym łóżeczku. Co o tym myślisz? Co o tym myślisz?

— Nie wiem — powiedziała Fuksja.

— Aha! Ale *ja* wiem. *Ja* wiem — powiedział doktor i zarżał jak koń; potem, podsunąwszy rękawy i odsłoniwszy przeguby, zbliżył się jak wybredny ptak ku drzwiom, gdzie pociągnął za sznur na ścianie. Opuściwszy schludnie rękawy, czekał, na palcach, póki nie usłyszał dźwięku, na który otworzył gwałtownie drzwi, odsłaniając śniadoskórą postać w białej liberii z ręką uniesioną jakby do pukania. Nim doktor się odezwał, Niania pochyliła się w fotelu. Jej nogi, nie mogąc dostać do podłogi, zwisały bezradnie.

— Najbardziej lubisz wino z czarnego bzu, prawda? — zapytała Fuksję nerwowym, przenikliwym szeptem. — Powiedz to doktorowi. Powiedz mu to zaraz. Nie chcesz nic pobudzającego, prawda?

Na ten dźwięk doktor przechylił lekko głowę, lecz nie odwrócił się, uniósł jedynie palec wskazujący przed oczyma służącego i pomachał nim, a jego wysoki, chrapliwy głos wydał polecenie przyrządzenia proszku i dostarczenia butelki wina z czarnego bzu. Zamknąwszy drzwi i przypłąsawszy do Fuksji, powiedział: — Rozpręż się, moja droga, rozpręż się. Pozwól swym członkom błądzić, gdzie chcą, ha, ha, ha, o ile nie zabłąkają się *za* daleko, ha, ha, ha, o ile nie zabłąkają się *za* daleko. Pomyśl o każdym z nich po kolei, póki nie staną się bezwładne jak meduza, a zanim się obejrzysz, będziesz mogła pobiec do Splątanych Borów i z powrotem.

Uśmiechnął się, błyskając zębami. W silnym świetle lampy jego siwa czupryna połyskiwała jak szpagat. — A co dla pani, pani Slagg? Co dla Niani Fuksji? Trochę porto?

Pani Slagg przesunęła językiem po pomarszczonych wargach, przytakując i unosząc palce do ust, po których błąkał się głupi uśmieszek. Śledziła każdy ruch doktora, gdy ten napełnił szklankę i podał jej.

Przyjmując szklankę, ukłoniła się staromodnie od bioder, z nogami sztywno wyprostowanymi, gdyż wsunęła się głębiej w fotel i siedziała jak gdyby na łóżku.

Potem doktor znalazł się natychmiast z powrotem przy fotelu Fuksji i pochylił się nad nią. Ręce, zwinięte w charakterystyczny sposób, miał splecione pod brodą.

— Mam coś dla ciebie, moja droga; czy twoja piastunka powiedziała ci? — Przesunął oczy na brzeg okularów, co nadało mu wyraz fantastycznego szelmostwa, które komuś, kto go nie znał, wydałoby się co najmniej niepokojące.

Fuksja pochyliła się do przodu, z rękami na czerwonych wałkowatych poręczach fotela.

— Tak, doktorze Prune. Co to jest, dziękuję, co to jest?

— Aha! ha, ha, ha, ha! Aha, ha, ha! To coś do noszenia, ha, ha! Jeśli ci się spodoba i nie będzie za ciężkie. Nie chcę ci złamać kręgów szyjnych, maleńka damo. Och, nie, na wszystko, co zdrowe, nie chciałbym tego; ale ufam, że będziesz ostrożna. Będziesz, prawda? Ha, ha.

— Tak, tak, będę — powiedziała Fuksja.

Pochylił się jeszcze niżej nad Fuksją. — Maleńki braciszek zabolał cię. *Wiem*, ha, ha. *Wiem* — wyszeptał doktor, a dźwięk ten wymknął się spomiędzy rzędów wielkich zębów bardzo cicho, lecz nie na tyle, by ujść uwadze Steerpike'a. — Mam kamień na twoją pierś, drogie dziecko, ponieważ widziałem diamenty w twych kanalikach łzowych, gdy odbiegałaś sprzed drzwi matki. Jeśli powrócą, musi je zrównoważyć cięższy, choć mniej lśniący kamień spoczywający na twej piersi.

Oczy Prunesquallora na chwilę znieruchomiały. Ręce miał nadal złożone pod brodą.

Fuksja przyglądała mu się. — Dziękuję, doktorze Prune — powiedziała wreszcie.

Lekarz rozprężył, się i wyprostował. — Ha, ha, ha! Ha, ha, ha! — zanucił, po czym pochylił się, by szeptać znowu. — A więc postanowiłem dać ci kamień z obcego kraju.

Włożył rękę do kieszeni, lecz trzymał ją tam, spoglądając przez ramię.

— Kim jest twój przyjaciel o ognistych oczach, Fuksjo? Czy znasz go dobrze?

Fuksja, potrząsnęła głową i wysunęła dolną wargę jakby z instynktownym niesmakiem.

Doktor mrugnął na nią, zamykając ogromnie powiększone prawe oko. — Może trochę później — powiedział Prunesquallor, ponownie podnosząc powiekę jak jakiś morski stwór — gdy noc się nieco zestarzeje, gdy będzie dłużej w masie, ha, ha, ha! — Wyprostował się. — Gdy świat przemknie w przestrzeni dalsze sto mil, ha, ha! wtedy — ach, tak... wtedy — ponownie spojrzał znacząco i mrugnął. Potem odwrócił się na pięcie.

— A teraz — powiedział — czego *ty* się napijesz? I co, na try-kotaż, masz na sobie?

Steerpike powstał. — Noszę to, co zmuszony jestem nosić, póki nie znajdzie się bardziej stosowne ubranie — powiedział. — Te łachmany, choć to oficjalny mundur, są równie absurdalne jak obraźliwe. Proszę pana — ciągnął — pytał pan, czego się napiję. Koniak, dziękuję panu, koniak. — Niemal wytrzeszczając biedne, stare oczy z gorących oczodołów, pani Slagg spoglądała na doktora z końcem mowy, by usłyszeć, co może powiedzieć po tylu słowach. Fuksja nie słuchała. Coś do noszenia, powiedział. Coś, co będzie spoczywało ciężko na jej piersi. Kamień. Mimo zmęczenia była podniecona, by dowiedzieć się, co to może być. Dr Prunesquallor zawsze był miły dla niej, aczkolwiek nieco niezrozumiały, lecz nigdy przedtem nie dał jej prezentu. Jakiej barwy może być ciężki kamień? Co to będzie? Co to będzie?

Doktor był przez chwilę zażenowany pewnością siebie mło-dzieńca, lecz nie okazał tego. Po prostu uśmiechnął się jak kro-kodyl. — Czy się mylę, drogi chłopcze, czy też nosisz kaftan kuchenny?

— Nie tylko jest to kaftan kuchenny, ale to kuchenne spodnie, kuchenne skarpetki i kuchenne buty, i wszystko kuchenne, proszę pana, z wyjątkiem mnie samego, jeśli nie ma pan nic przeciwko temu, doktorze.

— A ty — powiedział Prunesquallor, łącząc koniuszki pal-ców — czym jesteś? Pod tym cuchnącym kaftanem, który, mu-szę przyznać, wygląda zadziwiająco niehigienicznie nawet jak na kuchnię Sweltera. Czym ty *jesteś*? Czy jesteś trudnym przypad-kiem, drogi chłopcze, czy też prostolinijnym młodym paniczem bez pomysłów, ha, ha, ha?

— Za pańskim pozwoleniem, doktorze, ani tym, ani tamtym. Mam mnóstwo pomysłów, choć w tej chwili także mnóstwo pro-blemów.

— Czy tak? — powiedział doktor. — Czy tak? Jakie niezwykłe! Napij się najpierw koniaku, a może niektóre z nich zbledną w oparach tego wyśmienitego narkotyku. Ha, ha, ha! Zblednę łagodnie i niedostrzegalnie... — I zatrzepotał długimi palcami w powietrzu.

W tym momencie pukanie do drzwi spowodowało, że doktor wykrzyknął swym niezwykłym falsetem:

— Wejdź! Chodź, chodź, dobry człowieku! Wejdź! Na co czekasz, na wszystko, co szybkie!

Drzwi otworzyły się i wszedł służący, niosąc tacę, na której stała butelka wina z czarnego bzu i białe tekturowe pudełeczko. Umieścił butelkę i pudełko na stole, po czym wyszedł. W jego sposobie bycia było coś ponurego. Ustawił butelkę na stole być może zbyt niedbałym ruchem. Drzwi trzasnęły za nim nieco zbyt mocno. Steerpike to zauważył, a gdy spostrzegł, że wzrok doktora powtórnie spoczął na jego twarzy, uniósł pytająco brwi i leciutko wzruszył ramionami.

Prunesquallor przyniósł butelkę koniaku na stół pośrodku pokoju, lecz najpierw nalał szklankę wina z czarnego bzu, którą z ukłonem wręczył Fuksji.

— Wypij, moja droga Fuksjo — powiedział. — Wypij za zdrowie tego wszystkiego, co kochasz najbardziej. *Wiem. Wiem* — dodał, ponownie złożywszy ręce pod brodą. — Wypij za wszystko, co jasne i lśniące. Wypij za Kolorowe Rzeczy.

Fuksja skinęła głową bez uśmiechu na ten toast i pociągnęła łyk. Spojrzała poważnie na doktora. — Przyjemne — powiedziała. — Lubię wino z czarnego bzu. Smakuje ci twój napój, Nianiu?

Pani Slagg omal nie rozlała porto na poręcz fotela, gdy usłyszała, że się do niej mówi. Gwałtownie skinęła głową.

— A teraz koniak — powiedział doktor. — Koniak dla panicza... panicza...

— Steerpike — powiedział młodzieniec. — Nazywam się Steerpike, proszę pana.

— Steerpike Wielu Problemów — powiedział doktor. — Jakie one są, jak powiedziałeś? Na mojej pamięci nie można polegać. Jest niestała jak lis. Zapytaj mnie o nazwę trzeciego bocznego naczynia krwionośnego od koniuszka mego palca wskazującego, biegnącego ze wschodu na zachód, gdy leżę twarzą w dół o zachodzie słońca, albo o procent kredy w kostkach dłoni przeciętnej starej panny w pięćdziesiątym siódmym roku życia, ha, ha, ha! — lub nawet zapytaj mnie, drogi chłopcze, o szczegóły pulsu żab na dwie minuty przed ich śmiercią od świerzbu — takie rzeczy nie ciążą mojej pamięci, ha, ha, ha! Lecz zapytaj mnie, czy pamiętam dokładnie, co powiedziałeś o swoich problemach minutę temu, a przekonasz się, że moja pamięć zawiodła mnie zupełnie. A więc co to jest, drogi paniczu Steerpike, co to jest?

— Bo nigdy ich nie wymieniłem — powiedział Steerpike.

— To wszystko tłumaczy — powiedział Prunesquallor. — To, bez wątpienia, wszystko tłumaczy.

— Tak, proszę pana — powiedział Steerpike.

— Ale masz problemy — powiedział doktor.

Steerpike wziął szklaneczkę koniaku nalaną przez doktora.

— Moje problemy są rozmaite — powiedział. — Najbardziej niezwłoczny, to jak przekonać pana o moich możliwościach. Już umiejętność zrobienia takiej nieszablonowej uwagi jest sama w sobie oznaką pewnej oryginalności. W tej chwili nie jestem panu niezbędny, gdyż nigdy nie korzystał pan z moich usług; lecz po tygodniu zatrudnienia pod pańskim dachem mogę stać się niezbędny. Byłbym nieoceniony. Moje uwagi są celowo pochopne. Albo mnie pan odrzuci z miejsca, albo już podświadomie chce mnie pan lepiej poznać. Mam siedemnaście lat, proszę pana. Czy mówię jak siedemnastolatek? Czy zachowuję się jak siedemnastolatek? Jestem dostatecznie bystry, by wiedzieć, że jestem bystry. Wybaczy mi pan moje niedyplomatyczne podejście, gdyż jest pan wytwornym człowiekiem z wyobraźnią. To jest więc mój najbardziej niezwłoczny problem. Przekonać pana o moim talencie, który będzie na pańskie usługi w każdej postaci. — Steerpike wzniósł szklankę. — Pańskie zdrowie, jeśli pozwoli pan na taką zuchwałość.

Przez cały czas doktor trzymał wzniesioną szklankę koniaku o cal od ust, jednakże bez ruchu aż do chwili, gdy Steerpike skończywszy, pociągnął łyk koniaku, kiedy to usiadł nagle w fotelu przy stole i postawił nietkniętą szklankę.

— No, no, no, no — powiedział wreszcie. — No, no, no, no, no! Na wszystko intrygujące, to naprawdę istotne. Jakże niewłaściwe przemówienie, na wszystko zuchwałe! Jaki ogrom obszaru! Jakież rzadkie szaleństwo! — I począł rżeć, najpierw cicho, lecz po chwili jego wysoki śmiech wzmógł się w natężeniu i w tempie, a po paru minutach doktor stał się całkiem bezradny wobec przenikliwego wybuchu własnej wesołości. Trudno sobie wyobrazić, w jaki sposób tak wielka ilość oddechu i hałasu mogła wydobyć się z płuc, które musiały być w tej rurowatej klatce piersiowej niewygodnie ściśnięte. Zachowując nawet w szczytowych paroksyzmach niezwykłą teatralną elegancję, kołysał się w fotelu, bezradny przez prawie dziewięć minut, po czym z trudem wciągnął przez zęby wysoki oddech z odgłosem podobnym świstowi pary; wreszcie, jeszcze nieco wstrząsany śmiechem, był zdolny skupić wzrok na źródle swego rozbawienia.

— No, drogi chłopcze, cudowne dziecko! Doskonale mi zrobiłeś. Moje płuca od dawna potrzebowały czegoś takiego.

— A więc już coś dla pana zrobiłem — powiedział Steerpike, chytrze udając uśmiech na twarzy. Prawie przez cały czas bezradności doktora przyglądał się pokojowi i nalał sobie drugą szklaneczkę koniaku. Zauważył *objets d'art*, kosztowne dywany i lustra oraz szafę z tomami oprawnymi w cielęcą skórę. Nalał jeszcze porto pani Slagg i zaryzykował mrugnięcie do Fuksji, która odpowiedziała pustym spojrzeniem, przekształcił więc mrugnięcie w dolegliwość oka.

Przyjrzał się etykietkom na butelkach i ich rocznikom. Zauważył, że stół jest z orzecha i że pierścień na prawej ręce doktora ma kształt srebrnego węża trzymającego pomiędzy rozwartymi szczękami bryłkę czerwonego złota. Śmiech doktora z początku nim wstrząsnął i nieco go upokorzył, lecz wkrótce odzyskał swe zimne, wyrachowane ja i uporządkowany umysł, podobny sekretarzykowi z oznaczonymi półeczkami i przegródkami, bo wiedział, że musi być miły za wszelką cenę. Powziął ryzykowny krok, zagrywając taką chełpliwą kartę i w tej chwili nie można było stwierdzić, czy mu się powiodło, czy nie; lecz wiedział, że umiejętność podejmowania ryzyka jest nutą przewodnią człowieka sukcesu.

Odzyskawszy dostatecznie siłę i panowanie nad mięśniami, Prunesquallor pociągał koniak w zdawało się delikatny sposób, lecz Steerpike zdziwił się, spostrzegłszy, że wkrótce opróżnił szklaneczkę.

Dobrze to zrobiło doktorowi. Spojrzał na młodzieńca.

— Naprawdę mnie *interesujesz*, muszę to przyznać, paniczu Steerpike — powiedział. — Och, tak, posunę się tak daleko, ha, ha, ha! Interesujesz mnie, czy też raczej dręczysz mnie w przyjemny sposób. Ale czy chcę, żebyś się pałętał po moim domu, to, jak zapewne przyznasz swym rozległym umysłem, całkiem inna historia.

— Ja się nie pałętam, proszę pana. To jedna z tych rzeczy, których nigdy nie robię.

Głos Fuksji nadpłynął z drugiego krańca pokoju.

— Pałętałeś się w moim pokoju — powiedziała. Potem pochyliwszy się, niemal błagalnie spojrzała na doktora. — *Wspiął* się tam — powiedziała. — Jest sprytny. — Oparła się wygodnie w fotelu. — Jestem zmęczona; a on widział mój pokój, którego nikt przedtem nie widział, i to mnie niepokoi. Och, doktorze Prune.

Nastąpiła cisza.

— Wspiął się tam — powiedziała znowu.

— Musiałem gdzieś pójść — powiedział Steerpike. — Nie wiedziałem, że to pani pokój. Jak mogłem wiedzieć. Przykro mi, wasza wysokość.

Nie odpowiedziała.

Prunesquallor patrzył to na jedno, to na drugie.

— Aha! Aha! Weź trochę tego proszku, droga Fuksjo — powiedział, podając jej białe tekturowe pudełko, zdjąwszy wieczko, nasypał trochę do szklanki, którą ponownie napełnił winem z czarnego bzu. — Nic nie poczujesz, kochane dziecko; po prostu wypij to, a będziesz silna jak górski tygrys, ha, ha! Proszę zabrać to pudełko, pani Slagg. Cztery razy dziennie, z czymkolwiek drogie dziecko będzie pić. Jest bez smaku. Jest nieszkodliwe i nadzwyczaj skuteczne. Nie zapomnij, dobra kobieto, dobrze? Potrzebuje czegoś, a to jest właśnie to, czego potrzebuje, ha, ha, ha! To jest właśnie to!

Niania otrzymała pudełko, na którym było napisane: *Fuksja. Jedna łyżeczka cztery razy dziennie.*

— Paniczu Steerpike — powiedział doktor — czy to jest przyczyną, że chciałeś się ze mną spotkać, poszukać mnie w mej jaskini i zmiękczyć me serce jak wosk na moim własnym dywaniku? — Pochylił głowę w stronę młodzieńca.

— To prawda, proszę pana — powiedział Steerpike. — Towarzyszyłem Lady Fuksji za jej zezwoleniem. Powiedziałem jej: „Proszę tylko pozwolić mi spotkać się z doktorem i przedstawić mu moją sprawę, a jestem przekonany, że zrobię na nim wrażenie".

Nastąpiła cisza. Potem Steerpike dodał poufnym tonem: — W mniej ambitnych chwilach widzę się jako badacz naukowy, proszę pana, a w jeszcze mniej ambitnych jako aptekarz.

— Jaką masz znajomość chemikaliów, jeśli mogę zaryzykować pytanie? — powiedział doktor.

— Pod pańskim początkowym kierownictwem moje możliwości rozwiną się tak szybko, jak będzie pan sobie życzył — powiedział Steerpike.

— Co za sprytna bestyjka z ciebie — powiedział doktor, wychylając następny koniak i umieszczając z trzaskiem szklaneczkę na stole. — Diabelnie sprytna bestyjka.

— Miałem nadzieję, że pan to sobie uświadomi, doktorze — powiedział Steerpike. — Lecz czyż wszyscy ambitni ludzie nie mają w sobie czegoś bestialskiego? Na przykład pan, jeśli mi pan wybaczy, jest odrobinę bestialski.

— Lecz, biedny młodzieńcze — powiedział Prunesquallor, zaczynając chodzić po pokoju — w mojej anatomii nie ma najmniejszej molekuły ambicji, choćby ci się wydawała bestialska, ha, ha, ha!

Jego śmiech nie miał spontanicznego, nie kontrolowanego charakteru, jaki zwykle posiadał.

— Jednakże, proszę pana — powiedział Steerpike — *była*.

— Dlaczego tak myślisz?

— Z powodu tego pokoju. Z powodu wykwintnego urządzenia, jakie pan posiada; z powodu pańskich książek oprawnych w skórę cielęcą; pańskiego szkła, pańskich skrzypiec. Nie mógłby pan zgromadzić takich rzeczy bez ambicji.

— To nie ambicja, mój biedny, zagubiony chłopcze — powiedział doktor — to połączenie rzeczy ongi nie do pogodzenia, ha, ha, ha! — smaku i odziedziczonego dochodu.

— Czyż smak nie jest kultywowanym zbytkiem? — zapytał Steerpike.

— Ależ tak — odrzekł doktor. — Ależ tak. Ktoś ma potencjalny smak; odkrywszy to w sobie, ha, ha! — po pewnym poszukiwaniu, czynimy to rzeczą kultywowaną, jak to zauważyłeś.

— Co wymaga wytrwałego skupienia i pilności, bez wątpienia — powiedział młodzieniec.

— Ależ tak; ależ tak — odparł doktor z uśmiechem, z nutą w głosie sugerującą, że rozbawienie było tylko zwykłą uprzejmością.

— Z pewnością taka pilność jest tym samym co ambicja. Ambicja doskonalenia swego smaku. To właśnie rozumiem przez „ambicję", doktorze, wierzę, że pan to rozumie. Nie mam na myśli ambicji sukcesu, gdyż „sukces" jest słowem bez znaczenia — ludzie sukcesu, jak słyszę, są często dla samych siebie fiaskiem pierwszej wody.

— Interesuiesz mnie — powiedział Prunesquallor. — Chciałbym rozmawiać z Lady Fuksją na osobności. Obawiam się, że nie zwracaliśmy na nią wiele uwagi. Opuściliśmy ją. Znajduje się sama na własnej pustyni. Przypatrz się jej.

Zagłębiona w fotelu Fuksja miała zamknięte oczy, a kolana podwinięte pod siebie.

— Podczas mojej z nią rozmowy będziesz tak dobry opuścić pokój. W przedpokoju jest krzesło, paniczu Steerpike. Dziękuję ci, drogi młodzieńcze. Byłby to ładny gest.

Steerpike natychmiast zniknął, zabrawszy koniak ze sobą.

Prunesquallor spojrzał na staruszkę i dziewczynę. Pani Slagg spała głęboko z szeroko otwartymi usteczkami. Fuksja otworzyła oczy na odgłos drzwi zamykających się za Steerpike'em.

Doktor natychmiast skinął ku niej, by się zbliżyła. Podeszła zaraz z szeroko otwartymi oczyma.

— Tak długo czekałam, doktorze Prune — powiedziała. — Czy mogę teraz dostać mój kamień?

— W tej chwili — powiedział doktor. — W tej sekundzie. Nie wiesz zapewne zbyt wiele o naturze tego kamienia, lecz będziesz go cenić bardziej niż ktokolwiek inny. Droga Fuksjo, tak byłaś rozszalała, gdy jak dziki kucyk odbiegałaś od ojca i ode mnie; tak rozszalała z twą czarną grzywą i wielkimi głodnymi oczyma — że powiedziałem sobie: „To dla Fuksji", chociaż kucyki zazwyczaj niezbyt dbają o takie rzeczy, ha, ha, ha! Ale ty będziesz, prawda?

Doktor wyjął z kieszeni woreczek z mięciutkiej skórki.

— Wyjmij sama — powiedział. — Wyciągnij za ten cienki łańcuszek.

Fuksja wzięła woreczek z dłoni doktora i wyjęła z niego na światło lampy rubin jak bryłkę gniewu.

Zapłonął w jej dłoni.

Nie wiedziała, co zrobić. Nie zastanawiała się, co powinna powiedzieć. Nie było nic do powiedzenia. Dr Prunesquallor wiedział trochę, co czuje. Wreszcie, ściskając w palcach stały ogień, potrząsnęła Nianią Slagg, która obudziła się z lekkim okrzykiem. Fuksja wstała i pociągnęła ją do drzwi. Nim doktor je otworzył, Fuksja zwróciła ku niemu twarz i rozchyliła wargi w uśmiechu tak ciemnej i słodkiej urody, tak delikatnie złączonym z jej dziwną zadumą, że dłoń doktora zacisnęła się na klamce. Nigdy nie widział jej takiej. Zawsze myślał o niej jak o brzydkiej dziewczynce, którą dziwnie lubił. Lecz cóż zobaczył teraz? Nie była już małą dziewczynką, mimo swej powolnej mowy i niemal drażniącej prostoty.

W przedpokoju minęli Steerpike'a siedzącego wygodnie na podłodze pod dużym rzeźbionym zegarem. Nie mówili do siebie, a gdy rozstali się z doktorem, Niania powiedziała: — Dziękuję — sennym głosem i skłoniła się lekko, z jedną dłonią w dłoni Fuksji. Palce Fuksji ściskały krwistoczerwony kamień, a doktor powiedział tylko: — Do widzenia, i uważajcie, moje drogie, uważajcie. Przyjemnych snów. Przyjemnych snów — po czym zamknął drzwi.

DAR WYMOWY

Powracając przez przedpokój, miał myśli tak pochłonięte nową wizją Fuksji, że zapomniał o Steerpike'u, więc zaskoczył go odgłos kroków z tyłu. Chwilę przedtem Steerpike'a zaskoczyły kroki zstępujące po schodach tuż ponad miejscem, gdzie siedział w cieniu tygrysich pasów balustrady.

Przysunął się żwawo do doktora. — Niestety, ciągle jestem tutaj — powiedział, spoglądając przez ramię w kierunku wzroku doktora. Odwróciwszy się, Steerpike ujrzał damę, zstępującą po trzech ostatnich stopniach schodów, której podobieństwo do doktora Prunesquallora było niezaprzeczalne, lecz której maniery były sztywniejsze. Ona także cierpiała z powodu słabego wzroku, lecz jej okulary były ciemno zabarwione, tak że nie można było powiedzieć, na kogo patrzy, chyba tylko po ogólnym kierunku głowy, co jednak nie było pewną wskazówką.

Dama zbliżyła się do nich. — Kto to jest? — zapytała, zwracając twarz ku Steerpike'owi.

— To — powiedział jej brat — to nikt inny jak panicz Steerpike, którego przyprowadzono do mnie ze względu na jego zdolności. Pragnie usilnie, bym wykorzystał jego mózg, ha, ha! — nie, jak mogłabyś przypuszczać, jako okaz pływający w jednym z moich słoików po dżemie, ha, ha, ha!, lecz w funkcjonalnym charakterze jako wir olśniewającej myśli.

— Czy był przed chwilą na górze? — powiedziała panna Irma Prunesquallor. — Powiedziałam, czy był przed chwilą na górze?

Wysoka dama miała zwyczaj mówienia bardzo szybko i powtarzania nerwowo pytań bez chwili przerwy, podczas której można by na nie odpowiedzieć. W kapryśnych chwilach Prunesquallor zabawiał się, próbując wcisnąć odpowiedź na jakieś mniej złożone zapytania pomiędzy pytanie właściwe i jego ostre echo.

— Na górze, moja droga? — powtórzył brat.

— Powiedziałam „na górze", jak myślę — powiedziała ostro Irma Prunesquallor. — Myślę, że powiedziałam „na górze". Czy ty, czy on, czy ktokolwiek był na górze przed kwadransem? Byłeś? Byłeś?

— Z pewnością nie! Z pewnością nie! — powiedział doktor. — Myślę, że wszyscy byliśmy na dole. Czyż nie tak? — zapytał, zwracając się do Steerpike'a.

— Tak — powiedział Steerpike. Doktorowi zaczął się podobać spokojny i wykwintny sposób odpowiadania młodzieńca.

Irma Prunesquallor zbliżyła się. Jej długa, obcisła, czarna suknia szczególnie uwydatniała taką budowę kostną, jak wyrostek biodrowy i całą miednicę; łopatki, a także, gdy stała w świetle lampy pod pewnym kątem, same żebra. Miała długą szyję, na której tkwiła głowa Prunesquallorów otoczona tymi samymi, podobnymi do strzechy włosami jak u brata, ale w jej wypadku zwiniętymi w kok nisko na karku.

— Służący wyszedł. *Wyszedł* — powiedziała. — To jego *wolny* wieczór. Czyż nie? Czyż nie?

Wydawało się, że zwracała się do Steerpike'a, więc odpowiedział: — Nie znam porządków ustalonych przez panią. Lecz był w pokoju doktora parę minut temu, więc sądzę, że to jego słyszała pani przed swymi drzwiami.

— Kto powiedział, że słyszałam coś przed *moimi* drzwiami? — spytała Irma Prunesquallor, odrobinę mniej szybko niż zwykle. — Kto?

— Czyż nie była pani w swoim pokoju?

— Co z tego? Co z tego?

— Zrozumiałem z tego, co pani powiedziała, że sądziła pani, iż ktoś chodził na górze — odpowiedział wymijająco Steerpike —

a gdyby, jak pani mówi, była pani w swoim pokoju *w środku*, wówczas musiałaby pani słyszeć kroki *przed* swoim pokojem. To właśnie usiłowałem wyjaśnić, proszę pani.

— Zdaje się, że za dużo o tym wiesz. Czyż nie? Czyż nie? — Pochyliła się, a jej nieprzezroczyste okulary spojrzały obojętnie na Steerpike'a.

— Nic nie wiem, proszę pani — powiedział Steerpike.

— Cóż to wszystko *znaczy*, droga Irmo? Na wszystko okrężne, cóż to wszystko *znaczy*?

— Słyszałam kroki. To wszystko. Kroki — powiedziała jego siostra; po chwili dodała z naciskiem: — Kroki stóp.

— Irmo, droga siostro — powiedział Prunesquallor — chcę powiedzieć dwie rzeczy. Po pierwsze, dlaczego, w imię niewygody, wałęsamy się po sieni i przypuszczalnie konamy od przeciągu, który, jeśli o mnie chodzi, wciska się w prawą nogawkę i powoduje skurcz mięśnia pośladkowego; po wtóre, jeśli uściślić sprawę, co jest niewłaściwego w stopach? Zawsze uważałem moje stopy za szczególnie użyteczne, zwłaszcza do chodzenia. W istocie, ha, ha, ha, można by przypuszczać, że stworzono je w tym właśnie celu.

— Jak zwykle — powiedziała siostra — jesteś pijany własnym brakiem powagi. Masz rozum, Alfredzie. Nigdy tego nie negowałam. Nigdy. Ale pomniejsza go twój nieznośny brak powagi. Powiadam ci, że ktoś grasował na górze, a ty nie zwracasz na to uwagi. Czyż nie widzisz, o co chodzi?

— Ja także coś słyszałem — powiedział, wtrącając się, Steerpike. — Siedziałem w przedpokoju, gdzie, jak pan doktor zaproponował, powinienem pozostać, podczas gdy on zadecyduje, w jakim charakterze mnie zatrudni, gdy usłyszałem na górze jakby odgłos kroków. Wspiąłem się cicho na szczyt schodów, lecz wróciłem, ponieważ nie było tam nikogo.

W rzeczywistości Steerpike, sądząc, że na górze nie ma nikogo, badał pobieżnie pierwsze piętro, póki nie usłyszał czegoś, co musiało być odgłosem Irmy idącej ku drzwiom, na który to dźwięk ześliznął się w dół po poręczy.

— Słyszysz, co on mówi — powiedziała dama, idąc za bratem ze sztywną irytacją w każdym ruchu. — Słyszysz, co on mówi.

— Oczywiście! — powiedział doktor. — Zaiste, oczywiście. Bardzo niestrawne.

Steerpike przysunął krzesło Irmie Prunesquallor z takim przejawem troski o jej wygodę i z taką zręcznością, że spojrzała na niego, a usta jej rozluźniły się w jednym kąciku.

— Steerpike — powiedziała, a jej czarna suknia zmarszczyła się ponad biodrami, gdy oparła się nieco wygodniej.

— Jestem na pani usługi — powiedział Steerpike. — Co mogę dla pani uczynić?

— Co masz na sobie, na Boga? Co masz na sobie, chłopcze?

— Wielce żałuję, że będąc pani przedstawionym, noszę ubranie, które zadaje kłam mej wybrednej naturze — powiedział. — Jeśli zechce mi pani doradzić, gdzie mogę nabyć materiał, postaram się sprawić sobie jutro ubranie. Stojąc obok pani, w pani wytwornej szacie ciemności...

— „Szata ciemności", to dobre — przerwał Prunesquallor, podnosząc dłoń do głowy i rozstawiając śnieżnobiałe palce na czole. — „Szata ciemności". Zwrot, ha, ha! Z całą pewnością zwrot.

— Przerwałeś, Alfredzie! — powiedziała siostra. — Czyż nie? Czyż nie? Każę ci jutro skroić ubranie, Steerpike — ciągnęła. — Będziesz tutaj, jak sądzę? Gdzie będziesz spać? Czy będzie spać tutaj? Gdzie mieszkasz? Gdzie on mieszka, Alfredzie? Co postanowiłeś? Przypuszczam, że nic. Czy cokolwiek zrobiłeś? Zrobiłeś? Zrobiłeś?

— Ale co, droga Irmo? O co ci chodzi? Zrobiłem różne rzeczy. Usunąłem kamień żółciowy wielkości ziemniaka. Grałem subtelnie na skrzypcach, podczas gdy tęcza świeciła przez okno apteki; pogrążyłem się tak głęboko w poetach smutku, że gdybym przezornie nie przyczepił haczyków na ryby do ubrania, nie można by mnie było wyciągnąć na powierzchnię, ha, ha!, z tych rozdzierających głębin!

Irma mogła dokładnie przewidzieć, kiedy brat zboczy w monolog, rozwinęła więc zdolność niezwracania uwagi na to, co mówi.

Wydawało się, że zapomniano o krokach na górze. Obserwowała Steerpike'a, gdy ten nalewał jej szklaneczkę porto z galanterią niezwykłą w technicznej doskonałości ruchu i koordynacji.

— Chcesz znaleźć zatrudnienie. Czy tak? Czy tak? — zapytała.

— Jest moim gorącym pragnieniem służyć państwu — powiedział.

— Dlaczego? Powiedz mi, dlaczego? — dopytywała się panna Prunesquallor.

— Usiłuję utrzymać umysł w równowadze pomiędzy rozumowaniem intuicyjnym i racjonalnym, proszę pani — powiedział. — Jednakże nie udaje mi się to w stosunku do pani, bowiem moje intuicyjne pragnienie bycia na usługi przyćmiewa argumenty, choć jest ich wiele. Mogę jedynie powiedzieć, że odczuwam pragnienie spełnienia się poprzez zatrudnienie pod dachem państwa. Tak więc — dodał, unosząc kąciki ust w zagadkowym uśmiechu — to jest przyczyna, *dlaczego* nie mogę dokładnie powiedzieć *dlaczego*.

— Z tym metafizycznym porywem, z tym spełnieniem, o którym mówisz tak gładko, łączy się z pewnością — powiedział doktor — pragnienie pochwycenia pierwszej okazji ucieczki od Sweltera i niemiłych obowiązków, jakie z pewnością musisz wykonywać. Czyż nie tak?

— Tak — powiedział Steerpike.

Ta szczera odpowiedź tak uradowała doktora, że wstał z krzesła i uśmiechając się pełnią zębów nalał sobie następną szklaneczkę. Szczególnie go uradowało połączenie sprytu i szczerości, w czym jeszcze nie dostrzegł głębszej, warstwy przebiegłości Steerpike'a.

Zarówno Prunesquallor, jak i jego siostra odczuwali pewną przyjemność w nawiązaniu znajomości z młodym człowiekiem z głową, choć zawartość tej głowy była pokrętna. Prawda, że w Gormenghast było parę kulturalnych osób, lecz rzadko się z nimi ostatnio widywali. Hrabina nie była rozmowna. Hrabia bywał zazwyczaj zbyt przygnębiony, by podejmować tematy, które, gdyby zechciał, mógłby długo roztrząsać z marzycielską wnikliwością. Bliźniaczki nie były w stanie trzymać się sedna rozmowy.

W pełnieniu swych towarzyskich lub zawodowych obowiązków Prunesquallor stykał się niemal codziennie z wieloma osobami poza służbą, lecz zbyt częsty kontakt stępił jego zainteresowanie rozmową z nimi, zdziwił się więc mile, stwierdziwszy, że Steerpike, choć bardzo młody, miał talent słowny i otwarty umysł. Panna Prunesquallor mniej się widywała z ludźmi niż brat. Uwaga o sukni sprawiła jej przyjemność, a sposób, w jaki zabiegał o jej wygody, pochlebiał jej. Z pewnością, był raczej niepozornym stworzeniem. Oczywiście, zajmie się jego ubraniem. Jego oczy wydały się jej początkowo małpie z powodu bliskiego rozstawienia i skupienia, lecz przyzwyczaiwszy się do nich, spostrzegła, że było coś podniecającego w sposobie, w jaki na nią patrzyły. Dzięki temu czuła, że zdawał sobie sprawę, iż jest nie tylko damą, lecz również kobietą.

Umysł miała bystry i inteligentny, lecz odmiennie niż brat, powierzchowny, instynktownie więc rozpoznała w młodzieńcu rys inteligencji pokrewnej jej własnej, lecz większej. Przekroczyła już wiek, kiedy można by się spodziewać męża. Jeśliby nawet jakiś mężczyzna spojrzał na nią w tym świetle, byłoby zbyt nieprawdopodobne, by miał także odwagę poruszyć ten temat. Irma Prunesquallor nigdy nie spotkała takiej osoby, a jej wielbiciele poprzestawali jedynie na słowach.

Tak się złożyło, że panna Prunesquallor, nim odgłos kroków Steerpike'a pod drzwiami przerwał jej myśli, znajdowała się w stanie przygnębienia. Większość ludzi miewa okresy wspomnień, gdy myśli skupiają się na mniej pociągających chwilach przeszłości. Irma Prunesquallor nie była wyjątkiem, lecz dziś było coś szalonego w jej przygnębieniu. Poprawiwszy nerwowo okulary u nasady nosa, załamała ręce, zanim zasiadła przed lustrem. Zlekceważyła to, że miała zbyt długą szyję, usta wąskie i zaciśnięte, nos zbyt ostry, a oczy zupełnie zapadnięte, a skupiła się na obfitości szorstkich siwych włosów spływających z czoła falą łączącą się w duży, twardy węzeł nisko na karku — oraz na zaletach cery, zaiste nieskazitelnej. W jej własnych oczach te dwie rzeczy wystarczały, by uczynić ją obiektem godnym podziwu. A jednak, jakiegoż podziwu doświadczyła? Czy był ktoś, kto podziwiałby ją i zachwycał się jej miękką, niezrównaną cerą i falą włosów?

Galanteria Steerpike'a usunęła na chwilę chłód z serca.

Siedzieli teraz wszyscy troje. Doktor wypił więcej, niż kiedykolwiek zaleciłby pacjentowi. Mówiąc, poruszał swobodnie ramionami i wydawało się, że sprawia mu przyjemność obserwowanie własnych palców podkreślających niemo to, o czym mówił.

Nawet jego siostra poczuła działanie większej niż zazwyczaj ilości porto. Gdy Steerpike odzywał się, ostro potakiwała głową, jakby zupełnie się zgadzając.

— Alfredzie — powiedziała. — Alfredzie, mówię do ciebie. Czy mnie słyszysz? Czy słyszysz? Czy słyszysz?

— Bardzo wyraźnie, Irmo, moja droga, droga siostro. Twój głos dzwoni w mym uchu środkowym. W istocie, w obu. W ich samym środku, lub raczej w ich obu środkach. O co chodzi, ciało mego ciała?

— Ubierzemy go w jasnopopielaty — powiedziała.

— Kogo, krwi mojej krwi? — zawołał Prunesquallor. Kogo mamy przyoblec w barwę synogarlic?

— Kogo? Jak możesz mówić „kogo?"! Tego młodzieńca, Alfredzie, tego młodzieńca. Zajmie miejsce Pelleta. Jutro zwalniam Pelleta. Zawsze był zbyt powolny i niezręczny. Czy nie sądzisz? Czy nie sądzisz?

— Nie jestem już do tego zdolny, kości mej kości. Już zupełnie niezdolny. Przekazuję ci wodze, Irmo. Dosiadaj i znikaj. Świat czeka na ciebie.

Steerpike spostrzegł, że czas dojrzał.

— Jestem przekonany, że zadowolę panią, droga pani — powiedział. — Moją nagrodą będzie ujrzeć panią, może raz jeszcze, może dwa, o ile pani pozwoli, w tej ciemnej sukni, w której tak pani do twarzy. Jutro, za pani zezwoleniem, usunę małą plamkę, jaką dostrzegłem na brzegu. Pani — powiedział z zadziwiającą prostotą, którą przyozdabiał swe uwagi — gdzie mógłbym spać?

Podniósłszy się sztywno, lecz z bardziej skrępowaną godnością, niż to uważała za stosowne ostatnio przybierać, skinęła na niego szczególnie drewnianym gestem, by jej towarzyszył, i pierwsza przeszła przez drzwi.

Gdzieś pod sklepieniami jej łona zaczął śpiewać maleńki, uwięziony ptaszek.

— Czy odchodzicie na zawsze i na jeden dzień? — zawołał doktor z fotela, w którym rozciągnął się jak kawałek sznura. — Czy mam być porzucony na zawsze, ha, ha, ha! Na zawsze i zawsze?

— Na dziś wieczór, tak — odpowiedział głos siostry. — Pan Steerpike przyjdzie do ciebie rano.

Doktor ziewnął ostatnim błyskiem zębów i zasnął głęboko.

Panna Prunesquallor zaprowadziła Steerpike'a do drzwi pokoju na drugim piętrze. Steerpike zauważył, że był prosty, obszerny i wygodny.

— Każę cię rano zawołać, po czym pouczę cię co do twoich obowiązków. Czy mnie słyszysz? Czy mnie słyszysz?

— Z wielką przyjemnością, proszę pani.

Przeszła ku drzwiom sztywniej niż zwykle, gdyż od długiego czasu nie usiłowała chodzić ponętnie. Czarny jedwab sukni połyskiwał w blasku świecy i szeleścił w kolanach. W drzwiach odwróciła głowę, a Steerpike skłonił się, pochylając głowę, póki drzwi się nie zamknęły i nie odeszła.

Podszedłszy szybko do okna, otworzył je. Po przeciwnej stronie dziedzińca górzysty zarys zamku Gormenghast wznosił się ciemno w noc. Chłodne powietrze rzeświło jego duże wystające czoło. Twarz pozostała jak maska, lecz śmiał się głęboko w trzewiach.

GDY STARA PIASTUNKA DRZEMIE

Na razie Steerpike musi pozostać u Prunesquallorów, gdzie udało mu się wcisnąć mocno w strukturę domu w nieco elastycznym charakterze człowieka do wszystkiego, asystenta medycznego, pomocy pani domu i partnera do konwersacji. Jego ujmujący sposób bycia dzień po dniu osiągał coraz bardziej zdradliwy rezultat, póki nie zaczęto go traktować jak przynależnego do gospodarstwa domowego, a obcym pozostał jedynie dla kucharza, który jako stary domownik nie darzył uczuciem parweniusza i traktował go z nie ukrywaną podejrzliwością.

Doktor przekonał się, że uczył się nadzwyczaj szybko, tak że po upływie kilku tygodni Steerpike kierował całą pracą w aptece. Zaiste, chemikalia i narkotyki bardzo fascynowały młodzieńca, którego często można było zastać przy przyrządzaniu mikstur własnego pomysłu.

Nie czas jeszcze mówić o tragicznych i kompromitujących okolicznościach, jakie z tego wszystkiego wynikły.

W zamku codziennie odprawiano odwieczny rytuał. Podniecenie towarzyszące narodzinom Tytusa opadło nieco. Hrabina, pomimo ostrzeżeń doradcy medycznego, wstała i chodziła, tak jak to oświadczyła. Prawda, była najpierw bardzo osłabiona, lecz tak gwałtowne było jej rozdrażnienie z tej przyczyny, że nie była w stanie powitać świtu, jak to miała w zwyczaju, w towarzystwie białej fali kotów, iż pokonała znużenie ciała.

Leżąc w łóżku przez trzy poranki po narodzeniu małego Tytusa, słyszała koty przyzywające ją z trawnika o sześćdziesiąt stóp poniżej jej pokoju, a leżąc w rozświetlonym świecami pokoju, ogromnie pragnęła być z nimi, więc kropelki potu pojawiały się na jej skórze, gdy w męce tęskniła za siłą.

Gdyby nie ptaki, frustracja duchowa uczyniłaby jej więcej krzywdy niż fizyczne niebezpieczeństwo wstania z łóżka. Stale zmieniająca się populacja jej pierzastych dzieci była pociechą tych paru dni, które wydawały się jej miesiącami.

Biały gawron pojawiał się najczęściej w oknie zdławionym przez bluszcz, choć do chwili połogu był najbardziej niestałym gościem.

Rozmawiała z nim głębokim głosem przez godzinę nawet, zwracając się do niego „Panie Kredo" lub „mój ty niegrzeczny". Przychodzili wszyscy jej towarzysze. Czasami pokój rozbrzmiewał pieśnią. Czasem, czując potrzebę rozprostowania skrzydeł w niebiosach, cały ich tłum wylatywał jeden za drugim poprzez okno w bluszczu, gdzie oczekując w mrocznym powietrzu swej kolei, by się przecisnąć, tuzin ptaków naraz krążył, opadał i wzlatywał, trzepocząc wielobarwnymi skrzydłami.

Tak więc zdarzało się od czasu do czasu, że bywała prawie opuszczona. W pewnej chwili pozostały z nią jedynie kamieńczyk i przemoczona sowa.

Teraz była dostatecznie silna, by spacerować i śledzić, jak krążyły w górze, lub siedzieć w altanie na krańcu długiego trawnika, gdy słońce żarzyło się w jej ciemnorudych włosach i leżało blado na przestrzeni jej twarzy i szyi, oraz śledzić wielokształtne i śnieżnobiałe kłębienie się kotów.

Pani Slagg spostrzegła, że zaczynała coraz bardziej zależeć od pomocy Kedy. Nie chciała tego przyznać sama przed sobą. W Kedzie było coś tak spokojnego, że nie potrafiła tego zrozumieć. Od czasu do czasu usiłowała wywrzeć wrażenie na dziewczynie autorytetem, którego nie posiadała, mając się na baczności, by wyśledzić jakiś błąd. Było to tak oczywiste i żałosne, że nie niepokoiło dziewczyny z Lepianek. Wiedziała, że godzinę później, gdy pani Slagg poczuje, iż jej pozycja została ponownie ugruntowana, stara piastunka przybiegnie do niej, niemal we łzach dla jakiejś błahej przyczyny i ukryje drżącą głowę na łonie Kedy.

Choć Keda polubiła Tytusa, którego karmiła piersią i którym się czule opiekowała, zaczęła sobie zdawać sprawę, że musi powrócić do Lepianek. Opuściła je nagle, jak ktoś, kto czując, iż wzywa go Opatrzność, nagle porzuca dawne życie dla nowego. Lecz teraz zdała sobie sprawę, że pomyliła się, i wiedziała, że byłoby błędem pozostać w zamku dłużej, niż to było konieczne dla dziecka. Nie tyle błędem, co zbrodnią przeciw jej sumieniu, gdyż zgodziła się wówczas pójść natychmiast z panią Slagg dla bardzo istotnej przyczyny.

Dzień po dniu z okna pokoiku, który jej dano obok pokoju pani Slagg, spoglądała w stronę, gdzie wysokie mury otaczające tereny zamkowe przesłaniały jej widok Lepianek, które znała od dzieciństwa i gdzie zeszłego roku wzburzyły się tak okrutnie jej namiętności.

Jej dziecko, które pochowała tak niedawno, było synem starego rzeźbiarza o niezrównanej reputacji pośród Mieszkańców. Małżeństwo wymusiły na niej żelazne prawa. Rzeźbiarzom, jednogłośnie uznanym za najznakomitszych, wolno było, po ukończeniu pięćdziesiątego roku życia, wybrać sobie narzeczoną spośród panien, a przeciw wyborowi nie można było podnieść nawet cienia sprzeciwu. Ten odwieczny zwyczaj nie pozostawił Kedzie innego wyjścia, jak zostać żoną człowieka, który pomimo tego, iż był skwaśniałym i nieokrzesanym starcem, płonął żywotnością zadającą kłam jego wiekowi.

Od rana aż do chwili, gdy brakło mu światła, tkwił przy swych rzeźbach. Przyglądał się im ze wszystkich stron lub przykucał groteskowo w pewnej odległości, mrużąc oczy w świetle słonecznym. Potem, gdy przybliżał się chyłkiem, wydawało się, iż zamierza uderzyć jak drapieżnik atakujący porażoną zdobycz; lecz dotarłszy do drewnianego kształtu, przesuwał po jego powierzchniach wielką ręką, tak jak kochanek pieści piersi kochanki.

W trzy miesiące od chwili, gdy on i Keda dokonali ceremonii ślubnej, stojąc samotnie na wzgórzu ślubów, na południe od Splątanych Borów, złączywszy dłonie, z jej stopami na jego stopach, podczas gdy sędziwy głos wołał ku nim poprzez półmrok przestrzeni — w trzy miesiące umarł. Upuściwszy nagle młot i dłuto na ziemię, schwyciwszy się rękami za serce, odsłoniwszy zęby, runął i opuściła go energia, pozostawiając jedynie stary, wysuszony wór ciała. Keda została sama. Nie kochała go, lecz podziwiała jego i tę namiętność zżerającą go jako artystę. Znów była wolna, poza tym, iż w dniu jego śmierci poczuła w sobie ruch innego życia, teraz zaś, blisko rok później, jej pierwonarodzony spoczywał obok ojca, bez życia, w suchej ziemi.

Straszna i przedwczesna starość, zstępująca tak nagle na twarze Mieszkańców, nie padła jeszcze całkowicie na jej rysy. Wydawało się, że była tak blisko, iż uroda jej twarzy sprzeciwiała się temu z wyzwaniem, jak osaczony jeleń, który zwraca się przeciw ogarom, w dumnej pozie, potrząsając porożem.

Gorączkowe piękno zstępowało na dziewczęta z Lepianek na mniej więcej miesiąc przed tym, gdy miały je zaatakować przeznaczone im spustoszenia. Od dzieciństwa aż do tego tragicznego przejściowego okresu piękności ich uroda posiadała dziwną niewinność, kryształowy spokój nie przeczuwający przyszłości. Gdy w tę czystość zapuściły korzenie ziarna ciemności, a dym zmieszał się z płomieniem, wówczas, jak było to teraz z Kedą, z rysów ich bił ciernisty przepych.

Jednego ciepłego popołudnia, siedząc w pokoju pani Slagg z Tytusem przy piersi, zwróciła się do starej piastunki, mówiąc spokojnie: — Z końcem miesiąca powrócę do domu. Tytus jest silny i zdrowy i będzie mógł obejść się beze mnie.

Niania, której głowa kiwała się nieco, zawsze bowiem albo zapadała w drzemkę albo się właśnie z niej budziła, otworzyła oczy, gdy słowa Kedy przeniknęły do jej mózgu. Wówczas usiadła gwałtownie i wykrzyknęła zatrwożonym głosem: — Nie! Nie! Nie wolno ci odejść. Nie wolno! Nie wolno! Och, Kedo, wiesz, jaka jestem stara. — I przebiegła przez pokój, by schwycić ramię Kedy. Potem zaś zawołała pospiesznie ze względu na swą godność: — Mówiłam ci, żebyś go nie nazywała Tytusem. „Lord Tytus" albo „jego wysokość", oto jak *powinnaś* mówić. — Potem powróciła do własnego zmartwienia, jakby z ulgą. — Och, nie możesz odejść! Nie możesz odejść!

— Muszę odejść — powiedziała Keda. — Są przyczyny, dla których muszę odejść.

— Dlaczego? Dlaczego? Dlaczego? — wykrzyknęła Niania przez łzy, które poczęły ściekać nierówno po jej niemądrej, pomarszczonej twarzy. — Dlaczego musisz odejść? — Tupnęła malutką stopką w pantoflu, co uczyniło bardzo niewiele hałasu. — Musisz mi odpowiedzieć! Musisz! Dlaczego odchodzisz ode mnie? — Potem rzekła, zaciskając pięści. — Powiem hrabinie. Powiem jej.

Keda nie zwracała na to uwagi, jedynie przeniosła Tytusa z jednego ramienia na drugie, gdzie przestał płakać.

— Będzie bezpieczny pod pani opieką — powiedziała Keda. — Będzie pani musiała znaleźć inną pomoc, gdy podrośnie, gdyż będzie to dla pani za trudne.

— Ale nie będą takie jak ty — pisnęła Niania Slagg, jakby złorzecząc jej za jej przydatność. Nie będą jak *ty*. Będą się znęcać nade mną. Niektóre znęcają się nad staruszkami takimi jak ja. Och, moje słabe serduszko! Moje biedne słabe serduszko! Co ja zrobię?

— No, no — powiedziała Keda. — To nie takie trudne.

— *Trudne. Trudne!* — zawołała pani Slagg, ponownie przybierając powagę. — To gorsze, znacznie gorsze. Każdy mnie opuszcza, bo jestem stara.

— Musi pani znaleźć kogoś, komu będzie pani mogła zaufać. Spróbuję pani pomóc — powiedziała Keda.

— *Pomożesz? Pomożesz?* — zawołała Niania, podnosząc palce do ust i spoglądając na Kedę przez czerwone obwódki powiek. — Och, *pomożesz?* Każą mi wszystko robić. Matka Fuksji zostawia wszystko mnie. Prawie nie widziała jego malutkiej wysokości, prawda? Prawda?

— Nie — powiedziała Keda. — Ani razu. Ale on ma się dobrze.

Odsunęła od siebie niemowlę i położyła pod kocykiem w łóżeczku, gdzie po chwili skomlenia zaczął z zadowoleniem ssać piąstkę.

Nagle Niania Slagg pochwyciła ponownie ramię Kedy. — Nie powiedziałaś mi dlaczego; nie powiedziałaś mi dlaczego — powiedziała. — Chcę wiedzieć, dlaczego odchodzisz ode mnie. Nigdy mi nic nie mówisz. Nigdy. Myślę, że nie warto mi mówić. Sądzę, że uważasz, że nic nie znaczę. Dlaczego mi nic nie mówisz? Och, moje biedne serduszko, myślę, że jestem za stara, żeby mi cokolwiek mówić.

— Powiem pani, dlaczego muszę odejść — obiecała Keda. — Proszę usiąść i posłuchać. — Niania usiadła w niskim krześle, splótłszy pomarszczone dłonie. — Powiedz mi wszystko — rzekła.

Keda nie mogła później zrozumieć, dlaczego przerwała długą ciszę, będącą w dużej mierze częścią jej natury, czuła jedynie, że mówiąc do kogoś, kto z trudem ją pojmował, mówiła właściwie do siebie. Miała uczucie ulgi, zrzucając ciężar z serca.

Keda usiadła przy ścianie na łóżku pani Slagg. Siedziała wyprostowana z rękami na kolanach. Przez chwilę spoglądała przez okno na chmurkę, która zabłąkała się tam leniwie. Potem zwróciła się do staruszki.

— Gdy przyszłam tu z panią tego pierwszego wieczoru — powiedziała spokojnie Keda — dręczyłam się. Dręczyłam się i nadal jestem nieszczęśliwa z powodu miłości. Lękałam się przyszłości; moja przeszłość to smutek, w teraźniejszości pani mnie potrzebowała, a ja czułam potrzebę ucieczki, więc przyszłam. — Przerwała.

— Dwóch mężczyzn z Lepianek kochało mnie. Kochali mnie za bardzo i za gwałtownie. — Oczy jej spoczęły powtórnie na Niani Slagg, ledwo ją widząc ani nie dostrzegając, że jej zwiędłe wargi zacisnęły się, a głowa przekrzywiła jak u wróbla. Ciągnęła spokojnie:

— Mój mąż umarł. Był Kolorowym Rzeźbiarzem i zmarł w walce. Siadywałam w długich cieniach przy naszej chacie, śledząc, jak głowa driady z dnia na dzień znajdowała ukryty zarys. Zdawało mi się, że rzeźbił dziecię listowia. Nie spoczął, lecz walczył; i patrzył — patrzył. Zawsze patrzył, odciosując drzewo, by dać swej

203

driadzie oddech. Pewnego wieczoru, gdy poczułam, jak nie narodzony porusza się we mnie, serce mojego męża przestało bić i broń mu upadła. Podbiegłam i uklękłam obok ciała. Dłuto leżało w pyle. Ponad nami nie dokończona driada spoglądała nad Splątane Bory, z żołędziem w zębach.

Pochowali go, mego nieokrzesanego męża, w długiej, piaszczystej dolinie, dolinie grobów, gdzie nas chowają. Dwaj ciemni mężczyźni, którzy mnie kochali i kochają, ponieśli tam jego ciało ze względu na mnie i opuścili do piaszczystego dołu, który sami wydrążyli. Było tam stu mężczyzn i sto kobiet; był bowiem najznakomitszym rzeźbiarzem. Usypano nad nim piach i przybył jedynie nowy piaszczysty wzgórek pośród wzgórków doliny i było bardzo cicho. Utkwili we mnie wzrok podczas pogrzebu — ci dwaj, którzy mnie kochają. A ja nie mogłam myśleć o tym, którego opłakiwaliśmy. Nie mogłam myśleć o śmierci. Jedynie o życiu. Nie mogłam myśleć o spokoju, lecz o ruchu. Nie mogłam zrozumieć pogrzebu ani tego, że życie może przestać istnieć. To wszystko był sen. Byłam żywa, *żywa*, a dwóch mężczyzn przyglądało mi się. Stali poza grobem, po drugiej stronie. Widziałam tylko ich cienie, gdyż nie śmiałam podnieść oczu, aby nie pokazać zadowolenia. Ale wiedziałam, że przyglądali mi się, i wiedziałam, że jestem młoda. To silni mężczyźni, o twarzach jeszcze nie zniszczonych przez okrutne nieszczęście, jakiego doświadczamy. Byli silni i młodzi. Gdy żył mój mąż, nie widywałam ich. Choć jeden przyniósł białe kwiaty ze Splątanych Borów, a drugi ciemny kamień z Góry Gormenghast, jednak ich nie widywałam, gdyż byłam świadoma pokusy.

To było dawno temu. Wszystko się zmieniło. Moje dziecko pogrzebano, a moi wielbiciele nienawidzą się nawzajem. Gdy pani przyszła po mnie, dręczyłam się. Ich zazdrość rosła z każdym dniem, póki nie przyszłam do zamku, by uniknąć rozlewu krwi. Och, dawno temu, z panią, tego straszliwego wieczoru.

Urwała i odsunęła pukiel włosów z czoła. Nie patrzyła na panią Slagg, która zmrużyła oczy, potakując mądrze głową, gdy Keda przestała mówić.

— Gdzie są teraz? Ileż to razy śniłam o nich! Ileż to razy wołałam w poduszkę: „Rantel!", którego zobaczyłam po raz pierwszy, jak zbierał korzenie, z szorstkimi włosami na oczach... wołałam „Braigon!", który stał zadumany w gaju. A jednak niecała jestem zakochana. Jest we mnie zbyt wiele spokoju. Nie pogrążyłam się wraz z nimi w okrucieństwie miłości. Mogę jedynie śledzić ich i lękać się ich i głodu w ich oczach. Uniesienie, które opanowało mnie przy grobie, minęło. Teraz jestem zmęczona miłością, której w pełni nie posiadam. Zmęczona nienawiścią, jaką wzbudziłam. Zmęczona tym, że jestem przyczyną, a nie mam władzy. Już wkrótce stracę urodę, bardzo szybko, i nadejdzie spokój. Lecz ach! zbyt szybko.

Uniósłszy dłoń, Keda otarła z policzków powolne łzy. — Muszę kochać — wyszeptała.

Zdziwiona własnym wybuchem, podniosła się sztywno z łóżka. Potem zwróciła oczy na piastunkę. Keda była tak osamotniona w swej zadumie, iż wydało się jej naturalne, gdy spostrzegła, że staruszka śpi. Podeszła do okna. Popołudniowe światło spoczywało na wieżach. Poniżej, w wybujałym bluszczu szeleścił ptak. Z dołu jakiś głos zawołał cicho do jakiejś niewidocznej postaci i znowu nastała cisza. Oddychając głęboko, pochyliła się ku przodowi w światło. Jej dłonie zacisnęły się na framudze okna, a błądzący po wieżach wzrok przywarł nieubłaganie do wysokiego, okrążającego zamek muru, zasłaniającego przed nią domy jej ludu, jej dzieciństwo i istotę jej namiętności.

FLAY PRZYNOSI WIADOMOŚĆ

Jesień powróciła do Gormenghast jak ciemny duch powracający do warowni. Jej oddech czuło się w zapomnianych korytarzach — samo Gormenghast *stało się* jesienią. Nawet mieszkańcy twierdzy stali się jej cieniami.

Majacząc pośród mgieł, rozsypujący się zamek emanował tą porą roku i zionął nią każdy zimny kamień. Umęczone drzewa wokół ciemnego jeziora płonęły i ociekały wodą, a porwane wiatrem ich liście wirowały dzikimi kręgami wokół wież. Zwinięte chmury pleśniały lub przesuwały się niespokojnie po kamiennym podniebnym polu, wyrzucając w górę wieńce snujące się poprzez wieżyczki i wspinające się po zasłoniętych murach.

Wysoko na Wieży Krzemieni krzyczały nieludzko sowy, nietykalne na kamiennych galeriach, lub opadając w wietrzną ciemność, wyruszały przytłumionym lotem na swe tereny łowieckie. Fuksję coraz rzadziej można było znaleźć w zamku. Gdy z każdym upływającym dniem pogoda stawała się coraz groźniejsza, zdawała się wydłużać długie spacery, które stanowiły teraz jej główną rozrywkę. Ogarnęło ją ponownie to samo podniecenie co kiedyś, gdy kilka lat temu uparcie włóczyła panią Slagg okrężnymi marszami, które wydawały się starszej pani zarówno niebezpieczne, jak zbyteczne. Lecz teraz Fuksja nie potrzebowała ani nie chciała towarzystwa.

Odwiedzając ponownie te niemal zapomniane, dziksze części okolicy, doświadczała zarówno uniesienia, jak samotności. Zaczęła potrzebować mieszaniny słodyczy i goryczy, tak jak potrzebowała kiedyś swego strychu. Przymrużonymi oczyma śledziła barwy zmieniające się na drzewach i wypychała kieszenie długimi złotymi liśćmi i ognistymi paprociami oraz najrozmaitszymi przedmiotami znajdowanymi w lasach i pośród skał. Jej pokój wypełniły kamienie o dziwacznych kształtach, które się jej spodobały. grzyby przypominające dłonie lub talerze; dziwnie uformowane krzemienie i powykrzywiane gałęzie; pani Slagg zaś, wiedząc, że strofowanie byłoby bezskuteczne, patrzyła co wieczór, pochwyciwszy palcami dolną wargę, jak Fuksja opróżnia kieszenie z nowych skarbów, oraz na wciąż rosnący zbiór, z powodu którego trzeba się było poruszać w pokoju krętymi ścieżkami.

Na ścianie pośród hieroglifów Fuksji zaczęły się pojawiać wielkie liście, przypięte lub przyklejone pomiędzy rysunkami, a łupy zaścielały spory szmat podłogi.

— Czy nie masz już dosyć, kochanie? — powiedziała Niania, gdy Fuksja, wszedłszy późno pewnego wieczora, położyła na łóżku omszały głaz. Tu i ówdzie z mchu wystawały maleńkie listki paproci i białe kwiatuszki wielkości komarów.

Fuksja nie dosłyszała pytania Niani, staruszka podeszła więc do łóżka.

— Teraz masz już dosyć, prawda, moja niezwykła? Och, tak, tak, tak myślę. Zupełnie dosyć na twój pokój, kochanie. Jakże jesteś brudna... Och, moje biedne serduszko, jaka nieapetyczna.

Fuksja zgarnęła z oczu i z szyi ociekające wodą włosy, tak że wisiały na kołnierzu peleryny ciężką wiązką, jak czarne wodorosty. Potem odpiąwszy, po rozpaczliwym szamotaniu, guzik przy szyi i zsunąwszy prążkowany aksamit na podłogę, wepchnęła go nogą pod łóżko. Potem jak gdyby ujrzała panią Slagg po raz pierwszy. Pochyliwszy się, pocałowała ją gwałtownie w czoło, a deszcz ściekał z niej na ubranie piastunki.

— Och, ty brudne bezmyślne stworzenie! Ty niegrzeczna nieznośnico. Och, moje biedne serduszko, jak mogłaś? — powiedziała pani Slagg, tracąc nagle opanowanie i tupiąc nogą. — Na moją czarną satynę, ty brudne stworzenie. Ty obrzydliwe mokre stworzenie. Och, moja biedna suknia! Czemu nie możesz zostać w domu, kiedy na dworze jest błoto i wiatr? Zawsze byłaś dla mnie niedobra! Zawsze, zawsze.

— To nieprawda — powiedziała Fuksja, zaciskając dłonie.

Biedna stara piastunka zaczęła płakać.

— No, tak czy nie? — zapytała Fuksja.

— Nie wiem. Zupełnie nie wiem — powiedziała Niania. — Wszyscy są dla mnie niedobrzy; skąd mam wiedzieć?

— A więc idę sobie — powiedziała Fuksja.

Niania przełknęła ślinę i podniosła głowę. — Idziesz sobie? — zawołała gderliwie. — Nie, nie! Nie wolno ci odejść. — Potem zaś powiedziała, a dociekliwość walczyła ze strachem w jej wzroku. — Dokąd? Dokąd mogłabyś pójść, kochanie?

— Odeszłabym daleko stąd — do innego kraju — odparła Fuksja — gdzie ludzie nie wiedzący, że jestem Lady Fuksja, byliby zdziwieni, gdybym im to powiedziała; traktowaliby mnie lepiej i byliby uprzejmiejsi i czasem składaliby hołd. Lecz nie przestałabym przynosić do domu liści i błyszczących kamyków, i grzybów z lasu, cokolwiek by o tym myśleli.

— Odeszłabyś ode mnie? — zapytała Niania tak smutno, że Fuksja objęła ją mocnymi ramionami.

— Nie płacz — powiedziała. — To nie zda się na nic.

Niania ponownie wzniosła w górę oczy, wypełnione teraz miłością, jaką czuła do swego „dziecka". Lecz nawet w słabości zrozumienia czuła, że powinna zachować pozycję, więc powtórzyła: — Czy *musisz* wchodzić do brudnej wody, moja jedyna, i drzeć ubranie, jak to zawsze robiłaś, niezwykłe kochanie? Czy nie jesteś dość duża, by wychodzić tylko w ładne dni?

— Lubię jesienną pogodę — powiedziała bardzo powoli Fuksja. — Więc dlatego wychodzę popatrzeć na nią.

— Czy nie możesz jej oglądać z okna, skarbie — zapytała pani Slagg. — Wtedy byłoby ci ciepło, choć *ja* nie wiem, na co tam można patrzeć; no, ale ja jestem tylko głupią staruszką.

— Wiem, czego chcę, więc nie myśl o tym więcej — powiedziała Fuksja. — Odkrywam rzeczy.

— Uparte z ciebie stworzenie — rzekła nieco kapryśnie pani Slagg — ale wiem o różnych rzeczach znacznie więcej, niż myślisz. Wiem; tak, wiem; ale zaraz ci przyniosę herbatę. Możesz ją wypić przy kominku, a ja przyniosę chłopczyka, bo powinien się już obudzić. O Boże, tyle jest do roboty. Och, moje słabe serduszko, ciekawa jestem, jak długo wytrzymam.

Idąc za wzrokiem Fuksji, zwróciła oczy na głaz, wokół którego na pstrokatej kołdrze powiększała się mokra plama.

— Najbrudniejszy z ciebie postrach na świecie — powiedziała. — Na co ten kamień? *Na co* to, kochanie? Jaki z tego *pożytek*? Nigdy nie słuchasz. Nigdy. Ani nie doroślejesz, jak ci to mówiłam. Nie mam teraz nikogo do pomocy. Keda odeszła i ja robię wszystko. — Pani Slagg otarła oczy wierzchem dłoni. — Zmień zaraz mokre ubranie, bo niczego ci nie przyniosę, i brudne mokre buty!... — Pani Slagg namacała klamkę, otworzyła drzwi i poczłapała korytarzem, trzymając jedną rękę na piersi.

Fuksja zdjęła buty bez rozwiązywania sznurowadeł, przydeptując pięty i wysuwając stopy. Pani Slagg rozpaliła przedtem silny ogień, a Fuksja, ściągnąwszy suknię, wytarła nią mokre włosy. Potem, owinąwszy się w ciepły koc, rozsiadła się w niskim fotelu przysuniętym do kominka i zapadłszy w jego znajomą miękkość, spoglądała nieprzytomnie półprzymkniętymi oczyma na skaczące płomienie.

Powróciwszy z tacą z herbatą, przypieczonymi bułeczkami, ciastem z rodzynkami, masłem, jajkami i słoikiem miodu, pani Slagg zastała Fuksję we śnie.

Umieściwszy tacę przy kominku, podeszła na palcach do drzwi i zniknęła, by się za chwilę pojawić z Tytusem w ramionach. Ubrany był w biały strój podkreślający ciepło barwy twarzy. Po urodzeniu był prawie łysy, lecz teraz, choć było to tylko dwa miesiące później, zdobiła go czupryna tak ciemna jak u siostry.

Pani Slagg usiadła z Tytusem w fotelu naprzeciw Fuksji i przyglądała się dziewczynie słabym wzrokiem, zastanawiając się, czy ją obudzić, czy też pozwolić jej się wyspać i potem zaparzyć nowy dzbanek herbaty. — Ale bułeczki też wystygną — powiedziała do siebie. — Och, jaka jest męcząca. — Lecz problem rozwiązało głośne pojedyncze pukanie do drzwi, co spowodowało, że drgnęła gwałtownie, przyciskając Tytusa do ramienia, a Fuksja obudziła się z drzemki.

— Kto to? — zawołała pani Slagg. — Kto to?

— Flay — powiedział głos służącego Lorda Sepulchrave'a. Drzwi otworzyły się na kilka cali i koścista twarz zajrzała z pobliża szczytu drzwi.

No? — zapytała Niania, kręcąc głową. — No? No? O co chodzi?

Fuksja odwróciła głowę, przesuwając oczyma wzdłuż szczeliny pomiędzy drzwiami i ścianą, póki nie zatrzymały się wreszcie na trupich rysach.

— Dlaczego nie wejdziesz do środka? — powiedziała.

— Brak zaproszenia — odparł obojętnie Flay. Zbliżył się, a kolana trzeszczały mu przy każdym kroku. Przesunął wzrok z Fuksji na panią Slagg, z pani Slagg na Tytusa, a potem ku wyładowanej tacy przy ogniu, zatrzymawszy go tam, nim zwrócił go ponownie na owiniętą w koc Fuksję. Ujrzawszy, że wciąż na niego patrzy, uniósł prawą rękę jak pęk tępych szponów i zaczął drapać wystający guz kostny z tyłu głowy.

— Wiadomość od jego wysokości, jaśnie pani — powiedział, po czym powrócił wzrokiem ku tacy.

— Czy mnie wzywa? — spytała Fuksja.

— Lorda Tytusa — odrzekł Flay, a jego oczy zatrzymały w źrenicach dzbanek herbaty, przypieczone bułeczki, ciasto z rodzynkami, masło, jajka i słoik miodu.

— Wzywa małego Tytusa, powiedział pan? — zawołała pani Slagg, próbując dosięgnąć ziemi stopami.

Flay skinął mechanicznie głową. — Spotykamy się, brama w dziedzińcu, pół do dziewiątej — dodał Flay, wycierając dłonie w ubranie.

— Wzywa moją maleńką wysokość — szepnęła stara piastunka do Fuksji, która aczkolwiek wyzbyła się początkowej antypatii do brata, nie nabrała jednak tego podnieconego przywiązania, ja-

kiego Niania nie szczędziła niemowlęciu. — Wzywa moje maleńkie cudo.

— Czemu nie? — powiedział Flay, po czym dodawszy: — Dziewiąta — biblioteka — pogrążył się w zwykłym milczeniu.

— Och, moje biedne serduszko, powinien być wtedy w łóżku — dławiła się piastunka, przyciskając mocniej Tytusa do siebie.
Fuksja także patrzyła na tacę.

— Flay — powiedziała — czy chcesz coś zjeść?

Zamiast odpowiedzi pająkowaty służący przeszedł natychmiast przez pokój ku krzesłu, które zauważył kątem oka, i powróciwszy z nim, usiadł pomiędzy nimi. Potem wydobywszy zaśnie-
działy zegarek, spojrzał nań spode łba jak na śmiertelnego wroga
i umieścił go ponownie w tajemnym zakamarku zatłuszczonego
czarnego ubrania.

Zsunąwszy się z fotela, Niania znalazła poduszkę, by położyć
Tytusa przed kominkiem, po czym zaczęła nalewać herbatę. Znalazła się filiżanka dla Flaya, a potem wszyscy troje siedzieli długo
w milczeniu, chrupiąc lub popijając i sięgając na podłogę po to, czego potrzebowali, lecz nie próbowali zajmować się sobą nawzajem.
Blask ognia tańczył po pokoju, a ciepło było pożądane, bowiem na
zewnątrz czy w korytarzach wilgotne, przyziemne podmuchy tej
pory roku przenikały do szpiku kości.

Flay ponownie wyjął zegarek i wstał, otarłszy usta wierzchem
dłoni. Potrącił przy tym talerz na brzegu krzesła, który upadł i roz-
bił się na podłodze. Na ten dźwięk drgnął i pochwycił oparcie krzesła, a ręka mu drżała. Tytus wykrzywił twarz na odgłos hałasu,
jakby miał się rozpłakać, lecz się rozmyślił.

Fuksja zdziwiła się, widząc tak oczywistą oznakę wzburzenia
u Flaya, którego znała od dzieciństwa i u którego nigdy przedtem
nie zauważyła oznak nerwów.

— Dlaczego drżysz? — zapytała. — Nigdy przedtem nie drżałeś.

Flay wziął się w garść, usiadł nagle znowu i zwrócił ku Fuksji
twarz bez wyrazu. — To noc — powiedział bezbarwnie. — Brak

snu, Lady Fuksjo. — I wydał z siebie okropny, niewesoły śmiech, jakby coś zardzewiałego drapano nożem.

Nagle podniósł się znowu i stanął przy drzwiach. Otworzył je stopniowo i wyjrzał przez szparę, zanim zaczął znikać cal po calu, a wreszcie drzwi zatrzasnęły się za nim.

— Dziewiąta — powiedziała drżącym głosem Niania. — Dlaczego twój ojciec, wzywa moją maleńką wysokość o dziewiątej? Och, moje biedne serduszko, po co go wzywa?

Lecz Fuksja, znużona po długim dniu pośród ociekających deszczem lasów, zasnęła znowu głęboko, a czerwony blask ognia migotał na jej wspartej o fotel głowie.

BIBLIOTEKA

Biblioteka Gormenghast mieściła się we wschodnim skrzydle zamku sterczącym zupełnie nieproporcjonalnie, niczym wąski półwysep, na tle innych budynków. Mniej więcej w połowie owego rzedniejącego wschodniego skrzydła wznosiła się Wieża Krzemieni wyniosłą i pobrużdżoną wyższością ponad wszystkimi innymi wieżami Gormenghast.

Ongiś owa wieża stanowiła zakończenie wschodniego skrzydła, lecz następne pokolenia coś dobudowywały. Dobudówki na krańcu skrzydła zapoczątkowały tradycję i stworzyły precedens dla eksperymentu, bowiem wielu przodków Lorda Groan dało upust architektonicznemu kaprysowi w absurdalnych przybudówkach. Niektóre z nich nawet nie przedłużały wschodniego kierunku, w jakim dążyło pierwotne skrzydło, gdyż w kilku miejscach budynki skręcały łukiem lub wystrzelały pod kątem prostym, by potem ponownie kontynuować główny kierunek budowli.

Większość budynków zdradzała grubo ciosany i przytłaczający ciężar kamieniarki, cechujący główny masyw Gormenghast, choć poza tym różniły się znacznie, a jeden z nich posiadał na szczycie ogromną, rzeźbioną w kamieniu głowę lwa, trzymającego w zębach bezwładne ciało człowieka, na którym wyryto słowa: *Był wrogiem Groanów*; tuż obok znajdowała się dość długa prostokątna przestrzeń całkowicie wypełniona kolumnami ustawionymi tak blisko siebie, że człowiekowi trudno się było przecisnąć pomiędzy nimi. Powyżej, na wysokości około czterdziestu stóp, znajdował się zupełnie płaski dach z kamiennych płyt pokrytych bluszczem.

Owa budowla nigdy nie mogła służyć żadnemu praktycznemu celowi, a wypełniający ją całkowicie gęsty las kolumn mógł stanowić jedynie wspaniałe miejsce do fantastycznej zabawy w ciuciubabkę. Wiele przykładów ekscentrycznych pomysłów wyrażonych w architekturze znajdowało się w paśmie budowli ciągnących się ku wschodowi w falistym terenie pomiędzy ciężkimi ścianami drzew szpilkowych, lecz na ogół wznoszono je w jakimś określonym celu, jako pawilon dla rozrywki, obserwatorium czy muzeum. Niektóre, w kształcie sal z galeriami z trzech stron, przeznaczono na koncerty lub bale. Jedna była z pewnością ptaszarnią, mimo spustoszenia bowiem gałęzie, przytwierdzone kiedyś w poprzek wysokiej głównej sali budynku, wisiały jeszcze na zardzewiałych łańcuchach, a podłogę zaściełały potłuczone resztki miseczek dla ptaków; poczerwieniała od rdzy siatka druciana rozciągała się na podłodze pośród wybujałych chwastów, które tu zapuściły korzenie.

Z wyjątkiem biblioteki, wschodnie skrzydło, poczynając od Wieży Krzemieni, było teraz jedynie ciągiem zapomnianych i spustoszonych resztek, minioną sławą budowli ciągnących się cicho wzdłuż alei ponurych sosen, których szpilki przesłaniały niebo.

Biblioteka stała pomiędzy budynkiem z szarą kopułą a drugim, którego fasada była kiedyś otynkowana. Większość tynku odpadła, lecz pozostały resztki rozsiane po powierzchni, przylegające do kamienia. Plamy wypłowiałych barw wskazywały, że freski pokrywały kiedyś cały fronton budynku. Kamiennej przestrzeni nie przerywały ani drzwi, ani okna. Na jednym z większych kawałków tynku, który przetrwawszy setki burz, wciąż jeszcze trzymał się kamienia, można było rozpoznać dolną część jakiejś twarzy, lecz poza tym żaden fragment nie był czytelny.

Biblioteka, choć niższa od obu przyległych budynków, była od nich znacznie dłuższa. Ścieżka biegnąca wzdłuż wschodniego skrzydła, to w lesie, to w odległości paru stóp od wielokształtnych ścian ocienionych szpilkowymi gałęziami, kończyła się gwałtownym skrętem w kierunku rzeźbionych drzwi. Urywała się tu pośród pokrzyw na szczycie trzech szerokich stopni prowadzących do mniej okazałego z dwu wejść do biblioteki, przez które Lord Sepulchrave zawsze wstępował do swego królestwa. Nie mógł odwiedzać biblioteki tak często, jak by tego pragnął, bowiem wymagania nie kończących się ceremonii, których pełnienie było jego wyczerpującym obowiązkiem, pozbawiały go codziennie przez wiele godzin jedynej przyjemności — książek.

Pomimo obowiązków Lord Sepulchrave miał zwyczaj udawać się każdego wieczora, choćby o późnej godzinie, do swego zacisza i pozostawać tam do wczesnych godzin porannych.

Wieczór, kiedy to posłał Flaya, by przyprowadził Tytusa, zastał Lorda Sepulchrave'a wolnego o siódmej, usadowionego w kącie biblioteki i pogrążonego w głębokiej zadumie.

Pokój oświetlał kandelabr, którego blask, nie mogąc dosięgnąć krańców pokoju, oświetlał jedynie grzbiety tomów pośrodku na półkach wzdłuż długich ścian. Wokół biblioteki na wysokości piętnastu stóp ponad podłogą biegła kamienna galeria, a książki, wyściełające ściany głównej sali piętnaście stóp poniżej, ciągnęły się dalej na wysokich półkach galerii.

Pośrodku pokoju, tuż pod światłem, stał długi stół. Wykuto go z jednego bloku najczarniejszego marmuru, którego powierzchnia odbijała trzy najcenniejsze księgi ze zbiorów jego wysokości.

Na zsuniętych kolanach ważył księgę esejów swego dziadka, lecz jej nie otworzył. Ramiona leżały bezwładnie u boków, a głowa wspierała się o aksamitne oparcie krzesła. Ubrany był w szarą szatę, jaką zwykł nosić w bibliotece. Jego wrażliwe dłonie wyłaniały się z szerokich rękawów z cienistą przezroczystością alabastru. Pozostał tak przez godzinę; najgłębsza melancholia przejawiała się w każdym rysie jego ciała.

Zdawało się, że biblioteka wyłania się z niego jak z rdzenia, Przygnębienie zarażało powietrze wokół niego i rozsiewało chorobę na wszystkie strony. Wszystko w długiej sali chłonęło jego melancholię. Majaczące galerie dumały w powolnej udręce; książki, oddalające się ku kątom, rząd nad rzędem, zdawały się pojedynczymi tragicznymi tonami w monumentalnej fudze tomów.

Widywał teraz hrabinę jedynie przy okazjach podyktowanych rytuałem Gormenghast. Nigdy nie znajdowali w swym towarzystwie zrozumienia ducha lub ciała, a ich małżeństwo, choć konieczne z rodowego punktu widzenia, nigdy nie było szczęśliwe. Pomimo swego intelektu, który, jak wiedział, znacznie przewyższał jej intelekt, odczuwał i traktował podejrzliwie ociężałą, gwałtowną żywotność żony, nie tyle fizyczną żywotność, co ślepą pasję ku tym stronom życia, którymi nie był w stanie się zainteresować. Miłość ich była beznamiętna i gdyby nie świadomość, że konieczny był męski dziedzic rodu Groan, chętnie obyliby się bez krępującego, choć owocnego związku. Podczas ciąży widywał ją z rzadka. Niewątpliwie nieudane małżeństwo wzmogło w nim wrodzone przygnębienie, lecz w porównaniu z ponurym lasem właściwej mu melancholii było jedynie drzewem z obcych stron, przeszczepionym i wchłoniętym.

Nie trapiła go nigdy owa oziębłość, ani nic namacalnego, poza stałym i wrodzonym smutkiem.

Niewielu było towarzyszy, z którymi mógłby rozmawiać na poziomie własnego umysłu, a z tych zadowalał go tylko jeden, Poeta. Czasami odwiedzał tego długiego, klinogłowego mężczyznę, znajdując przejściowe drgnienie zainteresowania abstrakcyjnym językiem, w jakim komunikowali sobie zawrotne rejony przypuszczeń. Jednakże w Poecie było coś z idealisty, pewien entuzjazm, który dla Lorda Sepulchrave'a stanowił źródło irytacji, widywali się więc z rzadka.

Rozliczne obowiązki, które innemu mogłyby się stać przykre i wydawać głupie, dla jego wysokości stanowiły ulgę i niejaką ucieczkę od samego siebie. Wiedział, że jest beznadziejną ofiarą chronicznej melancholii, a gdyby dowolnie rozporządzał każdym dniem, musiałby się stale uciekać do tych leków, które nawet teraz rujnowały mu zdrowie.

Owego wieczora, gdy milcząc, siedział w krześle z aksamitnym oparciem, rozmyślał nad wieloma sprawami niby czarny statek, któremu, choć pruje różne wody, zawsze towarzyszy śmiertelny obraz odbity przez fale. Filozofowie i poezja śmierci — znaczenie gwiazd i natura prześladujących go snów, gdy w bezbarwnych godzinach przed świtem laudanum wznosiło mu w czaszce woskowy świat przerażającego piękna.

Dumał tak już długo i właśnie miał wziąć świecę stojącą w pogotowiu tuż obok łokcia i poszukać książki stosowniejszej do swego nastroju niż eseje trzymane na kolanach, gdy poczuł obecność myśli tonującej poprzednie rozmyślania, która teraz śmiało uwydatniła się w umyśle. Zaczął ją odczuwać jako coś przesłaniającego i zakłócającego jasność rozważań nad celem i znaczeniem tradycji i rodu, teraz zaś śledził, jak owa myśl, uwolniona od erudycyjnych obciążeń, przybliżyła się w mózgu naga, jak wówczas gdy pierwszy raz zobaczył syna, Tytusa.

Jego przygnębienie nie znikło; przesunęło się tylko nieco w jedną stronę. Powstał i poruszając się bezszelestnie, umieścił księgę ponownie na półce z esejami. Równie cicho powrócił do stołu.

— Gdzie jesteś? — zapytał.

Flay pojawił się natychmiast z ciemności jednego z kątów.

— Która godzina?

Flay wydobył ciężki zegarek. — Ósma, wasza wysokość.

Przez parę minut Lord Sepulchrave przechadzał się wzdłuż biblioteki z głową zwieszoną na piersi. Flay śledził go, póki pan nie zatrzymał się naprzeciw służącego.

— Życzę sobie, aby piastunka przyniosła mi mego syna. Oczekuję ich o dziewiątej. Przeprowadzisz ich przez las. Możesz odejść.

Flay odwrócił się i zniknął pośród cieni pokoju, a towarzyszyły mu odgłosy stawów kolanowych. Odsunąwszy zasłonę z drzwi w odległym krańcu, odemknął ciężkie dębowe wrota i po trzech stopniach zstąpił w noc. Ponad nim wielkie gałęzie sosen ocierały się o siebie, drażniąc mu słuch. Niebo było zachmurzone i gdyby nie odbył tej podróży w ciemnościach już tysiąc razy, z pewnością zgubiłby się w nocy. Po prawej wyczuwał grzbiet zachodniego skrzydła, choć nie mógł go dostrzec. Kroczył naprzód, mówiąc w duchu: Dlaczego teraz? Miał lato na zaproszenie syna. Myślałem, że o nim zapomniał. Dawno już powinien zobaczyć dziecko. Co za heca? Dziedzic Gormenghast ma iść przez las zimną nocą. Niedobrze. Niebezpiecznie. Zaziębi się. Ale wysokość wie. On wie. Jestem tylko służącym. Pierwszym służącym. Nikt inny nie jest *tym*. Wybrał mnie; MNIE, Flaya, bo mi ufa. Śmiało może mi ufać. Ha, ha, ha! A dlaczego? Dziwią się. Ha, ha! Milczy jak trup. To dlatego.

Gdy zbliżył się do Wieży Krzemieni, drzewa przerzedziły się i parę gwiazd pojawiło się na czerni w górze. Zanim dotarł do głównego masywu zamku, nocne chmury zakrywały jedynie połowę nieba, mógł więc rozróżnić w ciemności niewyraźne kształty. Nagle zatrzymał się, z sercem uderzającym o żebra, i podciągnął ramiona ku uszom; lecz w chwilę później uświadomił sobie, że niewyraźna otyła plama czerni w odległości kilku stóp to krzak przyciętego bukszpanu, a nie prześladująca go teraz złowroga postać.

Kroczył naprzód i wreszcie dotarł do wejścia pod łukiem bramy. Nie wiedział, dlaczego nie wszedł od razu i nie poszedł po schodach do Niani Slagg. To, że poprzez bramę i ciemność dziedzińca służby mógł dostrzec blade światło w wysokim oknie jednego z zabudowań kuchennych, nie było niczym niezwykłym. Zazwyczaj paliło się światło gdzieś w pomieszczeniach kuchennych, choć większość służby udała się już o tej nocnej porze do swych podziemnych sypialni. Jakiś czeladnik obarczony karną robotą po zwykłych godzinach pracy mógł szorować podłogę lub specjalna potrawa na jutro mogła wymagać pracy paru kucharzy do późna w nocy.

Jednakże owego wieczora nikłe zielonkawe światło z okienka przyciągnęło jego wzrok i zanim sobie uświadomił, że go to zaciekawiło, spostrzegł, że nogi ubiegły umysł i już go niosły w poprzek dziedzińca.

Po drodze zatrzymywał się dwukrotnie, by sobie powiedzieć, że jest to bezcelowa wyprawa i że w każdym razie jest mu nadzwyczaj zimno; jednakże mimo to szedł naprzód, a nielogiczna i dociekliwa chęć przemogła rozsądek.

Nie mógł rozpoznać, z którego pokoju bił ów kwadratowy, zielonkawy blask. W jego barwie było coś niezdrowego. Nie było nikogo na dziedzińcu; poza jego krokami nie było słychać niczego. Okno znajdowało się zbyt wysoko, by nawet on mógł zajrzeć do środka, choć mógł je łatwo dosięgnąć rękami. Raz jeszcze powiedział do siebie: Co robisz? Tracisz czas. Wysokość kazał przyprowadzić Nianię Slagg i dziecko. Czemu jesteś tutaj? Co robisz? Lecz znowu chude ciało ubiegło go i zaczął toczyć pustą beczkę spod krużganków.

Nie było rzeczą łatwą kierować baryłką w ciemności i utrzymywać w równowadze na krawędzi, tocząc ją w kierunku kwadratu światła; udało mu się jednak w końcu sprowadzić ją tuż pod okno, nie robiąc dużego hałasu.

Wyprostował plecy i zwrócił twarz ku światłu uchodzącemu jak gaz i wiszącemu wokół okna w mgiełce jesiennej nocy.

Postawiwszy prawą stopę na baryłce uświadomił sobie, że gdy dźwignie się ku środkowi okna, światło z pokoju padnie mu na twarz. Nie wiedział dlaczego, lecz ciekawość odczuta pod niskim łukiem bramy była teraz tak silna, że zdjąwszy nogę i przesunąwszy baryłkę na prawą stronę okna, wdrapał się na nią z pośpiechem, który jego samego zadziwił. Ramiona rozpostarł w bok wzdłuż ślepych ścian, a palce, rozwarte jak żebra fiszbinowego wachlarza, zaczęły się pocić, gdy stopniowo przesunął głowę w lewo. Mógł już dostrzec przez szybę (pomimo łuku starych pajęczyn, podobnych do pełnego much hamaka) gładkie kamienne ściany pokoju poniżej; musiał jednak przesunąć głowę dalej ku światłu, by zobaczyć dokładnie podłogę pokoju.

Światło przesączające się bladą mgiełką przez okno wydobywało, jakby z czarnego płótna, kostną budowę głowy pana Flaya, pozostawiając oczodoły, włosy, przestrzeń pod nosem i dolną wargą oraz wszystko poniżej podbródka pogrążone w nocy. Była to maska zawieszona w ciemności.

Pan Flay przesuwał ją w górę cal po calu, póki nie zobaczył tego, co ujrzeć, jak mu mówił cały czas jakiś proroczy niepokój, było jego przeznaczeniem. W pokoju w dole powietrze było gęste od okropnej zieleni, którą zauważył z drugiego końca dziedzińca.

Lampę zwisającą na łańcuchu pośrodku pokoju obejmował klosz z bladozielonego szkła. Wypluwane przez nią upiorne światło nadawało teatralności każdemu przedmiotowi w pokoju. Lecz Flay nie patrzył na kilka rozproszonych przedmiotów w tym koszmarze, a jedynie na ogromną i groźną *obecność*, której widok sprawił, że zrobiło mu się słabo, zachwiał się na beczce i wycofał głowę z okna, by ochłodzić czoło na zimnych kamieniach muru.

W BLADOZIELONYM ŚWIETLE

Nawet podczas mdłości nie przestał sią dziwić, co tam robił Abiatha Swelter. Odsunąwszy głowę od muru, dźwignął ją stopniowo do poprzedniej pozycji.

Tym razem Flay zdumiał się, że pokój wydał się pusty, lecz drgnąwszy wobec tak okropnej bliskości, spostrzegł, że kuchmistrz siedzi na ławie przy ścianie tuż poniżej. Nie było łatwo dostrzec go dokładnie poprzez brud i pajęczyny okna, lecz wielka ziemista kopuła głowy, otoczona przez skażoną lampą biel wzdętego ubrania, gdy Flay ją wytropił, wydawała się na wyciągnięcie ręki. Owa bliskość wstrzyknęła w kości pana Flaya uczucie niezwykłego przerażenia. Stał zafascynowany mięsistą łysiną czaszki kuchmistrza, a gdy tak patrzył, część bladego pluszu skurczyła się, przemieszczając październikową muchę. Nic innego nie poruszyło się. Oczy pana Flaya, przesunąwszy się na chwilę, ujrzały szlifierkę pod przeciwległą ścianą. Obok stał drewniany stołek. Po prawej zobaczył dwie skrzynki umieszczone w odległości około czterech stóp jedna od drugiej. Po obu stronach tych drewnianych skrzynek biegły równolegle dwie kredowe linie, przecinając poziomo pokój poniżej pana Flaya. Zbliżywszy się do lewej ściany, skręcały na prawo, zachowując między sobą tę samą odległość, lecz mogły postąpić jedynie parę stóp w tym kierunku, przeszkodziła im bowiem ściana. W tym miejscu coś napisano pomiędzy nimi kredą, a strzałka wskazywała ku ścianie. Napis trudno było odczytać, lecz po chwili Flay odcyfrował: *Do dziewiątych schodów.* Odczytanie kredowego napisu wstrząsnęło panem Flayem, z tej choćby tylko przyczyny, że dziewiątymi schodami docierało się z dolnego piętra do sypialni Lorda Sepulchrave'a. Powrócił szybko wzrokiem do nierównej kuli głowy poniżej, lecz nic się nie poruszało, z wyjątkiem może lekkiego pulsowania oddechu kuchmistrza.

Flay ponownie zwrócił wzrok w prawo, gdzie stały dwie skrzynki, uświadomiwszy sobie teraz, że przedstawiały one albo drzwi albo jakieś wejście, z którego prowadził ów wyrysowany kredą korytarz skręcający na prawo w kierunku dziewiątych schodów. Utkwił teraz wzrok w długim worku, który początkowo nie przyciągnął jego uwagi. Leżał jakby zwinięty pomiędzy skrzynkami, nieco wysunięty do przodu. Gdy go badał, coś go przeraziło, coś nienazwanego, czego jeszcze nie zdążył pojąć, lecz coś, przed czym się wzdrygnął.

Ruch poniżej oderwał jego wzrok od worka, gdyż podźwignął się ogromny kształt. Przesunął się przez pokój, a bladozielona lampa u góry zabarwiała biel okrywającego go ubrania. Usiadł obok szlifierki. Trzymał w dłoniach coś, co w porównaniu z jego ogromem wydawało się małą bronią, a co w rzeczywistości było oburęcznym tasakiem.

Stopy Sweltera zaczęły poruszać pedałami szlifierki, która zawirowała kręgami. Splunąwszy prędko trzy czy cztery razy na ostrą jak brzytwa krawędź tasaka, wsunął go szybkim ruchem pomiędzy warkot kamienia. Skuliwszy się nad szlifierką, przyglądał się drżącej krawędzi ostrza i od czasu do czasu podnosił je do ucha, jakby nadsłuchiwał, czy wysoka i śpiewna nuta nie zrywa się z niewymownej ostrości stali.

Potem pochylił się znowu nad robotą, szlifując ostrze kilka minut, zanim ponownie posłuchał niewidocznej krawędzi. Flay począł tracić kontakt z rzeczywistością tego, co oglądał, a umysł jego odpływał w sen, gdy spostrzegł, że kuchmistrz dźwignął się i podążał ku tej części ściany, gdzie kończyły się linie kredowe i gdzie strzałka wskazywała ku dziewiątym schodom. Następnie zdjął buty i po raz pierwszy uniósł twarz, tak że pan Flay mógł dostrzec sączący się z niej wyraz. Oczy miał metaliczne i mordercze, lecz usta rozwarły się szeroko w głupkowatym uśmiechu.

Potem nastąpiło to, co Flayowi wydało się niezwykłym tańcem, groteskowym rytuałem nóg, a dopiero po jakimś czasie uświadomił sobie, w miarę jak kucharz posuwał się powolnym, starannym krokiem pomiędzy kredowymi liniami, że ćwiczy chodzenie na palcach w absolutnej ciszy. — Czemu to ćwiczy? — pomyślał Flay, śledząc głębokie i bolesne skupienie, z jakim Swelter posuwał się krok za krokiem, z tasakiem połyskującym w prawej dłoni. Flay znów spojrzał na kredową strzałkę. — Przyszedł z dziewiątej klatki schodowej; skręcił na lewo w zniszczony korytarz. W zniszczonym korytarzu nie ma żadnych drzwi, ani na prawo, ani na lewo. Powinienem wiedzieć. *Zbliża się do Pokoju.* — Flay pobladł w ciemności jak śmierć.

Dwie skrzynki mogły przedstawiać tylko jedno — odrzwia sypialni Lorda Sepulchrave'a. A worek...

Patrzył, jak kuchmistrz zbliża się do symbolu jego samego uśpionego przed pokojem pana, skulonego jak zwykle. Teraz opieszałość podejścia była nieskończenie powolna. Stopy na grubych podeszwach opuszczały się cal po calu, a gdy dotykały ziemi, postać przechylała w bok smalcowatą głowę i przewracała oczyma, nadsłuchując odgłosu własnych kroków. W odległości trzech stóp od worka kuchmistrz podniósł tasak obiema rękami i rozstawiwszy szeroko nogi, by zyskać większą równowagę, posunął naprzód stopy, jedna po drugiej, małymi, bezszelestnymi kroczkami. Ocenił odległość pomiędzy sobą a śpiącym emblematem swej nienawiści. Flay zamknął oczy, widząc tasak unoszący się w powietrzu ponad kłębiastymi ramionami, a stal zabłysła w zielonym świetle.

Gdy ponownie otworzył oczy, Abiatha Swelter nie znajdował się już obok worka, który wyglądał tak, jak go ostatnio widział. Był znów przy kredowej strzałce i pełzł naprzód jak poprzednio. Przerażenie przenikające Flaya powiększało pytanie, które przyszło mu na myśl. Skąd Swelter wiedział, że śpi z brodą przy kolanach? Skąd wiedział, że głowę ma zawsze ku wschodowi? Czy ktoś go obserwował podczas snu? Po raz ostatni Flay przycisnął twarz do okna. Okropne powtórzenie tej samej morderczej podróży na palcach w kierunku worka tak poraziło ośrodek opanowania nerwowego, że ugięły mu się kolana i przykucnąwszy na beczce, otarł czoło wierzchem dłoni. Nagle pomyślał tylko o ucieczce — o ucieczce z tej części zamku, która mieściła takiego szatana; uciec od tego okna z zielonym światłem; zgramoliwszy się z beczki, ruszył potykając się w wypełnioną mgłą ciemność i nie odwracając głowy ku przerażającej scenie, podążył ku bramie, skąd tak złowieszczo zboczył z drogi.

Znalazłszy się w budynku, skierował się prosto ku głównym schodom i gigantycznymi susami wspiął się jak modliszka na piętro, gdzie znajdował się pokój Niani Slagg. Upłynęło nieco czasu, nim dotarł do jej drzwi, gdyż zachodnie skrzydło, w którym mieszkała, znajdowało się po przeciwnej stronie budowli i wymagało obejścia przez wiele sal i korytarzy.

Nie było jej w pokoju, poszedł więc od razu do pokoju Lady Fuksji, gdzie, zgodnie z domysłem, znalazł ją usadowioną przed kominkiem, bez respektu, jaki w jego przekonaniu powinna przejawiać w obecności córki jego wysokości.

Wtedy to właśnie zapukał do drzwi pokoju pojedynczym kościstym uderzeniem, obudził Fuksję i przeraził starą piastunkę. Nim zapukał do drzwi, stał parę minut, starając się odzyskać opanowanie. W myśli pojawił się obraz jego samego, jak uderza Sweltera łańcuchem w twarz, dawno temu w Chłodnym Pokoju. Na chwilę znów począł się pocić, wytarł więc dłonie o boki, zanim wszedł. Czuł, że gardło ma suche, a nim zauważył Lady Fuksję i piastunkę, zobaczył tacę. Tego właśnie potrzebował. Czegoś do picia.

Opuścił pokój pewniejszym krokiem, mówiąc, że będzie oczekiwać pani Slagg i Tytusa przed bramą i że zaprowadzi ją do biblioteki, po czym odszedł.

PONOWNIE BLIŹNIACZKI

W tej samej chwili, gdy Flay opuszczał sypialnię Fuksji, Steerpike odsuwał krzesło od stołu po kolacji u Prunesquallorów, gdzie wraz z doktorem i jego siostrą Irmą rozkoszował się delikatnym kurczęciem, sałatką i flaszką czerwonego wina; teraz, gdy na stoliku przy kominku oczekiwała ich czarna kawa, szykowali się zająć cieplejsze i bardziej stałe miejsca. Steerpike wstał pierwszy i obszedł stół, by odsunąć krzesło panny Prunesquallor i pomóc jej się podnieść. Doskonale mogła to zrobić sama, w rzeczywistości robiła to całe lata, lecz wsparła się na jego ramieniu, powoli przybierając pozycję pionową.

Kasztanowej barwy koronki spowijały ją po kostki. Było znamienne, że suknie przywierały do niej niczym dodatkowa warstwa skóry, pomimo tego, iż powinna raczej ukrywać owe kanciaste występy kostne, jakimi obdarowała ją natura, a które u większości kobiet tonuje delikatna warstwa tłuszczu.

Włosy sczesała z czoła z jeszcze większą troską o symetrię niż tego wieczoru, gdy Steerpike ujrzał ją po raz pierwszy, a w węźle szarego szpagatu, tworzącego twardy jak głaz punkt szczytowy w dole karku, nie poruszył się z miejsca ani jeden włos.

Nawet sam doktor zauważył, że poświęcała coraz więcej czasu toalecie, chociaż zawsze stanowiło to jedno z najbardziej absorbujących ją zajęć; paradoks w mniemaniu doktora, cieszący go, ponieważ siostra, nawet w jego braterskich oczach, obciążona była okrutnie rodzinnymi cechami urody. Gdy zbliżyła się do fotela z lewej strony kominka, Steerpike puścił jej łokieć i odsunąwszy stopą fotel doktora, który właśnie zaciągał story, przysunął sofę w dogodniejsze miejsce przed kominkiem.

— Nie spotykają się — powiedziałam: „Nie spotykają się" — rzekła Irma Prunesquallor, nalewając kawę.

Tajemnicą było, jak mogła dostrzec cokolwiek przez ciemne okulary, nie mówiąc już o tym, czy się spotykały, czy nie.

Doktor Prunesquallor, powracając do fotela, na którego wyściełanych poręczach stała kawa, zatrzymał się i złożył dłonie pod brodą.

— Co masz na myśli, moja droga? Czy mówisz o parze duchów? Ha, ha, ha! — bliźniacze dusze szukające spełnienia, jedna w drugiej? Ha ha! ha ha ha! Czy też twoja uwaga odnosi się do spraw bardziej ziemskich? Oświeć mnie, kochanie.

— Nonsens — powiedziała siostra. — Spójrz na zasłony. Powiedziałam: „Spójrz na zasłony".

Dr Prunesquallor odwrócił się.

— Jeśli chodzi o mnie — powiedział — wyglądają dokładnie jak zasłony. W istocie, *są* zasłonami. Obie. Zasłona po lewej, kochanie, i zasłona po prawej. Ha ha! Jestem zupełnie pewien!

Mając nadzieję, że Steerpike na nią patrzy, Irma postawiła filiżankę.

— Co się dzieje *pośrodku*, powiedziałam: co się dzieje w samym *środku*? — Jej spiczasty nos rozgrzał się, gdyż zwietrzyła zwycięstwo.

— Tęsknota jednej za drugą. Rozdziela je szczelina niewyczuwalnej nocy. Irmo, droga siostro, tam jest luka.

— A więc *zabij* ją — powiedziała Irma, pogrążając się w fotelu. Spojrzała na Steerpike'a, który najwidoczniej nie zwracał uwagi na rozmowę, poczuła się więc zawiedziona. Opierał się o róg kanapy, skrzyżował nogi, a dłonie owinął wokół filiżanki jakby dla jej ciepła, oczy zaś utkwił w ogniu. Wyraźnie znajdował się daleko.

Złączywszy zasłony z wielką uwagą i odstąpiwszy, by przekonać się, że noc zadowalająco wykluczono z pokoju, doktor usiadł, a wówczas rozległo się brzęczenie dzwonka trwające tak długo, póki kucharz nie zeskrobał ciasta z rąk, nie zdjął fartucha i nie podszedł do drzwi wejściowych.

Dwa kobiece głosy odezwały się naraz.

— Tylko na chwileczkę, tylko na chwileczkę — powiedziały. — Właśnie przechodziłyśmy. — Po drodze do domu. — Tylko na chwileczkę. — Powiedz mu, że nie na długo. — Nie, oczywiście; nie na długo. Oczywiście. Och nie. — Tak, tak. Tylko momencik — tylko momencik.

Gdyby nie fakt, iż było niemożliwe, aby jeden głos wcisnął tak wiele słów w tak krótki przeciąg czasu i wypowiedział ich tak wiele jednocześnie, trudno byłoby uwierzyć, że nie był to głos jednej osoby, gdyż płaska barwa dźwięku wydała się tak jednostajna i jednakowa.

Prunesquallor wzniósł dłonie ku górze i przewrócił oczyma poza wypukłymi szkłami okularów.

Głosy, które Steerpike usłyszał w korytarzu, brzmiały obco w jego wyostrzonym uchu. Podczas swego pobytu u Prunesquallorów spożytkował cały wolny czas i jak sądził, wytropił wszystkie główne postaci Gormenghast. Niewiele tajemnic pozostało mu obcych, posiadał bowiem umiejętność, jak zamiatacz, zdobywania bezwstydnie i z nieskończonej rozmaitości źródeł okruchów wiedzy, które przechowywał starannie w umyśle i wykorzystywał z pożytkiem przy okazji.

Gdy bliźniaczki, Cora i Clarice, weszły razem do pokoju, zaczął się zastanawiać, czy czerwone wino nie uderzyło mu do głowy. Nigdy ich przedtem nie widział, ani nikogo podobnego. Ubrane były w nieodłączną purpurę.

Doktor Prunesquallor skłonił się elegancko. — Wasze wysokości — powiedział — jesteśmy więcej niż zaszczyceni Jesteśmy naprawdę znacznie więcej niż zaszczyceni, ha ha ha! — Zarżał swoje uznanie. — Wejdźcie, drogie panie, wejdźcie. Irmo, moja droga, jesteśmy podwójnie szczęśliwi w przywilejach. Dlaczego „podwójnie", powiadała sobie. Dlaczego „podwójnie"? Ponieważ, siostro, *obie* przyszły, ha ha ha! Zaiste, zaiste.

Prunesquallor, wiedząc z doświadczenia, że jedynie cząstka z tego, co ktoś mówił, przenikała do mózgów bliźniaczek, pozwolił

sobie na znaczną swobodę w rozmowie, mieszając z niejakim po-
chlebstwem uwagi dla własnej uciechy, jakich nigdy by nie zrobił
wobec osób bystrzejszych od bliźniaczek.

Irma podeszła, a jej wyrostek biodrowy odbijał pasemko światła.

— Jesteśmy bardzo zachwyceni, wasze wysokości; powiedziałam: „bardzo, bardzo zachwyceni".

Spróbowała dygnąć, lecz suknia była zbyt obcisła.

— Panie znają moją siostrę, oczywiście, oczywiście, oczywiście.
Czy napiją się panie kawy? Oczywiście tak, i trochę wina? Naturalnie — lub co panie wolą?

Lecz zarówno doktor, jak i jego siostra spostrzegli, że panie
Cora i Clarice nie zwracały na nich najmniejszej uwagi, przyglądając się Steerpike'owi bardziej w sposób, w jaki ściana przygląda
się człowiekowi, niż w jaki człowiek przygląda się ścianie.

Steerpike, w dobrze skrojonym ubraniu z czarnego sukna,
przybliżył się ku siostrom i ukłonił. — Wasze wysokości — powiedział — jestem zachwycony, że mam zaszczyt przebywania pod
tym samym dachem. Jest to zażyłość, jakiej nigdy nie zapomnę. —
Po czym dodał, niby kończąc list: — Pozostaję uniżonym sługą.

Clarice zwróciła się do Cory, zatrzymując wzrok na Steerpike'u.

— Powiada, że jest szczęśliwy, że jest pod tym samym dachem
co my — powiedziała.

— Pod tym samym dachem — zawtórowała Cora. — Jest dlatego szczęśliwy.

— Dlaczego? — powiedziała obojętnie Clarice. — Jaką różnicę
robi dach?

— Nie robi żadnej różnicy, jakikolwiek by był — powiedziała
siostra.

— Lubię dachy — powiedziała Clarice — lubię je bardziej od
innych rzeczy, bo są na wierzchu domów, a Cora i ja lubimy być na
wierzchu, bo kochamy władzę i dlatego obie lubimy dachy.

— To dlatego — ciągnęła Cora. — To jest przyczyna. Lubimy
wszystko, co jest na wierzchu, chyba że ktoś, kogo nie lubimy, jest
na wierzchu czegoś, co się nam podoba, jak my same. Nie wolno

nam być na wierzchu, poza tym, że nasz pokój jest wysoko, och, tak wysoko w murach zamkowych, wraz z naszym Drzewem — naszym Drzewem wyrastającym ze ściany, które jest znacznie ważniejsze niż cokolwiek ma Gertruda.

— Och tak — powiedziała Clarice — nie ma nic tak ważnego. Ale kradnie nam ptaki.

Zwróciła oczy bez wyrazu w stronę Cory, która odpowiedziała, jakby była odbiciem siostry. Być może rozróżniały pomiędzy sobą odcienie wyrazu we własnych twarzach, lecz z pewnością nikt inny, choćby o bystrym wzroku, nie był w stanie wykryć najlżejszej zmiany w mięśniach, które prawdopodobnie władały brakiem wyrazu w ich twarzach. Widocznie wzmianka o skradzionych ptakach spowodowała, że przysunęły się bliżej do siebie, dotykając się ramionami. Było oczywiste, że ich smutek był wspólny.

Przez cały ten czas doktor Prunesquallor próbował przyprowadzić je do foteli przy kominku, lecz na próżno. Gdy miały umysł czymś zajęty, nie poświęcały uwagi innym. Pokój i ludzie wokół przestali dla nich istnieć. Mogły pomieścić tylko jedną myśl naraz.

W nagłej przerwie doktor, wspomagany teraz przez Irmę, zdołał poruszyć bliźniaczki za pomocą mieszaniny respektu i siły i umieścić je przy kominku. Steerpike, który zniknął z pokoju, powrócił właśnie z nowym dzbankiem kawy i jeszcze dwiema filiżankami. Tego rodzaju rzeczy sprawiały przyjemność Irmie, przechyliła więc głowę i uniosła ku górze kąciki ust, udając skromnisię.

Lecz gdy podano kawę bliźniaczkom, nie chciały jej. Powtarzając jedna przez drugą zdecydowały, że ani jedna, ani druga, ani obie nie chcą jej.

Czy napiłyby się czegoś? Koniak, sherry, brandy, likier, wiśniówka...?

W zadumie potrząsnęły głowami.

— Przyszłyśmy tylko na chwilkę — powiedziała Cora.

— Bo przechodziłyśmy — powiedziała Clarice. — To jedyny powód.

Lecz choć z powyższych przyczyn odmówiły napoju, nie sprawiały wrażenia, że chcą szybko odejść, ani też nie odzywały się przez długi czas, zadowalając się siedzeniem i przyglądaniem się Steerpike'owi.

Po długiej przerwie, w połowie której doktor i jego siostra zrezygnowali z prób prowadzenia rozmowy, Cora zwróciła twarz ku Steerpike'owi.

— Chłopcze — powiedziała — po co tu jesteś?

— Tak — zawtórowała Clarice — to właśnie chciałybyśmy wiedzieć.

— Chcę — powiedział Steerpike, dobierając słowa — jedynie łaskawej opieki, wasze wysokości. Jedynie łaski pań.

Bliźniaczki zwróciły ku sobie twarze, a potem równocześnie ku Steerpike'owi.

— Powtórz to — powiedziała Cora.

— Wszystko — powiedziała Clarice.

— Jedynie łaskawej opieki, wasze wysokości. Jedynie łaski pań. Tego chcę.

— Cóż, damy ci ją — powiedziała Clarice. Lecz po raz pierwszy siostry różniły się przez chwilę.

— Jeszcze nie — powiedziała Cora. — Za wcześnie na to.

— Za wcześnie — zgodziła się Clarice. — Jeszcze nie czas, by dać mu jakąkolwiek łaskę. Jak się nazywa?

To było skierowane do Steerpike'a.

— Nazywa się Steerpike — brzmiała odpowiedź młodzieńca.

Pochyliwszy się w fotelu, Clarice wyszeptała do Cory poprzez dywanik: — Nazywa się Steerpike.

— Dlaczegóż nie? — powiedziała obojętnie siostra. — Nada się.

Steerpike był oczywiście pełen pomysłów i projektów. Te dwie głupkowate kobiety to dar z niebios. To, że były siostrami Lorda Sepulchrave'a, miało ogromną wartość strategiczną. Oznaczały postęp w stosunku do Prunesquallorów, jeśli nie intelektualny, to towarzyski, a to miało w tej chwili znaczenie. W każdym razie, im niższa była umysłowość pracodawców, tym większe miał pole dla własnych projektów.

Zainteresowało go, gdy jedna z nich powiedziała, że jego imię „Steerpike" „nada się". Czy oznaczało to, że chciały go częściej widywać? To znacznie uprościłoby sprawę. Stary chwyt bezwstydnego pochlebstwa wydał mu się najlepszym sposobem na tym krytycznym etapie. A później zobaczy.

Inna jeszcze uwaga narzuciła się znacznie mocniej jego oportunistycznemu zmysłowi, mianowicie wzmianka o Lady Groan.

Te śmieszne bliźniaczki miały oczywisty żal, którego obiektem była hrabina. Gdy się to dokładniej zbada, mogą się odsłonić rozmaite kierunki. Steerpike zaczął się dobrze bawić we właściwy sobie oschły, bezkrwisty sposób.

W nagłym przebłysku przypomniał sobie dwie maleńkie postaci wielkości pionków do halmy, odziane w tę samą surową purpurę. Skoro tylko ujrzał je wchodzące do pokoju, w jego podświadomości obudziło się echo, a choć odsunął je jako nie związane z obecnymi okolicznościami, powróciło teraz ze zdwojoną siłą i przypomniał sobie, gdzie widział dwie miniaturowe kopie bliźniaczek.

Widział je poprzez ogromną przestrzeń powietrza i z odległości wież i wysokich murów. Widział je w lecie na poziomym pniu uschłego drzewa, drzewa wyrastającego pod kątem prostym z wysokiej ślepej ściany.

Teraz uświadomił sobie, dlaczego powiedziały: „Nasze drzewo wyrastające ze ściany jest znacznie ważniejsze od wszystkiego, co ma Gertruda". Lecz potem Clarice dodała: „Ale kradnie nasze ptaki". Co to oznaczało? Oczywiście, często z dogodnych punktów widzenia śledził hrabinę z ptakami czy białymi kotami. To było coś, co musi dokładniej zbadać. Nie wolno niczego wyrzucać z umysłu, póki się tego nie obróci na wszystkie strony, by dowieść jego bezużyteczności.

Steerpike pochylił się do przodu, złączywszy koniuszki palców. — Wasze wysokości — powiedział — czy miłują panie pierzaste plemię? Ich dzioby, pióra i sposób latania?

— Co? — powiedziała Cora.

— Czy kochają panie ptaki, wasza wysokość? — powtórzył prościej Steerpike.

— Co? — powiedziała Clarice.

Steerpike pogratulował sobie. Jeśli były tak głupie, z pewnością mógł zrobić z nimi wszystko.

— Ptaki — powiedział głośniej — czy panie je lubią?

— Jakie ptaki? — powiedziała Cora. — Dlaczego chcesz to wiedzieć?

— Nie mówiłyśmy o ptakach — powiedziała nieoczekiwanie Clarice.

— Nie znosimy ich.

— Są takie głupie — dokończyła Cora.

— Głupie i niemądre; nie znosimy ich — powiedziała Clarice.

— *Avis, avis*, już po tobie, po tobie! — rozległ się głos Prunesquallora. — Twoje dni minęły. O, wy niebiańskie hordy! Szczyty drzew ogołocą z waszych chórów i jedynie chmury żeglować będą po błękitnym niebie.

Prunesquallor pochylił się do przodu i poklepał Irmę po kolanie.

— Ogromnie ujmujące — powiedział, ukazując naraz wszystkie lśniące zęby. — Co o tym myślisz, moja niesforna?

— Nonsens! — powiedziała Irma siedząca ze Steerpike'em na kanapie. Czując, że tego wieczoru jako gospodyni miała niewiele okazji wykazania swego, jak sądziła, wybitnego talentu w tym kierunku, pochyliła ciemne okulary w stronę Cory, a potem w stronę Clarice, próbując mówić do obu naraz.

— Ptaki — powiedziała z figlarnością w głosie i zachowaniu — ptaki *zależą* — czy nie sądzicie, drogie panie — powiedziałam, że ptaki bardzo *zależą* od swych jajek. Czy nie zgadzacie się ze mną? Powiedziałam, czy nie zgadzacie się ze mną?

— Idziemy już — powiedziała Cora, wstając.

— Tak, jesteśmy tu już zbyt długo. Stanowczo za długo. Mamy mnóstwo szycia. Obie pięknie szyjemy.

— Jestem o tym przekonany — powiedział Steerpike. — Czy mogę mieć zaszczyt ocenienia sztuki pań kiedyś w przyszłości, gdy będzie to paniom odpowiadać?

— Haftujemy także — powiedziała Cora, powstawszy i zbliżywszy się do Steerpike'a.

Clarice podeszła do siostry i obie patrzyły na niego. — Robimy dużo robótek, lecz nikt ich nie ogląda. Widzisz, nikt się nami nie interesuje. Mamy tylko dwóch służących. Dawniej —

— To wszystko — powiedziała Cora. — Dawniej, kiedy byłyśmy młodsze, miałyśmy setki. Nasz ojciec dał nam setki służących. Miałyśmy wielkie — wielkie —

— Znaczenie — zaofiarowała się siostra. — Tak, to właśnie miałyśmy. Sepulchrave był zawsze tak rozmarzony i nieszczęśliwy, ale czasem bawił się z nami; więc robiłyśmy, co chciałyśmy. Ale teraz nie chce nas nawet widzieć.

— Myśli, że jest taki mądry — powiedziała Cora.

— Ale nie jest mądrzejszy od nas.

— Nie jest tak mądry — powiedziała Clarice.

— Ani Gertruda — powiedziały prawie jednocześnie.

— Ukradła ptaki pań, prawda? — powiedział Steerpike, mrugając do Prunesquallora.

— Skąd wiesz? — powiedziały, zbliżając się o krok.

— Każdy wie, wasze wysokości. Każdy w zamku wie — odparł Steerpike, mrugając tym razem do Irmy.

Bliźniaczki chwyciły się za ręce i przysunęły do siebie. To, co powiedział Steerpike, dotarło do nich, czyniąc duże wrażenie. Sądziły, że to był tylko ich prywatny żal, iż Gertruda zwabiła ptaki z Komnaty Korzeni, którą tak długo przygotowywały. Lecz wszyscy wiedzieli! Wszyscy wiedzieli!

Odwróciły się do wyjścia, a doktor otworzył oczy, bowiem niemal zasnął z łokciem na stole pośrodku i z głową wspartą na ręce. Podniósł się, lecz nie mógł uczynić nic bardziej eleganckiego, niż zagiąć palec, gdyż był zbyt zmęczony. Siostra stała obok, trzeszcząc nieco, Steerpike otworzył więc drzwi i zaproponował odprowadzenie do domu. Gdy przechodzili przez przedpokój, zdjął z wieszaka pelerynę. Zarzuciwszy ją zamaszyście na ramiona, zapiął pod szyją. Płaszcz uwydatniał wysokie ramiona, a gdy zebrał fałdy, także szczupłość jego ciała.

Wyglądało na to, że ciotki zgadzały się, by wyszedł wraz z nimi, choć wcześniej nie odpowiedziały, gdy prosił o pozwolenie odprowadzenia ich do komnat.

Prowadził je przez dziedziniec z niezwykłą galanterią.

— Powiedziałeś, że każdy wie. — Głos Cory był tak pozbawiony uczucia, a zarazem tak żałosny, że musiałby wzbudzić współczucie w każdym sercu lepszym niż serce Steerpike'a.

— To właśnie powiedziałeś — powtórzyła Clarice.

— Ale co możemy zrobić? Nie możemy nic zrobić, żeby pokazać, co mogłybyśmy zrobić, gdybyśmy tylko miały władzę, której nie mamy — powiedziała przytomnie Clarice. — Miałyśmy kiedyś setki służących.

— Będą ich panie miały — powiedział Steerpike. — Będą ich panie znowu miały. Nowych. Lepszych. Posłusznych. Załatwię to. Będą pracowali dla pań, *przeze* mnie. Piętro pań w zamku ożywi się znowu. Będą panie najważniejsze. Proszę oddać nadzór w moje ręce, wasze wysokości, a postaram się, żeby tańczyli na melodię pań — jakakolwiek będzie — zatańczą tak.

— Ale co z Gertrudą?

— Tak, co z Gertrudą — zabrzmiały ich matowe głosy.

— Proszę mi wszystko pozostawić. Zabezpieczę prawa pań. Jesteście Lady Cora i Lady Clarice, Lady Clarice i Lady Cora. Nie wolno o tym zapominać. Nikomu nie wolno o tym zapomnieć.

— Tak, to musi się stać — powiedziała Cora.

— Każdy musi pomyśleć — kim jesteśmy — powiedziała Clarice.

— I nigdy nie może przestać o tym myśleć — powiedziała Cora.

— Albo użyjemy naszej władzy — powiedziała Clarice.

— Tymczasem, drogie panie, zaprowadzę panie do ich komnat. Muszą mi panie zaufać. Nie wolno nikomu mówić tego, o czym rozmawialiśmy. Czy obie panie rozumieją?

— I dostaniemy z powrotem nasze ptaki od Gertrudy.

Steerpike ujął je pod łokcie, gdy wspinali się po schodach.

— Lady Coro — powiedział — musi pani spróbować skupić się na tym, co mówię do pani. Gdy mnie panie posłuchają, przywrócę paniom dawne ważne miejsce w Gormenghast, którego pozbawiła panie Lady Gertruda.

— Tak.

— Tak.

Głosy nie wykazały ożywienia, lecz Steerpike zdał sobie sprawę, że jedynie po tym, *co* powiedziały, a nie *jak* powiedziały, mógł ocenić, czy ich umysły zareagowały na jego sondowanie.

Wiedział także, gdzie się zatrzymać. W sztuce oszustwa i osobistej kariery, jak w każdej innej dziedzinie, jest to oznaką mistrza. Wiedział, że gdy dotrze do drzwi, będzie go świerzbiało, by wejść i zobaczyć urządzenie oraz co właściwie miały na myśli, mówiąc o Komnacie Korzeni. Wiedział jednak najdokładniej, kiedy popuścić cugli. Takie stworzenia jak ciotki, mimo powolnego rozumu, miały w sobie krew Groanów, która mogła w każdej chwili przy fałszywym kroku zapłonąć i zniszczyć miesiąc zabiegów. Steerpike więc zostawił je przy drzwiach ich apartamentów, ukłoniwszy się niemal do ziemi. Odchodząc dębowym korytarzem i skręcając na lewo, obejrzał się ku drzwiom, gdzie pozostawił bliźniaczki. Nadal patrzyły za nim, nieruchome jak para woskowych figurek.

Nie odwiedzi ich nazajutrz, gdyż dobrze im zrobi dzień w niepewności i niemądrych dyskusjach. Wieczorem zaczną się niepokoić i będą potrzebowały pociechy, lecz nie zapuka do ich drzwi aż dopiero następnego ranka. Tymczasem pozbiera jak najwięcej informacji o nich i ich skłonnościach.

Dotarłszy do dziedzińca, zamiast przeciąć go w kierunku domu doktora, postanowił przejść się po trawnikach, a może wokół tarasów do fosy, gdyż niebo oczyściło się z chmur i rozbłyskiwało silnie setkami tysięcy gwiazd.

„SZYSZKI"

Wiatr ucichł, lecz powietrze było przenikliwie zimne, więc Steerpike zadowolony był z peleryny. Podniósł w górę kołnierz, który sterczał sztywno powyżej oczu. Wydawało się, że dokądś dąży, a nie że po prostu wybrał się na nocną przechadzkę. Zawsze miał ten szczególny krok, coś pośredniego pomiędzy chodem a biegiem. Wyglądało to, jakby miał do spełnienia jakąś tajemną misję, co istotnie miało miejsce z jego punktu widzenia.

Wstąpił w głębokie cienie pod łukiem bramy, potem zaś, jakby był cząstką atramentowej ciemności, przebudzoną i odłączoną od głównej masy, pojawił się w półmroku za bramą.

Długo trzymał się w pobliżu murów zamkowych, posuwając się ciągle ku wschodowi. Porzucił początkowy projekt obejścia trawników i tarasów, gdzie przechadzała się hrabina przed śniadaniem, rozpocząwszy bowiem spacer odczuł radość w samotnym, zupełnie samotnym poruszaniu się w świetle gwiazd. Prunesquallorowie nie będą na niego czekać. Miał własny klucz do drzwi frontowych, jak poprzednio więc po późnych przechadzkach naleje sobie szklaneczkę, a może zakosztuje tytoniu doktora w swej krótkiej fajeczce przed udaniem się na spoczynek.

Może także, jak to często robił w nocy, pójdzie do apteki i będzie się zabawiał mieszaniem napojów o śmiertelnych własnościach. Wchodząc, kierował się natychmiast ku półce z truciznami i niebezpiecznymi proszkami.

Napełnił cztery szklane rurki najbardziej jadowitymi z tych mikstur i zabrał do swego pokoju. Wkrótce przyswoił sobie wszystko to, co doktor, którego wiedza była znaczna, wyjawił w danej dziedzinie. Z trujących chwastów zebranych w okolicy przyrządził pod jego początkowym kierownictwem znaczną ilość oryginalnych i śmiercionośnych past. Owe eksperymenty dostarczały doktorowi akademickiej uciechy.

Albo powróciwszy do Prunesquallorów weźmie do czytania jedną z licznych książek doktora, bowiem trawiła go teraz namiętność gromadzenia wiedzy wszelkiego rodzaju; jednakże jedynie jako środek do celu. Musi wszystko wiedzieć, gdyż tylko wówczas będzie mieć, kiedy nadarzą się okazje w przyszłości, pełną talię kart do zagrywki. Wyobrażał sobie sytuacje, gdy rozmowa z kimś, kto mógłby mu się przydać, zwróci się ku astronomii, metafizyce, historii, chemii czy literaturze i zdawał sobie sprawę, że dzięki umiejętności wtrącenia do dyskusji błyskotliwej i ścisłej myśli, opinii wspartej, jak by się *zdawało*, na studiach całego życia, natychmiast zyska więcej niż dzięki godzinie owijania w bawełnę i wyczekiwania, by rozmowa zwróciła się ku znanym mu zagadnieniom.

Widział się w przyszłości w roli władającego ludźmi. Poza zdolnością podejmowania szybkich i śmiałych decyzji posiadał nieskończoną cierpliwość. Czytając wieczorami, gdy doktor i Irma udali się już na spoczynek, polerował długie, wąskie, stalowe ostrze szpady, którą ujrzał, a w tydzień później wydobył ze sterty starodawnej broni w chłodnej sali. Gdy wyciągnął ją ze sterty, była bardzo zaśniedziała, lecz dzięki zręcznej pracowitości i cierpliwości, z jakimi przykładał się do każdego przedsięwzięcia, stała się teraz smukłym prętem białej stali. Po godzinnych poszukiwaniach znalazł wydrążoną laskę, którą przykręcało się do niewinnie wyglądającej rękojeści jednym obrotem dłoni.

Nie wiedział, czy po powrocie zabierze się do stali swej szpady, czy do niemal skończonej książki o heraldyce, czy będzie w aptece ucierać z czerwoną oliwą w moździerzu ten puchowy zielony proszek, z którym eksperymentował, czy też będzie zbyt zmęczony, by robić cokolwiek, poza wychyleniem szklaneczki koniaku i wejściem po schodach do sypialni, gdyż nie zajmował się tak bliską przyszłością. Krocząc żwawo, rozmyślał nie tylko o każdej zapamiętanej uwadze, jaką bliźniaczki rzuciły tego wieczoru, lecz również o kierunku pytań, które miał zamiar im zadać pojutrze wieczorem. Mózg jego pracował jak sprawna maszyna, a on wymyślał możliwe posunięcia i riposty, choć wiedział, że w obcowaniu z ciotkami nielogiczność ich umysłów niezwykle utrudniała jakiekolwiek przypuszczenia lub planowanie. Pracował z materiałem niskiej jakości, który jednakże zawierał czynnik, jakiego pozbawione są wyższe natury — nieobliczalność.

Dotarł teraz do najdalszego wschodniego rogu głównego zamkowego masywu. Po lewej rozróżniał wysokie mury zachodniego skrzydła wyłaniające się z czarnej od bluszczu, zwróconej ku zachodowi przepaści budowli, która pozbawiała wieczornego światła północne sale Gormenghast. Wieżę Krzemieni można było rozpoznać jedynie jako wąską cząstkę nieba o kształcie długiej czarnej linijki postawionej sztorcem, gdyż niebo wokół wypełniały gwiazdy.

Na widok Wieży przyszło mu na myśl, że nigdy dotąd nie zbadał budynków, które, jak słyszał, ciągnęły się poza nią. Było zbyt późno na taką ekspedycję, więc właśnie przemyśliwał o zatoczeniu szerokiego koła po zwiędłych trawnikach, po których dobrze się chodziło w tej stronie zamku, gdy ujrzał przybliżające się słabe światełko. Rozejrzawszy się, spostrzegł w odległości paru jardów czarne kształty karłowatych krzewów. Przykucnął za jednym z nich, śledząc zbliżające się światło, w którym teraz rozpoznał latarnię. Wyglądało na to, że postać przejdzie o parę stóp od niego, a zerknąwszy przez ramię, by zobaczyć, w jakim kierunku porusza się latarnia, uświadomił sobie, że znajduje się pomiędzy światłem a Wieżą Krzemieni. Cóż, na Boga, mógł ktoś robić w zimną noc przy Wieży Krzemieni? Zaintrygowało to Steerpike'a. Naciągnął pelerynę, tak że jedynie oczy narażone były na działanie nocnego powietrza. Siedząc nieruchomo jak skulony kot, wsłuchiwał się w odgłos nadciągających kroków.

Jeszcze ciało niosącego latarnię nie oddzieliło się od ciemności, gdy Steerpike, nadsłuchując uważnie, dosłyszał nie tylko długie kroki, lecz również miarowy dźwięk jakby łamanych suchych pa-tyków. — Flay — powiedział do siebie Steerpike. Lecz cóż to za inny odgłos? Pomiędzy miarowym dźwiękiem kroków i trzaskiem stawów kolanowych dobiegł do jego uszu trzeci, szybszy i mniej stanowczy dźwięk.

Niemal w tej samej chwili, gdy rozpoznał tupot małych nóżek, do-strzegł wynurzające się z nocy niemylne sylwetki Flaya i pani Slagg.

Wkrótce wydało się, że szczęk kroków Flaya rozległ się nad nim, a Steerpike, nieruchomy jak krzew, pod którym przykucnął, ujrzał, że wybujały wzrostem służący Lorda Sepulchrave'a szybko go mija, gdy rozległ się krzyk. Dreszcz przebiegł Steerpike'owi po grzbiecie, gdyż jeśli coś go niepokoiło, to rzeczy nadprzyrodzone. Wydawało się, że był to krzyk ptaka, może mewy, lecz tak bliski, że wykluczał to wyjaśnienie. Nie było żadnych ptaków tej nocy, ani też nigdy nie było ich słychać o tej porze, więc z pewną ulgą usłyszał, że Niania Slagg szepcze nerwowo w ciemności:

— No, no, mój jedyny... To nie potrwa długo, moja maleńka wysokość... to już nie potrwa długo. Och, moje biedne serduszko! czemu to musi być w nocy? — Wydawało się, że podniosła głowę znad dźwiganego małego ciężaru, spoglądając na wyniosłą postać kroczącą obok machinalnie; lecz nie było odpowiedzi.

— To zaczyna być interesujące — powiedział do siebie Steer-pike. — Lordowskie mościе, Flaye i Slaggi, wszyscy podążają do Wieży Krzemieni.

Gdy ciemność już ich prawie wchłonęła, Steerpike podniósł się, zginając spowite w pelerynę nogi, by pozbyć się sztywności, po czym wsłuchując się z bezpiecznej odległości w dźwięk kolan pana Flaya, podążył cicho za nimi.

*

Biedna pani Slagg była zupełnie wyczerpana, gdy dotarli do biblioteki, konsekwentnie bowiem nie zgadzała się, by Flay niósł Tytusa, gdy zaofiarował się z tym, wbrew swemu rozsądkowi, uj-rzawszy, jak się ciągle potyka na nierównościach terenu i kiedy w lesie szpilkowym zaplątała się w korzenie sosny i przyziemne pnącza.

Zimne powietrze obudziło Tytusa, a choć nie płakał, było oczywiste, że niepokoiła go ta niezwykła przygoda w ciemności. Gdy po zapukaniu Flaya weszli do biblioteki, zaczął piszczeć i szamotać się w ramionach piastunki.

Flay wycofał się w ciemność swego kąta, gdzie przypuszczalnie znajdowało się dla niego jakieś krzesło. Powiedział tylko: — Przyprowadziłem ich, wysokość. — Zazwyczaj opuszczał „wasza" jako zbyteczne dla pierwszego przybocznego Lorda Sepulchrave'a.

— To widzę — powiedział, zbliżając się hrabia Groan — niepokoiłem cię, piastunko, nieprawdaż? Jest zimno na dworze. Właśnie wychodziłem, by to zebrać dla niego.

Zaprowadził Nianię na drugi koniec stołu. W świetle lampy leżało rozrzuconych na dywanie ze dwadzieścia sosnowych szyszek, a ich drewniane płatki przykrywał cień rzucany przez płatki powyżej.

Pani Slagg zwróciła znużoną twarz ku Lordowi Sepulchrave'owi. Nareszcie powiedziała coś właściwego. — Czy to dla jego maleńkiej wysokości, proszę jaśnie pana? — zapytała. — Och, będzie je uwielbiał, prawda, mój jedyny?

— Połóż go pomiędzy nimi. Chcę z tobą porozmawiać — powiedział hrabia. — Usiądź.

Pani Slagg rozejrzała się za krzesłem, a nie widząc żadnego, zwróciła żałośnie oczy ku jego wysokości, który znużonym ruchem wskazał na podłogę. Tytus, którego umieściła pośród szyszek, na przemian to je obracał w palcach, to ssał.

— W porządku, umyłem je w deszczówce — powiedział Lord Groan. — Usiądź na podłodze, nianiu, usiądź na podłodze. — Nie czekając, przysiadł na brzegu stołu, skrzyżowawszy stopy i oparłszy dłonie na marmurowej powierzchni.

— Po pierwsze — powiedział — kazałem ci przyjść, by ci oznajmić, że postanowiłem zwołać tutaj za tydzień zebranie rodzinne. Chcę, żebyś powiadomiła wszystkich zainteresowanych. Zdziwią się. To nie ma znaczenia. Przyjdą. Powiadomisz hrabinę. Powiadomisz Fuksję. Powiadomisz także ich wysokości Corę i Clarice. Otworzywszy drzwi cal po calu, Steerpike wpełzł na schody, które znalazł tuż po lewej. Zamknął cicho za sobą drzwi i wszedł na palcach na kamienną galerię biegnącą wokół budynku. Na szczęście dla niego, pogrążona była w najgłębszym cieniu, więc oparłszy się o półki z książkami stojące wzdłuż ścian i przyglądając się temu, co się działo na dole, zacierał bezszelestnie dłonie.

Zastanawiał się, gdzie się podział Flay, gdyż jeśli mógł dostrzec, nie było innego wyjścia poza głównym, zamkniętym i zaryglowanym. Zdawało mu się, że musi on również stać lub siedzieć cicho w cieniu, a ponieważ nie wiedział, w której części budynku mógł się znajdować, zachowywał absolutną ciszę.

— Będę oczekiwać jego i ich o ósmej wieczór, gdyż musisz im powiedzieć, że zamierzam wydać śniadanie na cześć mego syna.

Gdy wypowiedział te słowa głębokim, melancholijnym głosem, biedna pani Slagg, niezdolna znieść nieznośnego przygnębienia jego ducha, poczęła zaciskać pomarszczone dłonie. Nawet Tytus jakby wyczuwał smutek płynący z powolnych i dokładnych słów ojca. Zapomniał o szyszkach i zaczął płakać.

— Przyniesiesz mego syna Tytusa w szatach od chrztu i będziesz mieć z sobą koronę dziedzica Gormenghast w prostej linii. Bez Tytusa zamek nie miałby przyszłości, gdy mnie zabraknie. Muszę cię prosić, abyś jako jego piastunka wpajała od samego początku w jego żyły miłość ku miejscu narodzenia i dziedzictwu oraz szacunek dla wszystkich pisanych i niepisanych praw siedziby jego ojców.

Przemówię do nich, wbrew pokojowi mego ducha: będę mówić do nich o tym i o wielu innych sprawach, o których myślę. Przy Śniadaniu, którego szczegóły przedyskutuje się za tydzień, uhonoruje się go i uczci toastem. Odbędzie się ono w Sali Jadalnej.

— Ale on ma dopiero dwa miesiące, maleństwo — wtrąciła Niania głosem zdławionym od łez. — Pomimo to nie ma czasu do stracenia — odpowiedział hrabia. — No, moja biedna staruszko, czemu tak gorzko płaczesz? Jest jesień. Liście spadają z drzew jak płonące łzy — wiatr wyje. Czy musisz to naśladować? Jej stare oczy spojrzały na niego zza mgły. Usta jej drżały. — Jestem tak zmęczona, proszę jaśnie pana — powiedziała.

— A więc się połóż, dobra kobieto, połóż się — powiedział Lord Sepulchrave. — To był dla ciebie długi spacer. Połóż się.

Leżenie na plecach na ogromnej podłodze biblioteki nie przyniosło ulgi pani Slagg, gdy hrabia Groan przemawiał do niej z góry frazami, które nic dla niej nie znaczyły.

Przytuliła Tytusa do siebie i patrzyła w sufit, a łzy spływały jej do suchych ust. Tytusowi było bardzo zimno, więc zaczął drżeć.

— No, pokaż mi mego syna — powiedział powoli jego wysokość. — Mego syna Tytusa. Czy to prawda, że jest brzydki?

Niania dźwignęła się podnosząc Tytusa w ramionach.

— Nie jest brzydki, wasza wysokość — powiedziała drżącym głosem. — Malutki jest śliczny.

— Pokaż mi go. Podnieś go, piastunko; podnieś go do światła. A! Teraz lepiej. Poprawił się — powiedział Lord Sepulchrave. — W jakim jest wieku?

— Prawie trzy miesiące — powiedziała Niania Slagg. — Och, moje słabe serduszko! Ma prawie trzy miesiące.

— No, no, dobra kobieto, to wszystko. Zbyt dużo dzisiaj mówiłem. To wszystko, czego chciałem — zobaczyć mego syna i powiedzieć ci, żebyś powiadomiła rodzinę o moim życzeniu, by zjawili się tutaj za tydzień o ósmej godzinie. Prunesquallorowie niech także przyjdą. Sam powiadomię Sourdusta. Czy rozumiesz?

— Tak, proszę jaśnie pana — powiedziała Niania, kierując się już ku drzwiom. — Powiem im, proszę jaśnie pana. Och, moje biedne serduszko, jaka jestem zmęczona!

— Flay! — powiedział Lord Sepulchrave — zaprowadź piastunkę z powrotem do jej pokoju. Nie musisz dzisiaj wracać. Wyjdę za cztery godziny. Przygotuj mój pokój i latarnię na nocnym stoliku. Możesz odejść.

Flay, który wyłonił się w światło lampy, skinął głową, ponownie zapalił knot latarni i podążył za panią Slagg przez drzwi i po schodach w światło gwiazd. Tym razem nie zwracał uwagi na jej protesty, lecz wziąwszy od niej Tytusa, umieścił go ostrożnie w jednej ze swych obszernych kieszeni, po czym uniósłszy opierającą się kobiecinę w ramionach, pomaszerował poważnie przez las do zamku.

Steerpike poszedł za nimi, zamyślony, nie troszcząc się nawet o to, by nie stracić ich z oczu.

Zapaliwszy świecę, Lord Sepulchrave wszedł na schody obok drzwi i sunąc wzdłuż drewnianego balkonu, dotarł wreszcie do półki z zakurzonymi księgami. Zdmuchnął szary pył z welinowego grzbietu, który wysunął palcem wskazującym, po czym, przewróciwszy ze dwie strony na początku, skierował się na powrót wzdłuż balkonu i w dół po schodach.

Powróciwszy na miejsce, zagłębił się w krześle, a głowa opadła mu na pierś. Książkę miał nadal w ręku. Jego smutne oczy przesunęły się wokół pokoju, spoglądając spod dumnego czoła, póki nie spoczęły w końcu na rozrzuconych świerkowych szyszkach.

Ogarnął go nagły niepohamowany gniew. Zbieranie ich było dziecinne. W każdym razie nie dostarczyły Tytusowi żadnej uciechy.

Dziwne, że nawet ludzie wielkiej nauki i mądrości mają w sobie coś infantylnego. Możliwe, że to nie szyszki rozzłościły go, lecz to, że w jakiś sposób przypomniały mu o porażkach. Odrzucił od siebie książkę, po czym natychmiast ją podniósł, drżącymi rękoma wygładzając jej boki. Zbyt był dumny i melancholijny, by się rozprężyć i stać się ojcem chłopca inaczej niż formalnie; nie przestanie się izolować. Uczynił więcej, niż spodziewał się po sobie. Podczas śniadania, które sobie wyobrażał, wzniesie toast na cześć dziedzica Gormenghast. Wypije za przyszłość, za Tytusa, swego jedynego syna. To wszystko.

Usiadł na powrót w krześle, lecz nie mógł czytać.

KEDA I RANTEL

Gdy Keda powróciła do swoich, kaktusy ociekały deszczem. Wiał zachodni wiatr, a ponad zamglonym zarysem Splątanych Borów zmięte łachmany dławiły niebo. Keda stała przez chwilę, śledząc ciemne linijki deszczu jednostajnie nachylone od nierównego brzegu chmur do nierównego brzegu lasu. Słońce, zachodząc, skryło się poza nieprzezroczystymi kształtami, więc niewiele światła odbijało się od pustego nieba w górze.

To była ciemność, jaką znała. Wdychała ją. To była późnojesienna ciemność z jej wspomnień. Nie było tu śladu owych cieni, które przytłaczały jej ducha w murach Gormenghast. Tutaj, ponownie stając się mieszkanką podgrodzia, wyzwolona, wyciągnęła ramiona w górę. — Jestem wolna — powiedziała. — Jestem znowu w domu. — Lecz skoro tylko wymówiła te słowa, uświadomiła sobie, że tak nie jest. Tak, była w domu, pośród chat, gdzie się urodziła. Obok, jak stary przyjaciel, stał ponury kaktus, lecz któż pozostał z przyjaciół dzieciństwa? Do kogóż mogła tu pójść? Nie żądała nikogo, komu mogłaby zaufać. Pragnęła jedynie móc pójść bez wahania do kogoś, kto nie zadawałby pytań i do kogo nie potrzebowałaby mówić.

Kto był tutaj? Na to pytanie pojawiła się odpowiedź, której się obawiała: byli dwaj mężczyźni.

Nagle minął przenikający ją strach, a sercem szarpnęła niewytłumaczalna radość, gdy zaś chmury na niebie w górze odpłynęły, te, które dławiły jej serce, rozdarły się i napełniły ją nieziemskie podniecenie i odwaga, której nie mogła pojąć. Szła w gęstniejącym mroku, a minąwszy puste stoły i ławy, połyskujące nienaturalnie w ciemności powłoką deszczu, dotarła wreszcie do skraju lepianek. Z początku wydawało się, że wąskie uliczki są wyludnione. Lepianki, wznoszące się zazwyczaj na wysokość około ośmiu stóp, stały naprzeciw siebie wzdłuż ciemnych, jak wąwozy, uliczek, niemal stykając się w górze. O tej porze w uliczkach byłoby zupełnie ciemno, gdyby nie zwyczaj mieszkańców zawieszania lamp nad drzwiami domów i zapalania ich o zachodzie słońca.

Keda skręciła parokrotnie, nim natknęła się na pierwszą oznakę życia. Karłowaty piesek, tej wszędobylskiej rasy tak często skradającej się błotnistymi uliczkami, przebiegł obok Kedy na parszywych nóżkach, ocierając się w biegu o ścianę. Uśmiechnęła się. Od dzieciństwa uczono ją, by gardzić tymi skarlałymi, grzebiącymi w śmieciach kundlami, lecz gdy patrzyła na niego, jak się przemyka obok, nie gardziła nim, lecz w nagłym szczęściu przepełniającym jej serce rozpoznała w nim część własnej istoty, wszystko ogarniającej miłości i harmonii. Pies urwis zatrzymał się parę jardów za nią i przysiadł na parszywych pośladkach, drapiąc się tylną łapą, gdzie go swędziało za uchem. Keda czuła, że jej serce pęka od miłości tak uniwersalnej, że wchłaniającej w ognistą atmosferę wszystkie rzeczy, dlatego że są: dobrych, złych, bogatych, biednych, brzydkich, pięknych i drapanie się tego żółtawego pieska.

Znała te uliczki tak dobrze, że ciemność jej nie przeszkadzała. Wiedziała, że pustka w błotnistych uliczkach była naturalna o tej wieczornej porze, gdy większość mieszkańców kuliła się nad ogniem z korzeni. Z tego właśnie powodu wyszła tak późno z zamku w drogę powrotną. Pośród mieszkańców panował zwyczaj, że spotykając się nocą, przemieszczali głowy w światło najbliższej lampy u drzwi, po czym, przyjrzawszy się sobie nawzajem, podążali dalej w swe strony. Nie było potrzeby okazywania jakiegokolwiek wrażenia; rzadko się zdarzało, że spotykali się przyjaciele. Rywalizacja pomiędzy rodzinami i różnymi szkołami rzeźbiarskimi była nieubłagana i zajadła, często więc się zdarzało, że wrogowie stykali się twarzą w twarz w odległości paru stóp, oświetleni przez wiszące lampy; jednak surowo przestrzegano zwyczaju — przyjrzeć się chwilę i pójść dalej.

Keda miała nadzieję, że będzie mogła dotrzeć do domu, domu należącego do niej po śmierci starego męża, nie potrzebując wstępować w światło lampy, by rozpoznał ją przechodzący mieszkaniec podgrodzia, lecz teraz nie dbała już o to. Zdawało jej się, że wypełniające ją piękno jest ostrzejsze niż brzeszczot miecza i równie skuteczne przeciw kalumniom i plotkom, zazdrościom i utajonym nienawiściom, których się kiedyś lękała.

Dziwiła się temu, co się z nią działo. Lekkomyślność, obca jej spokojnej naturze, zdumiewała, lecz także pociągała ją. Ta sama chwila, która, jak kiedyś przewidywała, miała napełnić ją niepokojem — gdy problemy, dla których uniknięcia schroniła się w zamku, spadną na nią jak nieprzenikniona mgła, przerażając ją — była teraz wieczorem liści i płomieni, nocą fal.

Szła przed siebie. Spoza prostych drewnianych drzwi wielu chat słyszała poważne głosy. Dotarła do długiej ulicy wiodącej prosto ku nagim zewnętrznym murom Gormenghast. Ulica ta była nieco szersza od innych, szeroka na jakieś dziewięć stóp, a czasem poszerzająca się do niemal dwunastu. Był to główny gościniec mieszkańców, miejsce codziennych spotkań Kolorowych Rzeźbiarzy. Staruszki i starcy siadywali w drzwiach lub kuśtykali za sprawunkami, a dzieci bawiły się w kurzu w przesuwającym się cieniu wielkiego muru wślizgującym się stopniowo w ulicę, póki pod wieczór nie pochłonął długiego gościńca i nie zapalono lamp. Na płaskich dachach wielu chat umieszczono rzeźbę, o zachodzie wschodnia strona tych drewnianych kształtów żarzyła się więc i płonęła, zachodnia strona zaś odznaczała się czarną jak smoła sylwetką na tle światła na niebie, ukazując zamaszyste kontury i ostre kąty, które mieszkańcy lubili sobie przeciwstawiać.

Rzeźby owe zginęły teraz w ciemności ponad lampami przy drzwiach i Keda, przypomniawszy je sobie, rozglądała się na próżno, by dostrzec je na tle nieba.

Jej dom nie stał przy tym gościńcu, lecz na rogu błotnistego, placyku, gdzie wolno było się osiedlić jedynie najbardziej czcigodnym i poważanym z Kolorowych Rzeźbiarzy. Pośrodku owego placu stała duma mieszkańców lepianek — rzeźba, wysoka na czternaście stóp, wyciosana kilka stuleci temu. Było to jedyne dzieło tego rzeźbiarza w posiadaniu mieszkańców, choć kilka jego prac znajdowało się w murach zamku, w Sali Kolorowych Rzeźb. Istniały sprzeczne opinie na temat, kim on mógł być, lecz nigdy nie zaprzeczano, że był najlepszym z rzeźbiarzy. Dzieło owo, malowane każdego roku pierwotnymi barwami, przedstawiało konia i jeźdźca. Masa rytmicznego drewna, ogromnie stylizowana i bardzo prosta, górowała nad ciemnym placem. Koń był czysto szary, szyję miał odrzuconą w odwróconym łuku tak, że głową spozierał w niebo, a zwoje białej grzywy zbierały się jak zamarznięta piana na wyprężonym karku i wokół kolan jeźdźca, który siedział spowity w czarną pelerynę. Na pelerynie wymalowano ciemnoszkarłatne gwiazdy. Był wyprostowany, lecz ramiona i dłonie, w przeciwieństwie do żywotności szarego i muskularnego karku konia, zwisały luźno u boku. Głowę wycięto kanciasto dłutem, była biała jak grzywa, tylko usta i włosy łagodziły śmiertelną maskę, pierwsze bladokoralowe, a drugie ciemnokasztanowe. Czasem matki przyprowadzały nieposłuszne dzieci, by przyjrzały się owej posępnej figurze i groziły im jego niełaską, jeśli będą trwać w występku. Rzeźba ta przerażała je, lecz dla ich rodziców była dziełem niezwykłej żywotności i urody kształtu, bogatym w tajemnicze nastroje, których siła w dziele była jednym z ich kryteriów doskonałości.

Rzeźba owa przyszła na myśl Kedzie, zbliżającej. się do zakrętu wiodącego z gościńca na błotnisty plac, gdy usłyszała za sobą odgłos kroków. Droga przed nią leżała cicha, lampy przy drzwiach rozświetlały słabo skrawki ziemi w dole, lecz nie wskazywały na nikogo przechodzącego tędy. Na lewo, poza błotnistym placem, nagłe szczekanie psa rozbrzmiało w jej uszach i uświadomiła sobie swe własne kroki, wsłuchując się w te doganiające ją.

Keda znajdowała się parę jardów od jednej z lamp, a wiedząc, że gdyby minęła ją przed nadchodzącą postacią, wówczas zarówno ona jak i nieznajomy mężczyzna musieliby iść razem w ciemności aż do następnej lampy, gdzie dokonałby się rytuał wzajemnego przyglądania się swym twarzom, zwolniła więc kroku, aby szybciej pozbyć się obrzędu i aby idący za nią, kimkolwiek by był, mógł pójść dalej w swoją stronę.

Zbliżywszy się do światła, zatrzymała się, a nie było w tym i w oczekiwaniu niczego niezwykłego, taki był bowiem często zwyczaj zbliżających się do lamp, a w istocie uważano to za grzeczność. Przesunęła się przez blask lampy, tak aby przy odwróceniu się promienie oświetliły jej twarz, a wówczas nadchodząca postać ujrzy ją lepiej i sama będzie lepiej widziana.

Gdy przechodziła pod lampą, światło zakołysało się na jej ciemnokasztanowych włosach, rozjaśniając najwyższe pasma niemal do barwy jęczmienia, zaś ciało jej, choć pełne i zaokrąglone, było proste i gibkie, a tego wieczora, pod wpływem nowego uczucia, miało w sobie pogodę i podniecenie, atakujące oczy podążającego za nią.

Wieczór był elektryzujący i nierzeczywisty, lecz może jednak, myślała Keda, to *jest* rzeczywistość, a moja przeszłość była snem bez znaczenia. Wiedziała, że kroki w ciemności, teraz odległe tylko o parę jardów, są częścią wieczoru, którego nie zapomni i który, zdawało się, dawno przeżyła lub przewidziała. Wiedziała, że gdy kroki się zatrzymają i gdy odwróci się ku temu, który szedł za nią, okaże się, że to Rantel, bardziej ognisty i bardziej niezręczny z tych dwóch, którzy ją kochali.

Odwróciła się, a on tam stał.

Stali bardzo długo. Nieprzenikniona ciemność nocy dokoła zamykała ich jakby w ograniczonej przestrzeni, jak w sali, z lampą w górze.

Uśmiechnęła się, ledwo rozchylając dojrzałe, współczujące usta. Przesunęła oczyma po jego twarzy — po ciemnej czuprynie włosów, po potężnym, wystającym czole i po cieniach oczu wpatrujących się w jej oczy, jakby zastygły w oczodołach. Ujrzała wystające kości policzkowe i boki twarzy zwężające się ku podbródkowi. Usta miał pięknie zarysowane i potężne ramiona. Jej pierś wznosiła się i opadała, słaba i silna zarazem. Czuła krążącą w niej krew, czuła, że musi umrzeć lub wytrysnąć liśćmi i kwiatami. Nie czuła namiętności: namiętności ciała, choć ta istniała, lecz raczej uniesienie, sięganie po życie, po całe życie, do jakiego była zdolna, to zaś życie, jakiego się jedynie mgliście domyślała, skupiało się na miłości, miłości do mężczyzny. Nie kochała Rantela: kochała to, co oznaczał dla niej jako ktoś, kogo *mogła* kochać.

Postąpił naprzód w świetle, tak że twarz jego zniknęła w cieniu i jedynie wierzchołek zmierzwionych włosów połyskiwał jak drut.

— Keda — wyszeptał

Ujęła jego dłoń — Wróciłam.

Czuł jej bliskość; objął dłońmi jej ramiona.

— Wróciłaś — powiedział, jakby powtarzając lekcję. — Ach, Kedo — czy to ty? Odeszłaś. Co noc wyglądałem ciebie. — Jego dłonie zadrżały na jej ramionach. — Odeszłaś — powiedział.

— Szedłeś za mną? — spytała Keda. — Dlaczego nie odezwałeś się do mnie przy skałach?

— Chciałem — powiedział — lecz nie mogłem.

— Och, dlaczego?

— Odejdźmy od lampy i wtedy ci powiem — wyrzekł wreszcie. — Gdzie idziemy?

— Gdzie? Gdzież mogłabym pójść, jeśli nie tam, gdzie mieszkałam — do mojego domu?

Szli powoli. — Powiem ci — powiedział nagle. — Szedłem za tobą, żeby się przekonać, dokąd pójdziesz. Kiedy się przekonałem, że nie do Braigona, dogoniłem cię.

— Do Braigona? — powtórzyła. — Och, Rantel, ciągle jesteś tak bardzo nieszczęśliwy.

— Nie mogę się zmienić, Kedo; nie mogę się zmienić.

Dotarli na plac.

— Przyszliśmy tu niepotrzebnie — powiedział Rantel zatrzymując się w ciemności. — Niepotrzebnie, słyszysz mnie, Kedo? Muszę ci teraz powiedzieć. Och, jak gorzko to mówić.

Nic, co mógł powiedzieć, nie było w stanie powstrzymać jej wewnętrznego głosu krzyczącego: — Jestem z tobą, Kedo! Jestem *życiem*! Jestem *życiem*! Och, Kedo, Kedo, *jestem* z tobą! — Lecz jej głos zapytał go, jakby mówiło coś innego niż jej istota:

— Dlaczego przyszliśmy niepotrzebnie?

— Szedłem za tobą, a potem szliśmy tu dalej razem, lecz twój dom, Kedo, gdzie rzeźbił twój mąż, zabrano. Nic nie możesz zrobić. Gdy od nas odeszłaś, zebrała się starszyzna, Starzy Rzeźbiarze, i dali twój dom jednemu z nich, gdyż powiadają, że teraz, kiedy umarł twój mąż, nie jesteś godna mieszkać na Placu Czarnego Jeźdźca.

— A rzeźby mojego męża — powiedziała Keda — co się z nimi stało?

Oczekując odpowiedzi, dosłyszała jego przyspieszony oddech i z trudem dostrzegła, że przesuwa ramieniem po czole.

— Powiem ci — powiedział. — Och, ognie! Czemu byłem tak powolny — tak *powolny*! Gdy wyglądałem ciebie, czuwając wśród skał, jak to robiłem każdej nocy po twoim odejściu, Braigon wdarł się do twego domu i zastał Starszych dzielących rzeźby pomiędzy siebie. „Ona nie wróci" — powiedzieli o tobie. — „Jest nic niewarta. Rzeźby zostaną bez opieki" — powiedzieli — „i zaatakuje je robactwo". Lecz Braigon wydobył nóż, zagnał ich do pomieszczenia pod schodami i odbywszy dwanaście wędrówek, zniósł rzeźby do swego domu, gdzie je ukrył, jak powiada, do twego powrotu.

— Kedo, Kedo, co *ja* mogę zrobić dla ciebie? Och, Kedo, co *ja* mogę zrobić?

— Przytul mnie do siebie — powiedziała. — Skąd ta muzyka? W ciszy dosłyszeli dźwięk instrumentu.

— Kedo...

Jego ramiona otoczyły jej ciało, a twarz zanurzyła się w jej włosy.

Słyszała bicie jego serca, gdyż głowę przytuliła do niego. Muzyka urwała się nagle i powróciła cisza, niezmącona jak ciemność dokoła. Wreszcie Rantel przemówił. — Nie będę żyć, póki cię nie dostanę, Kedo. Wtedy będę żyć. Jestem rzeźbiarzem. Stworzę piękno w drzewie. Wyciosam dla ciebie symbol mej miłości. Będzie się wyginać w locie. Będzie skakać. Będzie szkarłatna, ręce będzie miała delikatne jak kwiaty, a stopy wtopione w chropowatość ziemi, bo to jej ciało będzie skakać. Będzie miała oczy, co wszystko widzą, fiołkowe jak ostrze wiosennej błyskawicy, a na piersi wytnę twoje imię — Keda, Keda, Keda — trzykrotnie, bo choruję z miłości.

Uniósłszy rękę, dotknęła chłodnymi palcami kości jego czoła i wystających kości policzkowych, aż po usta, gdzie dotknęły warg.

Po chwili Rantel powiedział cicho: — Płaczesz? — Z radości — odparła.

— Kedo...

— Tak...

— Czy zniesiesz okrutne wieści?

— Nic już mnie nie może zranić — powiedziała Keda. — Nie jestem tą, którą znałeś. Żyję.

— Prawo, które zmusiło cię do małżeństwa, Kedo, może związać cię znowu. Jest ktoś. Powiedziano mi, że czeka na ciebie, Kedo, na twój powrót. Ale mógłbym go zabić, Kedo, jeśli zechcesz. — Jego ciało zesztywniało w jej ramionach, a głos stał się chrapliwy. — Czy mam go zabić?

— Nie mów o śmierci — powiedziała Keda. — Nie będzie mnie miał. Zabierz mnie do swego domu. — Keda słuchała własnego głosu jak głosu innej kobiety, tak był odmienny i czysty. — Zabierz mnie z sobą — nie weźmie mnie po tym, gdy będziemy się kochać. Zabrali mój dom, więc gdzie mogłabym dziś spać, jeśli nie z tobą? Pierwszy raz jestem szczęśliwa. Wszystko jest dla mnie jasne. Słuszność i niesłuszność, prawda i nieprawda. Pozbyłam się strachu. Boisz się?

— Nie boję się! — zawołał Rantel w ciemność — Jeśli się kochamy.

— Kocham wszystko, wszystko — powiedziała Keda. — Nie rozmawiajmy.

Oszołomiony zabrał ją z placu, a przedostawszy się przez mniej uczęszczane uliczki, znaleźli się wreszcie przy drzwiach domostwa u podnóża zamkowych murów.

Pokój, do którego weszli, był zimny, lecz po chwili Rantel sprawił, że światło z otwartego paleniska na ziemi zatańczyło na ścianach. Na glinianej podłodze znajdowała się mata z trawy, jak we wszystkich chatach.

— Nasza młodość wkrótce przeminie — powiedziała Keda. — Lecz w tej chwili jesteśmy młodzi i dziś jesteśmy razem. Przekleństwo naszego ludu spadnie na nas, w przyszłym roku lub za dwa lata, ale teraz — TERAZ, Rantel; wypełnia nas TERAZ. Jak szybko rozpaliłeś ogień! Och, Rantel, jak pięknie to zrobiłeś! Obejmij mnie znowu.

Gdy ją trzymał w objęciach, rozległo się stukanie do okna; nie poruszyli się, słuchając, jak się wzmaga, póki prosta szybka szklana wtopiona w glinianą ścianę nie zadrżała od nieustannego bębnienia. Do wzmagającego się nagłego deszczu przyłączyły się pierwsze wycia zrywającego się wichru.

Godziny upływały. Rantel i Keda leżeli w cieple ognia na niskim drewnianym posłaniu, bezbronni wobec wzajemnej miłości.

*

Obudziwszy się, Keda leżała chwilę bez ruchu. Ramię Rantela przerzucone było przez jej ciało, a jego dłoń, jak dłoń dziecka, znajdowała się u jej piersi. Uniósłszy jego ramię, odsunęła się od niego powoli i znów opuściła delikatnie jego dłoń na podłogę. Potem wstała i podeszła do drzwi. Po zrobieniu pierwszych kroków przemknęła przez nią radosna świadomość, że nadal trwa w nastroju niewrażliwości wobec świata. Odsunęła zasuwę i otworzyła szeroko drzwi. Wiedziała, że napotka zewnętrzne mury Gormenghast. Ich chropowata podstawa wzniesie się jak naga skała w odległości rzutu kamieniem. Były tam, lecz było także coś więcej. Odkąd sięgnęła pamięcią, powierzchnia zewnętrznych murów była jak symbol nieskończoności, niezmienności, potęgi, surowości i opieki. Znała je w tak wielu nastrojach. Pamiętała, jak łuszczyły się w słońcu, spieczone do pylistej białości i rojące się od wygrzewających się jaszczurek. Widziała, jak zakwitały drobnym różowym i niebieskim kwieciem pnączy, ciągnących się w kwietniu po chłodnej powierzchni jak pola barwnego dymu. Widziała każdą wystającą kamienną półkę, każdą sterczącą nierówność pokrytą szronem lub obwieszoną soplami. Widziała śnieg osiadły pulchnie na tych występach, tak że w ciemności, gdy mur niknął w nocy, owe plamy śniegu wydawały się jej zawieszonymi ogromnymi gwiazdami.

Teraz ten słoneczny późnojesienny poranek nadał im nastrój, na jaki reagowała. Lecz przyglądając się nasłonecznionej powierzchni połyskującej po nocy ulewnego deszczu, dostrzegła człowieka siedzącego u ich podnóża, rzucającego cień na mur z tyłu. Strugał gałąź w ręku. Chociaż tym siedzącym, który podniósł wzrok, gdy otworzyła drzwi, był Braigon, nie wykrzyknęła w przerażeniu, nie odczuła strachu ani wstydu, a spoglądała na niego spokojnie, pogodnie, dostrzegając go jako postać pod połyskującym murem, mężczyznę strugającego gałązkę; kogoś, kogo pragnęła ponownie ujrzeć.

Nie wstał, podeszła więc do niego i usiadła. Jego głowa i ciało były zwaliste; mocno zbudowany, sprawiał wrażenie skoncentrowanej energii i siły. Włosy przylegały mu ściśle do głowy splątanymi kędziorami.

— Jak długo tu siedzisz, Braigonie, rzeźbiąc w słońcu?

— Niedługo.

— Dlaczego przyszedłeś?

— Zobaczyć ciebie.

— Skąd wiedziałeś, że wróciłam?

— Bo nie mogłem rzeźbić.

— Przestałeś rzeźbić? — powiedziała Keda.

— Nie widziałem, co robię. Widziałem tylko twoją twarz w miejsce rzeźby.

Keda wydała westchnienie o tak rozedrganej głębi, że chwyciła się dłońmi za pierś od bólu, jaki zrodziło.

— Więc przyszedłeś tutaj?

— Nie przyszedłem od razu. Wiedziałem, że Rantel cię odnajdzie, gdy wyjdziesz z bramy w zewnętrznym murze, gdyż każdej nocy ukrywa się w skałach, czekając na ciebie Wiedziałem, że będzie z tobą. Lecz dziś rano przyszedłem tu, by go zapytać, gdzie znalazł ci na noc mieszkanie i gdzie jesteś, bo wiedziałem, że odebrano ci dom zgodnie z prawem Błotnistego Placu. Ale gdy przybyłem tu przed godziną, dostrzegłem cień twojej twarzy na drzwiach, i byłaś szczęśliwa; więc czekałem tutaj. Jesteś szczęśliwa, Kedo?

— Tak — powiedziała.

— W zamku bałaś się powrócić; lecz teraz, gdy jesteś tu, nie boisz się. Wiem, co to jest — powiedział. — Odkryłaś, że jesteś zakochana. Kochasz go?

— Nie wiem. Nie rozumiem. Stąpam po powietrzu, Braigonie. Nie mogę powiedzieć, czy kocham go, czy nie, czy też kocham tak bardzo świat, powietrze i wczorajszy deszcz, i namiętności rozwinięte jak kwiaty ze ścisłych pączków. Och, Braigonie, nie wiem. Jeśli kocham Rantela, kocham także ciebie. Gdy patrzę teraz na ciebie, z ręką u czoła i ledwo drgającymi ustami, ciebie właśnie kocham. Kocham to, że nie płakałeś ze złości i nie rozerwałeś się na strzępy, gdy mnie tu zastałeś. To, jak siedziałeś tu sam, och, Braigonie, strugając gałązkę i czekając, nieustraszony i rozumiejący wszystko, nie wiem, w jaki sposób, bo nie powiedziałam ci o tym, co mnie tak nagle przeobraziło?

Oparła się o mur, a poranne słońce położyło się jej biało na twarzy. — Czy *tak* bardzo się zmieniłam? — powiedziała.

— Uwolniłaś się — powiedział.

— Braigonie — zawołała — to ciebie — to *ciebie* kocham. — Zacisnęła dłonie. — Cierpię przez ciebie i przez niego, lecz cierpienie mnie uszczęśliwia. Muszę powiedzieć ci prawdę, Braigonie. Kocham wszystko — cierpienie i wszystko, bo teraz mogę patrzeć na to z góry, gdyż coś się stało i jestem swobodna — swobodna. Ale kocham cię, Braigonie, więcej niż cokolwiek. Właśnie *ciebie* kocham.

Obrócił gałązkę w dłoni, jakby tego nie słysząc, po czym zwrócił się ku niej.

— Kedo — powiedział — spotkam się z tobą wieczorem. Trawiasta kotlina, dokąd opadają Splątane Bory. Pamiętasz?

— Spotkam się tam z tobą — powiedziała. Gdy mówiła, powietrze pomiędzy ich głowami zapiszczało i stalowe ostrze długiego noża uderzyło w kamienie, łamiąc się od uderzenia.

Przed nimi stał Rantel, cały drżący.

— Mam drugi nóż — powiedział ledwo dosłyszalnym szeptem. — Jest nieco dłuższy. Będzie ostrzejszy wieczorem, gdy spotkam się z wami w kotlinie. Dziś jest pełnia księżyca. Kedo! Och, Kedo! Czy już zapomniałaś?

Braigon powstał. Poruszył się tylko na tyle, by ustawić się przed ciałem Kedy. Zamknęła oczy, nie wyrażała niczego.

— Nic na to nie poradzę — powiedziała — nic na to nie poradzę. Jestem szczęśliwa.

Braigon stał naprzeciw rywala. Mówił przez ramię, lecz z oczyma utkwionymi we wroga.

— Ma rację — powiedział. — Spotkam się z nim o zachodzie słońca. Jeden z nas powróci do ciebie.

Wówczas Keda podniosła ręce do głowy. — Nie, nie, nie, nie! — zawołała. Lecz wiedziała, że tak musi być, więc uspokoiła się, oparłszy się o mur, z opuszczoną głową i puklami włosów zakrywającymi twarz. Obaj mężczyźni odeszli, gdyż wiedzieli, że nie mogą być z nią tego nieszczęsnego dnia. Muszą przygotować broń. Rantel wszedł ponownie do chaty i powrócił wkrótce okryty peleryną. Podszedł do Kedy.

— Nie pojmuję twojej miłości — powiedział.

Spojrzawszy w górę, ujrzała jego głowę osadzoną prosto na szyi. Jego włosy były jak krzak czerni.

Nie odpowiedziała. Widziała jedynie jego siłę, wystające kości policzkowe i ogniste oczy. Widziała jedynie jego młodość.

— Ja jestem przyczyną — powiedziała. — To ja powinnam umrzeć. I ja *umrę* — powiedziała pospiesznie. — Już niedługo — ale teraz, co jest teraz? Nie mogę odczuwać strachu ani nienawiści, ani nawet cierpienia i śmierci. Przebacz mi. Przebacz mi.

Odwróciła się i ujęła jego dłoń trzymającą sztylet.

— Nie wiem. Nie rozumiem — powiedziała. — Nie sądzę, żebyśmy mieli jakąś władzę.

Puściła jego dłoń, a on oddalił się wzdłuż podstawy wysokiego muru aż do miejsca, gdzie ten skręcał w prawo, więc straciła go z oczu.

Braigon odszedł wcześniej. Oczy jej zmętniały.

— Kedo — powiedziała do siebie — Kedo, to tragedia. — Lecz gdy te słowa zawisły pusto w porannym powietrzu, zacisnęła dłonie, gdyż nie odczuwała niepokoju, a barwny ptak wypełniający jej pierś nadal śpiewał... nadal śpiewał.

KOMNATA KORZENI

— To zupełnie wystarczy na dzisiaj — powiedziała Lady Cora, odkładając robótkę na stół obok swego krzesła.

— Ależ zrobiłaś zaledwie trzy ściegi, Coro — powiedziała Lady Clarice, wyciągając nić na odległość ramienia. Cora zwróciła ku niej oczy podejrzliwie. — Śledziłaś mnie — rzekła. — Prawda?

— To nic osobistego — odparła siostra. — Szycie to nic osobistego. — Potrząsnęła głową.

Cora nie była o tym przekonana, siedziała więc ponuro, pocierając o siebie kolana.

— Teraz ja także skończyłam — powiedziała Clarice, przerywając ciszę. — Pół płatka, i to całkiem wystarczy na taki dzień. Czy to pora podwieczorku?

— Dlaczego zawsze pytasz o godzinę? — spytała Cora. — „Czy to pora śniadania, Coro?"... „Czy to pora obiadu, Coro?"... „Czy to pora podwieczorku, Coro?" — i tak bez przerwy. Wiesz, że to, która godzina, nie ma żadnego znaczenia.

— Ma, jeśli się jest głodnym — powiedziała Clarice.

— Nie, nie ma. Nic nie ma znaczenia, nawet jeśli się jest głodnym.

— Ma — upierała się siostra. — *Wiem*, że ma.

— Clarice Groan — powiedziała surowo Cora, podnosząc się z krzesła — wiesz zbyt dużo.

Clarice nie odpowiedziała, zagryzając wąską, obwisłą dolną wargę.

— Zazwyczaj dłużej pracujemy nad robótkami, prawda, Co-ro? — powiedziała wreszcie. — Czasem całymi godzinami i prawie zawsze dużo rozmawiamy, ale dzisiaj nie rozmawiałyśmy, praw-da, Coro?

— Nie — powiedziała Cora. — Dlaczego?

— Nie wiem. Dlatego, jak przypuszczam, że nie potrzebowały-śmy, ty niemądre stworzenie.

Clarice wstała z krzesła, wygładziła purpurową satynę i spoj-rzała wyniośle na siostrę. — Ja wiem, dlaczego nie rozmawiały-śmy — powiedziała.

— Och, nie, nie wiesz.

— Tak, wiem — powiedziała Clarice. — Ja wiem.

Cora prychnęła i podszedłszy z szelestem spódnic do długiego lustra na ścianie, poprawiła spinkę we włosach. Czując, że milczała dostatecznie długo, powiedziała:

— Och, nie, nie wiesz — powiedziała, spojrzawszy na siostrę w lustrze ponad odbiciem własnego ramienia. Gdyby nie miała czterdziestu dziewięciu lat na przyzwyczajenie się do tego zjawi-ska, z pewnością przeraziłaby się, ujrzawszy w lustrze tuż obok swej twarzy inną, mniejszą co prawda, gdyż siostra znajdowała się nieco z tyłu, lecz tak zdumiewająco podobną.

Ujrzała w lustrze, że siostra otwiera usta.

— *Wiem* — dobiegł głos z tyłu — bo wiem, o czym *ty* myślałaś. To łatwe.

— *Wydaje* ci się, że wiesz — powiedziała Cora — ale ja wiem, że nie wiesz, bo wiem doskonale, co myślałaś przez cały dzień, że ja myślę, właśnie dlatego.

Logika tej odpowiedzi nie wywarła wrażenia na Clarice, która, choć zamilkła na chwilę, wkrótce podjęła: — Czy mam ci powie-dzieć, o czym rozmyślasz? — zapytała.

— Sądzę, że możesz, jeśli masz ochotę. *Ja* nie mam nic przeciw-ko temu. A więc, o czym? Mogę nadstawić ucha. No.

— Nie wydaje mi się, że teraz chcę — powiedziała Clarice. — Myślę, że zatrzymam to dla siebie, choć to *oczywiste*. — Clarice bardzo podkreśliła słowo „oczywiste". — Czy to nie pora podwieczorku? Czy mam zadzwonić, Coro? Jaka szkoda, że za duży wiatr na drzewo.

— Myślałaś o tym chłopcu Steerpike'u — powiedziała Cora, przysunąwszy się do siostry i przyglądając się jej z bliska. Poczuła, że pokonała biedną Clarice jej własną bronią, powróciwszy nagle do tematu.

— Ty także — powiedziała Clarice. — Wiedziałam to już dawno. Prawda?

— Tak — powiedziała Cora. — Bardzo dawno. Teraz wiemy obie.

Świeżo rozpalony ogień miotał lekceważąco ich cienie po suficie i ścianach obwieszonych okazami ich haftów. Pokój był dość spory, jakieś trzydzieści stóp na dwadzieścia. Naprzeciw wejścia z korytarza znajdowały się małe drzwi. Prowadziły do Komnaty Korzeni w kształcie półkola. Po obu stronach tego mniejszego otworu znajdowały się dwa duże okna z szybami z grubego szkła w kształcie rombów, a w dwu krótszych ścianach pokoju, jednej z małym kominkiem, znajdowały się wąskie drzwi, jedne prowadzące do kuchni i pokojów dwóch służących, drugie do jadalni i ciemnej żółtej sypialni bliźniaczek.

— Powiedział, że nas wyniesie — powiedziała Clarice. — Słyszałaś, prawda?

— Nie jestem głucha — powiedziała Cora.

— Powiedział, że nie poważa się nas zbytnio i że musimy pamiętać, kim jesteśmy. Jesteśmy Lady Clarice i Cora Groan; to my.

— Cora i Clarice — poprawiła ją siostra — z Gormenghast.

— Lecz nikt nie drży na nasz widok. Powiedział, że ich do tego zmusi.

— Do czego ich zmusi, kochanie? — Cora zaczęła się odprężać, przekonawszy się, że miały identyczne myśli.

— Zmusi ich do drżenia — powiedziała Clarice. — Powinni to robić. Prawda, Coro?

— Tak; ale nie zrobią tego.

— Nie. O to właśnie chodzi — powiedziała Clarice — chociaż próbowałam dziś rano.

— Co, kochanie? — powiedziała Cora.

— Chociaż próbowałam dziś rano — powtórzyła Clarice.

— Co próbowałaś? — zapytała Cora z wyższością.

— Wiesz, kiedy powiedziałam: „Pójdę się przejść"?

— Tak. — Cora usiadła i wydobyła zza płaskiego gorsu maleńką, lecz mocno uperfumowaną chusteczkę. — Co z tego?

— Wcale nie poszłam do łazienki. — Clarice nagle usiadła sztywno. — Wzięłam za to atrament — *czarny* atrament.

— Po co?

— Nie powiem ci, jeszcze nie czas na to — powiedziała z powagą Clarice, a nozdrza drgały jej jak u mustanga. — Wzięłam czarny atrament i wlałam do dzbanka. Dużo tego było. Potem powiedziałam sobie, jak to mi często mówisz i jak ja ci mówię, że Gertruda nie jest od nas lepsza — a w istocie nie dorównuje nam, bo nie ma odrobiny krwi Groanów w żyłach jak my, ale tylko zwyczajną, zupełnie do niczego. Więc wzięłam atrament i wiedziałam, co zrobię. Nie uprzedziłam cię, bo mogłabyś mi powiedzieć, żebym tego nie robiła, i nie wiem, dlaczego ci to teraz mówię, bo możesz pomyśleć, że źle zrobiłam; ale to już się stało, więc nie ma znaczenia, co o tym myślisz, prawda, kochanie?

— Jeszcze nie wiem — powiedziała nieco zrzędliwie Cora.

— Otóż wiedziałam, że Gertruda ma być o dziewiątej w Głównej Sali, żeby przyjąć siedmiu najbardziej odrażających żebraków z chat podgrodzia i wylać na nich dużo oliwy, więc weszłam o dziewiątej przez drzwi Głównej Sali z dzbankiem atramentu i podeszłam do niej o dziewiątej, ale nie było tak, jak chciałam, bo miała na sobie czarną suknię.

— Co masz na myśli? — powiedziała Cora.

— No więc, chciałam jej oblać suknię atramentem.

— To byłoby dobre, *bardzo* dobre — powiedziała Cora. — Zrobiłaś to?

— Tak — powiedziała Clarice — ale nie było widać, bo suknia była czarna, a poza tym nie widziała, jak oblewam, bo rozmawiała ze szpakiem.

— Jednym z *naszych* ptaków — powiedziała Cora.

— Tak — powiedziała Clarice. — Jednym ze skradzionych ptaków. Ale inni widzieli. Pootwierali usta. Widzieli moje zdecydowanie. Ale Gertruda nie widziała, więc moje zdecydowanie było bezcelowe. Nie miałam nic innego do roboty i przestraszyłam się, więc biegłam cały czas z powrotem; myślę, że teraz umyję dzbanek.

Wstała, by wykonać zamiar, gdy rozległo się dyskretne stukanie do drzwi. Miały bardzo mało gości i bardzo rzadko, przez chwilę więc zbyt były podniecone, by powiedzieć „Proszę".

Cora pierwsza otworzyła usta, a jej pusty głos zabrzmiał głośniej, niż tego chciała:

— Proszę.

Clarice znajdowała się przy niej. Dotykały się ramionami. Wysunęły głowy, jakby wyglądały przez okno.

Drzwi otworzyły się i wszedł Steerpike, z elegancką laską i błyszczącą metalową rączką pod pachą. Gdy odnowił i wypolerował ku swemu zadowoleniu skradzioną laskę ze sztyletem, nosił ją wszędzie ze sobą. Ubrany był jak zwykle na czarno i nabył złoty łańcuch, który nosił na szyi. Skąpą ilość piaskowych włosów przyciemnił tłuszczem i sczesał szeroką falą na blade czoło.

Zamknąwszy za sobą drzwi, wsunął laskę zgrabnie pod pachę i skłonił się.

— Wasze wysokości — powiedział — moje nieuzasadnione wtargnięcie w domowe zacisze, za pośrednictwem jedynie pobieżnego pukania do drzwi, należałoby uznać za szczyt impertynencji, gdybym nie przyszedł w poważnej sprawie.

— Kto umarł? — powiedziała Cora.

— Czy Gertruda? — zawtórowała Clarice.

— Nikt nie umarł — powiedział Steerpike, podchodząc. — Przedstawię fakty za chwilę; ale najpierw, wasze wysokości, był-

bym zachwycony, gdyby mi wolno było podziwiać hafty pań. Czy zechcą panie mi je pokazać? — spojrzał na nie pytająco po kolei.
— Mówił już coś o nich przedtem; to było u Prunesquallo-rów — szepnęła Clarice siostrze. — Już przedtem mówił, że chce je obejrzeć. Nasze hafty.

Clarice była święcie przekonana, że gdy szeptała, choćby głośno, nikt oprócz siostry nie mógł dosłyszeć ani słowa.
— Słyszałam — powiedziała siostra. — Nie jestem ślepa, prawda?
— Co chcesz najpierw obejrzeć? — zapytała Clarice. — Nasze robótki, Komnatę Korzeni czy Drzewo?

— Jeśli się nie mylę — przemówił w odpowiedzi Steerpike — dzieła igły pań znajdują się wokół na ścianach, a ujrzawszy je, że tak powiem, w okamgnieniu, zmuszony jestem powiedzieć, że przede wszystkim pragnąłbym przyjrzeć się im bliżej, potem zaś, jeśli można, z największą przyjemnością zobaczyć Komnatę Korzeni.

— „Dzieła igły pań", powiedział — wyszeptała Clarice głośnym, bezdźwięcznym szeptem wypełniającym pokój.

— Naturalnie — powiedziała siostra, ponownie wzruszywszy ramionami, a zwróciwszy twarz ku Steerpike'owi, wykrzywiła lekko ku górze prawy kącik pozbawionych wyrazu ust, co, choć równie niewesołe, jak krzywa warg zdechłego łupacza, Steerpike uznał za wskazówkę, że zarówno ona, jak i on są ponad tak *oczywistym* komplementem.

— Nim zacznę — powiedział Steerpike, kładąc na stole niewinnie wyglądającą laskę — czy mogę zapytać w mojej nieświadomości, dlaczego narażono panie na kłopot wydania polecenia, abym wszedł do pokoju? Z pewnością lokaj się zapomniał. Czemu nie było go przy drzwiach, by zapytać, kto chce panie odwiedzić i by podać paniom szczegóły, nim pozwolą panie tu wtargnąć? Proszę mi wybaczyć ciekawość, lecz gdzie podziewał się lokaj waszych wysokości? Czy życzą sobie panie, żebym z nim porozmawiał?

Siostry spojrzały na siebie, a potem na młodzieńca. Wreszcie Clarice powiedziała:
— Nie mamy lokaja.

Steerpike, który poprzednio specjalnie się odwrócił, zakręcił się na pięcie, po czym zrobił krok do tyłu jakby porażony.

— Nie ma lokaja! — powiedział, kierując wzrok ku Corze. Potrząsnęła głową. — Tylko starsza pani, która cuchnie — powiedziała. — Żadnego lokaja.

Podszedłszy do stołu i wsparłszy się o niego dłońmi, Steerpike spoglądał w przestrzeń.

— Ich wysokości Cora i Clarice Groan z Gormenghast nie mają lokaja — nie mają nikogo oprócz starszej pani, która cuchnie. Gdzież są ich służący? Gdzie są ich orszaki, gdzie ciżba służących? — Potem zaś tonem głośniejszym od szeptu: — To trzeba załatwić. To się musi skończyć. — Wyprostował się, cmoknąwszy językiem. — A teraz — powiedział żywszym tonem — robótki czekają.

Gdy obchodzili ściany, to, co powiedział Steerpike, poczęło ponownie zapładniać owe nasiona buntu zasiane u Prunesquallorów. Pochlebiając robótkom, obserwował siostry kątem oka i widział, że choć z wielką przyjemnością pokazywały swe dzieło, myśli ich stale powracały do poruszonej przez niego kwestii. — Robimy to wszystko lewą ręką, prawda, Coro? — powiedziała Clarice, wskazując brzydkiego zielono-czerwonego królika na zawiłym hafcie.

— Tak — powiedziała Cora — to długo trwa, dlatego że robimy to tak — lewą ręką. Mamy uschnięte prawe ręce — powiedziała, zwracając się do Steerpike'a. — Zupełnie, zupełnie uschnięte.

— Zaiste, wasza wysokość — powiedział Steerpike. — Jak to?

— Nie tylko lewe ręce — wtrąciła Clarice — lecz także całe lewe boki i prawe nogi. Dlatego są trochę sztywne. To te epileptyczne ataki, jakie miałyśmy. To dlatego i dlatego nasze robótki są tym bardziej zręczne.

— I piękne — powiedziała Cora.

— Muszę się z tym zgodzić — powiedział Steerpike.

— Lecz nikt ich nie ogląda — powiedziała Clarice. — Jesteśmy same. Nikt nie chce naszej rady ani niczego. Gertruda nie zwraca na nas uwagi, Sepulchrave też nie. Wiesz, co powinnyśmy mieć, prawda, Coro?

— Tak — powiedziała siostra — wiem.

— A więc co? — zapytała Clarice. — Powiedz. Powiedz.

— Władzę — powiedziała Cora.

— To prawda. Władzę. Tego właśnie chcemy. — Clarice zwróciła wzrok ku Steerpike'owi. Potem wygładziła połyskliwą purpurę sukni.

— Nawet je lubiłam — powiedziała.

Dziwiąc się, gdzie zawiodły ją myśli, Steerpike przechylił głowę, jakby zastanawiając się nad prawdziwością jej uwagi, gdy głos Cory (jak ciało płastugi przetransponowane w dźwięk) zapytał:

— Co nawet lubiłaś?

— Konwulsje — powiedziała Clarice z powagą. — Gdy lewa ręka uschła mi po raz pierwszy. *Pamiętasz*, Coro, prawda? Kiedy miałyśmy *pierwsze* ataki? Nawet je lubiłam.

Cora podeszła do niej z szelestem i podniosła palec wskazujący przed twarzą siostry. — Clarice Groan — powiedziała — dawno przestałyśmy o *tym* mówić. Teraz mówimy o władzy. Czemu nie nadążasz za tym, o czym mówimy? Zawsze się gubisz. Zauważyłam to.

— A co z Komnatą Korzeni? — zapytał z udaną wesołością Steerpike. — Czemu się nazywa Komnatą Korzeni? Jestem nadzwyczaj zaintrygowany.

— Czyż nie *wiesz*? — zabrzmiały ich głosy.

— Nie wie — powiedziała Clarice. — Widzisz, jak o nas zapomniano. Nie wiedział o naszej Komnacie Korzeni.

Steerpike niedługo pozostawał w nieświadomości. Podążył przez drzwi za dwoma purpurowymi kręglami, a minąwszy krótki korytarz, Cora otworzyła w przeciwległym krańcu masywne drzwi, których zawiasom przydałoby się po ćwiartce oliwy, i weszła do Komnaty Korzeni, a za nią siostra. Z kolei Steerpike przestąpił próg, a ciekawość jego została całkowicie zaspokojona.

Jeśli nazwa komnaty była niezwykła, była też bez wątpienia trafna. Była to z pewnością komnata korzeni. Nie paru prostych, oddzielnych tworów, lecz tysiąca rozgałęziających się, wijących się, skręcanych, splątanych, dzielących się, łączących, przeplatających się członów, których początku nawet bystre oczy Steerpike'a nie mogły przez pewien czas wyśledzić.

Stwierdził w końcu, że grubiejące korzenie zlewały się przy wysokim, wąskim otworze w przeciwległym krańcu komnaty, przez którego górną połowę niebo wlewało szare, bezkształtne światło. Z początku wydawało się, że niepodobna się było poruszać w tej splątanej sieci, jednakże Steerpike zdumiał się, widząc, że bliźniaczki swobodnie poruszają się w labiryncie. Lata doświadczenia nauczyły je możliwych dojść do okna. Dotarły już tam i wyglądały w wieczór. Steerpike spróbował pójść za nimi, lecz wkrótce zagubił się zupełnie w skłębionej plątaninie. Gdziekolwiek się zwrócił, wszędzie napotykał sieć dziwacznych ramion, które wznosiły się i opadały, zagłębiały i zahaczały, nieruchome, lecz pulsujące wężowymi rytmami.

A jednak korzenie były martwe. Kiedyś ziemia musiała wypełniać komnatę, lecz teraz nitkowate kończyny, zawieszone przeważnie w górnych partiach komnaty, bezsilnie chwytały powietrze. Mało że Steerpike znalazł komnatę opanowaną tak niestosownie, jeszcze dziwniejsze było, iż każda z owych skręconych końcówek była *ręcznie malowana*. Rozmaite główne człony i ich drewniane dopływy, do najmniejszego korzennego strumyczka, pomalowano specjalnymi barwami tak, iż zdawało się, że siedem barwnych pni wysuwało bezlistne gałęzie przez okno, żółty, czerwony i zielony, fioletowy i bladoniebieski, koralowy i pomarańczowy. Koncentracja wysiłku potrzebnego do wykonania tej pracy musiała być znaczna, nie mówiąc o niemal nadludzkich trudnościach i utrapieniach wynikających z prób ustalenia, pośród labiryntowego zagmatwania drobniejszych korzeni, który wąs należy do której odnogi, która odnoga do którego konaru, a który konar do którego pnia, gdyż odpowiednią barwę można było zastosować jedynie po odkryciu źródła.

Pomysł w tym był taki, że wlatujące ptaki powinny wybierać korzenie, których kolor najbardziej był zbliżony do ich upierzenia, lub też gnieździć się w korzeniach, których barwa uzupełniała ich barwę.

Praca ta zabrała siostrom przeszło trzy lata, a gdy dobiegła końca, zamiar, dla którego ją podjęły, okazał się płonny, Komnata Korzeni okazała się niewypałem, nadzieje zwiędły. Bliźniaczki nigdy nie przyszły do siebie po tym upokorzeniu. Prawda, że pokój, jako pokój, sprawiał im przyjemność, lecz to, że ptaki nie zbliżały się doń, nie mówiąc już o osiadaniu i gnieżdżeniu się, było piekącą raną w ich świadomości, na ile ją posiadały.

Dokuczliwemu rozczarowaniu przeciwstawiała się duma z tego, że w ogóle miały komnatę korzeni. I nie tylko korzenie, lecz logicznie biorąc, Drzewo, którego gałęzie przewodziły kiedyś pożywienie do najwyższych pędów i które dawno temu wytryskało co roku w kwietniu szmaragdowymi strumieniami. To Drzewo stanowiło ich główne źródło zadowolenia, dostarczając poczucia wyróżnienia, którego im odmawiano.

Odwróciwszy wzrok od gałęzi, zaczęły się rozglądać za Steerpike'em. Jeszcze się nie wyplątał. — Czy zechciałyby panie mi dopomóc? — zawołał, wyglądając spoza gmatwaniny purpurowych korzonków.

— Dlaczego nie podejdziesz do okna? — zapytała Clarice.

— Nie może znaleźć drogi — powiedziała Cora.

— Czyżby? Nie wiem, dlaczego — powiedziała Clarice.

— Bo nie może — odparła Cora. — Idź i pokaż mu.

— W porządku. Ale musi być bardzo głupi — orzekła Clarice, idąc pomiędzy gęstymi ścianami korzeni, które zdawały się otwierać przed nią i zamykać poza nią. Dotarłszy do Steerpike'a, przeszła obok i jedynie następując jej nieomal na pięty był w stanie przedostać się do okna. Przy oknie było więcej miejsca, gdyż siedem pni wciskających się przez jego dolną połowę wsuwało się na cztery stopy w głąb komnaty, nim zaczęły się dzielić i rozdrabniać. Obok okna znajdowały się stopnie wiodące na niewielki podest spoczywający na grubych poziomych pniach.

— Wyjrzyj — powiedziała Cora tuż po nadejściu Steerpike'a —
a je zobaczysz.

Wspiąwszy się na schody, Steerpike ujrzał główny pień drzewa
wypływający poziomo w przestrzeń i wystrzelający na ogromną
wysokość, i rozpoznał w nim drzewo, któremu się przyglądał ze
szczytów dachów, pół mili stąd, w pobliżu podniebnego kamiennego pola.

Ujrzał, że to, co wówczas wydało mu się niebezpiecznym ba-
lansowaniem odległych postaci, było w istocie dość bezpieczne,
gdyż pień miał górną powierzchnię dogodnie płaską. Osiągnąwszy punkt, gdzie wznosił się i rozgałęział, drewniany gościniec
rozszerzał się na przestrzeni, która mogła z łatwością pomieścić
dziesięciu lub dwunastu ludzi w zbitej gromadzie.

— Z pewnością *drzewo* — powiedział. — Jestem za tym. Czy jest
uschłe, odkąd je panie pamiętają?

— Oczywiście — odparła Clarice.

— Nie jesteśmy *takie* stare — powiedziała Cora, a ponieważ był
to jej pierwszy żart od przeszło roku, próbowała się uśmiechnąć,
lecz mięśnie jej twarzy stały się nie do użytku z powodu długiego
zaniedbania.

— Nie takie stare jak co? — spytała Clarice.

— Nie rozumiesz — powiedziała Cora. — Jesteś znacznie bardziej tępa niż ja. Zauważyłam to.

PRZECZUCIE CHWAŁY

— Chcę się napić herbaty — powiedziała Clarice i wskazując drogę, jeszcze raz odbyła cudowną podróż przez komnatę, Steerpike następował jej na pięty jak cień, a Cora podążyła innym szlakiem.

Znalazłszy się z powrotem w stosunkowo normalnym salonie, gdzie staruszka zapaliła tymczasem świece, usiedli przy kominku, a Steerpike zapytał, czy może zapalić. Spojrzawszy na siebie, Cora i Clarice wolno skinęły głowami, a Steerpike nabił fajkę i rozniecił ją czerwonym węgielkiem.

Clarice pociągnęła uprzednio za sznur wiszący na ścianie, teraz więc, gdy siedzieli półkolem przy ogniu, Steerpike pośrodku, drzwi na prawo otworzyły się i do pokoju weszła starsza, ciemnoskóra pani, o bardzo krótkich nogach i krzaczastych brwiach.

— Herbata, jak przypuszczam — powiedziała podziemnym głosem zdającym się wydobywać z pokoju na dole. Potem spostrzegła Steerpike'a, wierzchem dłoni wytarła nieprzyjemny nos, nim wyszła, zamykając za sobą drzwi z hukiem eksplozji. Hafty zatrzepotały w przeciągu, jaki to spowodowało, po czym opadły bezwładnie na ściany.

— To zbyt wiele — powiedział Steerpike. — Jak panie to mogą znieść?

— Co znieść? — spytała Clarice.

— Czy to znaczy, dostojne panie, że panie przyzwyczaiły się do traktowania w ten bezceremonialny i zuchwały sposób? Czy nie dbają panie o to, że obraża się i lekceważy naturalną i dziedziczną godność pań — kiedy pospolita staruszka trzaska drzwiami i odzywa się tak, jakby znajdowały się panie na tym samym nikczemnym poziomie? Jak może krew Groanów, krążąca tak dumnie i tak nie rozwodniona w żyłach pań, pozostawać tak spokojna? Czemuż nie zawrze natychmiast purpurowym gniewem? — Urwał na chwilę i pochylił się mocniej do przodu.

— Wasze ptaki skradła Gertruda, żona waszego brata. Wasza oddana praca wśród korzeni, która owocowałaby teraz, gdyby nie ta kobieta, okazała się fiaskiem. Nawet o waszym Drzewie zapomniano. Ja o nim nie *słyszałem*. Dlaczego o nim nie słyszałem? Ponieważ panie i wszystko, co panie posiadają, odsunięto, zapomniano, zaniedbano. Niewiele jest osób w szlachetnej i starożytnej rodzinie pań w Gormenghast, by sprawować odwieczne obrzędy, a jednak obie panie, które mogłyby podtrzymywać je sumienniej niż ktokolwiek, lekceważy się przy każdej okazji.

Bliźniaczki przyglądały mu się bardzo uważnie. Gdy zamilkł, spojrzały na siebie. Słowa jego, choć czasem dla nich zbyt lotne, przekazały jednakże wywrotową treść. Ustami obcego wydobyto na jaw i sformułowano ich dawne bolączki i krzywdy.

Staruszka o krótkich nogach powróciła z tacą, którą umieściła przed nimi z minimalnym szacunkiem. Odczłapawszy nieelegancko, obróciła się w drzwiach, by przyjrzeć się ponownie gościowi, wycierając nos, jak poprzednio, wierzchem dużej dłoni.

Gdy wreszcie zniknęła, Steerpike pochylił się ku przodowi i powiedział, zwracając się po kolei ku Corze i Clarice i przeszywając je tajemniczym i skupionym wzrokiem:

— Czy wierzą panie w honor? Proszę mi odpowiedzieć, wasze wysokości, czy wierzą panie w honor?

Skinęły odruchowo głowami.

— Czy wierzą panie, że niesprawiedliwość powinna panować na zamku?

Potrząsnęły głowami.

— Czy wierzą panie, że nie powinno się jej zahamować — że powinna kwitnąć bez słusznej kary?

Clarice, która zgubiła wątek ostatniego pytania, wstrzymała się, póki nie ujrzała, że Cora potrząsa głową, po czym postąpiła tak samo.

— Innymi słowy — powiedział Steerpike — sądzą panie, że coś należy *zrobić*. Coś, by złamać tę tyranię.

Ponownie skinęły głowami, a Clarice nie mogła pohamować zadowolenia, że jak dotąd nie popełniła błędu w zaprzeczeniach i potakiwaniach.

— Czy mają panie jakieś pomysły? — zapytał Steerpike. — Jakieś sugestie?

Natychmiast potrząsnęły głowami.

— W takim razie — rzekł Steerpike, wyciągając nogi i krzyżując stopy — czy mogę poddać sugestię, wasze wysokości?

Znów zwrócił się przypochlebnie do każdej po kolei po zgodę. Jedna po drugiej przytaknęły poważnie, siedząc wyprostowane w fotelach.

Tymczasem herbata i gorące bułeczki stygły, ale wszyscy troje zapomnieli o nich.

Steerpike podniósł się i stanął plecami do ognia, by móc je obie obserwować równocześnie.

— Łaskawe panie — zaczął — otrzymałem informację wielkiej wagi. Informacja ta łączy się z nieprzyjemnym tematem, z jakim zmuszeni jesteśmy mieć do czynienia. Proszę o całkowite skupienie; lecz przede wszystkim zadam paniom pytanie: kto ma niekwestionowaną kontrolę nad Gormenghast? Kto, mając tę władzę, nie używa jej, lecz pozwala, by wielkie tradycje zamku odpływały, zapominając, że jego własne siostry są jego krwi i jego rodu i mają prawo do hołdu i — jak by to powiedzieć? — tak, także do pochlebstwa. Kto jest tym człowiekiem?

— Gertruda — odpowiedziały. — No, no — powiedział Steerpike, unosząc brwi — kto to jest ten, co zapomina o własnych siostrach? Kto to, wasze wysokości?

— Sepulchrave — powiedziała Cora.

— Sepulchrave — zawtórowała Clarice.

Były już podniecone i podekscytowane, choć tego nie okazywały, straciły więc panowanie nad tą odrobiną rozwagi, jaką posiadały. Chłonęły każde słowo wypowiedziane przez Steerpike'a. — Lord Sepulchrave — powiedział Steerpike. Po chwili podjął. — Gdyby nie były panie jego siostrami, nie należały do rodziny, jakże bym śmiał mówić w taki sposób o panu na Gormenghast? Lecz obowiązkiem moim jest uczciwość. Lady Gertruda lekceważy panie, lecz któż mógłby temu zaradzić? Kto, jeśli nie brat pań, ma ostateczną Władzę? W moich staraniach, by przywrócić paniom należne im miejsce i sprawić, by to południowe skrzydło zaroiło się ponownie od służby pań, należy pamiętać, że trzeba liczyć się z samolubnym bratem pań.

— *Jest* samolubny, jak wiesz — powiedziała Clarice.

— Oczywiście — poparła ją Cora. — Zupełnie samolubny. Co mamy zrobić? Powiedz! Powiedz!

— We wszelkich bitwach, czy to umysłów, czy na wojnie — powiedział Steerpike — pierwszą rzeczą jest przejąć inicjatywę i silnie uderzyć.

— Tak — powiedziała Cora, która przesunęła się na brzeg fotela i gładziła gładkie, heliotropowe kolana szybkimi, ciągłymi ruchami, co Clarice naśladowała.

— Należy wybrać, *gdzie* uderzyć — powiedział Steerpike — i oczywiste, że najprzebieglejszy wstępny krok to uderzenie w najsłabszy ośrodek nerwowy przeciwnika. Lecz nie może być niezdecydowania. Wszystko lub nic.

— Wszystko lub nic — zawtórowała Clarice.

— A teraz musicie mi powiedzieć, drogie panie, jakie są główne zainteresowania brata pań?

Nadal wygładzały kolana.

— Czy nie literatura? — spytał Steerpike. — Czyż nie jest wielkim miłośnikiem książek?

Przytaknęły.

— Jest bardzo mądry — powiedziała Cora.

— Ale wyczytuje to w książkach — powiedziała Clarice.

— Właśnie — podjął szybko Steerpike. — A więc gdyby utracił książki, byłby pokonany. Gdyby zniszczyć jądro jego życia, stałby się jedynie skorupą. Tak jak ja to widzę, szanowne panie, nasz pierwszy cios musi być wymierzony w bibliotekę. Muszą panie odzyskać swoje prawa — dodał porywczo. — Sprawiedliwość wymaga, by panie odzyskały swe prawa. — Zrobił dramatyczny krok w kierunku Lady Cory Groan, podniósł głos: — Lady Coro Groan, zgadza się pani z tym?

Cora, siedząca w podnieceniu na samym brzegu krzesła, wstała i przytaknęła głową tak gwałtownie, że rozburzyła włosy.

Clarice, zapytana, poszła w ślady siostry, Steerpike ponownie więc zapalił fajkę od ognia i wsparł się na chwilę o parapet nad kominkiem, wypuszczając wieńce dymu spomiędzy wąskich warg.

— Wielce mi panie pomogły, szanowne panie — powiedział wreszcie, pociągając z krótkiej fajeczki i śledząc kółko dymu płynące pod sufit. — Jestem przekonany, że są panie gotowe, w imię swego honoru, wesprzeć mnie w walce o swe wyzwolenie. — Z poruszeń ich przycupniętych ciał wywnioskował, że się z nim zgadzają.

— Pytanie, które się wyłania — powiedział Steerpike — to jak pozbyć się książek brata pań, by w ten sposób uświadomić mu jego obowiązki? Jak panie sądzą, jaka jest oczywista metoda zniszczenia pełnej książek biblioteki? Czy były panie ostatnio w jego bibliotece?

Potrząsnęły głowami.

— Jak by pani postąpiła, Lady Coro? Jakiej metody użyłaby pani, by zniszczyć sto tysięcy książek?

Wyjąwszy fajkę z ust, Steerpike przyglądał się jej uważnie.

— Spaliłabym je — powiedziała Cora.

Steerpike chciał, żeby to właśnie powiedziała; jednakże potrząsnął głową. — To byłoby trudne. Czym moglibyśmy je spalić?

— Ogniem — powiedziała Clarice.

— Ale jak rozniecilibyśmy ogień, Lady Clarice? — powiedział Steerpike, udając zakłopotanie.

— Słomą — powiedziała Cora.

— To prawdopodobne — powiedział Steerpike, gładząc podbródek. — Zastanawiam się, czy *pani* pomysł działałby dostatecznie szybko? Sądzi pani, że tak?

— Tak, tak! — powiedziała Clarice. — Słoma pięknie się pali.

— Ale czy książki się zajmą — upierał się Steerpike — tylko od tego? Musiałoby być jej bardzo dużo. Czy byłoby to dostatecznie szybkie?

— Po co się spieszyć? — zapytała Cora.

— Należy to zrobić szybko — powiedział Steerpike — bo w przeciwnym razie ktoś wścibski może ugasić płomienie.

— Uwielbiam pożary — powiedziała Clarice.

— Ale nie powinniśmy spalić biblioteki Sepulchrave'a, nieprawdaż?

Steerpike przewidywał, że wcześniej czy później któraś z nich odczuje wyrzuty sumienia i zachował na to swą atutową kartę.

— Lady Coro — powiedział — czasem musi się robić rzeczy przykre. Gdy w grę wchodzą wielkie sprawy, nie można igrać z sytuacją w jedwabnych rękawiczkach. Nie. Stwarzamy historię i musimy być mężni. Czy przypominają sobie panie, że przyszedłszy tu, powiedziałem, iż otrzymałem informację? Tak? A więc wyjawię teraz to, co doszło do mych uszu. Proszę zachować spokój i równowagę; proszę pamiętać o tym, kim panie są. Będę pilnował interesów pań, proszę się nie obawiać, ale w tej chwili proszę uprzejmie usiąść i posłuchać.

Mówią mi panie, że traktowano je źle przy tej czy owej okazji, lecz proszę posłuchać o najnowszym skandalu, który powtarzają w pomieszczeniach służby. „Nie zaproszono *ich*" — mówią wszyscy. — „Nie zaproszono *ich*".

— Na co nie zaproszono? — spytała Clarice.

— Albo gdzie? — dodała Cora.

— Na wielkie zgromadzenie, które zwołuje brat pań. Na tym wielkim zgromadzeniu przedyskutuje się szczegóły przyjęcia na cześć nowego dziedzica Gormenghast, bratanka pań, Tytusa.

Przyjdą wszyscy ważni. Nawet Prunesquallorowie przyjdą. Po raz pierwszy od wielu lat brat pań okazał się tak światowy, by zwołać członków rodu. Powiada się, że pragnie omówić wiele spraw w związku z Tytusem, i moim zdaniem to wielkie zgromadzenie za tydzień będzie pierwszorzędnej wagi. Nikt nie wie dokładnie, co zamyśla Lord Sepulchrave, ale ogólna myśl jest taka, że już teraz trzeba rozpocząć przygotowania do przyjęcia w pierwszą rocznicę urodzin syna.

Nie chciałbym przesądzać, czy zaproszą panie na owo przyjęcie, lecz wnosząc z uwag, jakie słyszałem, jak obie panie odsunięto i zapomniano niczym stare buciki, powiedziałbym, że jest to wysoce nieprawdopodobne.

Jak panie widzą — powiedział Steerpike — nie próżnowałem. Przysłuchiwałem się i oceniałem sytuację, a moje trudy okażą się owocne pewnego dnia — gdy ujrzę was, moje drogie panie, po obu krańcach stołu pełnego znakomitych gości, gdy usłyszę brzęk kieliszków i oklaski witające każdą uwagę pań, wówczas pogratuluję sobie, że dawno temu miałem dość wyobraźni i bezlitosnego realizmu, by posuwać się w niebezpiecznym dziele wydźwignięcia pań na należny im szczebel.

Dlaczego nie zaproszono pań na przyjęcie? Dlaczego? Dlaczego? Kimże jesteście, by tak was odtrącano i by drwili z was najpodlejsi słudzy w kuchni Sweltera?

Steerpike urwał, widząc, że jego słowa odniosły ogromny skutek. Clarice przeszła na krzesło Cory, gdzie siedziały teraz razem, wyprostowane, tuż przy sobie.

— Gdy niedawno zasugerowała pani z taką przenikliwością, że jedynym rozwiązaniem tej nieznośnej sytuacji jest zniszczenie pokaźnej biblioteki brata, odczułem, że ma pani słuszność i że jedynie poprzez śmiałą akcję tego rodzaju będą panie mogły znowu podnieść głowy w poczuciu, że usunięto plamę na honorze pań. Ten pomysł pani świadczy o geniuszu. Zaklinam panie, by uczyniły panie wszystko, co w poczuciu pań idzie w parze z honorem i dumą. Nie są panie stare, och, nie, nie są panie stare. Ale czy są panie młode? Chciałbym mieć odczucie, że przyszłe lata pań wypełnią olśniewające dnie i romantyczne noce. Czy tak będzie? Czy zrobimy krok ku sprawiedliwości? Tak lub nie, drogie panie, tak lub nie.

Powstały razem. — Tak — powiedziały — chcemy znowu władzy.

— Chcemy znowu służby i znowu sprawiedliwości i wszystkiego — powiedziała powoli Cora, a kontrapunkt silnego podniecenia przewijał się przez obojętny pierwszy plan jej głosu.

— I romantyczne noce — powiedziała Clarice. — To by mi się podobało. Tak, tak. Spalić! Spalić! — ciągnęła głośno, a jej płaska pierś zaczęła wznosić się i opadać jak maszyna. — Spalić! Spalić! Spalić!

— Kiedy? — powiedziała Cora. — Kiedy możemy ją spalić?

Steerpike podniósł dłonie, by je uspokoić. Lecz nie zwracały na niego uwagi, pochylone do przodu, trzymając się za ręce, krzyczały okropnym, pozbawionym uczucia głosem:

— Spalić! Spalić! Spalić! Spalić! Spalić! — aż do wyczerpania.

Steerpike nie ugiął się w tej próbie. Zdał sobie teraz lepiej sprawę, dlaczego wykluczano je ze zwykłych czynności zamku. Wiedział, że są tępe, lecz nie przypuszczał, by mogły się tak zachować.

Zmienił ton.

— Proszę usiąść! — powiedział bez namysłu. — Obie panie. Proszę usiąść!

Posłuchały od razu, mimo że przeraził je bezceremonialny charakter rozkazu, widział więc, że panuje nad nimi całkowicie, a choć skłaniał się ku temu, by pokazać moc rozkazywania i po raz pierwszy skosztować złowieszczych rozkoszy władzy, odezwał się do nich łagodnie — gdyż bibliotekę należało spalić przede wszystkim z jego własnych powodów. Potem, trzymając je tak straszliwie w ręku, będzie mógł odprężyć się na trochę i rozkoszować się słodką dyktaturą w południowym skrzydle.

— Za sześć dni, proszę pań — powiedział, bawiąc się złotym łańcuchem — w wieczór przed wielkim zgromadzeniem, na które pań nie zaproszono — biblioteka będzie pusta i będą panie mogły spalić ją doszczętnie. Ja przygotuję materiały zapalające i później pouczę panie o szczegółach; lecz w ów wielki wieczór na mój sygnał podłożą panie natychmiast ogień pod paliwo i natychmiast odejdą do tego pokoju.

— Czy nie możemy popatrzeć, jak się pali? — zapytała Cora.

— Tak — powiedziała Clarice — nie możemy?

— Z Drzewa — powiedział Steerpike. — Czy chcą panie, by je przyłapano?

— Nie! — odrzekły. — Nie! Nie!

— A więc mogą się panie przyglądać z Drzewa, całkiem bezpiecznie. Ja zostanę w lesie, by przypilnować, żeby wszystko dobrze poszło. Rozumieją panie?

— Tak — powiedziały. — Będziemy miały wtedy władzę, prawda?

Warga Steerpike'a uniosła się w obliczu nieświadomej ironii, lecz powiedział:

— Wasze wysokości będą wtedy miały władzę. — I zbliżywszy się do nich po kolei, ucałował im koniuszki palców. Zabrawszy laskę ze stołu, podszedł do drzwi, gdzie się ukłonił.

Nim je otworzył, powiedział: — Tylko my o tym wiemy. Tylko my o tym będziemy wiedzieć, prawda?

— Tak — powiedziały. — Tylko my.

— Powrócę za dzień lub dwa — rzekł Steerpike — i podam szczegóły. Należy ratować honor pań.

Nie życząc dobrej nocy, otworzył drzwi i zniknął w ciemności.

„PRZYGOTOWANIA DO PODPALENIA"

Pod byle jaką wymówką Steerpike był nieobecny u Prunesqual-lorów przez większą część następnych dwóch dni. Choć dokonał wiele w tym krótkim okresie, jądrem tych czynności były trzy potajemne wyprawy do biblioteki. Trudność polegała na tym, by przejść nie zauważonym przez otwartą przestrzeń do szpilkowego lasu. Gdy się już znalazło w lesie, pośród sosen, niebezpieczeństwo było mniejsze. Zdawał sobie sprawę, jak mogłoby się okazać zgubne, gdyby go dostrzeżono w sąsiedztwie biblioteki, tuż przed pożarem. Na pierwszym z tych rekonesansów, po odczekaniu w cieniu południowego skrzydła, zanim pomknął przez zarośnięte ogrody ku polom graniczącym z sosnami, zebrał potrzebne informacje. Po godzinie cierpliwego skupienia udało mu się otworzyć drzwi biblioteki kawałkiem drutu, po czym wszedł do cichej sali, by zbadać strukturę budynku. Było jakieś odosobnienie w opustoszałej sali. Choć mroczna i posępna wieczorem, wolna była od pustki straszącej tu we dnie. Krążąc po niej, Steerpike wyczuwał uporczywą ciszę tego miejsca, a zapamiętując możliwości podpalenia nieraz oglądał się za siebie zza wysokich barków.

Badanie było wyczerpujące, a opuściwszy wreszcie budynek, oszacował dokładnie naturę zagadnienia. Należało dostarczyć lin z nasyconych naftą tkanin i umieścić je za książkami, gdzie mogły się ciągnąć nie zauważone z jednego końca sali w drugi. Obiegłszy bibliotekę, mogły poprowadzić przez schody i wzdłuż balkonu. Położenie tych skręconych lin (jakie niełatwo zdobyć bez wzbudzenia podejrzeń) było cierpliwym zadaniem na te wczesne poranne godziny po odejściu na zamek Lorda Sepulchrave'a. Przy drugiej wizycie zawlókł się o północy pod ogromnym tłumokiem szmat i bańki z naftą do sosnowego lasu, a czekając na wyjście Lorda Sepulchrave'a z budynku, zajmował się skręcaniem rozmaitych skradzionych tkanin w liny długości co najmniej czterdziestu stóp.

Ujrzawszy wreszcie, że jego wysokość wyszedł przez boczne drzwi i usłyszawszy, jak jego powolne, melancholijne kroki, cichną na ścieżce wiodącej ku Wieży Krzemieni, powstał i przeciągnął się.

Ku jego zmartwieniu, sondowanie zamka zajęło więcej czasu niż ostatnio, była więc czwarta nad ranem, nim otworzył drzwi.

Na szczęście ciemne jesienne poranki sprzyjały mu, miał więc całe trzy godziny. Zauważył uprzednio, że z zewnątrz nie widać światła, zapalił tedy lampę pośrodku sali.

Steerpike był nadzwyczaj systematyczny, obchodząc więc bibliotekę dwie godziny później, był bardzo zadowolony. Nie można było dostrzec ani śladu jego dzieła poza miejscem, gdzie cztery końce materiału zwisały luźno obok głównych, nie używanych drzwi budynku. Te kawałki były końcówkami czterech sznurów opasujących bibliotekę i balkon i miał się nimi zająć.

Jedyną rzeczą, która kazała mu się chwilę zastanowić, był słaby zapach nafty, w której namoczył ściśle skręconą tkaninę.

Skupił teraz uwagę na czterech sznurach i splótłszy je w jedną linę, zakończył węzłem. W jakiś sposób należy wyprowadzić tę linę przez drzwi na zewnątrz. Podczas ostatniej wizyty znalazł wreszcie jedyne rozwiązanie poza wycięciem otworu w grubej ścianie i w dębowej framudze półek. Oczywiście, było to zbyt pracochłonne. Alternatywą, na którą się zdecydował, było wywiercenie zgrabnej dziury w drzwiach tuż pod dużą klamką, w cieniu której pozostawałaby niewidoczna, chyba żeby badano dokładnie. Na szczęście znajdował się tam pulpit do czytania, w kształcie rzeźbionej podpórki o trzech krótkich cebulkowatych nogach. Podpórka owa podtrzymywała pochyły blat wielkości stolika. Mebel ten stał bezużytecznie obok głównych drzwi. Przez przesunięcie go odrobinę na prawo, skręcony szmaciany sznur znikał w ciemności, a choć wykrycie go nie było niemożliwe, to jednak zarówno takie ryzyko, jak i ryzyko zauważenia słabego zapachu nafty dawały się usprawiedliwić.

Przyniósł ze sobą potrzebne narzędzia, a choć drewno dębowe było twarde, przewiercił je w pół godziny. Prześliznął sznur przez dziurę i zmiótł trociny nagromadzone na podłodze.

Był już naprawdę zmęczony, lecz raz jeszcze obszedł bibliotekę, nim zgasił lampę i wyszedł bocznymi drzwiami. Znalazłszy się na zewnątrz, skierował się w prawo i okrążywszy sąsiedni mur, dotarł do głównych drzwi budynku. Ponieważ wejścia tego nie używano od wielu lat, wiodące ku niemu stopnie były niewidoczne pod zimnym morzem pokrzyw i olbrzymich chwastów. Przebrnąwszy przez nie, ujrzał koniec sznura zwisający poprzez wywierconą przez niego ziejącą dziurę. Połyskiwał biało, zakrzywiony jak martwy palec. Otworzywszy ostry nożyk, przeciął skręconą tkaninę tak, że wystawała ona tylko na dwa cale, a dla zapobieżenia wyśliznięciu się tego koniuszka przez dziurę, przybił tkaninę gwoździkiem, używając do tego rękojeści noża.

Praca na tę noc wydawała się zakończona, zatrzymawszy się więc jedynie, by ukryć w lesie bańkę z naftą, powrócił do Prunesquallorów, gdzie wyszedłszy od razu na górę do swego pokoju, zwinął się w łóżku, tak jak był, w ubraniu, i zasnął natychmiast.

Jego trzecia wyprawa do biblioteki, druga za dnia, miała inny cel. Jak można było przypuszczać, dziecinny pomysł spalenia przybytku Lorda Sepulchrave'a nie pociągał go. W pewnym sensie go przerażał. Nie ze względu na wyrzuty sumienia, lecz ponieważ jakiekolwiek zniszczenie sprawiało mu przykrość. To znaczy, zniszczenie rzeczy nieożywionej, a dobrze skonstruowanej. Nie troszczył się tak o żywe istoty, lecz przejawiał podniecone zainteresowanie dla dobrze zrobionego przedmiotu, obojętnego charakteru, czy był to miecz, zegarek czy książka. Lubił rzecz mądrze pomyślaną i zręcznie zrobioną, zatem pomysł zniszczenia tylu pięknie oprawionych i drukowanych tomów rozgniewał go przeciw samemu sobie i jedynie wówczas, gdy intryga tak dojrzała, że nie mógł się już ani wycofać, ani przeciwstawić, zaczął działać zdecydowanie. Osią podstępu było, że to właśnie bliźniaczki własnymi rękami podłożą ogień w budynku. Zbyt był zaabsorbowany korzyściami z faktu bycia jedynym świadkiem tego czynu, by się zastanawiać w tych okolicznościach.

Ciotki nie zdawały sobie oczywiście sprawy z tego, że podłożą ogień pod bibliotekę pełną ludzi; ani z tego, że będzie to wieczór wielkiego zgromadzenia, na które, jak im powiedział Steerpike, miano ich nie zaprosić. Młodzieniec zatrzymał był Nianię Slagg w drodze do ciotek i zapytał, czy nie mógłby zaoszczędzić jej nóg, sam zanosząc wiadomość. Z początku nie miała ochoty wyjawić charakteru swego posłania, lecz gdy wreszcie przekazała to, czego się domyślał, obiecał, że natychmiast powiadomi je o zgromadzeniu, i udawszy, że idzie w ich stronę, powrócił do Prunesquallorów akurat w porze obiadu. Następnego ranka powiedział bliźniaczkom, że ich nie zaproszono.

Gdy Cora i Clarice zapalą sznur przy głównych drzwiach biblioteki i ogień zacznie rozkwitać, będzie musiał być tak rzutki jak węgorz na wędce.

Steerpike sądził, że uratowanie dwóch pokoleń rodu Groan od śmierci w płomieniach powinno mu się bardzo przydać, a ponadto zadomowi się na dobre w południowym skrzydle u ich wysokości Cory i Clarice, które po takim wydarzeniu będą mu jadły z ręki, choćby ze strachu, że może wyjawić ich winę.

Ratunek pociągnie za sobą pytanie, jak wybuchł pożar. Będzie na ten temat tak samo niewiele wiedział jak każdy, zobaczy jedynie łunę na niebie podczas zdrowotnego spaceru wzdłuż południowego skrzydła. Prunesquallorowie potwierdzą, że zwykł przechadzać się o zachodzie słońca. Bliźniaczki będą z powrotem w swym pokoju, zanim wieść o pożarze dotrze do zamku.

Trzecia wizyta Steerpike'a w bibliotece miała na celu zaplanowanie ratunku. Pierwszą rzeczą będzie, oczywiście, przekręcić klucz i wyjąć go z drzwi po wejściu wszystkich do budynku, a ponieważ Lord Sepulchrave miał wygodny zwyczaj pozostawiania go w zamku aż do chwili, gdy wyjmował go, udając się na spoczynek, nie powinno więc być z tym trudności. Było nieuniknione, że będzie się później zadawać takie pytania, jak „kto przekręcił klucz?" i „w jaki sposób zniknął?", lecz był pewien, iż z dobrze przećwiczonym alibi dla siebie i dla bliźniaczek i przy powiadomieniu Prunesquallorów, że właśnie tego wieczora wybiera się na przechadzkę, podejrzenia nie skupią się na nim bardziej niż na kimkolwiek innym. Z pomniejszymi problemami, jakie mogą się wyłonić w przyszłości, będzie się rozprawiać w przyszłości.

Znacznie bardziej nie cierpiące zwłoki było pytanie: Jak uratować rodzinę Groanów w sposób stosunkowo mało niebezpieczny dla siebie, a jednak dostatecznie dramatyczny, by wywołać największy podziw i wdzięczność?

Oględziny budynku wykazały, że nie miał wielkiego wyboru — w istocie, poza wyłamaniem w ostatniej chwili jakimś nadludzkim wysiłkiem którychś drzwi lub wybiciem otworu w dużym świetliku w dachu, którędy byłoby zbyt trudno i zbyt niebezpiecznie ratować uwięzionych, pozostawało tylko jedyne okno, piętnaście stóp nad ziemią.

Zdecydowawszy skoncentrować się na oknie, rozważył rozmaite sposoby ratunku. Przede wszystkim musi wyglądać na to, że oswobodzenie było rezultatem spontanicznej decyzji od razu wprowadzonej w czyn. Nie było takie ważne, czy się go będzie podejrzewać, choć nie sądził, by tak było; ważne, by nie można było później udowodnić, że coś było z *góry przygotowane*.

Okno, wielkości około czterech stóp kwadratowych, obficie oszklone, znajdowało się ponad głównym wejściem. Trudność oczywiście polegała na tym, jak uwięzieni mieli dostać się do okna z wewnątrz i jak Steerpike miał wspiąć się po zewnętrznym murze, aby stłuc szybę i się w niej ukazać.

Oczywiście, nie wolno mu mieć przy sobie czegokolwiek, czego by zazwyczaj z sobą nie nosił. To, czego użyje do wybicia otworu, musi być czymś bez namysłu schwyconym przed biblioteką lub pośród sosen. Na przykład drabina od razu wzbudziłaby podejrzenia, a jednak potrzebował czegoś w tym rodzaju. Przyszło mu na myśl, że oczywistym rozwiązaniem było nieduże drzewo, zaczął więc szukać czegoś zbliżonej długości, zwalonego, gdyż wiele sosen, wyciętych pod budowę biblioteki i przyległych budynków, widać było na pół zagrzebanych w ziemi grubo pokrytej igliwiem. Nie trwało długo, nim znalazł prawie idealny okaz tego, czego szukał. Było długie na jakieś dwanaście czy piętnaście stóp, a większość bocznych gałęzi złamano bardzo blisko pnia, tak że pozostały kikuty wahające się od trzech cali do jednej stopy. Oto — powiedział do siebie Steerpike — ta właśnie rzecz.

Trudniej było znaleźć drugie, lecz w końcu wytropił je w pewnej odległości od biblioteki. Leżało w wilgotnej kotlinie pełnej paproci. Przywlókłszy je pod mur biblioteki, oparł obie sosny o główne drzwi, tuż poniżej jedynego okna. Otarłszy pot z wystającego czoła, zaczął się po nich wspinać, odłamując gałęzie zbyt słabe, by utrzymać Lady Groan, która będzie najcięższa pośród uwięzionych. Odciągnąwszy je od muru po dokonaniu tych drobnych poprawek i po upewnieniu się, że „drabiny" są zarówno użyteczne, jak i *naturalne*, pozostawił je na skraju lasu, gdzie leżało w nieładzie wiele powalonych sosen, i zaczął rozglądać się za czymś, czym mógłby stłuc okno. U podnóża przyległego budynku znajdowało się wiele omszałych brył kamienia, które odpadły od ścian. Zaniósł parę na miejsce oddalone o kilka jardów od „drabin". Gdyby podejrzewano go później i stawiano pytania, w jaki sposób tak poręcznie znalazł drabiny i ułamek muru, będzie mógł wskazać na stertę na pół ukrytych kamieni i zwały drzew. Zamknąwszy oczy, Steerpike próbował wyobrazić sobie tę scenę. Widział, jak próbuje w zapamiętaniu otworzyć drzwi, szarpiąc klamki i waląc w drzewo. Słyszał, jak krzyczy: „Czy jest tam ktoś?" i stłumione okrzyki z wewnątrz. Może będzie wrzeszczał: „Gdzie jest klucz? Gdzie jest klucz?" lub takie rycerskie zachęty, jak „Jakoś was wydostanę". Potem skoczy do głównych drzwi i waląc w nie kilkakrotnie, wyda jeszcze kilka okrzyków, nim przywlecze „drabiny", gdyż do tego czasu ogień rozpali się już na dobre. Albo też nic takiego nie zrobi, po prostu pojawi się im jak odpowiedź na modły, w samą porę. Wyszczerzył się w uśmiechu.

Jedyna przyczyna, czemu nie oszczędzał sobie zarówno czasu, jak wysiłku przez oparcie „drabin" o mur po wejściu ostatniego gościa do biblioteki, tkwiła w tym, że spostrzegłyby je bliźniaczki, wykonując swe zadanie. Nieodzowne było, by nie podejrzewały, że ktoś znajduje się w bibliotece, nie mówiąc już, by nie domyśliły się przygotowań Steerpike'a.

Przy tej ostatniej ze swych trzech wizyt w bibliotece jeszcze raz otworzył zamek bocznych drzwi i zbadał gruntownie swe dzieło. Lord Sepulchrave był tu jak zwykle poprzedniej nocy, lecz niczego nie podejrzewał. Wysoki pulpit znajdował się tam, gdzie go zostawił, zasłaniając widok i rzucając głęboki cień na klamkę głównych drzwi, spod której skręcone szmaty ciągnęły się jak naprężona lina na odcinku dwóch stóp do skraju długich półek. Nie wyczuwał teraz zapachu nafty, a choć oznaczało to, że się ulatniała, wiedział, że nadal będzie bardziej łatwopalna niż suche szmaty.

Przed wyjściem wybrał pół tuzina tomów z mniej widocznych półek i ukrył je w drodze powrotnej w sosnowym lesie, a następnej nocy zabrał z deszczoodpornego gniazda z igliwia w spróchnia-łym pniu uschłego modrzewia. Trzy z owych tomów były oprawne w welin i wybornie zdobione złotem, więc po powrocie do Prunesquallorów owego wieczoru stwierdził z przykrością, że trzeba było zrobić dla nich schludne okładki z brązowego papieru i wymazać herb Groanów z pierwszych kart.

Dopiero po zadowalającym zakończeniu tych nikczemnych czynności Steerpike ponownie odwiedził ciotki i raz jeszcze po-uczył je o bardzo prostych rolach podpalaczek. Postanowił, że za-miast mówić Prunesquallorom, że wychodzi na spacer, powie, że złoży wizytę ciotkom, a potem z ich pomocą udowodni swe alibi (bowiem w jakiś sposób trzeba je dostarczyć do biblioteki i z powrotem bez wiedzy krótkonogiej służącej); ich opowieść i opowieść doktora będą się pokrywały.

Kazał im powtarzać z tuzin razy: — Byłyśmy w domu *cały* czas. Byłyśmy w domu *cały* czas — póki one same nie były o tym przekonane, tak jakby jeszcze raz przeżywały przyszłość!

GROTA

Zdarzyło się to w dniu drugiej dziennej wizyty Steerpike'a w bibliotece. Właśnie wracał i dotarłszy do skraju sosnowego lasu czekał na okazję, by przebiec nie zauważony przez otwartą przestrzeń, gdy dostrzegł na lewo postać sunącą w kierunku Góry Gormenghast.

Rześkie powietrze, w połączeniu z rozpoznaniem odległej postaci, skłoniło go do zmiany drogi, tedy szybkimi, ptasimi krokami ruszył spiesznie wzdłuż skraju lasu. Na lewo w dzikim terenie maleńka postać w szkarłatnej sukni krzyczała na posępnym tle jak rubin na łupku. Letnie słońce, a tym bardziej to jesienne światło, nie było w stanie złagodzić ponurego charakteru okolicy wokół Gormenghast. Była jakby dalszym ciągiem zamku, dzika i cienista, a choć rozległa i często wietrzna, także przygnębiająca jakimś przykrym ciężarem.

Przed nim leżała Góra Gormenghast w swej niezmienności, ponura, jak gdyby wydobyta z ziemi czarodziejską sztuką jako przekleństwo na tych, co ją oglądają. Choć zdawało się, że jej podnóże wyłania się z pasma drzew o parę mil od zamku, w rzeczywistości odległa była o dzień konnej drogi. Zazwyczaj widać było chmury skupione wokół wierzchołka nawet w najpiękniejsze dni, gdy niebo wszędzie było czyste, a powszechny był widok burz szalejących na jej wyniosłościach i strug ciemnego deszczu tnących mgliście po zasnutym szczycie i przysłaniających połowę ohydnego cielska góry, podczas gdy równocześnie słońce igrało po krainie wokół, a nawet po dolnych partiach zbocza. Jednakże dziś ani jedna chmurka nie wisiała wokół wierzchołka, więc wyjrzawszy po obiedzie z okna swej sypialni, Fuksja, wpatrując się w górę, powiedziała: — Gdzie są chmury?

— Jakie chmury? — zapytała stara piastunka, stojąc za nią i kołysząc w ramionach Tytusa. — O co chodzi, moje ziółko?

— Prawie zawsze są chmury na szczycie Góry — powiedziała Fuksja.

— Nie ma ich, kochanie? — Nie — rzekła Fuksja. — Czemu nie ma?

Fuksja zdawała sobie sprawę, że pani Slagg nie wiedziała praktycznie niczego, lecz trudno było przełamać dawny zwyczaj zadawania jej pytań. Świadomość, że dorośli niekoniecznie wiedzą więcej niż dzieci, była tym, co zwalczała. Chciała, by pani Slagg pozostała mądrą powiernicą jej kłopotów i pocieszycielką, jak się jej to zawsze wydawało, lecz Fuksja dorastała i uświadamiała sobie, jak słaba i nieporadna jest stara opiekunka. Nie żeby traciła swą wierność i przywiązanie. Gdy trzeba, broniłaby pomarszczonego maleństwa do ostatniego tchu; lecz była osamotniona, nie mając do kogo pobiec z nie kwestionowanym zaufaniem — z wylewem najnowszego entuzjazmu — z nagłymi lękami — projektami — historyjkami.

— Myślę, że wyjdę na spacer.

— Znowu? — zapytała pani Slagg, przestając na chwilę kołysać ramionami. — Tyle teraz wychodzisz, prawda? Dlaczego ciągle uciekasz ode mnie?

— Nie od ciebie — powiedziała Fuksja — to dlatego, że chcę chodzić i myśleć. To nie uciekanie od *ciebie*. Wiesz, że nie.

— Nic nie wiem — mruknęła Niania Slagg, zmarszczywszy twarz. — Ale wiem, że nie wychodziłaś całe lato, prawda, kochanie? A teraz, kiedy jest tak obrzydliwie i zimno, wychodzisz codziennie w pluchę i codziennie mokniesz lub marzniesz. Och, moje biedne serduszko. Dlaczego? Dlaczego *codziennie*?

Fuksja wepchnęła dłonie w głąb dużych kieszeni czerwonej sukni.

Prawda, że porzuciła strych dla posępnych wrzosowisk i skalistych obszarów wokół Gormenghast. Dlaczego? Czy nagle wyrosła ze strychu, który był niegdyś dla niej wszystkim? Och, nie; nie wyrosła z niego, lecz coś się zmieniło od owego okropnego wieczoru, gdy ujrzała Steerpike'a rozciągniętego przy oknie w ciemności. Nie był już nieskalany — tajemny — tajemniczy. Nie był już innym światem, lecz częścią zamku. Jego magnetyzm osłabł, jego milczący, mroczny dramat znikł i nie mogła się zdobyć na ponowne odwiedziny. Gdy po raz ostatni odważyła się wspiąć spiralnymi schodami i wstąpiła w zatęchłą i znajomą atmosferę, doświadczyła tak ostrego ukłucia nostalgii za tym, czym był dla niej kiedyś, że zawróciła od wypełniających powietrze pląsających pyłków i od mglistych kształtów tego wszystkiego, co uznawała za przyjaciół; okrytych pajęczyną organów, szalonej alei stu miłości — zawróciła i potykając się, zeszła ciemnymi schodami, z poczuciem pustki, która, jak się zdawało, nigdy jej nie opuści. Oczy jej zamgliły się, gdy sobie to przypomniała; ręce zacisnęły się w głębokich kieszeniach.

— Tak — powiedziała — wychodziłam dużo. Czy czujesz się samotna? Jeśli tak, to niepotrzebnie, bo wiesz, że cię kocham, prawda? *Wiesz* o tym, prawda?

Wysunąwszy dolną wargę, zrobiła niezadowoloną minę w stronę pani Slagg, lecz tylko aby powstrzymać łzy, gdyż ostatnio Fuksja czuła się tak samotna, że miała łzy w zanadrzu. Ponieważ rodzice nie okazali jej nigdy ani okrucieństwa, ani dobroci, a jedynie obojętność, nieświadoma była tego, że brakowało jej — uczucia.

Zawsze tak było, wynagradzała to sobie więc, układając opowieści o swej przyszłości lub obdarzając miłością przedmioty na strychu, czy też ostatnio to, co znajdowała lub spostrzegła w lasach lub na pustkowiach.

— Wiesz o tym, prawda? — powtórzyła Fuksja.

Niania kołysała Tytusa znacznie mocniej, niż było trzeba, i dała do zrozumienia zaciśnięciem warg, że jego wysokość śpi, a ona mówi zbyt głośno.

Wówczas Fuksja podeszła do starej piastunki i przyjrzała się bratu.

Uczucie odrazy do niego znikło, a choć stworzenie o liliowych oczach nie natchnęło jej jeszcze siostrzaną miłością, przyzwyczaiła się jednak do jego obecności w zamku i czasem bawiła się z nim poważnie przez jakieś pół godziny.

Oczy Niani podążyły za oczyma Fuksji.

— Jego maleńka wysokość — powiedziała, kiwając głową — to jego maleńka wysokość.

— Dlaczego go kochasz?

— Dlaczego go kocham! Och, moje biedne, słabe serduszko! Dlaczego go kocham, głupia? Jak mogłaś powiedzieć coś takiego? — wykrzyknęła Niania Slagg. — Och, moja maleńka wysokość. Jakże mogłabym go nie kochać — takie niewiniątko! Następca Gormenghast, prawda, mój jedyny? Najbliższy następca. A więc co powiedziała twoja okrutna siostra, co powiedziała?

— Musi teraz pójść do łóżeczka, na spanie, musi, i śnić swe złote sny.

— Czy mówiłaś tak do mnie, kiedy byłam mała? — zapytała Fuksja.

— Oczywiście — powiedziała pani Slagg. — Nie bądź niemądra. Och, jak nic nie wiesz. Czy sprzątniesz teraz pokój?

Pokuśtykała do drzwi z cennym zawiniątkiem. Codziennie zadawała to samo pytanie, lecz nigdy nie czekała na odpowiedź, wiedząc, że jakakolwiek by była, to *ona* będzie musiała zrobić jakiś porządek z tego chaosu.

Odwróciwszy się ponownie do okna, Fuksja spoglądała na Górę, której kształt aż do najdalszego pokładu już dawno wyrył się w jej pamięci.

Teren pomiędzy zamkiem i Górą Gormenghast był opustoszały, przeważnie pustkowie, z dużymi obszarami mokradeł, gdzie między połaciami trzciny poruszały się bez przeszkód brodzące ptaki. Kuliki i czajki słały z wiatrem wysokie okrzyki. Pardwy wychowywały młode i dreptały czarne w sitowie tam i z powrotem. Na wschód od Góry Gormenghast, lecz oderwana od drzew u podnóża, ciągnęła się falująca ciemność Splątanych Borów. Na zachód zaniedbany obszar, przerywany tu i ówdzie niskimi karłowatymi drzewkami, zgiętymi przez wichry na kształt garbusów.

Pomiędzy tą posępną krainą a sosnowym lasem otaczającym zachodnie skrzydło wznosiła się na wysokość stu czy dwustu stóp ciemna, opadająca równina — nieregularny płaskowyż zielonkawoczarnej skały, połamany, urwisty i pusty. Poza tymi zimnymi skarpami rzeka wiła się u podnóża Góry, zasilając mokradła, gdzie żyło dzikie ptactwo.

Z okna Fuksja dostrzec mogła trzy proste odcinki rzeki. Tego popołudnia środkowa część i ta na prawo były czarne od odbicia Góry, a trzecia, na zachód poza skalistą równiną, była mglistym białym pasem, który nie błyszczał ani nie iskrzył, lecz odbijając nieprzejrzyste niebo, leżał bezduszny i bezwładny, jak martwe ramię.

Fuksja odeszła gwałtownie od okna i z trzaskiem zamknąwszy za sobą drzwi, zbiegła po schodach, omal się nie przewróciwszy przy niezręcznym potknięciu na ostatnich stopniach, nim przemknęła przez labirynt korytarzy, by zadyszana wynurzyć się w chłodnym słońcu.

Oddychając w ostrym powietrzu, przełknęła ślinę i zacisnęła pięści, aż paznokcie wbiły się w dłonie. Potem zaczęła iść. Szła już od przeszło godziny, gdy usłyszała za sobą kroki i odwróciwszy się, ujrzała Steerpike'a. Nie widziała go od wieczoru u Prunesquallorów, a nigdy tak wyraźnie jak teraz, gdy zbliżał się poprzez ogołoconą jesień. Zauważywszy, że mu się przygląda, zatrzymał się i zawołał:

— Lady Fuksjo! Czy mogę pani towarzyszyć?

Poza nim widziała coś, co w przeciwieństwie do obcej, nieobliczalnej postaci było bliskie i rzeczywiste. Coś, co rozumiała, coś, bez czego nie mogła się obejść ani bez czego nie mogła być, gdyż wydawało się nią samą, jej własnym ciałem, na które spoglądała i które rozciągało się tak znajomie na horyzoncie. Gormenghast. Długi, pokarbowany zarys jej domu. Teraz był dla niego tłem. Parawan murów i wież poznaczony oknami. Stał na jego tle, intruz, nakładając się na jej świat tak jaskrawo, tak mocno, z głową przerastającą najwynioślejsze wieże.

— Czego chcesz? — rzuciła.

Spoza Splątanych Borów zerwał się powiew i uniósł jej suknię, tak że przywarła do prawego boku, odsłaniając siłę młodego ciała i ud. — Lady Fuksjo! — zawołał Steerpike poprzez wzmagający się wiatr. — Powiem pani! — Zrobiwszy kilka szybkich kroków w jej stronę dotarł do pochyłej skały, gdzie stała. — Chciałbym, by mi pani objaśniła tę okolicę — mokradła i Górę Gormenghast. Nikt mi nigdy o tym nie mówił. Pani zna tę krainę — pani ją rozumie — (znowu napełnił płuca) — a ja, choć kocham okolicę, nie znam jej zupełnie. — Już prawie do niej podszedł. — Czy mogę czasem towarzyszyć pani w jej spacerach? Czy zechciałaby pani nad tym się zastanowić? Czy wraca pani? — Fuksja zdążyła się odsunąć. — Jeśli tak, czy mógłbym panią odprowadzić?

— Nie o to przyszedłeś mnie zapytać — powiedziała powoli Fuksja. Zaczynała drżeć na zimnym wichrze.

— Tak, o to — powiedział Steerpike — o to właśnie przyszedłem panią zapytać. I czy zechce mi pani powiedzieć o przyrodzie.

— Nic nie wiem o przyrodzie — powiedziała Fuksja, schodząc po pochyłej skale. — Nie rozumiem jej. Tylko na nią patrzę. Kto ci powiedział, że coś o niej wiem? Kto wymyśla takie rzeczy?

— Nikt — powiedział Steerpike. — Pomyślałem sobie, że musi pani znać i rozumieć to, co tak pani kocha. Często widziałem panią wracającą do zamku i obładowaną odkrytymi przez siebie rzeczami. A także *wygląda* pani, jak gdyby pani rozumiała.

— *Wyglądam*? — powiedziała ze zdziwieniem Fuksja. — Nie, nie mogę wyglądać. Zupełnie nie rozumiem mądrych rzeczy.

— Wiedza pani jest intuicyjna — powiedział młodzieniec. — Nie potrzebuje pani wiedzy książkowej i tym podobnych. Wystarczy pani popatrzeć na rzecz, żeby *wiedzieć*. Wiatr jest coraz silniejszy, wasza wysokość, i zimniejszy. Lepiej wróćmy.

Steerpike podniósł wysoki kołnierz i uzyskawszy pozwolenie odprowadzenia jej do zamku, zaczął wraz z nią schodzić z szarych skał. Nim dotarli do połowy, rozpadał się deszcz, a jesienne słońce ustąpiło chyżemu, postrzępionemu niebu.

— Proszę stąpać ostrożnie, Lady Fuksjo — powiedział nagle Steerpike; Fuksja zatrzymała się i obejrzała szybko przez ramię, jak gdyby zapomniała, że tam jest. Otworzyła usta, by przemówić, gdy odległy łoskot grzmotu rozległ się wśród skał, zwróciła więc głowę ku niebu. Zbliżała się czarna chmura, a z jej wiszącego cielska masą ciemności padał deszcz.

Wkrótce znajdzie się nad nimi, a myśli Fuksji cofnęły się o lata do pewnego popołudnia, gdy tak jak dzisiaj zaskoczyła ją nagła burza. Była z matką, przy jednej z tych rzadkich okazji, teraz jeszcze rzadszych, gdy hrabina z jakiegoś powodu postanowiła zabrać córkę na spacer. Te rzadkie wyprawy odbywały się w milczeniu, a Fuksja pamiętała, jak pragnęła uwolnić się od tej obecności poruszającej się obok niej i ponad nią, a mimo to przypominała sobie, jak zazdrościła ogromnej matce, gdy na jej przeciągły, ostry, słodki gwizd zlatywały się ku niej dzikie ptaki i przysiadały na głowie, rękach i ramionach. Lecz najlepiej pamiętała, jak owego dnia, gdy rozszalała się nad nimi burza, matka, zamiast zawrócić do zamku, szła naprzód ku tym samym warstwom ciemnej skały, po której ona i Steerpike teraz schodzili. Matka skierowała się w głąb dzikiego, wąskiego wąwozu i zniknęła za wysoką płytą obruszonego kamienia wspartego o powierzchnię skały. Fuksja podążyła za nią. Lecz zamiast znaleźć matkę schronioną przed ulewą pod skałą i za płytą, ku swemu zdziwieniu znalazła się przed wejściem do groty. Zajrzała do środka, a tam, głęboko w chłodnej gardzieli, siedziała na ziemi matka, oparta o pochyłą ścianę, nieruchoma, milcząca i ogromna.

Przeczekały tam, póki burza nie znużyła się swym gniewem i drobny deszcz nie spadł z nieba jak wyrzut sumienia. Nie zamieniły ze sobą słowa, a Fuksja, na wspomnienie groty, poczuła, że dreszcz przebiegł jej ciało. Ale odwróciła się do Steerpike'a. — Chodź za mną, jeśli chcesz — powiedziała. — Znam pewną jaskinię.

Deszcz walił teraz po skarpie, zaczęła biec po śliskiej, szarej powierzchni skały, a Steerpike tuż za nią.

Rozpocząwszy krótkie, strome zejście, obejrzała się na chwilę, by sprawdzić, czy Steerpike dotrzymuje jej kroku, a stopy pośliznęły się przy tym na powierzchni pochyłej płyty, tak że runęła na ziemię, uderzając o nią bokiem twarzy, barkami i golenią z siłą, która ją na moment ogłuszyła. Lecz tylko na moment. Gdy zrobiła wysiłek, by wstać, i poczuła wzmagający się ból w kości policzkowej, Steerpike znalazł się przy niej. Gdy upadła, znajdował się od niej o jakieś dwanaście jardów, lecz prześliznął się jak wąż pośród skał i niemal natychmiast ukląkł obok. Spostrzegł od razu, że rana na twarzy jest powierzchowna. Chudymi palcami obmacał jej bark i kość goleniową i stwierdził, że są całe. Zdjąwszy pelerynę, okrył ją i spojrzał w głąb wąwozu. Deszcz spływał mu po twarzy i bił o skały. U podnóża stromej pochyłości dostrzegł ogromny sterczący kamień, majaczący mgliście poprzez ulewę, więc domyślił się, że Fuksja tam biegła, gdyż czterdzieści stóp dalej wąwóz kończył się wysoką, niedostępną granitową ścianą.

Fuksja próbowała usiąść, lecz ból w barku wyczerpał jej siły.

— Proszę leżeć spokojnie! — zawołał Steerpike poprzez rozdzielający ich parawan deszczu. Potem wskazał na sterczący kamień.

— Czy tam szliśmy? — zapytał.

— Za nim jest jaskinia — szepnęła. — Pomóż mi wstać. Mogę tam całkiem dobrze dojść.

— Och, nie — powiedział Steerpike. Ukląkł przy niej, po czym z wielką ostrożnością, cal po calu, podniósł ją ze skały. Stalowe mięśnie naprężyły się w smukłych ramionach i wzdłuż grzbietu, gdy stopniowo dźwignął ją na wysokość piersi, powstając przy tym. Potem ostrożnie, krok za krokiem, zbliżył się do jaskini po zachlapanych głazach. Pośród skał nagromadziło się sto sieczonych deszczem kałuż.

Fuksja nie protestowała, wiedząc, że sama nigdy nie dokonałaby tego trudnego zejścia; lecz gdy poczuła na sobie jego ramiona i bliskość jego ciała, coś głęboko w niej próbowało się ukryć. Poprzez grube, zmierzwione pasma zmoczonych włosów dostrzegała jego spiczastą, bladą, chytrą twarz, władcze ciemnoczerwone oczy skupione na kamieniach w dole, wysokie wystające czoło, połyskujące policzki, usta jak obojętna kreska.

To był Steerpike. Trzymał ją; była w jego ramionach; w jego mocy. Jego twarde ramiona i palce dźwigały ciężar na wysokości jej ud i barków. Czuła jego muskuły jak metalowe sztaby. To była ta sama postać, którą zastała na strychu, po wspinaczce po gładkim, olbrzymim murze. Powiedział, że znalazł kamienne podniebne pole. Powiedział, że ona rozumie *przyrodę*. Chce się od niej uczyć. Jak mógłby on, ze swymi cudownymi długimi zdaniami, nauczyć się czegokolwiek od niej? Musi być ostrożna. Jest mądry. Ale to nic złego być mądrym. Doktor Prune jest mądry, a lubi go. Chciałaby być mądra.

Posuwał się pomiędzy skalną ścianą i pochyłym głazem i nagle znaleźli się w mrocznym świetle groty. Ziemia była tu sucha, a grzmot deszczu na zewnątrz wydawał się dochodzić z innego świata.

Steerpike opuścił ją ostrożnie na ziemię i wsparł o płaską, nachyloną część ściany. Potem ściągnął koszulę i wyżąwszy z niej wilgoć, jak się dało, zaczął ją drzeć na długie, wąskie kawałki. Przypatrywała mu się, zafascynowana pomimo gnębiącego ją bólu. Było to tak, jakby przypatrywała się komuś z innego świata, poruszanemu przez inny mechanizm, sprawniejszy, chłodniejszy, twardszy, szybszy. Jej serce buntowało się przeciw jego bezkrwistej precyzji, lecz zaczęła śledzić go ze wstrzemięźliwym podziwem dla cechy tak obcej jej temperamentowi.

Grota miała około piętnastu stóp głębokości, sklepienie obniżało się do ziemi, więc tylko na przestrzeni dziewięciu stóp od wejścia można było stać wyprostowanym. Tuż przy łukowatym sklepieniu powierzchnia skały łamała się i marszczyła w mgliste kamienne spazmy, a wybredne oko mogło bez trudu zabawiać się godzinami, wynajdując pośród splątanych wzorów niewyczerpaną armię upiornych lub seraficznych głów, zależnie od nastroju chwili.

Zakamarki groty tonęły w głębokiej ciemności, lecz Fuksja i Steerpike widzieli się z łatwością w przyćmionym świetle w pobliżu osłoniętego wejścia.

Porwawszy koszulę na schludne pasy, Steerpike ukląkł przy Fuksji, zabandażował głowę i zatamował krwawienie, które trudno było powstrzymać, szczególnie na nodze, gdzie rana nie była tak głęboka. Z ramieniem było trudniej, musiała więc zezwolić Steerpike'owi na obnażenie barku, by mógł je oczyścić.

Przypatrywała mu się, jak ostrożnie dotykał rany. Nagły ból i wstrząs przeszły w żrące pieczenie, zagryzła wargę, by powstrzymać łzy. W półmroku widziała jego oczy żarzące się w niewyraźnej bieli twarzy. Był nagi do pasa. Dlaczego jego barki wydawały się zniekształcone? Były wysokie, lecz prawidłowe, choć jak reszta ciała dziwnie napięte i przykurczone. Pierś miał wąską i mocną.

Podniósł powoli tampon z tkaniny z jej barku i patrzył, czy krew będzie nadal płynąć.

— Proszę się nie ruszać — powiedział. — Proszę trzymać ramię możliwie nieruchomo. Jak tam ból?

— W porządku — powiedziała Fuksja.

— Niech pani nie będzie bohaterem — powiedział, przysiadając na piętach. — To nie zabawa. Chcę wiedzieć dokładnie, jak bardzo panią boli — a nie, czy pani jest dzielna, czy nie. To już wiem. Co najbardziej boli?

— Noga — powiedziała Fuksja. — Przez nią chce mi się chorować. I jest mi zimno. Teraz wiesz.

Ich oczy spotkały się w półmroku.

Steerpike wyprostował się. — Teraz panią opuszczę — powiedział. — Inaczej zimno strawi panią do szczętu. Sam nie mogę zanieść pani do zamku. Sprowadzę Prune'a i nosze. Będzie tu pani bezpieczna. Idę od razu. Wrócimy za pół godziny. Potrafię się szybko poruszać, gdy chcę.

— Steerpike — powiedziała Fuksja.

Ukląkł natychmiast. — O co chodzi? — powiedział, bardzo cicho.

— Zrobiłeś dużo, by mi pomóc — powiedziała.

— Niewiele — odparł. Jego dłoń była blisko jej dłoni.

Cisza, jaka nastąpiła, stała się śmieszna, więc podniósł się.

— Nie mogę zostać. — Wyczuł początki czegoś mniej oziębłego. Zostawi rzeczy, jak są. — Będzie pani drżała jak liść, jeśli się nie pospieszę. Proszę się absolutnie nie ruszać.

Okrywszy ją surdutem, przeszedł parę kroków w stronę otworu.

Fuksja patrzyła na jego przygarbioną, lecz smukłą sylwetkę, gdy stał przez chwilę, nim dał susa w zalany deszczem wąwóz. Potem zniknął, a ona została zupełnie nieruchoma, jak jej kazał, wsłuchując się w dudnienie deszczu.

Przechwalania Steerpike'a o własnej chyżości nie były czcze. Z niezwykłą zręcznością przeskakiwał z głazu na głaz, póki nie dotarł do początku wąwozu, skąd pognał jak derwisz długim zboczem skarpy. Nie był jednak nieostrożny. Każdy krok był wyliczonym wynikiem decyzji podjętej szybciej, niż nadążały nogi.

Wreszcie skały pozostały w tyle, a zamek wyłonił się spoza ponurej derki.

Jego wejście do Prunesquallorów było dramatyczne. Irma, która nigdy nie widziała męskiej skóry poza tą wystającą ponad kołnierzyk i mankiety, wydała przenikliwy okrzyk i padła w ramiona brata, by natychmiast oprzytomnieć i wypaść z pokoju w tajfunie czarnego jedwabiu. Prunesquallor i Steerpike słyszeli szczęk metalowych prętów na schodach, gdy wirowała na górę, a trzask drzwi sypialni zakołysał obrazami na ścianach wszystkich dolnych pokoi.

Dr Prunesquallor okrążył Steerpike'a z głową odchyloną do tyłu tak, że kręgi szyjne wspierały się o tylną ścianę wysokiego kołnierzyka, a bezdenna przepaść ziała pomiędzy jabłkiem Adama i perłową spinką. Z głową tak wygiętą do tyłu, nieco w pozycji kobry gotującej się do ataku, z pytająco uniesionymi brwiami, mógł zarazem błysnąć dwoma rzędami przerażających zębów, które z nienaturalnym blaskiem przyciągały i odbijały światło lampy.

Nie posiadał się ze zdumienia. Widok półnagiego, ociekającego deszczem Steerpike'a budził w nim wstręt i zachwyt zarazem. Od czasu do czasu Steerpike i doktor słyszeli niezwykły jęk na górnym piętrze.

Jednakże usłyszawszy o przyczynie wyglądu chłopca, doktor zerwał się natychmiast do działania. Steerpike'owi nie trzeba było dużo czasu, by wyjaśnić, co się stało. W kilka chwil doktor spakował walizeczkę i zadzwonił na kucharza, by sprowadził nosze i paru mężczyzn do ich dźwigania.

Tymczasem Steerpike wskoczył w inne ubranie i pobiegł do zamku do pani Slagg, której polecił podłożyć do ognia, przygotować łóżko Fuksji i jakiś gorący napój, po czym zostawił ją w stanie płaczliwego załamania, czego nie uleczył prostacki kuksaniec pod żebra w przelocie do drzwi.

Wyszedłszy na dziedziniec, ujrzał doktora wynurzającego się z furtki ogrodowej z dwoma ludźmi i noszami. Prunesquallor trzymał parasol ponad plikiem pledów, pod którymi umieścił torbę lekarską.

Zrównawszy się z nimi, udzielił im wskazówek, mówiąc, że pobiegnie naprzód, lecz zjawi się ponownie na skarpie, by pokierować nimi na ostatnim etapie wyprawy. Wepchnąwszy koc pod pelerynę, zniknął w rzedniejącym deszczu. Biegnąc samotnie, podskakiwał w górę. Życie jest zabawne. *Tak* zabawne. Nawet deszcz działał na jego korzyść, czyniąc skałę śliską. Wszystko, pomyślał sobie, może się przydać. Wszystko. I strzelając palcami, biegł uśmiechnięty w deszczu.

*

Obudziwszy się w łóżku i ujrzawszy ogień migający na suficie i Nianię Slagg siedzącą obok, Fuksja powiedziała:

— Gdzie jest Steerpike?

— Kto, moja najdroższa? Och, moje biedne śliczności! — Pani Slagg poruszyła nerwowo ręką Fuksji, którą trzymała od przeszło godziny. — Czego potrzebujesz, moja jedyna? Czego, mój drogi łobuzie? Och, moje biedne serduszko, omal mnie nie zabiłaś, kochanie. Omal. Tak, omal. No, no. Nie ruszaj się, a doktor zaraz tu będzie znowu. Och, moje biedne, słabe serduszko! — Łzy ciekły po jej starej, przestraszonej twarzyczce.

— Nianiu — powiedziała Fuksja — gdzie jest Steerpike?

— Ten okropny chłopiec? — zapytała Niania. — Co z nim, najdroższa? Nie chcesz go zobaczyć, prawda? Och, nie, nie możesz chcieć tego chłopca. O co chodzi, moja jedyna? Chcesz go zobaczyć?

— Och, nie, nie! — powiedziała Fuksja. — Nie chcę. Czuję się tak zmęczona. Jesteś tutaj?

— O co chodzi, moja jedyna?

— Nic, nic. Ciekawa jestem, gdzie się podziewa.

NOŻE W ŚWIETLE KSIĘŻYCA

Księżyc posuwał się nieubłaganie ku zenitowi, cienie kurczyły się do stóp wszystkiego, co je rzucało, zbliżając się więc do kotliny na skraju Splątanych Borów, Rantel stąpał w kręgu własnej ciemności. Sklepienie Splątanych Borów odbijało jaskrawy krąg w fosforyzującej sieci gałęzi spływających falą ku dolnym stokom Góry Gormenghast. Wznoszący się ku górze las, otaczający ów złowrogi baldachim, odgrodzony był niezgłębionym mrokiem. Nie można było rozróżnić niczego, co podtrzymywało chłodną mgiełkę najwyższych gałęzi — jedynie krętą fasadę czerni.

Turnie góry były bezlitosne w świetle księżyca; zimno nieubłagane i połyskliwe. Odległość nic nie znaczyła. Zagmatwany poblask leśnego sklepienia odpływał w dal, lecz najdalszy jego zasięg pojawiał się nagle bliżej dzięki przerażającemu efektowi bliskości góry, którą oblewał. Góra nie była ani daleko, ani blisko. Wznosiła się naga i olbrzymia w soczewce oka. Sama kotlina była kielichem światła. Każde źdźbło trawy miało znaczenie, a parę rozrzuconych kamieni posiadało wagę, dzięki której odciskały w mózgu mocne, oddzielne ślady — każdy swym własnym niepowtarzalnym kształtem: każdy wyrastający jaskrawo z rozlanego przez siebie atramentu.

Przyszedłszy na skraj wybranej kotliny, Rantel stanął nieruchomo. Gdy spoglądał w misę trawy poniżej, jego głowa i ciało stanowiły mozaikę czerni i upiornego srebra. Płaszcz okrywał ściśle jego szczupłe ciało, a rytmiczne fałdy draperii zatrzymywały blask księżyca na górnych krawędziach. Był jak wyrzeźbiony, lecz głowa drgnęła gwałtownie na odgłos dźwięku, a uniósłszy wzrok, ujrzał Braigona powstającego na obrzeżu po przeciwnej stronie kotliny.

Zeszli razem w dół, a dotarłszy na płaski teren, rozpięli płaszcze, zdjęli ciężkie buty i rozebrali się do naga. Rantel cisnął ubranie na trawę. Braigon zwinął prosty ubiór i położył na głazie. Ujrzał, że Rantel maca ostrze noża tańczące w blasku księżyca jak odprysk szkła.

Nie odezwali się. Bosymi stopami sprawdzili śliską trawę. Potem zwrócili się ku sobie. Braigon rozluźnił palce na krótkiej kościanej rękojeści. Żaden nie mógł dostrzec wyrazu twarzy przeciwnika, gdyż rysy ich tonęły w cieniu rzucanym przez czoła i tylko zmierzwione włosy zatrzymały światło. Przykucnąwszy, zaczęli się posuwać, odległość pomiędzy nimi zmniejszała się, a mięśnie wiły się wzdłuż grzbietów.

Mając Kedę w sercach jako przyczynę, okrążali się, zbliżali, zwodzili, ich ostrza parowały pchnięcia noża nagłymi krzyżowymi ruchami przedramienia.

Rantel rzeźbił z zaciekłością. Tak jakby drzewo było nieprzyjacielem. Walczył z nim raszplą i dłutem, odrąbując ciało, póki kształt, jaki miał w myśli, nie zaczął poddawać się jego przemocy. W ten sam sposób walczył. Ciało i umysł stopiły się w jeden popęd — zabić przycupniętego przed nim człowieka. Nie myślał teraz nawet o Kedzie.

Jego oczy obejmowały najlżejszy ruch ciała tamtego, poruszających się stóp, skaczącego noża. Dostrzegł, że smuga krwi wije się wokół lewego ramienia Braigona z cięcia na barku. Rantel miał dłuższy zasięg, lecz choć jego nóż wystrzelał chyżo ku gardłu czy piersi, przedramię Braigona wymachem odtrącało jego ramię od celu. Wówczas od zamachu Rantel wypadał poza zasięg noża, znów więc okrążali się i zwierali z sobą — a ich barki i ramiona połyskiwały w nieziemskiej poświacie.

Braigon zastanawiał się, walcząc, gdzie jest Keda. Zastanawiał się, czy będzie mogło istnieć dla niej szczęście po tym, gdy on lub Rantel zginie; czy będzie mogła zapomnieć, że jest żoną mordercy; czy walka nie jest ucieczką przed przejrzystą prawdą. Keda pojawiła się przed nim wyraźnie, a jednak jego ciało pracowało z mechaniczną doskonałością, parując okrutne ostrze i atakując napastnika szeregiem szybkich pchnięć, raniąc Rantela w bok. W miarę jak postać poruszała się przed nim, szedł za ruchem przelewających się pod skórą mięśni. Nie tylko walczył z napastnikiem czyhającym na ułamek sekundy, by go śmiertelnie ugodzić, lecz także zadawał ciosy arcydziełu — skaczącej i opadającej rzeźbie, cudowi z atramentowego cienia i srebrzystego blasku. Wezbrała w nim ogromna fala mdłości, a nóż w dłoni wydał mu się wstrętny. Ciało walczyło nadal.

Trawę plamiły odciski ich stóp. Rozproszyli i rozgnietli rosę, a ciemna nieregularna plama wypełniła środek kotliny, wskazując, dokąd zawiodła ich śmiertelna gra. Jednak nawet owa zryta ciemność zgniecionej trawy była blada w porównaniu z intensywnością ich cieni, zawsze w ruchu, poruszających się wraz z nimi, prześlizgujących się pod nimi, skaczących wraz z nimi.

Włosy przylegały im do potu na czołach. Rany na ciele osłabiały ich, lecz żaden nie mógł się zatrzymać.

Wokół panowała cisza bladej nocy. Blask księżyca leżał jak szron wzdłuż grzbietu odległego zamku. Daleko na wschód trzciniaste moczary leżały obojętne — kraina mgły. Ciała plamiła krew z licznych ran. Bezlitosne światło lśniło na wilgotnych, ciepłych strumykach, sączących się bezustannie po ich znużonym ciele. Mgiełka upiornej słabości wypełniała ich nagość i walczyli jak postacie we śnie.

*

W jednej brutalnej chwili odrętwienie Kedy prysło i zaczęła biec w stronę Splątanych Borów. Poprzez ogromną fosforyzującą noc, bez okrycia, z włosami rozwianymi w miarę wspinania się, dotarła wreszcie do pochyłości wiodącej ku krawędzi kotliny. Jej ból wzmagał się podczas biegu. Zamarła w niej dziwna, nieziemska moc, przeminęła wspaniałość — została teraz tylko męka przerażenia.

Wspinając się ku skrajowi kotliny, dosłyszała — nikły dźwięk pośród przeogromnej nocy — dyszenie mężczyzn, więc pokrzepiła się na chwilę, bo żyli.

Jednym susem osiągnęła szczyt zbocza i ujrzała ich w dole, skulonych i poruszających się w blasku księżyca. Zdławiła okrzyk, dostrzegłszy na nich krew, i osunęła się na kolana.

Braigon ujrzał ją, a jego znużone ramiona zawibrowały nagłą mocą. Rzutem lewego ramienia odtrącił uzbrojoną w sztylet dłoń Rantela i skoczywszy za nim tak szybko, jakby był częścią wroga, wbił nóż w niewyraźną pierś.

Uderzywszy, wyciągnął sztylet, a gdy Rantel osunął się na ziemię, Braigon odrzucił broń.

Nie zwrócił się ku Kedzie. Stał bez ruchu, trzymając się za głowę. Keda nie czuła żalu. Kąciki jej ust uniosły się. Czas przerażenia jeszcze nie nadszedł. To nie było *rzeczywiste* — jeszcze nie. Ujrzała, że Rantel dźwiga się na lewym ramieniu. Poszukał po omacku sztyletu i wymacał go obok w rosie. Życie wyciekało z rany na piersi. Keda śledziła go, jak zebrawszy w prawe ramię całą pozostałą w ciele siłę, cisnął sztylet w powietrzu nagłym niezdarnym ruchem ramienia. Znalazł cel w gardle posągu. Ramiona Braigona opadły ciężko w dół. Zatoczył się ku przodowi, chwiał przez chwilę, z kościaną rękojeścią w gardzieli, po czym osunął się martwy na ciało zabójcy.

„SŁOŃCE ZNÓW ZACHODZI"

Równość — powiedział Steerpike — w tym rzecz. To jedyna prawdziwa i główna przesłanka, z której konstruktywne idee mogą swobodnie promieniować i działać bez uszczerbku. Absolutna równość stanu. Równość majątku. Równość władzy. Laską z ostrzem postukał w kamień leżący pośród wilgotnych liści i popchnął go poprzez poszycie.

Udając ogromne zdziwienie, nagabnął w sosnowym lesie Fuksję powracającą po wieczorze spędzonym wśród drzew. Był to ostatni wieczór przed rozstrzygającym dniem pożaru. Jutro nie będzie czasu na takie igraszki. Opracował plany i uzupełnił szczegóły. Przećwiczył bliźniaczki w ich rolach i był dość zadowolony, że może na nich polegać. Owego wieczoru, po rozkoszach długiej kąpieli u Prunesquallorów, poświęcił toalecie więcej czasu niż zazwyczaj. Z niezwykłą dbałością przygładził rzadkie, konopne włosy na wystającym czole, przyglądając się przy tym sobie pod rozmaitymi kątami w trzech zwierciadłach, które ustawił na stole przy oknie.

Wyszedłszy z domu, obracał w palcach smukłą laskę z ostrzem. Krążyła mu w ręku jak szprychy koła. Powinien złożyć krótką wizytę bliźniaczkom czy nie powinien? Z jednej strony, nie powinien ich podniecać, gdyż przygotował je niczym do egzaminu, więc mogłyby nagle zapomnieć wszystkiego, czego je nauczono. Z drugiej strony, jeśli nie napomknie wprost o jutrzejszym przedsięwzięciu, lecz pośrednio je zachęci, może to je pobudzić na całą noc. Było niezbędne, by się dobrze wyspały. Nie chciał, żeby przesiedziały noc wyprostowane na brzeżku łóżek, patrząc na siebie z szeroko otwartymi oczami i ustami.

Postanowił złożyć bardzo krótką wizytę, a potem pójść na przechadzkę do lasu, gdzie, jak sądził, będzie mógł spotkać Fuksję, gdyż miała zwyczaj leżenia godzinami pod pewną sosną na polanie, o której naiwnie mniemała, że jest nikomu nie znana.

Postanowiwszy, że odwiedzi je na chwilę, Steerpike natychmiast ruszył szybko w poprzek dziedzińca. Kapryśny blask przebijał się przez chmury, a łuki otaczające dziedziniec rzucały blade cienie, które słabły lub wzmagały się, w miarę jak chmury przemykały po słońcu. Steerpike wzdrygnął się, wchodząc do bezsłonecznego zamku.

Doszedłszy do drzwi pokoi ciotek, zapukał i od razu wszedł. Ogień płonął na kominku, skierował się więc ku niemu, zauważywszy bliźniacze głowy Cory i Clarice wykręcone na długich, upudrowanych szyjach. Oczy ich wpatrywały się w niego znad haftowanego oparcia kanapy przysuniętej do ognia. Podążyły za nim głowami, odkręcając szyje, gdy zajął miejsce naprzeciw, tyłem do ognia, z szeroko rozstawionymi nogami, z rękami założonymi do tyłu.

— Moje drogie — powiedział, przeszywając je po kolei swym magnetycznym wzrokiem — moje *drogie*, jak się panie mają? Ale czyż trzeba pytać? Obie wyglądacie promiennie. Lady Clarice, rzadko widywałem panią piękniejszą; a siostra pani nie godzi się, by postawiła pani na swoim. Absolutnie się pani nie godzi, Lady Coro, prawda? Jest pani tak weselna, jak tylko pamiętam. Co za przyjemność być znowu z paniami. — Bliźniaczki patrzyły na niego, wijąc się, lecz żaden wyraz nie pojawił się na ich twarzach.

Po długim milczeniu, podczas którego Steerpike grzał ręce przy płomieniu, Cora powiedziała: — Czy to znaczy, że jestem wspaniała?

— On tak nie powiedział — zabrzmiał obojętny głos Clarice.

— Wspaniała — powiedział Steerpike — to słowo ze słownika. Wszyscy jesteśmy więźniami słownika. Z tego rozległego więzienia o papierowych ścianach wybieramy naszych więźniów, czarne drukowane słówka, gdy w istocie potrzeba nam nowych dźwięków w mowie, nowych uprawomocnionych brzmień, które dostarczyłyby nowych wrażeń. W martwym i skrępowanym języku, moje drogie, *jesteście* wspaniałe, och, lecz dać upust zupełnie nowemu dźwiękowi, który mógłby przekonać panie, jak naprawdę o paniach myślę, gdy tak siedzicie obok siebie, w purpurowym przepychu! Lecz nie, to niemożliwe. Życie jest zbyt rącze dla onomatopei. Martwe słowa mnie zawodzą. Nie mogę wydać dźwięku, drogie panie, który byłby trafny.

— Mógłbyś spróbować — powiedziała Clarice. — Nic nie mamy do roboty.

Długimi, apatycznymi palcami wygładziła błyszczący materiał sukni.

— Niemożliwe — odparł młodzieniec, trąc podbródek. — Zupełnie niemożliwe. Uwierzcie, proszę, w mój podziw dla waszej urody, którą pewnego dnia uzna cały zamek. Tymczasem zachowajcie godność i utajoną władzę w waszych bliźniaczych łonach.

— Tak, tak — powiedziała Cora — zachowamy. Zachowamy w naszych łonach, prawda, Clarice? Naszą utajoną władzę.

— Tak, całą władzę, jaką mamy — powiedziała Clarice. — Ale nie mamy dużo.

— Już nadchodzi — powiedział Steerpike. — Jest w drodze. Są panie z rodu; któż oprócz pań winien władać berłem? Lecz same nie mogą panie zwyciężyć. Od lat cierpiały panie zniewagi, które musicie znosić. Ach, jakże cierpliwie panie cierpiały! Jak cierpliwie! Te dni minęły. Kto może paniom pomóc? — Zrobił krok w ich stronę i pochylił się. — Kto może przywrócić paniom ich miejsce; kto posadzi panie na błyszczących tronach?

Ciotki objęły się ramionami, tak że stykały się policzkami, i z tej podwójnej głowy wpatrywały się w Steerpike'a rzędem czterech równoodległych oczu. Nie wiadomo, dlaczego nie było tych oczu czterdzieści lub czterysta. Tak się złożyło, że tylko cztery wyjęto z martwego, bezkresnego fryzu, którego niewyczerpanym i powtarzającym się tematem były oczy, oczy, oczy.

— Proszę wstać — powiedział Steerpike. Mówił podniesionym głosem.

Powstały niezgrabnie i stały przed nim nieszczęsne. Poczucie władzy dostarczyło Steerpike'owi intensywnej przyjemności.

— Proszę zrobić krok do przodu — powiedział.

Zrobiły, nadal się obejmując.

Steerpike przyglądał im się przez chwilę, z ramionami przygarbionymi o gzyms nad kominkiem. — Słyszały panie, co mówiłem — powiedział. — Słyszały panie moje pytanie. Kto podźwignie panie na trony?

— Trony — powiedziała Cora szeptem — nasze trony.

— Złote — powiedziała Clarice. — Tego chcemy.

— Będą to panie miały. Złote trony dla Lady Cory i Lady Clarice. Kto je paniom da?

Wyciągnął ręce i ująwszy każdą z nich mocno za łokieć, przysunął je w jednym kawałku na odległość stopy. Nigdy nie posuwał się tak daleko, lecz widział, że są jak glina w jego dłoniach, można więc było pozwolić sobie na poufałość. Straszliwa bliskość identycznych twarzy skłoniła go do cofnięcia głowy.

— Kto da paniom trony, chwałę i władzę? — zapytał. — Kto?

Ich usta otwarły się jednocześnie. — Ty — powiedziały. — To *ty* nam dasz. Steerpike nam da.

Potem Clarice wyciągnęła szyję przed siostrę i wyszeptała, jakby po raz pierwszy mówiła Steerpike'owi tajemnicę.

— Spalimy książki Sepulchrave'a — powiedziała — całą tę jego głupią bibliotekę. My to zrobimy — Cora i ja. Wszystko jest przygotowane.

— Tak — potwierdził Steerpike. — Wszystko jest przygotowane.

Głowa Clarice odzyskała normalną pozycję tuż ponad szyją, gdzie usadowiła się, martwa, na kolumnie, lecz głowa Cory wysunęła się, jakby chciała zająć miejsce swej kopii i utrzymać machinę w ruchu. Tym samym bezbarwnym szeptem podjęła tam, gdzie siostra skończyła.

— Wszystko, co mamy zrobić, to zrobić, co nam kazano zrobić. — Jej głowa wysunęła się jeszcze o dwa cale. — Nie ma w tym nic trudnego. Te łatwe. Idziemy do dużych drzwi, znajdujemy dwa kawałeczki tkaniny wystające na zewnątrz i...

— Podpalamy je! — wtrąciła siostra tak głośno, że Steerpike przymknął oczy. Potem zaś z absolutną bezsensownością: — Zrobimy to *teraz* — powiedziała Clarice. — To łatwe.

— Teraz? — zdumiał się Steerpike. — Och nie, nie teraz. Postanowiliśmy, że to będzie jutro, prawda? Jutro wieczór.

— Chcę to zrobić *teraz* — powiedziała Clarice. — A ty nie, Coro?

— Nie — odparła Cora.

Clarice ugryzła pięść z powagą. — Boisz się — powiedziała — boisz się odrobiny ognia. Powinnaś mieć więcej dumy, Coro. A ja mam, choć jestem dobrze nawożona.

— Ułożona, chciałaś powiedzieć — poprawiła siostra. — Ty *głupia*. Jak ty nic nie wiesz. I to naszej krwi. Wstydzę się naszego podobieństwa i zawsze się będę wstydzić, no!

Steerpike strącił łokciem z gzymsu elegancką, zieloną wazę, co miało taki skutek, jaki przewidywał. Cztery oczy skierowały się ku kawałkom na podłodze — a nić dialogu rozprysła się jak waza.

— Znak! — wymamrotał cichym, wibrującym głosem. — Zapowiedź! Symbol! Okrąg się zamknął. Anioł przemówił.

Bliźniaczki patrzyły z otwartymi ustami.

— Czy widzicie rozbitą porcelanę, drogie panie? — powiedział. — Czy *widzicie*?

Przytaknęły.

— Cóż to innego, jak nie *Reżym*, strzaskany na zawsze — tyrania Gertrudy — kamienne serce Sepulchrave'a — niewiedza, złośliwość i brutalność rodu Groan, jakim jest teraz — zniszczone na zawsze? To sygnał, że wasza godzina nadchodzi. Składajcie dzięki, moje drogie; zdobędziecie świetność.

— Kiedy? — spytała Cora. — Czy szybko?

— Może dzisiaj? — dopytywała się Clarice. Dźwignęła płaski głos na pierwsze piętro, gdzie było więcej przewiewu. — Może dzisiaj?

— Należy najpierw załatwić pewną drobnostkę — powiedział Steerpike. — Wykonać jedno niewielkie zadanie. Bardzo proste; bardzo, bardzo proste; ale do tego trzeba mądrych ludzi. — Zapalił zapałkę.

W czterech soczewkach czterech płaskich oczu cztery odbicia pojedynczego płomienia zatańczyły — zatańczyły.

— Ogień! — powiedziały. — Wszystko o tym wiemy. Wszystko, wszystko, wszystko.

— Och, a więc, do łóżka — nakazał szybko młodzieniec. — Do łóżka, do łóżka, do łóżka.

Clarice podniosła do piersi rękę wiotką jak kawałek kitu i podrapała się z roztargnieniem. — Dobrze — powiedziała. — Dobranoc. — I sunąc w stronę drzwi sypialni, zaczęła rozpinać suknię.

— Ja też idę — powiedziała Cora. — Dobranoc. — Widać było, gdy odchodziła, że także odpina sprzączki i haftki. Nim drzwi się za nią zamknęły, na pół się uwolniła od cesarskiej purpury.

Steerpike napełnił kieszeń orzechami z porcelanowej miseczki i wyszedłszy z pokoju, zaczął schodzić na dziedziniec. Nie miał uprzednio zamiaru poruszać tematu podpalenia, lecz ciotki na szczęście okazały się mniej pobudliwe, niż oczekiwał, więc umocniła się w nim pewność co do tego, że skutecznie zagrają swe nieskomplikowane role następnego wieczora.

Schodząc kamiennymi schodami, nabił fajkę, a wyszedłszy na łagodne wieczorne światło, z tytoniem żarzącym się w cybuchu, poczuł się w pogodnym nastroju, zakręciwszy więc laską z ostrzem, ruszył ku sosnowym lasom, nucąc sobie przy tym.

Spotkał Fuksję i rozwinął rozmowę, choć zawsze było mu trudniej z nią rozmawiać niż z kimkolwiek innym. Najpierw zagadnął niemal szczerze, czy otrząsnęła się po wypadku. Policzki miała rozpalone i wyraźnie utykała z powodu ostrego bólu w nodze. Doktor zabandażował ją starannie i zostawił instrukcje Niani, że nie wolno jej wychodzić przez kilka dni, lecz wymknęła się, gdy piastunki nie było w pokoju, nabazgrawszy na ścianie, że ją kocha; lecz ponieważ owo stworzenie nigdy nie spoglądało na ścianę, posłanie trafiło w próżnię.

Nim dotarli na skraj lasu, Steerpike rozprawiał beztrosko na jaki bądź temat, który mu przyszedł do głowy, głównie, by stworzyć w jej umyśle swój obraz jako osoby niezwykle błyskotliwej, lecz także dla samej przyjemności mówienia, gdyż był w wesołym nastroju. Kuśtykała obok, gdy mijali ostatnie drzewa, wychodząc w blask zachodzącego słońca. Steerpike zatrzymał się, by zdjąć owada przylepionego do miękkiej kory sosny.

Fuksja szła powoli naprzód, żałując, że nie jest sama.

— Nie powinno być ani bogatych, ani biednych, ani silnych, ani słabych — powiedział Steerpike, wyrywając metodycznie nóżki owada, jedną po drugiej. — Równość to wielka rzecz, równość to *wszystko.* — Cisnął okaleczonego owada. — Zgadza się pani, Lady Fuksjo? — powiedział.

— Nic o tym nie wiem i niewiele o to dbam — powiedziała Fuksja.

— Lecz czy nie sądzi pani, że to źle, jeśli jedni ludzie nie mają co jeść, a inni mają tak dużo, że większość wyrzucają? Czy nie sądzi pani, że to źle, jeśli jedni ludzie muszą pracować całe życie za trochę grosza, żeby wyżyć, podczas gdy inni nigdy nie pracują i żyją w zbytku? Czy nie sądzi pani, że dzielnych ludzi należy wyróżniać i nagradzać, a nie traktować tak samo jak tchórzy? Ludzi, którzy wspinają się na góry, nurkują w morzu, badają pełne gorączki dżungle lub ratują ludzi z ognia?

— Nie wiem — powiedziała znowu Fuksja. — Myślę, że powinno być sprawiedliwie. Ale nic o tym nie wiem.

— Tak, wie pani — powiedział Steerpike. — Gdy powiada pani „Powinno być sprawiedliwie", to właśnie to, co mam na myśli. *Powinno* być sprawiedliwie. Dlaczego nie jest? Z powodu chciwości, okrucieństwa i żądzy władzy. Temu wszystkiemu należy przeszkodzić.

— A więc dlaczego temu nie przeszkodzisz? — zapytała z rezerwą Fuksja. Przyglądała się krwi słońca na Wieży Krzemieni i chmurze jak mokra szmata opuszczającej się cal po calu za czerniejącą wieżą.

— Przeszkodzę — powiedział Steerpike z takim prostym przekonaniem, że Fuksja zwróciła wzrok ku niemu.

— Przeszkodzisz okrucieństwu? — spytała. — I chciwości, i temu wszystkiemu? Nie wydaje mi się, że potrafisz. Jesteś bardzo mądry, ale, och nie, nie potrafiłbyś niczego takiego.

Ta odpowiedź zaskoczyła Steerpike'a na moment. Chciał, by jego uwaga pozostała samodzielna — klarowne stwierdzenie faktu — coś, o czym, jak sobie wyobrażał, Fuksja mogła rozmyślać i nad czym zastanawiać.

— Już go prawie nie ma — powiedziała Fuksja, gdy Steerpike zastanawiał się, jak podeprzeć swój punkt widzenia. — Prawie nie ma.— Czego prawie nie ma? — podążył za jej wzrokiem ku miejscu, gdzie wieżyczki szczerbiły krąg słońca. — Och, ma pani na myśli cukrową bułę — powiedział. — Tak, teraz się bardzo szybko oziębi.

— Cukrowa buła? — powiedziała Fuksja. — Tak je nazywasz? — Zatrzymała się. — Nie sądzę, że powinieneś je tak nazywać. To brak szacunku. — Przypatrywała się. Śledziła dużymi, zdumionymi oczyma słabnącą agonię na niebie. Potem pierwszy raz uśmiechnęła się. — Czy nadajesz takie nazwy innym rzeczom?

— Czasami — powiedział Steerpike. — Mam lekceważącą naturę.

— Czy nadajesz nazwy ludziom?

— Nadawałem.

— Czy masz jakąś dla mnie?

Steerpike ssał koniec laski i uniósł słomiane brwi. — Nie sądzę — powiedział. — Zazwyczaj myślę o pani jako o Lady Fuksji.

— Czy nazywasz jakąś moją matkę?

— Matkę pani? Tak.

— Jak nazywasz moją matkę?

— Nazywam ją Kupą Łachów — powiedział Steerpike.

Oczy Fuksji otworzyły się szeroko, znowu stała nieruchomo. — Idź sobie — powiedziała.

— To niezbyt sprawiedliwe — powiedział Steerpike. — Przecież pani sama *zapytała*.

— A jak nazywasz mojego ojca? Ale nie chcę wiedzieć. Myślę,
że jesteś okrutny — powiedziała bez tchu Fuksja — ty, który mó-
wiłeś, że przeszkodzisz okrucieństwu. Powiedz mi jeszcze jakieś
nazwy. Czy *wszystkie* są niegrzeczne — i zabawne?

— Innym razem — powiedział Steerpike, któremu zaczynało
być chłodno. — Zimno nie przysłuży się pani obrażeniom. Nie powinna pani w ogóle wychodzić. Prunesquallor myśli, że jest pani
w łóżku. Wydawało mi się, że martwi się o panią.

Szli w milczeniu, a nim dotarli do zamku, zapadła noc.

„TYMCZASEM"

Poranek następnego dnia wstał ponury, słońce pojawiło się dopiero po długich okresach półmroku i jedynie jako blady papierowy krążek, bardziej przypominający księżyc, gdy przepływało czasem poprzez korytarz chmur. Powolne, matowe zasłony spłynęły niemal niepostrzeżenie na Gormenghast, zamazując niezliczone okna jakby mokrym dymem. Góra pojawiała się i znikała dziesiątki razy w ciągu poranka, w miarę jak opary przesłaniały ją lub unosiły się znad zboczy. Z upływem dnia mgły przerzedziły się, a późnym popołudniem chmury ostatecznie rozpierzchły się, pozostawiając półprzezroczysty obszar, ową plamę, chłodną i tajemną, na szyi lilii, niebo tak niezrównane, że patrząc w jego lodowatą głąb, Fuksja zaczęła bezwiednie łamać na kawałeczki łodygę kwiatu w ręku.

Odwróciwszy głowę, ujrzała, że pani Slagg przygląda się jej z tak żałosnym wyrazem, iż objęła starą piastunkę ramionami i przytuliła mniej czule, niż zamierzała, gdyż ściskając, sprawiła ból pomarszczonej drobinie.

Niania z trudem złapała oddech, ciało miała posiniaczone od nadmiernego wybuchu uczucia Fuksji, trzęsła się więc ze złości, gramoląc się w podnieceniu na krzesło.

— Jak *śmiesz*! Jak *śmiesz*! — wydyszała wreszcie, skończywszy potrząsać i wywijać miniaturową piąstką wokół zdumionej twarzy Fuksji. — Jak *śmiesz* znęcać się nade mną, gnieść mnie i sprawiać mi tyle bólu, ty złe stworzenie, ty złośliwe, niedobre stworzenie! *Ty*, dla której zawsze wszystko robiłam. Ty, którą myłam i czesałam, i ubierałam, i rozpieszczałam, i której gotowałam, odkąd byłaś wielkości pantofla. Ty... ty... — Staruszka zaczęła płakać, a jej ciało trzęsło się pod czarną suknią jak podrygująca zabawka. Puściła poręcz krzesła, tarła pięściami załzawione, przekrwione oczy i zapomniawszy o tym, gdzie się znajduje, już miała pobiec ku drzwiom, gdy Fuksja skoczyła do przodu i złapała ją, nim spadła. Fuksja zaniosła ją do łóżka i położyła.

— Czy bardzo cię zabolało?

Stara piastunka, leżąc na kapie jak wysuszona lalka w czarnej satynie, ściągnęła wargi i poczekała, póki Fuksja, usiadłszy przy łóżku, nie położyła ręki w jej zasięgu. Wówczas jej palce popełzły, cal po calu, po kołdrze, aż z nagłym grymasem skupionej złośliwości uderzyła rękę Fuksji najsilniej, jak mogła. Opadłszy na poduszkę po tej słabowitej zemście, patrzyła na Fuksję z tryumfalnym błyskiem w załzawionych oczach.

Ledwie zauważywszy złośliwego klapsa, Fuksja pochyliła się i poddała na chwilę uściskom.

— Teraz musisz się zacząć ubierać — powiedziała Niania Slagg. — Musisz się przygotować na zgromadzenie ojca, prawda? Zawsze to albo to, albo tamto. „Zrób to. Zrób tamto". A moje serce w takim stanie. Dokąd to wszystko doprowadzi? Co dzisiaj włożysz? Jaka suknia będzie najwspanialej wyglądać na złym, burzowatym stworzeniu?

— Ty także się wybierasz, prawda? — zapytała Fuksja.

— Cóż z ciebie za *stworzenie* — pisnęła Niania Slagg, gramoląc się przez krawędź łóżka. — Jakież nierozsądliwe pytanie! Biorę jego malutką WYSOKOŚĆ, ty duża głupia!

— Co! Czy Tytus także się wybiera?

— Och, jaka *ignorancja* — powiedziała Niania. — „Czy Tytus *także* się wybiera?" powiada. — Pani Slagg uśmiechnęła się z politowaniem. — Biedne, biedne, złe stworzenie! Co za pytanie! — Staruszka wydała szereg nieprzekonywających śmieszków, po czym w podnieceniu położyła ręce na kolanach Fuksji. — *Oczywiście*, że się wybiera — powiedziała. — Zgromadzenie jest dla niego. W sprawie urodzinowego śniadania.

— Kto jeszcze się wybiera, Nianiu?

Stara piastunka zaczęła liczyć na palcach.

— No, twój ojciec — zaczęła, złączywszy czubki wskazujących palców i podniósłszy wzrok ku sufitowi. — Przede wszystkim on, twój ojciec...

*

Gdy to mówiła, Lord Sepulchrave powracał do swego pokoju po dokonaniu odprawianego co dwa lata rytuału otwarcia żelaznej szafy w zbrojowni i po wydrapaniu w metalowej głębi szafy jeszcze jednego półksiężyca, za pomocą tradycyjnego sztyletu, który Sourdust dostarczył na tę okazję, co w połączeniu z długim szeregiem podobnych półksiężyców dało siedemset trzydzieści siedem zakarbowanych w żelazie. W zależności od temperamentu zmarłych hrabiów Gormenghast półksiężyce wykonano starannie lub niedbale. Nie było wiadomo, jakie ceremonia ta miała znaczenie, gdyż niestety zagubiono zapisy, jednakże formalność, choć niezrozumiała, wcale nie była przez to mniej święta.

Stary Sourdust nadzwyczaj starannie zamknął żelazne drzwi brzydkiej, pustej szafy, przekręciwszy klucz w zamku, i gdyby nie to, że przy wkładaniu klucza wsunęło się wraz z nim kilka pasemek brody, wraz z nim przekręciło i zaplątało, odczuwałby głębokie zawodowe zadowolenie, jakie sprawiał mu wszelki rytuał. Na próżno szarpał, gdyż nie tylko uwiązł mocno, lecz także ból w podbródku sprawił, że łzy stanęły mu w oczach. Wyjęcie klucza wraz z włosami brody zniszczyłoby ceremonię, napisano bowiem, że klucz musi pozostać w zamku przez dwadzieścia trzy godziny, a ubrany na żółto dworzanin ma stać na warcie przy szafie przez ten czas. Jedynym wyjściem było odcięcie pasemek za pomocą noża, co wreszcie staruszek uczynił, po czym podpalił siwe kępki odłączonych włosów wystających z dziurki jak frędzelki wokół klucza. Płonęły chwilę, a gdy skwierczenie ustało, Sourdust odwrócił się, przepraszając, by stwierdzić, że jego wysokość odszedł.

Dotarłszy do sypialni, Lord Sepulchrave spostrzegł, że Flay wyłożył czarny kostium, który zazwyczaj nosił. Hrabia zamierzał ubrać się bardziej wyszukanie owego wieczora. Nastrój jego poprawił się nieznacznie, lecz zauważalnie, odkąd powziął pomysł śniadania na cześć syna. Uświadomił sobie niejasną przyjemność posiadania syna. Tytus urodził się podczas jednego z najczarniejszych jego nastrojów, a choć nadal spowijała go melancholia, jego zagłębienie się w sobie złagodziło w ciągu ostatnich paru dni rosnące zainteresowanie dziedzicem, nie w znaczeniu osoby, lecz symbolu przyszłości. Miał mgliste przeczucie, że zbliża się do kresu, myśl o synu dawała mu więc zarówno przyjemność, jak i poczucie stałości pośród oparów mrzonek.

Wiedząc, że ma syna, uświadamiał sobie teraz ogrom niewyrażalnego koszmaru czającego się w jego umyśle. Strach, że wraz z *nim* zginie ród Groanów. Że zawiódł zamek swych przodków i że gdy będzie gnił w grobowcu; przyszłe pokolenia wskazując na jego pomnik, ostatni w długim szeregu wyblakłych pomników, będą szeptać: „Był ostatni. Nie miał syna".

Gdy Flay pomagał mu się ubierać, nie zamieniając z nim słowa, Lord Sepulchrave myślał o tym wszystkim i westchnął umocowując w kołnierzyku wysadzaną kamieniami spinkę, a w zgubnym i ciemnym szumie owego westchnienia zadźwięczał plusk mniej żałobnej fali. Potem, gdy z roztargnieniem spoglądał w lustrze obok siebie na Flaya, następny grzywacz odległej przyjemności podążył za pierwszym, nagle bowiem stanęły mu przed oczyma książki, całe rzędy tomów, całe bezcenne rzędy oprawnej w cielęcą skórę myśli, filozofii i beletrystyki, literatury podróżniczej i fantastycznej; surowe i kwieciste, nastroje złota lub zieleni, żółci, róży czy czerni; łotrzykowskie, wschodnie, naukowe — eseje, poezja i dramat.

Czuł, że ponownie zagłębi się w to wszystko. Mógł zamieszkiwać świat słów, z pociechą przebijającą przez melancholię, jakiej nie znał dotychczas.

*

— *Następnie* — powiedziała pani Slagg, licząc na palcach — jest twoja matka, oczywiście. Twój ojciec i twoja matka — to dwoje.

*

Lady Gertruda nie pomyślała o zmianie sukni. Nie przyszło jej też na myśl przygotować się do zgromadzenia. Siedziała w swej sypialni. Stopy rozstawiła szeroko, jakby na zawsze. Łokcie wpierały się w kolana, pomiędzy którymi draperie spódnicy zwisały w ciężkich fałdach w kształcie litery U. W ręku miała książkę oprawioną w papier, z plamą od kawy na okładce i tyloma oślimi uszami, ile było stron. Czytała głośno głębokim głosem wzbijającym się ponad jednostajne brzęczenie setki kotów. Wypełniały pokój. Bielsze niż wosk zwisający z kandelabra lub pokruszony na stole z ziarnem dla ptaków. Bielsze niż poduszki na łóżku. Siedziały wszędzie. Kołdra chowała się przed nimi. Stół, szafy, kanapa, wszystko dawało dorodne żniwo, lecz najobfitsze zbiory znajdowały się tuż u jej stóp, gdzie pęk białych twarzy wpatrywał się w jej twarz. Każde świecące oko ze szparką źrenicy skupiało się na niej. Jedynym ruchem było drganie ich gardeł. Głos hrabiny płynął jak wyładowany statek na mruczącym przypływie.

Gdy docierała do końca każdej prawej stronicy i przewracała ją, jej oczy obiegały pokój z wyrazem najgłębszej czułości, a źrenice wypełniały się małymi białymi odbiciami kotów.

Wówczas oczy jej powracały do zadrukowanej stronicy. Gdy czytała, w jej ogromnej twarzy było dziecinne zdumienie. Jeszcze raz przeżywała opowieść, starą opowieść, którą im tak często czytała.

— I drzwi się zamknęły, trzasnęła zasuwa, lecz książę z gwiazdami zamiast oczu i księżycem w nowiu zamiast ust nie dbał o to, gdyż był młody, i silny, a choć nie był przystojny, słyszał już, jak mnóstwo drzwi zamykało się z trzaskiem, więc wcale się nie przestraszył. Ale byłby się przestraszył, gdyby wiedział, kto zamknął drzwi. Był to karzeł z mosiężnymi zębami, straszliwszy niż najbardziej skażone stworzenia, z uszami do tyłu.

Gdy książę skończył czesać włosy...

*

Gdy hrabina odwracała stronę, pani Slagg odliczała trzeci i czwarty palec lewej dłoni.

— Doktor Prunesquallor i panna Irma także przyjdą, kochanie: zawsze przychodzą prawie na wszystko — prawda, chociaż nie wiem, *dlaczego* — nie są rodowi. Ale zawsze przychodzą. Och, moje biedne sumienie! To zawsze ja muszę ich znosić i robić wszystko, i będę zaraz musiała pójść, moje ziółko, przypomnieć twojej matce, a ona będzie na mnie krzyczeć, a ja się zdenerwuję; ale będę musiała pójść, bo ona nie będzie pamiętać, ale to *zawsze* tak jest. Więc doktor i panna Irma to dalszych dwoje, to razem czworo. — Pani Slagg złapała oddech. — Nie lubię doktora Prunesquallora, dziecinko; nie lubię jego dumnych zwyczajów — powiedziała Niania. — Przy nim czuję się taka głupia i mała, a nie jestem. Ale jego się zawsze zaprasza, nawet gdy nie zaprasza się próżnej i brzydkiej siostry; ale tym razem ją zaproszono, więc będą tam oboje, więc masz stać tuż przy mnie, dobrze? Dobrze? Bo ja muszę się opiekować jego małą wysokością. Och, moje drogie serduszko! Nie czuję się dobrze — nie czuję; *nie* czuję. I nikogo to nie obchodzi — nawet ciebie. — Jej pomarszczona dłoń pochwyciła dłoń Fuksji. — Zaopiekujesz się mną?

— Tak — powiedziała Fuksja. — Ale lubię doktora.

Uniósłszy brzeg materaca, Fuksja pogrzebała pod puchowym ciężarem, póki nie znalazła pudełeczka. Odwróciwszy się na chwilę tyłem do piastunki, zapięła coś na karku, a gdy ponownie się odwróciła, pani Slagg ujrzała zakrzepły ogień wielkiego rubinu zawieszonego u szyi.

— Musisz to *dzisiaj* włożyć! — Pani Slagg prawie krzyczała. — Dzisiaj, dzisiaj, ty niedobre stworzenie, gdy wszyscy tam będą. Będziesz wyglądać tak pięknie jak kwitnące jagnię, moje duże, nieporządne stworzenie.

— Nie, Nianiu, nie będę tego tak nosić. Nie w taki dzień jak dzisiaj. Włożę to tylko, gdy będę sama, lub gdy spotkam mężczyznę, który mnie będzie czcił.

*

Tymczasem doktor leżał w stanie kompletnego zadowolenia w gorącej kąpieli wypełnionej błękitnymi kryształkami. Wanna była z żyłkowanego marmuru, dostatecznie długa, by doktor mógł leżeć wyciągnięty. Tylko jego podobna do pływaka wędki twarz wynurzała się ponad wonną powierzchnię wody. Włosy miał pełne mrugających pienistych bąbelków; oczy nieopisanie szelmowskie. Twarz i szyję miał jasnoróżowe, jakby prosto z celuloidowej fabryki.

Na drugim końcu wanny wynurzyła się z głębi stopa. Przyglądał się jej pytająco, z głową tak dalece przechyloną na bok, że lewe ucho wypełniło się wodą. — Stopa słodka — zawołał. — Pięć palców do botka i coś do buraczanego przodka! — Podniósłszy się, wytrząsnął wesoło gorącą wodę z ucha i zaczął przekręcać się w wodzie z boku na bok.

Zamknął oczy i otworzył usta, a wszystkie zęby połyskiwały poprzez pianę. Zaczerpnąwszy ogromny, a raczej głęboki oddech, gdyż pierś miał zbyt wąską na ogromny oddech, z uśmiechem straszliwej rozkoszy promieniującej z różowej twarzy, doktor wydał rżenie tak przeszywające, że Irma, siedząca przy gotowalni, zerwała się na równe nogi, rozsypując szpilki po dywanie. Robiła toaletę od trzech godzin, nie licząc wstępnej półtorej godziny spędzonej w kąpieli — teraz zaś, szeleszcząc do drzwi sypialni, z grymasem naruszającym puder na czole, podobnie jak brat wyglądała raczej jakby ją oskubano lub oskrobano, niż oczyszczono, choć była z pewnością *czysta*, skrupulatnie czysta, w znaczeniu plasterka bekonu.

— Cóż na Boga się z tobą dzieje; powiedziałam, cóż na Boga się z tobą dzieje, Bernardzie? — zawołała przez łazienkową dziurkę od klucza.

— Czy to ty, kochanie? Czy to ty? — cicho dobiegł ją głos brata spoza drzwi.

— Któż *inny* mógłby być; powiedziałam, któż *inny* mógłby być — odwrzasnęła, zginając się w sztywny satynowy kąt prosty, by zbliżyć usta do dziurki.

— Ha, ha, ha, ha, ha — dobiegł piskliwy, nieznośny śmiech brata. — Zaiste, któż inny? No, no, *pomyślmy*. Mogłaby to być bogini księżyca, ale to nieprawdopodobne, ha, ha, ha; lub mógłby to być połykacz mieczy idący ku mnie ze względu na mój zawód, ha, ha, to *mniej* nieprawdopodobne — właściwie, mój drogi korzonku, czy przypadkiem nie połykasz mieczy od lat nic mi o tym nie mówiąc, ha, ha? Czy nie połykasz? — Podniósł głos: — Lata bez końca i miecze na końcu — gdzie nas to zawiedzie, gdy ucho się znudzi — ile ode mnie wyłudzi pomarszczony paniczyk w parze porteczek jak pęk świeczek?

Irma, która natężała słuch, wykrzyknęła wreszcie z rozdrażnieniem: — Sądzę, że zdajesz sobie sprawę, że się spóźnisz — powiedziałam, sądzę, że...

— Rozkoszna zaraza na ciebie, krwi mojej krwi — przerwał piskliwy głos. — Czymże jest czas, siostro podobnego oblicza, o którym mówisz tak służalczo? Czyż mamy być niewolnikami słońca, owej drugorzędnej, przecenianej pozłacanej gałki, lub też jego siostry, owego głupkowatego krążka sreberka? Niechaj będzie przeklęta ich śmieszna dyktatura! Co powiadasz, Irmo, moja Irmo, w plotkach cała, Irmo, której guz pała? — wyśpiewywał radośnie. Siostra podniosła się z szelestem na całą wysokość, napinając przy tym nozdrza, jakby świerzbiały ją od rasowości. Brat ją denerwował, więc zasiadłszy na powrót przed lustrem w swym buduarze, wydawała dźwięki jak dama, po raz setny przykładając puszek do szyi bez skazy.

*

— Sourdust też tam będzie — powiedziała pani Slagg — bo wie wszystko o wszystkim. Wie, w jakim porządku robi się rzeczy, najdroższa, kiedy trzeba *zacząć* je robić i kiedy należy *przestać*.

— Czy to wszyscy? — zapytała Fuksja.

— Nie popędzaj mnie — odparła stara piastunka, ściągając wargi w pomarszczoną śliwkę. — Czy nie możesz minutę zaczekać? Tak, to pięcioro, ty jesteś szósta, a jego maleńka wysokość siódmy...

— A ty jesteś ósma — powiedziała Fuksja. — Więc jesteś najlepiej.

— Co najlepiej, moje ziółko?

— To nie ma znaczenia — odrzekła Fuksja.

*

Podczas gdy w rozmaitych częściach zamku owych osiem osób przygotowywało się do zgromadzenia, bliźniaczki siedziały wyprostowane na kanapie, przyglądając się, jak Steerpike wyjmuje korek ze smukłej, zakurzonej butelki. Trzymał ją pewnie między nogami, a pochyliwszy się i mocno wbiwszy korkociąg, wysuwał korek z długiej, czarnej, kormoranowej gardzieli.

Odkręciwszy korkociąg i umieściwszy nie uszkodzony korek na gzymsie nad kominkiem, nalał nieco wina do kieliszka i spróbował, z krytycznym wyrazem bladej twarzy.

Ciotki pochyliły się do przodu. Z rękami na kolanach, śledząc każdy ruch.

Steerpike wydobył z kieszeni jedną z jedwabnych chusteczek doktora i otarł usta. Potem uniósł kieliszek pod światło i przez długi czas badał jego przezroczystość.

— Czego mu brakuje? — spytała powoli Clarice.

— Czy jest zatrute? — dopytywała się Cora.

— Kto je zatruł? — zawtórowała Clarice.

— Gertruda — powiedziała Cora. — Zabiłaby nas, gdyby mogła.

— Ale nie może — ucieszyła się Clarice.

— I dlatego będziemy potężne.

— I dumne — dodała Clarice.

— Tak, z powodu tego dzisiaj.

— Z powodu tego dzisiaj.

Złączyły dłonie.

— To dobry rocznik, wasze wysokości. Bardzo stosowny rocznik. Sam go wybrałem. Wiem, że panie w pełni go docenią. Nie jest zatrute, moje drogie panie. Choć Gertruda zatruła wam życie, nie zatruła, tak się złożyło, tej oto butelki wina. Czy mogę paniom nalać po szklaneczce i wypijemy toast na cześć dzisiejszego zadania?

— Tak, tak — powiedziała Cora. — Zrób to zaraz.

Steerpike napełnił im kieliszki.

— Proszę wstać — powiedział.

Purpurowe bliźniaczki powstały razem, a gdy Steerpike miał wznieść toast, prawą ręką trzymając kieliszek na poziomie brody, a lewą w kieszeni, przerwał mu matowy głos Cory:

— Wypijmy na naszym Drzewie — powiedziała. — Jest ślicznie na dworze; na naszym Drzewie.

Clarice zwróciła się ku siostrze z otwartymi ustami. Oczy jej były bez wyrazu niczym grzyby.

— Tak zrobimy — powiedziała.

Steerpike'a ów pomysł nie zdenerwował, lecz rozbawił. Właściwie był to dla niego ważny dzień. Pracował ciężko, by wszystko przygotować, i wiedział, że jego przyszłość zależy od sprawnego działania planu, a choć nie mógł sobie jeszcze pogratulować, póki biblioteka nie obróci się w popiół, czuł, że on sam i ciotki powinni mieć parę chwil odprężenia przed czekającym ich zadaniem.

Wypicie toastu na cześć dnia na gałęziach uschłego Drzewa przemawiało do jego poczucia dramatyczności, właściwości i śmieszności.

W kilka chwil później cała trójka, minąwszy Komnatę Korzeni, przeszła gęsiego po poziomym pniu i usiadła przy stole.

Gdy tak siedzieli, Steerpike pośrodku, a bliźniaczki po bokach, wieczorne powietrze pod nimi i wokół nich trwało nieporuszone. Ciotki najwidoczniej nie odczuwały lęku przed zawrotną przepaścią. Nigdy o niej nie myślały. Rozkoszując się w pełni sytuacją, Steerpike odwracał jednak wzrok jak tylko mógł od mdlącej przestrzeni w dole. Postanowił obchodzić się delikatnie z butelką. Na drewnianym stole ich trzy kieliszki żarzyły się w ciepłym świetle.

W odległości trzydziestu stóp słoneczna południowa ściana wznosiła się w górę i opadała w dół, pusta od podstawy do szczytu, z wyjątkiem poziomej odnogi, w połowie swej powierzchni, owego uschłego drzewa, na którym teraz siedzieli, oraz subtelnie zarysowanych cieni jego gałęzi.

— Po pierwsze, drogie panie — powiedział Steerpike, powstawszy i utkwiwszy wzrok w cieniu pokrętnego konaru — po pierwsze proponuję zdrowie *pań*. Za wasz nieugięty zamiar i wiarę we własne przeznaczenie. Za waszą odwagę. Za wasz rozum. Za waszą urodę. — Uniósł kieliszek. — Piję — powiedział i pociągnął łyk.

Clarice zaczęła pić w tej samej chwili, lecz Cora trąciła ją łokciem. — Jeszcze nie — powiedziała.

— Następnie muszę wznieść toast za przyszłość. W pierwszym rzędzie za najbliższą przyszłość. Za zadanie, które postanowiliśmy dziś wykonać. Za jego powodzenie. A także za wielkie dni, które po tym nastąpią. Dni waszego powrotu do władzy. Dni waszej sławy i chwały. Szanowne panie, za przyszłość!

Cora, Clarice i Steerpike unieśli łokcie, by wypić. Ciepłe powietrze wisiało wokół, a gdy uniesiony łokieć Cory uderzył łokieć siostry i wytrącił kieliszek z jej dłoni, gdy ten potoczył się ze stołu na drzewo, a z drzewa w pustkę powietrza, zachodnie słońce pochwyciło go, gdy spadał, migocząc, poprzez próżnię.

„POŻAR"

Choć to Lord Sepulchrave zwołał zgromadzenie, uczestnicy przybyli do biblioteki zwrócili się do Sourdusta, bowiem jego encyklopedyczna znajomość rytuału nadawała powagę każdemu dalszemu postępowaniu. Stał on przy marmurowym stole i jako najstarszy, i według własnego zdania, najmądrzejszy z wszystkich obecnych, przybierał całkiem zrozumiałą pozę własnej ważności. Noszenie bogatego i stosownego odzienia z pewnością rodzi dobre samopoczucie w tym, kto je nosi, lecz spowicie się w najświętszy strój ze szkarłatnych łachmanów, jak w wypadku Sourdusta, oznaczało przebywanie w świecie ponad takimi względami jak cena czy krój ubrania i doznawanie poczucia celowości, jakiej nie może kupić żadne bogactwo. Sourdust wiedział, że gdyby zażądał, otwarto by przed nim na oścież szafy Gormenghast. Nie chciał tego. Jego cętkowana broda przemiennie białych i czarnych włosów była świeżo zasupłana. Zmięty pergamin jego dziedzicznej twarzy migotał w wieczornym świetle napływającym przez wysokie okno.

Flay zdołał znaleźć pięć krzeseł, które ustawił rzędem przed stołem. Niania, z Tytusem na kolanach, zajęła środkowe miejsce. Lord Sepulchrave po prawej, a hrabina Gertruda po lewej siedzieli w sobie właściwych pozach, on z prawym łokciem na poręczy krzesła i podbródkiem tonącym w dłoni, hrabina zaś przesłaniała kompletnie mebel, na którym siedziała. Po jej prawej ręce siedział doktor, skrzyżowawszy długie nogi, z nieznacznym uśmieszkiem przewidywania na twarzy. Na przeciwnym krańcu siedziała jego siostra, z miednicą cofniętą przynajmniej o stopę w stosunku do podnieconej prostopadłej — klatki piersiowej, szyi i głowy. Fuksja, dla której, ku jej wielkiej uldze, nie znaleziono krzesła, stała za nimi, z rękami założonymi do tyłu. W palcach kręciła bez przerwy zieloną chusteczkę. Patrzyła, jak sędziwy Sourdust zrobił krok do przodu, i zastanawiała się, jak to jest, gdy się jest tak starym i pomarszczonym. Ciekawa jestem, czy ja kiedyś będę taka stara — pomyślała — stara pomarszczona kobieta, starsza od mojej matki, starsza nawet od Niani Slagg. Spojrzała na czarny masyw pleców matki. Poza tym, kto tu nie jest stary? Nie ma nikogo. Tylko ten chłopiec bez żadnego rodowodu. Nie dbałabym o to, tylko jest inny niż ja i zbyt mądry dla mnie. I nawet on nie jest młody. Nie tak, jak chciałabym, żeby moi przyjaciele byli młodzi.

Jej wzrok przesunął się wzdłuż rzędu głów. Jedna za drugą: stare nie rozumiejące głowy.

Wreszcie jej wzrok spoczął na Irmie.

Ona także nie ma rodowodu — pomyślała Fuksja — jej szyja jest zbyt czysta i najdłuższa, najcieńsza i najśmieszniejsza, jaką kiedykolwiek widziałam. Ciekawa jestem, czy ona naprawdę nie jest białą żyrafą i tylko udaje, że nie jest. Myśl Fuksji pomknęła ku wypchanej nodze żyrafy na strychu. Może należy do *niej* — pomyślała. Myśl ta tak się Fuksji spodobała, że straciła panowanie nad sobą i parsknęła śliną.

Sourdust, który właśnie miał zaczynać i już podniósł w tym celu starczą rękę, drgnął i spojrzał na nią. Pani Slagg nieco wcześniej przycisnęła do siebie Tytusa i słuchała pilnie, co dalej. Lord Sepulchrave nie poruszył ciała ani o cal, lecz otworzył powoli jedno oko. Lady Gertruda, jak gdyby parsknięcie Fuksji stanowiło sygnał, krzyknęła do Flaya, który znajdował się za drzwiami biblioteki:

— Otwórz drzwi i wpuść tego ptaka! Na co czekasz, człowieku! — Potem zagwizdała z niezwykłym brzuchomówstwem, a świstunka zielonawa pomknęła falistym lotem poprzez długą, ciemną kotlinę powietrza biblioteki, by osiąść na jej palcu.

Irma po prostu drgnęła, lecz zbyt była wytworna, by się obejrzeć, więc to doktor musiał nawiązać kontakt z Fuksją za pomocą wybornie stosownego mrugnięcia lewym okiem spoza wypukłej soczewki, niczym zamykająca i otwierająca się ostryga pod rozlewiskiem wody.

Sourdust, wytrącony z równowagi przez ten niestosowny wtręt, a także przez obecność świstunki, która odwracała jego wzrok, biegając po ramieniu Lady Gertrudy, znów podniósł głowę, macając palcami kapiący sznur w swej brodzie.

Jego ochrypły i drżący głos błąkał się jakby zagubiony po bibliotece.

Otaczały ich długie półki, jedna nad drugą, ograniczając ich świat ścianą z innych światów uwięzionych, choć oddychających pośród sieci miliona przecinków, średników, kropek, myślników i wszelakich drukowanych symboli.

— Zgromadziliśmy się wszyscy — powiedział Sourdust — w tej starodawnej bibliotece za namową Sepulchrave'a, siedemdziesiątego szóstego hrabiego na zamku Gormenghast i pana obszarów rozciągających się na wszystkie strony, do ugorów na północy, szarych słonych moczarów na południu, do ruchomych piasków i morza bez przypływów na wschodzie i do pięści nie kończących się skał na zachodzie.

Wypowiedział to jednym cichym, monotonnym ciągiem. Sourdust kaszlał przez jakiś czas, po czym, odzyskawszy oddech, ciągnął odruchowo: — Zgromadziliśmy się w ten siedemnasty dzień października, by wysłuchać jego wysokości. W nocy księżyc jest teraz w nowiu, a rzeka pełna ryb. Sowy na Wieży Krzemieni szukają zdobyczy jak dotychczas, więc właściwym jest, by jego wysokość, siedemnastego dnia jesiennego miesiąca, wyłuszczył sprawę, o której rozmyśla. Święte obowiązki, przed którymi się nigdy nie uchylał, są zakończone. Stosowne jest, by odbyło się to teraz — teraz, o szóstej godzinie dnia.

— Jako Mistrz Rytuału, Strażnik Papierów i Powiernik Rodu, mogę powiedzieć, że przemawianie jego wysokości do zebranych w żaden sposób nie narusza zasad Gormenghast.

Jednakże, wasza wysokość i jej czcigodna wysokość — powiedział Sourdust starczym zaśpiewem — nie jest tajemnicą dla zgromadzonych tutaj, że to ku dziecku, które teraz zajmuje dumne miejsce, że to ku Lordowi Tytusowi nasze myśli zbiegną się dzisiaj. To nie tajemnica.

Sourdust dał upust okropnemu piersiowemu kaszlowi. — To ku Lordowi Tytusowi — powiedział, patrząc mętnie na dziecko, po czym, podniósłszy głos, powtórzył z rozdrażnieniem — to ku Lordowi Tytusowi.

Niania uświadomiła sobie nagle, że staruszek dawał jej znaki, zrozumiała więc, że ma unieść niemowlę w górę, jakby był jakimś okazem albo na sprzedaż. Uniosła je, lecz nikt nie spojrzał na eksponat oprócz Prunesquallora, który niemal pochłonął Nianię, dziecko i wszystko w uśmiechu tak pożerającym i zębowym, że Niania zasłoniła się ramieniem i przycisnęła Tytusa na powrót do drobnej, płaskiej piersi.

— Odwrócę się tyłem i uderzę cztery razy w stół — powiedział Sourdust. — Slagg przyniesie dziecko do stołu, a Lord Sepulchrave — tu chwycił go gwałtowniejszy atak kaszlu niż kiedykolwiek, a w tej samej chwili szyja Irmy zadrżała nieco, a ona sama poszła w jego ślady, wydając pięć dystyngowanych szczęknięć. Zwróciła przepraszająco głowę w stronę hrabiny, marszcząc czoło w samopotępieniu. Spostrzegła, że hrabina nie zwróciła uwagi na jej nieme przeprosiny. Napięła nozdrza. Nie przyszło jej do głowy, że w sali pachniało też czymś innym niż dominującą zbutwiałą skórą: po prostu jej nozdrza z superczujnymi końcówkami nerwowymi działały samodzielnie.

Zajęło nieco czasu, nim Sourdust przyszedł do siebie po ataku, lecz wreszcie wyprostował się i powtórzył:

— Slagg przyniesie dziecko do stołu, a Lord Sepulchrave łaskawie podejdzie, postępując za służącym, a dotarłszy do miejsca tuż poza mną, dotknie mego karku palcem wskazującym lewej dłoni.

— Na ten znak ja i Slagg cofniemy się, a gdy Slagg pozostawi niemowlę na stole, Lord Sepulchrave przejdzie za stół i stanie po przeciwnej stronie zwrócony ku nam.

— Czy jesteś głodny, moje maleńkie kochanie? Czy nie ma w tobie ziarna? Czy tak? Czy tak?

Głos zabrzmiał tak nagle, ciężko i tak blisko drżących tonów Sourdusta, że każdy poczuł przez pierwszych kilka chwil, że uwaga ta dotyczy jego osobiście; jednakże odwróciwszy głowy, spostrzegli, że hrabina zwracała się wyłącznie do świstunki. Nigdy nie stwierdzono, czy świstunka odpowiedziała, nie tylko bowiem Irmę chwycił nowy i mniej dystyngowany atak krótkiego, suchego kaszlu, lecz także jej brat i Niania Slagg, przyłączając się do niej, wypełnili pokój hałasem.

Ptak wzbił się w powietrze przerażony, a Lord Sepulchrave zatrzymał się w drodze do stołu i odwrócił z rozdrażnieniem ku rzędowi hałaśliwych postaci; jednakże wówczas nikły zapach dymu, po raz pierwszy zauważalny, skłonił go do podniesienia głowy i powąchania powietrza powoli i melancholijnie. W tej samej chwili Fuksja poczuła szorstkość w gardle. Rozejrzała się po sali, marszcząc nos, gdyż dym, wciąż niewidzialny, stopniowo przenikał bibliotekę.

Prunesquallor powstał z miejsca obok hrabiny i splótłszy białe dłonie, z ustami skrzywionymi w pytającą linię, szybko obiegł salę oczyma. Głowę przechylił na bok.

— O co chodzi, człowieku? — spytała ociężale hrabina z miejsca tuż poniżej niego. Nadal siedziała.

— Chodzi? — zagadnął doktor, śmiejąc się dobitniej, lecz nadal poruszając oczyma. — To sprawa atmosfery, o ile ośmielam się sądzić w tak bardzo, bardzo krótkim terminie, wasza wysokość, o ile *ośmielam* się sądzić, ha, ha, ha! To sprawa zagęszczającej się atmosfery, ha, ha!

— Dym — powiedziała ociężale i tępo hrabina. — Co masz przeciwko dymowi? Czy nigdy go przedtem nie czułeś?

— Wiele, wiele razy, wasza wysokość — odparł doktor. — Lecz nigdy, że tak powiem, nigdy *tutaj*.

Hrabina chrząknęła i głębiej zapadła w krzesło.

— Tu nigdy *nie ma* dymu — powiedział Lord Sepulchrave. Zwrócił głowę ku drzwiom i uniósł nieco głos:

— Flay.

Długi służący wynurzył się z cienia jak pająk.

— Otwórz drzwi — powiedział ostro Lord Sepulchrave. A gdy pająk odwrócił się i udał w drogę powrotną, jego wysokość postąpił krok ku staremu Sourdustowi, zżętemu wpół ponad stołem w paroksyzmie kaszlu. Ujawszy Sourdusta za jeden łokieć, jego wysokość skinął na Fuksję, która podeszła i podtrzymała staruszka z drugiej strony, po czym wszyscy troje zaczęli postępować do drzwi za Flayem.

Lady Groan po prostu siedziała jak góra, śledząc ptaszka.

Doktor Prunesquallor wycierał oczy, zsunąwszy grube szkła ponad brwi. Jednakże cały czas miał się na baczności, a skoro tylko okulary znalazły się na miejscu, wyszczerzył się do wszystkich po kolei. Wzrok jego zatrzymał się na chwilę na siostrze Irmie, która systematycznie darła na kawałeczki kosztownie haftowaną kremową jedwabną chusteczkę. Oczy jej były niewidoczne za ciemnymi soczewkami okularów, lecz sądząc z wąskiej, wilgotnej, opadającej linii ust i z drgania skóry na spiczastym nosie, można było z całą pewnością przyjąć, że dotykały i powlekały wewnętrzną stronę soczewek okularów wilgocią, którą spowił je dym.

Doktor złączył koniuszki palców, po czym, rozłączywszy zwężające się czubki palców wskazujących, przyglądał się przez parę sekund, jak obracały się wokół siebie. Potem skierował wzrok ku przeciwległemu krańcowi sali, gdzie dostrzegł hrabiego z córką, ze staruszkiem pośrodku, podchodzących ku drzwiom biblioteki. Ktoś, przypuszczalnie Flay, robił wiele hałasu, mocując się z ciężką żelazną klamką.

Dym rozprzestrzeniał się, więc doktor, zdziwiony, dlaczego u diabła nie otworzono szeroko drzwi, zaczął rozglądać się po sali, próbując umiejscowić źródło wciąż gęstniejących wianuszków. Przechodząc obok Niani Slagg, ujrzał, że stała przy stole, z którego marmurowej powierzchni porwała Tytusa. Trzymała go tuż przy sobie, owinąwszy go warstwami materiału, które zupełnie go zakryły. Można było dosłyszeć przytłumiony płacz dobywający się z zawiniątka. Pomarszczone usteczka Niani były szeroko otwarte. Załzawione oczy były czerwieńsze niż zwykle od piekącego dymu. Jednakże stała całkiem nieruchomo.

— Droga dobra kobieto — powiedział doktor Prunesquallor, obróciwszy się na pięcie, gdy przepływał obok niej — moja droga Slagg, zanieś jego drobniutką wysokość do drzwi, które dla jakiejś przyczyny, zbyt zawiłej, bym mógł ją docenić, wciąż są zamknięte. Dlaczego, na wentylację, *nie wiem*: Ale *są*. Są wciąż zamknięte. Jednakże, moja droga Slagg, zanieś go do wyżej wzmiankowanych drzwi i umieść jego najmaciupeńszą główkę przy dziurce od klucza (TA jest jeszcze z pewnością otwarta!), a jeśli nawet nie będziesz mogła dziecka przez nią przecisnąć, to przynajmniej dasz płucom jego wysokości trochę powietrza.

Niania Slagg nigdy dobrze nie rozumiała długich zdań doktora, zwłaszcza gdy dobiegały poprzez opary dymu, więc wszystko, co pojęła, to to, że powinna próbować przecisnąć jej malutką wysokość przez dziurkę od klucza. Mocniej ściskając niemowlę w ramionach, zawołała: — Nie! Nie! Nie! — cofając się przed doktorem.

Doktor Prunesquallor wywrócił oczy ku hrabinie. Widocznie pojęła wreszcie sytuację w sali i zbierała wielkie zwoje draperii powoli i rozważnie, przygotowując się do powstania.

Szczęk przy drzwiach biblioteki stał się gwałtowniejszy, lecz miejscowe cienie w połączeniu z dymem uniemożliwiały dojrzenie, co się tam dzieje.

— Slagg — powiedział doktor, zbliżając się ku niej — idź natychmiast do drzwi, jak rozumna kobieta, jaką jesteś!

— Nie! Nie! — zapiszczała karliczka tak niemądrze, że doktor Prunesquallor, wyjąwszy chustkę z kieszeni, podniósł ją i wziął sobie pod ramię. Chustka owijająca kibić Niani Slagg zapobiegała stykaniu się sukien piastunki z ubraniem doktora. Jej nogi, jak czarne gałązki na wietrze, wymachiwały przez chwilę i znieruchomiały.

Jednakże nim dotarli do drzwi, spotkali Lorda Sepulchrave'a wynurzającego się mrocznie z dymu. — Drzwi zamknięto z zewnątrz — wyszeptał w przerwach między napadami kaszlu.

— Zamknięto? — zapytał Prunesquallor. — Zamknięto, wasza wysokość? Na wszystko co perfidne! To zaczyna być intrygujące. Nadzwyczaj intrygujące. Może nieco nazbyt intrygująca. Co *ty* o tym myślisz, Fuksjo, moja droga panienko? Co? ha, ha! No, no, musimy być zdecydowanie rozsądni, prawda? Na wszystko, co oświecone, naprawdę musimy! Czy nie można ich rozbić? — Zwrócił się do Lorda Sepulchrave'a. — Czy nie można ich wyłamać, wasza wysokość, uderzeniem i szturmem i tym podobnymi rozkosznymi rzeczami?

— Za grube, Prunesquallor — powiedział Lord Sepulchrave — czterocalowy dąb.

Mówił powoli, co dziwnie kontrastowało z szybkim, tryskającym szczebiotem Prunesquallora.

Sourdusta oparto w pobliżu drzwi, gdzie siedział, kaszląc, jakby chciał stare ciało rozerwać na strzępy.

— Nie ma klucza do drugich drzwi — ciągnął powoli Lord Sepulchrave. — Nigdy się ich nie używa. A może okno? — Po raz pierwszy przestrach pojawił się na jego ascetycznej twarzy. Podszedł szybko do najbliższych półek i przebiegł palcami po grzbietach z cielęcej skóry. Potem odwrócił się z niezwykłą u niego żywością. — Gdzie dym jest najgęstszy? — Szukam jego źródła, wasza wysokość — dobiegł z oparów głos Prunesquallora. — Jest wszędzie tak gęsty, że trudno powiedzieć. Na wszystkie piekielne ciemności, paskudnie gęsty. Ale szukam, ha, ha! Szukam. — Przez chwilę nucił jak ptak. Potem jego głos rozległ się znowu. — Fuksjo, kochanie! — zawołał. — Nic ci nie jest?

— Nie! — Fuksja przełknęła z trudem, nim mogła odkrzyknąć, gdyż była bardzo wystraszona. — Nie, doktorze Prune.

— Slagg — krzyczał doktor — trzymaj Tytusa przy dziurce od klucza. Przypilnuj jej, Fuksjo.

— Tak — wyszeptała Fuksja i udała się na poszukiwanie pani Slagg.

Właśnie wtedy w sali rozległ się nieopanowany wrzask.

Irma, która darła kremową chusteczkę, spostrzegła, że porwała ją na tak maleńkie cząsteczki, iż nic już nie zostało do darcia, więc nie była w stanie się dalej opanować, mając ręce zmuszone do bezczynności. Próbowała zdławić krzyk dłońmi, lecz strach jej był silniejszy niż takie środki, zapomniawszy więc w końcu wszystkiego, czego się nauczyła o formach towarzyskich i jak być damą, zacisnąwszy dłonie przy udach, wspięła się na palce i wrzeszczała łabędzim gardłem w sposób obliczony na zmrożenie krwi papugi ary.

Olbrzymia głowa wynurzyła się z dymu o parę stóp od Lorda Sepulchrave'a, a gdy patrzył, jak mglista głowa przybiera kształt i rozpoznał ją jako należącą do górnej połowy ciała swej żony, zesztywniał cały, gdyż wrzask Irmy rozległ się równocześnie z pojawieniem się głowy, której niefortunna bliskość w połączeniu z wrzaskiem przydała chwili brzuchomówczego okropieństwa. Do przerażającej głowy i głosu, atakujących jego wzrok i słuch równocześnie, choć z różnych odległości, dołączyła się straszliwa myśl, że Gertruda straciła panowanie nad sobą i dała upust wrzaskowi tak piskliwemu, że kłócił się z ospałym tonem wiolonczeli rozbrzmiewającym tak ociężale w jej krtani. Wiedział od razu, że to *nie* Gertruda krzyczała, lecz sam pomysł, że mogła to być ona, zemdlił go, a przez myśl mu przemknęło, że pomimo nieugiętego, nieczułego charakteru żony byłoby źle i ponuro, gdyby się zmieniła.

Płaska plama głowy żony odwróciła się na zamazanej szyi w stronę wrzasku i dostrzegł, że ogromny chwiejny profil zaczął się oddalać, cal po calu, kierując się w gęstwinę i obierając kurs według piskliwego meteoru wrzasku Irmy.

Lord Sepulchrave ścisnął spazmatycznie dłonie, aż mu kostki zbielały, a dziesięć jaskrawych czubków zakołysało się biało w dymie pomiędzy jego dłońmi i głową.

Krew zaczęła walić mu w skroniach, a na wysokim białym czole zebrało się kilka dużych kropel.

Przygryzał dolną wargę i ściągnął brwi nad oczyma, jakby rozważał jakiś akademicki problem. Wiedział, że nikt go nie może widzieć, gdyż dym był już zupełnie nieprzejrzysty, a jednak miał się na baczności. Dostrzegał, że położenie ramion i cała postawa ciała były przesadne i usztywnione. Odkrył, że palce miał rozstawione w aktorskim geście przestrachu. Musiał opanować członki, nim mógł się spodziewać zorganizowania działań w pełnej dymu sali. Więc patrzył i czekał na chwilę, by dowieść swego znaczenia, a tymczasem spostrzegł, że się nadal zmaga. Miał krew na języku. Ugryzł uprzednio przegub. Jego dłonie mocowały się ze sobą i wydawało się wiecznością, nim palce zaprzestały śmiertelnego, sczepionego, bratobójczego dławienia. A jednak jego popłoch nie mógł trwać dłużej niż parę chwil, gdyż miał jeszcze w uszach echo wrzasku Irmy, gdy zaczął rozplatać dłonie.

Tymczasem Prunesquallor dotarł do siostry i stwierdził, że ciało jej sprężyło się, przygotowując się do następnego wrzasku. Prunesquallor, układny jak zawsze, miał jednak w rybich oczach coś, co można by określić niemal jako determinację. Jeden rzut oka na siostrę wystarczył, by zdał sobie sprawę, że próba perswazji będzie tak samo owocna jak nawracanie sępa. Stała na palcach, nadąwszy płuca, gdy uderzył długą, białą dłonią jej długą, białą twarz, a powstrzymywany oddech wydostał się przez usta, uszy i nozdrza. W dźwięku tym było coś z kamyków — kamyków wleczonych ku morzu w ciemną noc.

Pociągnął ją prędko w poprzek sali, przy czym jej obcasy drapały podłogę, a wymacawszy delikatną stopą w dymie, znalazł krzesło i posadził na nim siostrę.

— Irmo! — krzyknął jej w ucho — upokarzający i kompletnie nieszczęsny sznurze bielidła, siedź na miejscu! Alfred dokona reszty. Czy mnie słyszysz? Bądź teraz grzeczna! Krwi mojej krwi, bądź teraz grzeczna, do diabła!

Irma siedziała zupełnie nieruchomo niczym martwa, poza wyrazem głębokiego zdumienia w oczach.

Prunesquallor miał właśnie znów próbować umiejscowić źródło dymu, gdy usłyszał głos Fuksji wysoko ponad kaszlem, który stał się teraz stałym tłem hałasu w bibliotece.

— Doktorze Prune! Doktorze Prune! Szybko! Szybko, doktorze Prune!

Doktor ściągnął wytwornie mankiety na przeguby dłoni, próbował wyprostować ramiona, lecz bez powodzenia, po czym zaczął posuwać się ostrożnie, pół biegnąc, pół idąc, ku drzwiom, gdzie ostatnio widziano Fuksję, panią Slagg i Tytusa. Oceniwszy, że znajduje się mniej więcej w połowie drogi ku drzwiom i z dala od mebli, Prunesquallor zaczął przyspieszać. Czynił to, zwiększając nie tylko długość kroku, lecz także jego wysokość, więc jakby sadził susy w powietrzu, gdy zatrzymało go nagle i bezlitośnie zderzenie z czymś, co sprawiało wrażenie olbrzymiego głazu postawionego na sztorc.

Cofnąwszy twarz od pachnących woskiem draperii wiszących wokół jak zasłony, wyciągnął tytułem próby rękę i wzdrygnął się poczuwszy, że dotknęła wielkich palców.

— Squallor? — rozległ się ogromny głos. — Czy to Squallor? — Usta hrabiny otwierały się i zamykały o cal od jego lewego ucha.

Doktor gestykulował wymownie, lecz jego mistrzostwo ginęło w dymie.

— Tak, to *on*. A raczej — ciągnął, mówiąc nawet szybciej niż zwykle — to *Prunesquallor*, co, że się tak wyrażę, jest poprawniejsze, ha, ha, ha! nawet w ciemności.

— Gdzie jest Fuksja? — zapytała hrabina. Prunesquallor poczuł, że schwycono go za ramię.

— Przy drzwiach — powiedział doktor, pragnąc uwolnić się od ciężaru ręki jej wysokości i zastanawiając się, nawet pośród kaszlu i ciemności, jak na Boga będzie wyglądać materiał, który tak elegancko leżał mu na ramionach, gdy hrabina z nim skończy. — Właśnie miałem ją odnaleźć, gdy spotkaliśmy się, ha, ha! Spotkaliśmy się niejako tak namacalnie, tak nieuchronnie.

— Cicho, człowieku, cicho! — powiedziała Lady Gertruda, rozluźniając chwyt.

— Odszukaj ją. Przyprowadź tutaj — i rozbij okno, Squallor, rozbij okno.

Doktor oddalił się błyskawicznie, a osądziwszy, że znajduje się o parę stóp od drzwi, zanucił: — Jesteś tutaj, Fuksjo?

Fuksja była tuż poniżej, zdumiał się więc, usłyszawszy jej głos dobiegający urywanie spośród dymu.

— Ona jest chora. Bardzo chora. Szybko, doktorze Prune, szybko! Zrób coś dla niej. — Doktor poczuł, że złapano go za kolana. — Ona jest tu na dole, doktorze Prune. Trzymam ją.

Prunesquallor podciągnął spodnie i ukląkł natychmiast.

Zdawało się, że w tej części sali było większe drganie atmosfery, większe, niż mogła spowodować odrobina powietrza, jaka mogłaby się przedostać przez dziurkę od klucza. Odgłos kaszlu był przerażający; kaszel Fuksji był ciężki i zadyszany; lecz doktora bardziej zaniepokoił wysoki, słaby i bezustanny kaszel pani Slagg. Poszukał ręką starej piastunki i znalazł ją na kolanach Fuksji. Przesunąwszy dłonią po drobnej jak u kurczęcia piersi, stwierdził, że jej serce ledwo trzepotało. W ciemności na lewo zalatywało pleśnią, a najsuchsza seria ceglano-pylistego kaszlu objawiła bliskość Flaya, który odruchowo wachlował powietrze dużą księgą wyszarpniętą z pobliskiej półki. Szpara w rzędzie ukrytych książek wypełniła się natychmiast kłębami dymu — wysoka, wąska nisza dławiącej ciemności, okropna wyrwa w rzędzie skórzanych zębów mądrości.

— Flay — powiedział doktor — czy mnie słyszysz, Flay? Gdzie jest największe okno w sali, mój człowieku? Szybko, gdzie jest?

— Północna ściana — powiedział Flay. — Wysoko.

— Idź i stłucz je natychmiast. Natychmiast.

— Nie ma balkonu — powiedział Flay. — Nie dosięgnę.

— Nie sprzeczaj się! Użyj tego, co masz w głowie. Znasz salę. Znajdź pocisk, poczciwy Flayu — znajdź pocisk i wybij okno. Trochę tlenu dla pani Slagg. Nie sądzisz? Na wszystkie zefiry, tak! Idź i pomóż mu, Fuksjo. Odszukaj okno i wybij je, nawet gdybyś musiała cisnąć w nie Irmą, ha, ha, ha! I nie bój się. Dym, wiesz, to tylko dym: nie składa się z krokodyli, och Boże, nie, z niczego tak tropikalnego. Pospiesz się. Wybij okno w jakiś sposób i wpuść wieczór — a ja będę uważać na drogą panią Slagg i Tytusa, ha, ha, ha! Och Boże, tak!

Flay chwycił Fuksję za ramię i oddalili się oboje w ciemność.

Prunesquallor robił co w jego mocy, by pomóc pani Slagg, bardziej przez zapewnianie jej, że to wszystko się zaraz skończy, niż przez cokolwiek naukowego. Sprawdził, że Tytus może oddychać, choć zawinięto go bardzo mocno. Potem przysiadł z powrotem na piętach i odwrócił głowę, gdyż powziął pewien pomysł.

— Fuksjo! — zawołał. — Odszukaj ojca i poproś go, by cisnął w okno czarną laską.

Lord Sepulchrave, który właśnie pokonał następny popłoch i niemal przegryzł na pół dolną wargę, odezwał się świetnie opanowanym głosem, gdy tylko doktor skończył szczebiotać polecenie.

— Gdzie jesteś, Flay? — zawołał.

— Tutaj — powiedział Flay o kilka stóp poza nim.

— Podejdź do stołu.

Flay i Fuksja posunęli się w stronę stołu, wymacując go rękami.

— Czy jesteś przy stole?

— Tak, ojcze — powiedziała Fuksja — jesteśmy tu oboje.

— Czy to ty, Fuksjo? — powiedział inny glos. Była to hrabina.

— Tak — powiedziała Fuksja. — Czy nic ci nie jest?

— Czy widziałaś świstunkę? — odpowiedziała matka. — Czy ją widziałaś?

— Nie — powiedziała Fuksja. Dym szczypał ją w oczy, a ciemność przerażała. Podobnie jak ojciec, zdławiła w gardle sporo krzyku.

Głos Prunesquallora rozbrzmiał z przeciwnego krańca sali: — Do diabła ze świstunką i jej wszystkimi upierzonymi przyjaciółkami! Znalazłeś pociski, Flay?

— Choć tu, Squallor — zaczęła hrabina; jednakże nie mogła dokończyć, gdyż jej płuca wypełniły się czarnymi kłębami.

Przez chwilę nikt w sali nie był w stanie mówić, a ich oddech z minuty na minutę stawał się coraz bardziej utrudniony. W końcu można było rozróżnić głos Sepulchrave'a.

— Na stole — wyszeptał — przycisk do papieru — mosiężny — na stole. Szybko — Flay — Fuksja — wymacajcie. Znaleźliście? — Przycisk do papieru — mosiężny.

Dłonie Fuksji napotkały ciężki przedmiot prawie natychmiast, a właśnie wówczas salę rozjaśnił języczek płomienia, który wyskoczył w górę pomiędzy książkami na prawo od nie używanych drzwi. Zgasł niemal zaraz, cofnąwszy się jak języczek żmii, lecz w chwilę później wystrzelił znowu i wspiął się szkarłatną spiralą, zwijając się z lewa na prawo w miarę pełzania po złoconych i wytłaczanych grzbietach ksiąg Sepulchrave'a. Tym razem nie zgasł, lecz pochwycił skórę mnóstwem migocących macek, a tytuły książek rozbłysły w efemerycznej chwale. Fuksja nigdy ich nie zapomniała, owych pierwszych jaskrawych tytułów, które zdawały się obwieszczać własną śmierć.

Przez chwilę panowała śmiertelna cisza, a potem Flay pobiegł z ochrypłym krzykiem ku półkom na lewo od głównych drzwi. Ogień oświetlił tłumok na podłodze, a dopiero gdy Flay podniósł go i przyniósł do stołu, inni przypomnieli sobie z przerażeniem o zapomnianym osiemdziesięcioletnim starcu — tłumokiem bowiem był Sourdust. Przez jakiś czas doktor nie mógł zdecydować, czy żyje, czy nie.

Podczas gdy Prunesquallor usiłował przywrócić oddech starcowi leżącemu w szkarłatnych łachmanach na marmurowym stole, Sepulchrave, Fuksja i Flay zajęli miejsca pod oknem, widocznym coraz wyraźniej. Sepulchrave pierwszy cisnął mosiężny przycisk do papieru, lecz próba była żałosna, ostateczny dowód (gdyby takiego było trzeba), że nie jest człowiekiem czynu i że nie zmarnował życia na próżno pośród książek. Następnie spróbował swych sił Flay. Pomimo wysokiego wzrostu nie powiodło mu się lepiej niż jego wysokości, ze względu na nadmiar wapnia osadzonego w stawach łokciowych.

Tymczasem Fuksja zaczęła wspinać się na półki, które sięgały w górę do około pięciu stóp poniżej okna. Wspinając się z wysiłkiem, z załzawionymi oczyma i oszalałym bijącym sercem, wygarniała książki na podłogę, by znaleźć oparcie dla rąk i nóg. Była to trudna wspinaczka, wejście było pionowe, a polerowane półki zbyt śliskie, by chwytać je pewnie.

Hrabina wspięła się na balkon, gdzie odnalazła świstunkę trzepoczącą rozpaczliwie w ciemnym kącie. Wyrwawszy pasmo ciemnorudych włosów, przywiązała ostrożnie skrzydełka ptaka do boków i przyłożywszy jego pulsującą pierś do policzka, wsunęła go pomiędzy szyję i kołnierz sukni, pozwalając, by zsunął się w przestronne mroczne obszary jej łona, gdzie ułożył się spokojnie pomiędzy wielkimi piersiami, myśląc bez wątpienia, gdy się ocknął z przerażenia płomieniami, że tu właśnie znajduje się gniazdo nad gniazdami, miększe od mchu, nietknięte, ciepłe od sennej krwi.

Upewniwszy się ponad wszelką wątpliwość, że Sourdust nie żyje, Prunesquallor podniósł jeden z luźnych kawałków szkarłatnego worka zabłąkanych z sędziwych ramion na marmurowym stole i położył na oczach starca.

Potem spojrzał przez ramię na płomienie. Rozprzestrzeniły się i obejmowały teraz mniej więcej czwartą część wschodniej ściany. Upał stawał się nieznośny. Następnie skierował wzrok ku drzwiom, tak tajemniczo zamkniętym, i spostrzegł, że Niania Slagg, z Tytusem w ramionach, przycupnęła tuż przy dziurce od klucza, w jedynym znośnym miejscu. Gdyby można było wybić okno i wznieść poniżej jakieś rusztowanie, mogłoby się im przypuszczalnie udać wydostać tamtędy, choć odmiennym zagadnieniem było, jak na Boga mieli zejść po drugiej stronie. Być może lina. Lecz gdzie znaleźć linę — a także, z czego można by wznieść rusztowanie?

Prunesquallor rozejrzał się po sali, usiłując dostrzec cokolwiek, czego można by użyć. Zauważył Irmę rozciągniętą na podłodze, podrygującą jak kawałek morskiego węgorza, odcięty, lecz wciąż pełen pomysłów. Jej piękna, doskonale dopasowana spódnica pomarszczyła się wokół ud. Wypielęgnowane paznokcie konwulsyjnie drapały podłogę. — Niech podryguje — powiedział szybko do siebie. — Zajmiemy się nią później, biedactwem. — Po czym zwrócił wzrok ponownie ku Fuksji, znajdującej się już bardzo blisko szczytu półek i ryzykownie sięgającej po laskę ojca z gałką z czarnego nefrytu.

— Ostrożnie, Fuksjo, dziecino.

Fuksja niewyraźnie dosłyszała głos doktora dobiegający z dołu. Przez chwilę wszystko zaczęło jej pływać przed oczyma, a prawa dłoń zaciśnięta na śliskiej półce drżała. Powoli wzrok się jej rozjaśnił. Nie było łatwo zamachnąć się laską lewą ręką, lecz cofnęła sztywno ramię, przygotowując się do zamachu w stronę okna jednym nieugiętym ruchem.

Przechylona przez balkon hrabina śledziła ją, kaszląc mocno, a przesuwając wzrok w przerwach pomiędzy sejsmicznymi wybuchami, pogwizdywała przez zęby do ptaka na swym łonie, odchylając przy tym kołnierz sukni wskazującym palcem.

Sepulchrave spoglądał w górę na córkę w połowie ściany pośród ksiąg pląsających w szkarłatnym blasku. Jego dłonie ponownie walczyły z sobą, lecz delikatny podbródek wysunął do przodu, a z melancholią w oczach mieszało się nie więcej przestrachu, niż można by to uznać za uzasadnione u normalnego człowieka w podobnych okolicznościach. Jego dom ksiąg płonął. Jego życie było zagrożone, a on stał całkiem nieruchomo. Wrażliwy umysł przestał funkcjonować, poruszał się bowiem tak długo w świecie abstrakcyjnych filozofii, że ten drugi świat praktycznego i natychmiastowego działania zepsuł jego strukturę. Rytuał, który jego ciało musiało wypełniać przez pięćdziesiąt lat, nie przygotował go na nieznane. Śledził Fuksję z senną fascynacją, podczas gdy splecione dłonie zmagały się ze sobą.

Flay i Prunesquallor stali tuż poniżej Fuksji, gdyż ta chwiała się w górze. Teraz, gdy wyciągnęła ramię gotowa uderzyć, odsunęli się nieco na prawo, by uniknąć szkła, które mogło spaść do środka.

Rozhuśtując ramię w stronę okna, Fuksja skupiła na nim wzrok i spostrzegła, że spogląda w twarz — obramowaną ciemnością twarz o parę stóp od jej własnej twarzy. Oblewała ją pożoga, a szkarłatne cienie przesuwały się przez nią, w miarę jak płomienie skakały po sali na dole. Jedynie oczy zaprzeczały trupiemu wyglądowi. Blisko osadzone jak nozdrza, były nie tyle oczyma, co wąskimi tunelami, przez które wlewała się noc.

I KONIE ZABRAŁY ICH DO DOMU

Gdy Fuksja rozpoznała głowę Steerpike'a, laska wypadła jej z wyciągniętej ręki, osłabła dłoń puściła półkę, a ona sama spadła w przestrzeń, z ciemnymi włosami snującymi się poniżej, z ciałem wygiętym do tyłu, jakby ją uderzono.

Skoczywszy do przodu, doktor i Flay pochwycili ją. W chwilę później szkło w górze spadło, rozpryskując się po sali, a głos Steerpike'a zawołał z góry:

— Powściągnijcie konie! Spuszczam drabinę. Nie wpadajcie w panikę. Nie wpadajcie w panikę!

Oczy wszystkich zwróciły się od Fuksji ku oknu, lecz Prunesquallor, usłyszawszy dźwięk tłuczonego nad nim szkła, zasłonił dziewczynę, schowawszy ją za siebie. Szkło spadło dokoła, a jeden duży kawał musnąwszy głowę doktora, rozprysł się na podłodze u jego stóp. Jedyną osobą, która odniosła obrażenia, był Flay, który stracił kawałeczek ciała na przegubie.

— Trzymajcie się! — ciągnął Steerpike podnieconym głosem, brzmiącym, jakby zupełnie tego nie przećwiczył. — Nie stójcie tak blisko, rozbiję jeszcze trochę szkła.

Grupka pod oknem cofnęła się, patrząc, jak wybija krzemieniem wyszczerbione resztki szkła po bokach okna. Sala z tyłu płonęła już na dobre, pot lał się z zadartych w górę twarzy, ubrania tliły się niebezpiecznie, a silny żar piekł ciała.

Na zewnątrz, stojąc na krótkich sterczących gałęziach sosnowej drabiny, Steerpike zaczął mocować się z drugą sosną wspartą o ścianę obok. Nie było to łatwe, mięśnie ramion i pleców napięły się niemal do granic wytrzymałości, gdy stopniowo dźwigał długi drąg w górę i przez ramię, cały czas z największą trudnością utrzymując równowagę. O ile mógł ocenić, biblioteka powinna być teraz w idealnym stanie dla prawdziwie teatralnej akcji ratowniczej. Powoli, lecz pewnie przesunął drąg przez ramię i opuścił przez wybite okno. Był to nie tylko trudny i niebezpieczny wyczyn, gdy stał tak, balansując na krótkich sześciocalowych odgałęzieniach sosny i przeciągając żywiczny przedmiot przez ramię, trudność zwiększały jeszcze owe poziome kikuty zahaczające o ubranie i parapet okienny przy każdej próbie spuszczenia długiego dziwadła przez otwór do jaskrawej biblioteki.

Wreszcie przezwyciężył obie trudności, a zebrani pod oknem po wewnętrznej stronie muru ujrzeli, jak piętnastostopowy pień sosny zsuwa się przez zadymione powietrze w górze, kołysze nad głowami i ląduje z trzaskiem u ich stóp. Steerpike trzymał mocno górny koniec pnia, więc ktoś lżejszy mógłby się wspiąć po nim natychmiast, jednakże Prunesquallor przesunął podstawę drzewa nieco na lewo i obracał nim, póki najmocniejsze z krótkich poziomych „szczebli" nie znalazły się w dogodniejszej pozycji.

Głowa i ramiona Steerpike'a ukazały się teraz w pełni w wybitym oknie. Zajrzał w szkarłatny dym. — Dobra robota — powiedział do siebie, po czym zawołał: — Dobrze, że was znalazłem! Już idę!

Plan nie mógł się powieść wyborniej. Ale nie było czasu do stracenia. Nie było czasu na zachwyty. Widział, że zajęły się deski podłogi, a wąż ognia pełzał pod stołem.

Steerpike podniósł głos. — Dziedzic Gormenghast! — zawołał. — Gdzie jest Lord Tytus? Gdzie jest Lord Tytus?

Prunesquallor już dotarł do pani Slagg, która osunęła się na dziecko, podniósł oboje i szybko pobiegł z powrotem ku drabinie. Była tam hrabina; byli tam wszyscy u stóp sosny; wszyscy oprócz Sourdusta, którego workowaty strój zaczął się już tlić. Fuksja przywlokła po podłodze za pięty Irmę, która leżała teraz jak wyrzucona na brzeg przez burzę. Steerpike przepełzł przez okno i znajdował się w jednej trzeciej pnia. Wspiąwszy się na trzeci szczebel, Prunesquallor zdołał podać Tytusa młodzieńcowi, który tyłem wycofał się przez okno i w mgnieniu oka zszedł po zewnętrznej drabinie.

Pozostawił niemowlę pośród paproci pod murem biblioteki i wdrapał się po drabinie po starą piastunkę. Z maleńką, bezwładną karliczką można było sobie poradzić niemal tak łatwo jak z Tytusem, więc Prunesquallor podał ją przez okno jak lalkę.

Steerpike położył ją obok Tytusa i zaraz znalazł się na powrót przy oknie. Było oczywiste, że następną na liście była Irma, lecz trudności zaczęły się z nią właśnie. Gdy tylko jej dotknięto, zaczęła walić rękami i nogami. Wyładowywało się trzydzieści lat poskramiania. Nie była już damą. Nigdy już nie mogła być damą. Jej nieskalane białe stopy były zaiste z gliny, więc teraz, przy całej przewadze długiej szyi, wznowiła wrzaski, jednakże słabsze, bowiem dym kłębiący się wokół jej strun głosowych stępił je, tak że były bardziej jak wełna niż jak struny. Coś trzeba było z nią zrobić, i to szybko. Steerpike zszedł w dół po górnej części pnia i zeskoczył na podłogę. Potem, za jego radą, on i doktor zaczęli oddzierać pasma sukni, którym związali jej nogi i ramiona, wpychając jej resztę do ust. Razem, z pomocą Flaya i Fuksji, dźwignęli stopniowo wijącą się Irmę po drabinie, aż Steerpike, przeszedłszy przez okno, był w stanie wyciągnąć ją na nocne powietrze. Gdy znalazła się po drugiej stronie, potraktowano ją z jeszcze mniejszym szacunkiem, jej lądowanie było gwałtowne, a chłopiec o wysokich ramionach jedynie dopilnował, by nie złamała więcej kości, niż trzeba. Ściśle rzecz biorąc, nie złamała żadnej, jej niezrównane ciało doznało jedynie paru siniaków.

Steerpike miał teraz trzy postaci leżące rzędem pośród zimnych paproci. Gdy wspinał się z powrotem, Fuksja mówiła: — Nie, nie chcę. *Ty* idź teraz. Proszę, *ty* idź teraz.

— Cicho, dziecko — odpowiedziała hrabina. — Nie trać czasu. Jak ci mówię, dziewczyno! Jak ci mówię! Zaraz.

— Nie, mamo, nie —

— Fuksjo, kochanie — powiedział Prunesquallor — znajdziesz się na zewnątrz w mgnieniu oka i drabiny! Ha, ha, ha! Zyskamy na czasie, cyganko! Pospiesz się.

— Nie gap się, dziewczyno!

Fuksja spojrzała na doktora. Jak był niepodobny do siebie, z potem lejącym się z czoła i spływającym pomiędzy oczyma.

— W górę! W górę! — powiedział Prunesquallor.

Fuksja odwróciła się ku drabinie i poślizgnąwszy się parę razy, zniknęła w górze.

— Grzeczna dziewczynka! — zawołał doktor. — Odszukaj swoją Nianię Slagg! No, a teraz, no, a teraz, wasza wysokość, do góry.

Hrabina zaczęła się wspinać, a choć towarzyszył jej odgłos drewnianych kołków łamanych z obu stron pnia, jej pochód ku oknu miał kolosalną nieuchronność w każdym kroku i każdym podrzucie ciała. Bardziej niż naturalnej wielkości, w ciemnej sukni mieniącej się czerwienią ognia, przedzierała się w górę ku oknu. Po drugiej stronie nie było nikogo do pomocy, gdyż Steerpike był w bibliotece, a jednak pomimo wykrzywień jej wielkiego ciała, pomimo niezdarności wyjścia, była w niej powolna godność, co nadało nawet przedostatniemu widokowi — jej ogromnego tyłu znikającego ogromnie w noc — posmak raczej budzący grozę niż śmiech.

Pozostali jedynie Lord Sepulchrave, Prunesquallor, Flay i Steerpike.

Prunesquallor i Steerpike zwrócili się szybko ku Sepulchrave'owi, by ruchem wysłać go w ślad za żoną, lecz gdzieś zniknął. Nie było chwili do stracenia. Płomienie trzeszczały wokół. Z zapachem dymu mieszał się swąd płonącej skóry. Niewiele było miejsc, gdzie mógł się znajdować, jeśli nie poszedł prosto w płomienie. Odnaleźli go w alkowie o parę stóp od drabiny, we wnęce jeszcze w pewnej mierze osłoniętej przed okrążającym żarem. Wygładzał grzbiety kompletu martrowijskich dramaturgów oprawnego w złotogłów, z uśmiechem na twarzy, który przeszył mdlącym bólem ciała tych trzech, którzy go odnaleźli. Nawet Steerpike patrzył na ów uśmiech spod piaskowych brwi z uczuciem zaniepokojenia. Ślina zaczęła ściekać z kącika wrażliwych ust jego wysokości, w miarę jak kąciki unosiły się w górę, a zęby obnażały. Był to uśmiech, jaki się widzi na pysku martwego zwierzęcia, z rozchylonymi, obwisłymi wargami i odsłoniętymi zębami wygiętymi ku uszom.

— Proszę je wziąć, proszę wziąć książki, wasza wysokość, i chodźmy, szybko chodźmy! — powiedział porywczo Steerpike. — Które pan chce?

Sepulchrave odwrócił się gwałtownie, nadludzkim wysiłkiem przyciągnął sztywno ręce do boków i natychmiast podszedł ku sosnowej drabinie. — Przykro mi, że was zatrzymałem — powiedział i zaczął się szybko wspinać.

Gdy opuszczał się po drugiej stronie okna, słyszeli, jak powtarzał do siebie: — Przykro mi, że was zatrzymałem. — A potem rozległ się wysoki śmiech, niczym śmiech ducha.

Nie było już czasu na decydowanie, kto ma za kim iść; nie czas na grzeczności. Ogarniał ich gorący oddech ognia. Sala wokół falowała, a jednak Steerpike ociągał się nieco.

Skoro tylko Flay i doktor zniknęli, wbiegł na sosnowy pień jak kot i usiadł na chwilę okrakiem na parapecie okna, nim zszedł po drugiej stronie. Mając za plecami czarną jesienną noc, przycupnął tam, trupia rzeźba, z oczyma już nie niczym czarne dziury w głowie, lecz lśniącymi w krwawoczerwonym blasku jak granaty.

— Dobra robota — powiedział do siebie powtórnie tego wieczora. — Bardzo dobra robota. — Po czym przerzucił drugą nogę przez wysoki parapet.

— Nikt już nie został — zawołał w dół w ciemność.

— Sourdust — powiedział Prunesquallor, a jego wysoki głos brzmiał nadzwyczaj bezbarwnie. — Sourdust został.

Steerpike ześliznął się po pniu.

— Nie żyje? — zapytał.

— Nie żyje — powiedział Prunesquallor.

Nikt się nie odezwał.

Gdy oczy Steerpike'a przywykły do ciemności, zauważył, że ziemia wokół hrabiny przeświecała bielą i poruszała się, lecz upłynęło nieco czasu, nim zrozumiał, że białe koty wiły się u jej stóp.

Skoro tylko matka zeszła za nią po drabinie, Fuksja zaczęła biec, potykając się, przewracając na korzeniach drzew, jęcząc z wyczerpania i słaniając się. Gdy po upływie całej wieczności dotarła do głównego korpusu zamku, skierowała się do stajni, gdzie wreszcie odnalazła trzech stajennych i kazała im osiodłać konie i udać się do biblioteki. Każdy stajenny prowadził jednego konia obok konia, na którym jechał. Na jednym z nich siedziała Fuksja, zgięta wpół. Załamana szokiem, płakała, a łzy spływały słonawymi ścieżkami po szorstkiej grzywie wierzchowca.

Zanim dotarli do biblioteki, tamci pokonali już pewną część drogi powrotnej. Flay niósł Irmę przerzuconą przez ramię. Prunesquallor trzymał w ramionach panią Slagg, a Tytus dzielił gniazdo świstunki na łonie hrabiny. Steerpike, obserwując uważnie Lorda Sepulchrave'a, prowadził go z tyłu za innymi, z szacunkiem trzymając jego wysokość za łokieć.

Gdy konie nadeszły, pochód się zatrzymał. Dosiedli koni, a idący z boku stajenni, trzymając uzdy, spoglądali przez ramię ogromnymi, zdumionymi oczyma na krwawiącą plamę blasku tańczącego w ciemności jak pulsująca rana pomiędzy prostymi czarnymi kośćmi sosen.

W swym powolnym pochodzie napotkali nieprzeliczone tłumy służby stojące wzdłuż szlaku w pełnym przerażenia milczeniu. Z zamku nie było widać ognia, gdyż dach jeszcze się nie zapadł, a drzewa zasłaniały jedyne okno, lecz wieść rozniosła się po przybyciu Fuksji. Noc, która miała tak straszliwe narodziny, nadal falowała i spływała potem, póki powolny świt nie otworzył się na wschodzie jak lodowaty kwiat, ukazując dymiącą skorupę jedynego domu Sepulchrave'a. Stojące jeszcze półki były pomarszczonym węglem, a ustawione na nich jedna obok drugiej książki były czarne, szare, popielate, trupy myśli. Pośrodku sali spłowiały marmurowy stół stał nadal wśród sterty zwęglonego drewna i popiołu, a na stole znajdował się szkielet Sourdusta. Ciało ze wszystkimi zmarszczkami zniknęło. Kaszel ustał na zawsze.

SWELTER ZOSTAWIA WIZYTÓWKĘ

Wiatry ponurego okresu przejściowego pomiędzy końcem jesieni a początkiem zimy zerwały kilka ostatnich liści nawet z najbardziej osłoniętych gałęzi kołyszących się w Splątanych Borach. Gdzie indziej drzewa były szkieletami od wielu tygodni. Smutek rozkładu ustąpił miejsca mniej żałobnemu nastrojowi. Umierając, chłodna pora roku przestała płakać i powstając ze stosu kolorowych liści zakrzyknęła głosem bez śladu łez, a jakaś dzikość zaczęła poruszać powietrze i przechadzać się ścieżkami Gormenghast. Ze śmierci soków roślinnych, pieśni ptaków i słońca, owo inne życie-pośród--śmierci powstało, by wypełnić pustkę przyrody.

W wietrze było jeszcze zawodzenie; listopadowe zawodzenie. Lecz w miarę upływających nocy jego przeciągły ton zanikał we wzmagającej się muzyce, która była teraz w blankach prawie conocnym tłem dla tych, którzy spali lub usiłowali spać w zamku Groanów. W ciemności coraz wyraźniej można było rozróżnić tony groźniejszych namiętności. Nienawiść i gniew, ból i podszczuwające głosy zemsty.

*

Pewnego wieczoru, parę tygodni po pożarze, około godziny przed północą, Flay opuścił się na ziemię przed drzwiami sypialni Lorda Sepulchrave'a. Przywykł do zimnych desek podłogi, od wielu lat bowiem były jego jedynym łożem, jednakże owego listopadowego wieczora przejęły chłodem jego krzemienne kości i rozbolały go golenie. Wiatr świstał i popiskiwał wokół zamku, lodowate przeciągi prześlizgiwały się po schodach i Flay słyszał odgłos drzwi otwierających się i zamykających w rozmaitych odległościach. Był w stanie prześledzić szlak przeciągu nadbiegającego od północnych bastionów zamkowych, gdyż rozpoznawał odgłos właściwy każdym odległym drzwiom trzeszczącym i zatrzaskującym się, wzmagający się hałas, póki ciężkie, spleśniałe zasłony wiszące w końcu korytarza, w odległości czterdziestu stóp, nie uniosły się i nie zaszemrały, a drzwi tuż za nimi nie zaskrzypiały i nie naprężyły się na jedynym zawiasie, a wówczas Flay wiedział, że lodowaty grot nowego przeciągu jest już blisko.

— Starzeję się — wymamrotał do siebie, rozcierając uda i zwijając się u drzwi jak pijawka.

Spał dość dobrze zeszłej zimy, gdy śnieg grubo pokrywał Gormenghast. Wspominał z niesmakiem, jak oklejał okna, przywierając do szyb, i jak wydawało się, gdy słońce zapadało za Górę, że śnieg wdziera się do środka poprzez szyby krwawą pianą.

To wspomnienie niepokoiło go, gdyż mgliście rozumiał, że przyczyną, dlaczego zimno coraz bardziej mu dokuczało podczas owych samotnych nocy, wcale nie była starość. Jego ciało było bowiem zahartowane do tego stopnia, że bardziej przypominało jakąś nieożywioną substancję niż coś z krwi i kości. Prawda, że noc była szczególnie zła, słotna i hałaśliwa, lecz przypomniał sobie, że cztery noce temu nie było wiatru, a jednak dygotał tak jak teraz.

— Starzeję się — znowu wymamrotał do siebie zgrzytliwie poprzez długie, odbarwione zęby; ale wiedział, że kłamie. Żaden ziąb nie mógł sprawić, by włosy zjeżyły mu się jak druciki, sztywno, niemal boleśnie, na udach i przedramionach oraz na karku. Czyżby się bał? Tak, każdy rozsądny człowiek bałby się. Bardzo się bał, choć to uczucie różniło się u niego od uczucia, jakiego doznawaliby inni ludzie. Nie bał się ciemności, otwierania i zamykania odległych drzwi, popiskującego wiatru. Przeżył całe swe życie w odpychającym, mrocznym świecie.

Odwrócił się, by widzieć szczyt schodów, choć było niemal zbyt ciemno, by je dojrzeć. Strzelił pięcioma stawami lewej dłoni, po kolei, lecz ledwo mógł usłyszeć trzaski, nowy podmuch zakołatał bowiem każdym oknem, a ciemność rozbrzmiała hukiem drzwi. Bał się; bał się już od wielu tygodni. Lecz Flay nie był tchórzem. Miał w sobie coś silnego i nieustępliwego; jakiś upór wykluczający popłoch.

Zdawało się, że nagle wichura dosięgła szczytu, by zaraz ustać zupełnie, lecz okres głuchej ciszy skończył się tak szybko, jak się zaczął, bowiem w parę sekund później, jakby z innej strony, burza rzuciła nową armię ulewnego deszczu i gradu, wypuszczając przeciw zamkowi salwy z trzewi jeszcze bardziej rozszalałej nawałnicy.

Podczas paru chwil zupełnej niemal ciszy pomiędzy dwiema zawieruchami Flay poderwał ciało z ziemi i usiadł wyprostowany, z porażonymi mięśniami. Wcisnął kostkę dłoni pomiędzy zęby, by zapobiec ich szczękaniu, a skupiwszy wzrok na ciemnym szczycie schodów usłyszał, całkiem wyraźnie, dźwięk zarówno bliski, jak i odległy, dźwięk ohydnie dobitny. W owej jamie bezruchu przypadkowe odgłosy zamku stały się kapryśne, nieobliczalne. Mysz chrupiąca pod deskami podłogi mogła znajdować się równie dobrze w odległości paru stóp lub paru sal.

Dźwięk, który Flay dosłyszał, był dźwiękiem rozmyślnie ostrzonego noża. Nie był w stanie powiedzieć, jak daleko. Był to dźwięk w próżni, abstrakcyjny, a jednak rozbrzmiewał tak donośnie, że równie dobrze mógłby brzmieć o cal od nadstawionych uszu.

Ilość przesunięć ostrza po osełce nie pozostawała w żadnym stosunku do przeciągu czasu, w jakim Flay słuchał. Dla niego mechaniczny ruch stali w przód i w tył po kamieniu trwał całą noc. Nie zdziwiłby się, gdyby przy słuchaniu zastał go świt. W rzeczywistości trwało to tylko parę chwil, a gdy druga nawałnica rzuciła się z rykiem na zamkowe mury, Flay znajdował się na czworakach, z głową wysuniętą do przodu w kierunku dźwięku, z odsłoniętymi zębami.

Burza nie ucichła do rana. Siedział skulony przy drzwiach pana, godzina za godziną, lecz nie usłyszał więcej ohydnego zgrzytu.

Wstający świt, posypując wolno i nieuchronnie ziemistą czerń szarym ziarnem, zastał służącego na czuwaniu, z dłońmi zwisający-

mi jak ciężarki u podciągniętych w górę kolan, z wyzywającym podbródkiem pomiędzy przegubami. Powietrze rozjaśniło się powoli,
więc rozprostowując jeden po drugim ścierpnięte członki, stanął
sztywno na nogach, uniósłszy ramiona ku uszom. Następnie wyjął
spomiędzy zębów żelazny klucz i wrzucił do kieszeni surduta.

Siedmioma powolnymi krokami osiągnął szczyt schodów i spojrzał w dół w studnię zimna. Schody zstępowały jakby bez końca.
Przesuwając się ze stopnia na stopień, jego wzrok zauważył niewielki przedmiot pośrodku jednego z półpięter około czterdziestu
stóp poniżej. Miał kształt nierównego owalu. Flay odwrócił głowę
ku drzwiom Lorda Sepulchrave'a.

Niebo wysączyło już wściekłość i panowała cisza.

Zszedł z dłonią na poręczy. Każdy krok budził echa w dole
i słabsze echa w górze, ku wschodowi.

Gdy osiągnął półpiętro, promień światła przebiegł jak smukła
włócznia przez wschodnie okno i zadrżał plamką na ścianie, o parę
stóp od miejsca, gdzie stał. Owo pasemko światła pogłębiło cienie
w górze i w dole, dopiero więc poszukawszy po omacku, Flay natknął się na ten przedmiot. W jego szorstkich dłoniach wydał się
obrzydliwie miękki. Przysunąwszy go ku oczom, poczuł mdlący,
przenikliwy zapach; lecz nie mógł dojrzeć, co trzymał. Następnie
uniósłszy go w promień słońca tak, że jego dłoń rzuciła cień na
romb światła na ścianie, ujrzał, jakby nadnaturalnie oświetlone,
maleńkie, bogato i wykwintnie wymodelowane ciasteczko. Na ob-
wodzie owego przysmaku delikatna, koralowa substancja tworzyła ogniwa łańcuszka, pozostawiając w środku maleńką przestrzeń
zielonkawego lukru, na którego lodowcowej powierzchni spoczywała litera „S", zwinięta jak kremowy robak.

ODGRZEBANIE BARQUENTINE'A

Hrabia, znużony po całym dniu rytuału (jego część wymagała od niego trzykrotnego wejścia i zejścia kamiennymi schodkami z Wieży Krzemieni i pozostawienia za każdym razem szklanki wina na skrzynce piołunu umieszczonej w tym celu na niebieskiej wieżyczce), udał się do swego pokoju, skoro tylko zdołał się uwolnić od ostatniego z obowiązków na ten dzień, i wziął silniejszą dawkę laudanum niż poprzednio. Zauważono, że wprowadził teraz do swych dziennych zadań bezprzykładną gorliwość. Jego skupienie się na szczegółach, dokładność w wykonaniu i rozumienie drobiazgów świadczyły o nowym okresie w życiu.

Strata biblioteki była tak druzgocącym ciosem, że nie zaczął jeszcze cierpieć katuszy, jakie miały przyjść później. Był wciąż oszołomiony i zagubiony, lecz instynktownie wyczuwał, że jego jedyną nadzieją było jak najczęstsze odwracanie myśli od tragedii i całkowite oddanie się codziennej rutynie. Jednakże w miarę upływu tygodni było mu coraz trudniej nie dopuszczać myśli o okropności owej nocy. Ciągle przypominał sobie, że nie można już było dotykać i czytać książek, które kochał nie tylko ze względu na ich treść, lecz dogłębnie, dla rozmaitej jakości druku i papieru. Utracił nie tylko książki i myśli w nich zawarte, lecz także, co być może było dla niego najdotkliwszą stratą, godziny rozmyślań, które dźwigały go w górę i niosły na olbrzymich, przytłumionych skrzydłach. Nie było dnia, by nie przypomniał sobie jakiegoś pojedynczego tomu czy szeregu dzieł, których miejsce na ścianie tak wyraźnie odcisnęło się w jego umyśle. Szukał ucieczki

przed tą ziejącą pustką w nadludzkim wysiłku wyłącznego skupienia myśli na ciągu ceremonii, które musiał codziennie wykonywać. Nie próbował uratować ani jednego tomu z półek, bowiem
nawet wówczas, gdy płomienie skakały dokoła, wiedział, że każde zdanie, które uniknie ognia, stanie się nieczytelne i gorzkie
jak żółć, że będzie mu urągać bez końca. Lepiej było mieć w sercu ziejącą dziurę, zupełnie pustą, niżby drwiła zeń pojedyncza
księga. Jednakże nie minął dzień, by nie zdawał sobie sprawy, że
jego siły słabną.

Wkrótce po śmierci Sourdusta w bibliotece przypomniano sobie, że stary bibliotekarz miał syna, natychmiast więc wszczęto
poszukiwania. Dopiero po niejakim czasie odkryto postać śpiącą
w kącie pokoju o bardzo niskim pułapie. Trzeba było się pochylić,
by wejść do pomieszczenia przez brudne orzechowe drzwi. Pochyliwszy się pod gnijącą framugą, nie można było rozluźnić skurczonej postawy ani wyprostować grzbietu, gdyż niemal w całym
pokoju sufit zapadał się do poziomu szczytu drzwi, a pośrodku,
niby gnijący brzuch, wydymał się jeszcze bardziej ku ziemi, po-
czerniały od much. Ponieważ oświetlał go słabo tuż nad podłogą
długi poziomy pas okna, wysłanym z tą misją służącym trudno
było z początku dojrzeć, czy był ktoś w pokoju. Stojący niemal
pośrodku stół, z nogami odpiłowanymi w połowie, na którym
się potknęli, zasłaniał, jak się wkrótce przekonali, Barquentine'a,
syna starego Sourdusta. Leżał na wypełnionym słomą materacu.
W pierwszej chwili służący przerazili się na widok podobieństwa
pomiędzy synem i zmarłym ojcem, lecz uspokoili się, ujrzawszy,
że leżący na wznak starzec z zamkniętymi oczyma miał tylko jedną nogę, do tego uschłą, prostując się zaś, zostali ogłuszeni, bowiem uderzyli głowami o sufit.

Przyszedłszy do siebie, spostrzegli, że klęczą obok siebie na
czworakach. Barquentine przyglądał im się. Uniósłszy kikut uschłej
nogi, zastukał nim gniewnie w materac, wzbijając tuman pyłu.

— Czego chcecie? — powiedział. Głos miał suchy jak u ojca,
jednakże mocniejszy, niż mogłaby to spowodować różnica jed-

nych dwudziestu lat pomiędzy nimi. Barquentine miał siedem-dziesiąt cztery lata.

Najbliżej znajdujący się służący uniósł do skurczonej postawy, otarł się barkami o sufit i z głową przygiętą do poziomu własnych sutek gapił się na Barquentine'a z szeroko otwartymi ustami. Jego towarzysz, krępe, nietaktowne stworzenie, odparł tępo z cienia, spoza obwisłowargiego przyjaciela:

— Nie żyje.

— O kim mówisz, głupku? — powiedział gniewnie siedem-dziesięciolatek, dźwigając się na łokciu i wzbijając kikutem nowy tuman pyłu.

— Pański ojciec — powiedział obwisłousty ochoczym tonem człowieka przynoszącego dobre wieści.

— Jak? — zawołał Barquentine, irytując się coraz bardziej. — Jak? Kiedy? Nie stójcie tu, gapiąc się na mnie jak cuchnące muły.

— Wczoraj — odparli. — Spłonął w bibliotece. Zostały tylko kości.

— Szczegóły! — wrzeszczał Barquentine, waląc dokoła kikutem i wściekle supłając brodę, jak to robił ojciec. — Szczegóły, wy puste głowy! Precz! Precz mi z drogi! Precz z pokoju, do diabła!

Macając w ciemności, znalazł kule i stanął z wysiłkiem na uschłej nodze. Była tak krótka, że gdy powstał, mógł przejść gro-teskowo do drzwi, nie potrzebując pochylać głowy, by uniknąć sufitu. Sięgał prawie połowy wzrostu skulonych służących, lecz przeszedł pomiędzy ich cielskami jak mała, dzika chmura mate-riału, tak obszarpany, że aż filigranowy, roztrąciwszy ich na boki.

Przeszedł przez niskie drzwi, tak jak dziecko przechodzi swo-bodnie pod stołem, z uniesioną głową, wynurzając się tryumfalnie po drugiej stronie.

Służący usłyszeli uderzenia kul o podłogę korytarza, na prze-mian z tupnięciami uschłej nogi. Z wielu czynności, które Barquen-tine musiał wykonać w ciągu następnych paru godzin, najpilniejszą było przejęcie pokoi ojca; zdobycie rozlicznych kluczy; znalezienie i włożenie szkarłatnego worka przygotowanego dlań na wypadek śmierci ojca; oraz powiadomienie hrabiego, że jest świadom swych obowiązków, bowiem studiował je, z ojcem i bez ojca, przez ostatnie pięćdziesiąt cztery lata, pomiędzy naprzemiennymi momentami odprężenia, snu i wpatrywania się w plamę pleśni na wybrzuszonym suficie swego pokoju.

Od samego początku okazał się bezkompromisowo kompetentny. Odgłos jego zbliżających się kul stał się znakiem do gorączkowego działania i drżenia. Tak jakby zbliżała się twarda, nieugięta litera prawa Groanów — żelazna litera tradycji.

Dla hrabiego było to wielkim błogosławieństwem, bowiem z człowiekiem tak surowej i niezachwianej dyscypliny nie można było wykonywać codziennych zadań bez drobiazgowej próby co rano. Barquentine nalegał, by jego wysokość nauczył się na pamięć mów, jakie miał wygłosić w ciągu dnia, oraz wszystkich szczegółów odnoszących się do zawiłych ceremonii.

Zajmowało to hrabiemu sporo czasu i do pewnego stopnia odwracało jego myśl od zagłębiania się w sobie; jednakże w miarę upływu tygodni wstrząs, jakiego doznał, zaczął działać. Bezsenność czyniła z każdej nocy piekło straszniejsze niż poprzedniej nocy.

Narkotyki były bezsilne, gdy bowiem po olbrzymiej dawce pogrążał się w szarej drzemce, wypełniały ją kształty prześladujące go po przebudzeniu, machające mu nad głową ogromnymi, przyprawiającymi o mdłości skrzydłami i wypełniające pokój gorącym powiewem gnijących piór. Jego zwykła melancholia z dnia na dzień przemieniała się w coś bardziej złowieszczego. Bywały chwile, gdy bezcześcił kruszącą się i żałobną maskę twarzy uśmiechem okropniejszym niż najciemniejsze rysy bólu.

Przez kamienny wzrok prześlizgiwał się przez moment dziwny błysk, jakby migotał niedojrzały księżyc, wargi rozchylały się, a szrama ust rozwierała się w martwy, wznoszący się łuk.

Steerpike przewidział, że prędzej czy później szaleństwo opanuje hrabiego, bardzo się więc zaniepokoił, usłyszawszy o Barquentinie i jego bezlitosnej sprawności. W jego plan wchodziło przejęcie obowiązków Sourdusta, bowiem uważał się za jedyną osobę w zamku zdolną podołać różnorakim szczegółom, jakich wymagała ta praca — wiedział też, że pozycja, której w zasadzie nie można mu było odmówić, gdyby nie było już nikogo obeznanego z prawami zamku, nie tylko by mu zapewniła bezpośredni i ważny kontakt z Sepulchrave'em, lecz również otworzyłaby stopniowo przed nim najgłębsze tajemnice Gormenghast. Jego władza wzrosłaby stokrotnie; jednakże nie wziął pod uwagę starożytności zasad, które scalały organizm tego miejsca. Każde kluczowe stanowisko w zamku miało czeladnika, syna lub ucznia, zobowiązanego do tajemnicy. Wieki doświadczenia sprawiły, że nie było przerwy w równomiernym, zawiłym strumieniu odwiecznych czynności.

Nikt nie myślał ani nie słyszał o Barquentinie od przeszło sześćdziesięciu lat, lecz gdy zmarł stary Sourdust, Barquentine pojawił się jak biegły aktor na zmurszałej scenie, a powolny dramat Gormenghast toczył się nadal pośród cieni.

Pomimo tego niepowodzenia Steerpike zdołał zbić nawet większy kapitał na swej akcji ratowniczej, niż to przewidywał. Flay skłaniał się do traktowania go z rodzajem milczącego uszanowania. Nigdy właściwie nie wiedział, jak powinien postąpić ze Steerpikiem. Gdy miesiąc przedtem spotkali się przypadkowo w bramie ogrodu Prunesquallorów, Flay cofnął się jak przed duchem, ponuro, oglądając się przez ramię ku szykownej zagadce, tracąc szansę skarcenia łobuza. Według pana Flaya, chłopiec Steerpike był czymś w rodzaju zjawy. W sposób zupełnie niepojęty szczeniak uratował życie hrabiemu, hrabinie, Tytusowi i Fuksji, z niesmakiem łączył się więc strach, by nie rzec podziw.

Jednakże Flay nie rozluźnił się w stosunku do chłopca, bolał nad tym, że musiał niejako przyznać równość komuś, kto wywodził się z kuchni Sweltera.

Również Barquentine był gorzką pigułką do przełknięcia, choć Flay natychmiast zdał sobie sprawę z tradycyjnej słuszności i uczciwości starca.

Fuksja, którą mniej pociągała piękna sztuka procedury, dostrzegła w starym Barquentinie stworzenie, którego unikała i nienawidziła — nie dla jakiejś specjalnej przyczyny, lecz nienawiścią młodych dla powagi przysługującej starości.

Spostrzegła, że w miarę upływu dni zaczęła nasłuchiwać odgłosu uderzeń kul o podłogę jak ciosów broni.

PIERWSZE ECHA

Nie mogąc pogodzić bohaterstwa akcji ratowniczej Steerpike'a z jego twarzą ujrzaną za oknem, nim upadła, Fuksja zaczęła traktować młodzieńca coraz mniej pewnie. Zaczęła podziwiać jego pomysłowość, jego brawurę, jego dar wymowy, co dla niego było tak proste, gdy dla niej tak trudne. Podziwiała jego chłodną sprawność i jej nienawidziła. Dziwiła ją jego szybkość, jego pewność siebie. Im częściej go widywała, tym bardziej była zmuszona uznać w nim kogoś zarówno bystrzejszego, jak i przebieglejszego od niej. W nocy zjawiała się przed nią jego blada twarz z blisko osadzonymi oczyma. Po przebudzeniu zaś przypominała sobie, wzdrygając się, jak uratował im życie.

Fuksja nie mogła go pojąć. Obserwowała go uważnie. W jakiś sposób stał się jedną z osobistości głównego nurtu życia zamku. Tak przebiegle narzucał swą obecność wszystkim ważnym osobom, że gdy wyskoczył dramatycznie naprzód, uratowawszy rodzinę z płonącej biblioteki, wydawało się, że tylko tego odważnego czynu było trzeba, by wysunąć go na pierwszy plan.

Mieszkał nadal u Prunesquallorów, lecz planował w tajemnicy przeprowadzkę do długiego, obszernego pokoju z oknem, przez które padało poranne słońce. Znajdował się on na tym samym piętrze w południowym skrzydle, co apartamenty ciotek. Nie było właściwie powodu, by pozostawał u doktora, który zdawał się nie być dostatecznie świadomy zdobytej przez niego ostatnio pozycji i którego pytania dotyczące sposobu, w jaki on (Steerpike) znalazł sosnę, ściętą i obciosaną z gałęzi dla akcji ratowniczej, oraz rozmaitych innych szczegółów, choć nietrudne — bowiem przygotował zawczasu odpowiedzi na rozmaite pytania, jakie można mu było zadać — były jednakże trafne. Doktor przydał się. Okazał się cenną odskocznią, lecz nadszedł czas na zajęcie pokoju, lub szeregu pokoi, we właściwym zamku, gdzie łatwiej można było posiąść znajomość tego, co się działo.

Od czasu pożaru Prunesquallor był, jak na niego, dziwnie niemy. Gdy się odzywał, brzmiało to tak samo wysoko, cienko i szybko, lecz większość każdego dnia spędzał zagłębiony w fotelu w salonie, uśmiechając się nieustannie do każdego, kogo zauważył, ukazując zęby równie bezkompromisowo jak dawniej, lecz z jakimś zamyśleniem w ogromnych, powiększonych oczach pływających poza grubymi soczewkami okularów. Irma, która od czasu pożaru pozostawała przywiązana do łóżka i której upuszczano około ćwierci litra krwi w co drugi wtorek, mogła teraz po południu schodzić na dół, gdzie siedziała przygnębiona, drąc na strzępy kawałki perkalu, które stawiano jej co rano obok fotela. Całymi godzinami uprawiała ten hałaśliwy, marnotrawny i monotonny środek nasenny, rozmyślając bez przerwy o tym, że nie jest damą.

Pani Slagg była nadal bardzo chora. Fuksja robiła dla niej co mogła, przeniósłszy łóżko piastunki do własnej sypialni, gdyż staruszka zaczęła bardzo się bać ciemności, którą teraz kojarzyła z dymem.

Zdawało się, że pożar najmniej oddziałał na Tytusa. Oczy miał nabiegłe krwią jeszcze przez jakiś czas potem, lecz poza tym jedynym skutkiem było ostre przeziębienie, na ten więc okres Prunesquallor wziął dziecko do swego domu.

Kości starego Sourdusta zabrano z marmurowego stołu pośród zwęglonych resztek drewna i książek.

Flay, któremu powierzono misję zabrania szczątków zmarłego bibliotekarza i przyniesienia ich na dziedziniec służby, gdzie ze starych skrzyń sporządzano trumnę, przekonał się, jak trudno uporać się ze zwęglonym szkieletem. Głowa obluzowała się trochę, więc Flay, podrapawszy własną czaszkę przez czas jakiś, postanowił wreszcie, że jedynym wyjściem było przenieść klekoczące resztki we własnych ramionach, tak jakby przenosił dziecko. Było w tym zarówno więcej szacunku, jak też zmniejszało niebezpieczeństwo rozczłonkowania czy złamania.

Owego wieczora, gdy powracał przez las, deszcz rozpadał się ulewnie, zanim dotarł do ostatnich drzew, a ledwie znalazł się w połowie drogi przez pustkowie oddzielające sosny od Gormenghast, deszcz spływał po kościach i czaszce w jego ramionach i bulgotał w oczodołach. Ubranie Flaya przemokło, a woda chlupała mu w butach. W miarę zbliżania się do zamku ulewa tak przyćmiła światło, że widział tylko na parę kroków przed sobą. Nagle wzdrygnął się na dźwięk z tyłu, lecz nim zdążył się odwrócić, ostry ból w tyle głowy przejął go mdłością, więc osuwając się stopniowo na kolana, wypuścił szkielet z rąk i osunął się w odrętwieniu na bulgoczącą ziemię. Nie wiedział, ile godzin lub minut tam leżał, lecz gdy odzyskał przytomność, deszcz nadal padał rzęsiście. Uniósł dużą, szorstką dłoń ku tyłowi głowy, gdzie odkrył guz wielkości kaczego jaja. Chyże dźgnięcia bólu przemykały mu przez mózg.

Nagle przypomniał sobie o szkielecie i podniósł się oszołomiony na kolana. Oczy miał nadal zaszłe mgłą, lecz dojrzał chwiejny zarys kości; gdy w chwilę potem wzrok mu się rozjaśnił, spostrzegł, że brakuje głowy.

POCHOWANIE SOURDUSTA

Barquentine przewodniczył na pogrzebie ojca. Przy jego sposobie myślenia nie można było pogrzebać kości bez czaszki. Szkoda, że nie mogła to być czaszka właściwa, lecz jakiś rodzaj końcówki dla ciała, nim złożono je w ziemi, był najwidoczniej niezbędny. Flay opowiedział swą historię, a guz nad lewym uchem świadczył o jego prawdomówności. Nie było żadnej poszlaki co do tego, kim mógł być tchórzliwy napastnik, ani nie można sobie było wyobrazić motywu, który mógł popchnąć do tak gruboskórnego, tak bezcelowego czynu. Dwa dni minęły na bezowocnych poszukiwaniach brakującej ozdoby, a Steerpike poprowadził grupę stajennych na obchód piwnic z winem, które, według jego własnej teorii, jak tego dowodził, mogły dostarczyć wielu idealnych nisz czy zakątków, gdzie przestępca mógł ukryć czaszkę. Od dawna miał ochotę przekonać się o rozmiarze piwnic. Jednakże poszukiwania przy świecach w wilgotnym labiryncie piwnic i korytarzy, wyłożonych omszałymi butelkami, obaliły jego teorię; gdy zaś tego samego wieczora wszystkie grupy poszukiwawcze doniosły, że ich wysiłki zakończyły się fiaskiem, postanowiono, że kości pochowa się następnego wieczora, czy głowa się odnajdzie, czy nie.

Ponieważ uważano za profanację wykopanie ciała z cmentarza służby, Barquentine postanowił, że czaszka małego cielaka będzie równie skuteczna. Dostarczył jej Swelter, a po wygotowaniu i oczyszczeniu z ostatnich śladów mięsa, osuszono ją i pomalowano, gdy zaś zbliżała się godzina pogrzebu, a właściwej czaszki nie odnaleziono, Barquentine posłał Flaya do pokoju pani Slagg po niebieską wstążeczkę. Czaszka cielaka była daleka od ideału, raczej nieduża, pomniejszała więc pozostałe szczątki mniej, niż można się było obawiać. W każdym razie, starzec będzie kompletny, choć niejednolity. Nie będzie bezgłowy, a jego pogrzeb nie będzie niechlujną, byle jaką uroczystością.

Dopiero gdy trumna stanęła obok grobu na Cmentarzu Zasłużonych, a tłum stał w milczeniu wokół małego, prostokątnego dołu, Barquentine skinął na Sepulchrave'a, wskazując, że nadeszła chwila, by hrabia przymocował cielęcą czaszkę do ostatniego z kręgów szyjnych starego Sourdusta przy pomocy niebieskiej wstążki, którą pani Slagg znalazła na dnie jednego ze swych zamkniętych koszyków z materiałami. Tak oto uczczono starca. Barquentine w zadumie supłał brodę, bardzo zadowolony. Niepodobna stwierdzić, czy była to jakaś zamierzchła zasada nauki Groanów, której Barquentine surowo przestrzegał, czy też wstążki dostarczały mu niejakiej pociechy, lecz bez względu na przyczynę, Barquentine wydostał skądś kilka dodatkowych wstążek w różnych kolorach, a szkielet jego ojca pysznił się rozmaitością jedwabnych kokardek, zawiązanych schludnie na tych kościach, jakie nadawały się do tak ozdobnego potraktowania.

Gdy hrabia uporał się z cielęcą czaszką, Barquentine pochylił się nad trumną i przyjrzał rezultatowi. W zasadzie był zadowolony. Głowa cielaka była trochę za duża, ale odpowiednia. Późnowieczorny blask oświetlał ją wspaniale, a ziarnistość kości była szczególnie efektowna.

Hrabia stał w milczeniu nieco przed tłumem, zaś Barquentine, wkopawszy kulę w ziemię, skakał dokoła, póki nie znalazł się naprzeciw ludzi, którzy przynieśli trumnę. Jeden błysk zimnych oczu ściągnął ich nad grób.

— Przybijcie wieko — zawołał i zaczął znowu skakać wokół kuli na uschłej nodze, a okucie podpory obracało się w miękkiej ziemi i kręcąc, wzbijało błoto w bulgoczące kliny.

Stojąc u zwalistego boku matki, Fuksja brzydziła się go całym ciałem. Zaczynała nienawidzić wszystko, co stare. Co to za słowo, które Steerpike potępiał, skoro tylko ją spotkał? Zawsze mówił, że jest okropne. — „Powaga": właśnie to. Odwróciła wzrok od jednonogiego mężczyzny i przesunęła nim z roztargnieniem wzdłuż szeregu gapiących się twarzy. Patrzyły na grabarzy przybijających deski. Wszyscy wydali się Fuksji okropni. Matka spoglądała ponad głowami tłumu w charakterystyczny niewidzący sposób. Na twarzy ojca zaczął pojawiać się uśmiech, jakby nieunikniony, nieopanowany — coś, czego Fuksja nigdy przedtem nie widziała na jego twarzy. Na chwilę zasłoniła oczy dłońmi i poczuła wzbierającą w niej falę nierzeczywistości. Może to wszystko było snem. Może naprawdę wszyscy byli mili i piękni, a to ona widziała ich poprzez czarną sieć nękającego ją snu. Opuściła dłonie i ujrzała, że spogląda prosto w oczy Steerpike'a. Znajdował się po przeciwnej stronie grobu, z założonymi rękami. Przypatrując się jej, z głową przechyloną nieco w bok, jak ptak, uniósł pytająco brwi w jej kierunku, wykrzywiwszy usta w górę z jednej strony. Fuksja uczyniła bezwiednie nieznaczny ruch dłonią, gest rozpoznania, przyjaźni, a w ruchu tym było coś tak delikatnego, tak czułego, że nie można tego opisać. Ona sama nie zdała sobie sprawy, że poruszyła dłonią — wiedziała jedynie, że postać po przeciwnej stronie grobu jest młoda.

Był dziwny i niepokojący, z wysokimi ramionami i dużym, wypukłym czołem; lecz był smukły i młody. Och, właśnie to! Nie należał do starego, przytłaczającego, niewyrozumiałego świata Barquentine'a: należał do niefrasobliwości życia. Nic w nim jej nie pociągało, niczego nie kochała, oprócz jego młodości i odwagi. Uratował z ognia Nianię Slagg. Uratował z ognia doktora Prune'a — och, i ją także uratował. Gdzie jest jego laska ze sztyletem? Co z nią zrobił? Taki niemądry, wszędzie ją ze sobą nosił.

Ziemię zgarniano łopatami do grobu, gdyż opuszczono już rozlatującą się trumnę. Gdy wypełniono jamę, Barquentine sprawdził prostokątną grządkę poruszonej ziemi. Zgarnianie było niechlujne, błoto przyklejało się do łopat, a Barquentine pokrzykiwał gniewnie na grabarzy. Teraz zeskrobał stopą trochę nierówno rozdzielonej ziemi w płytsze grządki, opierając się pochyło na kuli. Żałobnicy rozchodzili się, a Fuksja, odsunąwszy się od rodziców, znalazła się po skrajnej prawicy tłumu zmierzającego ku zamkowi.

— Czy mogę iść z panią? — zapytał, przysuwając się, Steerpike.

— Tak — powiedziała Fuksja. — O tak; dlaczego nie? — Nigdy go przedtem nie chciała, więc własne słowa zdziwiły ją.

Steerpike obrzucił ją wzrokiem, wydobywając swą fajeczkę. Zapaliwszy ją, powiedział:

— Niezbyt mnie to interesuje, Lady Fuksjo.

— Co?

— Ziemia do ziemi; proch do prochu, i całe to podniecenie.

— Powiedziałabym, że nikt się tym zbytnio nie interesuje — odparła. — Nie lubię myśli o śmierci.

— W każdym razie gdy się jest młodym — powiedział młodzieniec. — To dobre dla naszego przyjaciela kościostuka: w każdym razie, niewiele w nim życia zostało.

— Czasami lubię, jak jesteś bez poszanowania — powiedziała nagle Fuksja. — Dlaczego musi się być pełnym szacunku dla starszych, gdy oni sami nie są uprzejmi?

— To ich pomysł — odparł Steerpike. — Chcą podtrzymać to całe uszanowanie. Gdzież byliby bez tego? Pogrążeni. Zapomniani. Z boku: bowiem nie mają nic poza swym wiekiem i zazdroszczą nam naszej młodości.

— Czy to właśnie tak? — zapytała Fuksja, szeroko otwierając oczy. — Czy to dlatego, że zazdroszczą? Czy naprawdę tak myślisz?

— Bez wątpienia — odparł Steerpike. — Chcą nas uwięzić i dopasować do własnych planów, urągać nam i zmusić, byśmy dla nich pracowali. Wszyscy starzy są tacy.

— Pani Slagg nie jest taka — powiedziała Fuksja.

— Ona jest wyjątkiem — odrzekł Steerpike, dziwnie kaszląc i zasłaniając usta dłonią. — Jest wyjątkiem, który potwierdza regułę.

Szli przez parę kroków w milczeniu. Przed nimi majaczył zamek i wkraczali właśnie w cień wieży.

— Gdzie twoja laska? — zapytała Fuksja. — Jak możesz się bez niej obejść? Nie wiesz, co zrobić z rękami.

Steerpike uśmiechnął się. To była nowa Fuksja. Bardziej ożywiona — a jednak, czy to było ożywienie, czy też nerwowe, znużone podniecenie, które tak niezwykle dźwignęło jej głos?

— Moja laska — powiedział Steerpike, pocierając podbródek — moja kochana laseczka. Musiałem ją zostawić na stojaku. — Dlaczego? — spytała Fuksja. — Czy już jej nie uwielbiasz?

— *Uwielbiam*, o tak! Uwielbiam — odparł Steerpike z komiczną emfazą. — Uwielbiam ją tak samo, ale wydawało mi się, że będzie bezpieczniej zostawić ją w domu, bo wie pani, co bym przypuszczalnie nią *zrobił*?

— Przebiłbym nią flaki Barquentine'owi — powiedział Steerpike — bardzo delikatnie, tu i tam, i wszędzie, póki stary strach na wróble nie wrzeszczałby jak kot; a kiedy wywrzeszczałby całe powietrze z czarnych płuc, przywiązałbym go za jedyną nogę do gałęzi i podpaliłbym mu brodę. Więc widzi pani, jak to dobrze, że nie miałem ze sobą mojej sztyleto-laski, prawda?

Lecz gdy się zwrócił w jej stronę, Fuksji nie było.

Widział ją, jak biegła przez mgliste powietrze, dziwnie, susami; lecz nie wiedział, czy biegła z radości, czy aby uciec od niego.

BLIŹNIACZKI SĄ KRNĄBRNE

Mniej więcej w tydzień po pogrzebie Sourdusta, lub dokładniej, mniej więcej w tydzień po pogrzebie tego, co zostało z Sourdusta, wraz z cielęcą czaszką i wstążkami, Steerpike ponownie odwiedził ciotki, by wybrać sobie apartament w południowym skrzydle na tym samym piętrze co ich komnaty. Od czasu pożaru stały się nie tylko bardzo próżne, lecz również kłopotliwe. Chciały wiedzieć, kiedy, ponieważ wykonały zadanie zgodnie z planem, miały się uniezależnić. Dlaczego południowe skrzydło jeszcze nie tętniło paradą i przepychem? Dlaczego korytarze były nadal tak zakurzone i opustoszałe? Gdzie były trony, które im obiecano? Gdzie były złote korony? Za każdym pojawieniem się Steerpike'a w ich komnatach ponawiały te pytania, i za każdym razem było coraz trudniej je ułagodzić i przekonać, że dni krzywdy zbliżają się ku końcowi.

Nadal były tak samo beznamiętne na zewnątrz, ich twarze nie zdradzały tego, co zachodziło we wnętrzu identycznych ciał, lecz Steerpike nauczył się z grubsza rozpoznawać po niemal niedostrzegalnych ruchach zwiotczałych palców, co działo się w ich umysłach lub do jakiego poziomu podniosły się ich uczucia. Było coś niesamowitego w tym, jak ich białe palce poruszały się jednocześnie, wskazując, że w tym samym dokładnie momencie ich umysły sunęły tym samym wąskim pasemkiem myśli, w tym samym rytmie, tym samym krokiem.

Lśniące obietnice, które Steerpike założył jako przynętę na swój okrutny haczyk, wywołały głębszy skutek, niż oczekiwał. Myśl, że są władczyniami południowego skrzydła, górowała teraz w ich umysłach, w istocie wypełniała ich umysły, nie pozostawiając miejsca na żadne inne pojęcia. Uwidaczniała się zewnętrznie w ich rozmowach, które obracały się jedynie wokół tego. Upojone sukcesem, rozluźniły palce, choć twarze pozostały nadal bez wyrazu jak przypudrowane płyty. Steerpike zbierał teraz żniwo tego, że je przekonał o ich odwadze i sprycie oraz o mistrzostwie, z jakim one, i tylko one, mogły podpalić bibliotekę. Swego czasu trzeba było wydąć je w pęcherze zarozumiałości i pewności siebie, lecz teraz, gdy ich przydatność w danej chwili się skończyła, było coraz trudniej poradzić sobie z tym rozdęciem. Jednakże, przy pomocy różnych wykrętów, udało mu się przekonać je o nieroztropności pośpiechu w sprawie takiej wagi jak wyniesienie je na bliźniacze szczyty. Takich rzeczy należy dokonywać z rozwagą, przebiegłością i przewidywaniem. Ich pozycja musi stopniowo ulegać poprawie dzięki ciągowi drobnych zwycięstw, które same w sobie nie przyciągające uwagi, będą narastać podstępnie, aż, nim się zamek połapie, południowe skrzydło nie rozbrzmi słuszną chwałą. Bliźniaczki, oczekujące, że zmiana ich sytuacji nastąpi z dnia na dzień, gorzko się rozczarowały, a chociaż stopniowo przekonały je argumenty Steerpike'a, że ich władza, gdy przyjdzie, musi opierać się na pewnej podstawie, jednakże gdy tylko zostały same, natychmiast pogrążały się ponownie w smutku, a każde pojawienie się Steerpike'a było dla nich okazją do wywlekania żalów na nowo.

Owego popołudnia, skoro tylko wszedł do pokoju, a one rozpoczęły dziecinną wrzawę, przerwał im, wołając: — Zaczynamy!

Krzycząc, uniósł wysoko w górę lewą rękę, by je uciszyć. W prawej trzymał zwój papieru. Stały, dotykając się ramionami i biodrami, tuż obok siebie, z głowami pochylonymi nieco do przodu. Gdy ich donośne, beznamiętne głosy ucichły, ciągnął:

— Zamówiłem trony dla pań. Wykonują je w tajemnicy, a ponieważ nalegałem, by wykuto je ze szczerego złota, ich wykonanie trochę potrwa. Te plany przysłał mi złotnik, mistrz niezrównany. Wasze wysokości raczą wybrać. Nie mam wątpliwości, który panie wybiorą, bo choć wszystkie trzy są najdoskonalszymi dziełami sztuki, to jednak jestem przekonany, że z pań gustem, zmysłem proporcji, wyczuciem szczegółów, wybiorą panie ten, który w moim przekonaniu nie ma równych pośród tronów świata.

Oczywiście, Steerpike sam wykonał rysunki, spędziwszy nad nimi kilka godzin więcej, niż zamierzał, raz bowiem zacząwszy, zainteresował się, a gdyby doktor lub jego siostra otworzyli drzwi jego pokoju wczesnym rankiem, zastaliby chłopca o wysokich ramionach pochylonego nad stołem, pochłoniętego zajęciem; cyrkiel, kątomierz i ekierka równo rzędem z boku stołu, pięknie zaostrzony ołówek posuwający się wzdłuż linijki z zimną precyzją.

Teraz rozwijając rysunki przed szeroko otwartymi oczyma ciotek, obchodził się z nimi zręcznie, gdyż sprawiała mu przyjemność dbałość o owoce swej pracy. Ręce miał czyste, palce dziwnie zaostrzone, a paznokcie dłuższe niż zwykłe.

Cora i Clarice natychmiast znalazły się u jego boku. W twarzach ich nie było żadnego wyrazu. Jedyne, co można w nich było znaleźć, to bezkompromisową anatomię. Trony spoglądały na ciotki, a ciotki spoglądały na trony.

— Nie ma wątpliwości, który panie będą wolały, ponieważ jest unikalny w historii złotych tronów. Wybierajcie, wasze wysokości — wybierajcie! — powiedział Steerpike.

Cora i Clarice wskazały równocześnie na największy z trzech rysunków. Niemal wypełniał sobą stronę.

— Jakże *słusznie*! — powiedział Steerpike. — Jakże *słusznie*! To był jedyny wybór. Jutro zobaczę się ze złotnikiem i powiadomię go o decyzji pań.

— Chcę mój szybko — powiedziała Clarice.

— Ja też — powiedziała Cora — bardzo szybko.

— Myślałem, że już to wyjaśniłem — powiedział Steerpike, ujmując je za łokcie i przyciągając ku sobie — myślałem, że już to wyjaśniłem, iż tron z kutego złota nie jest przedmiotem, który można wykonać z dnia na dzień. Ten człowiek to mistrz, artysta. Czy chcą panie zrujnować swą chwałę przez prowizoryczną i śmieszną parę jaskrawożółtych siedzeń? Czy chcą panie znowu

stać się pośmiewiskiem zamku, ponieważ były panie zbyt nie-
cierpliwe? Czy też pragną panie, by Gertruda i cała reszta wy-
trzeszczali oczy, otwierając usta z zazdrości, na was, siedzące wysoko jak dwie purpurowe królowe, którymi z pewnością panie
są?... Wszystko musi być najlepsze. Zawierzyły mi panie, bym je
wyniósł na stanowisko, które się paniom słusznie należy. Muszą
panie pozostawić to mnie. Uderzymy, gdy godzina nadejdzie.
Tymczasem od nas zależy, by uczynić z tych komnat coś nieznane-
go w Gormenghast.

— Tak — powiedziała Cora. — Tak myślę. Muszą być cudowne.
Pokoje muszą być cudowne.

— Tak — powiedziała Clarice. — Bo *my* takie jesteśmy. Pokoje
muszą być takie jak my. — Usta jej się otwarły, jakby dolna szczęka
obumarła.

— Ale my jesteśmy jedyne *naprawdę* godne szacunku. Nikt nie
może o tym zapomnieć, prawda, Coro?

— Nikt — powiedziała Cora. — Absolutnie nikt.

— Właśnie — powiedział Steerpike — a pierwszym obowiązkiem pań będzie odnowienie Komnaty Korzeni. — Spojrzał na nie
przebiegle. — Należy korzenie pomalować na nowo. Nawet naj-
mniejsze należy pomalować, gdyż żadna komnata w Gormenghast
nie jest tak cudowna, by wypełniały ją korzenie. Korzenie *pań*. Korzenie drzewa *pań*.

Ku jego zdziwieniu, bliźniaczki nie słuchały go. Obejmowały
się za długie, beczkowate klatki piersiowe.

— On nas zmusił do tego — mówiły. — Zmusił nas do spalenia
książek drogiego Sepulchrave'a. Książek drogiego Sepulchrave'a.

„PÓŁMROK"

Tymczasem hrabia i Fuksja siedzieli razem dwieście stóp poniżej, oddaleni o przeszło milę od Steerpike'a i ciotek. Jego wysokość, wsparty o sosnę, z kolanami podciągniętymi pod brodę, spoglądał na córkę ze śliskim uśmiechem na ustach, kiedyś tak subtelnie nakreślonych. Stopy mu przykuwał, nagromadziwszy się ze wszystkich stron wokół smukłego ciała, zimny, ciemny, falujący siennik sosnowych igieł, przerywany tu i ówdzie ciężkimi, znużonogłowymi paprociami i szarymi grzybami, których popielate powierzchnie wydzielały zimowy pot.

Jakaś migotliwa ciemność wypełniła dolinę. Pułap szczelnie zakrywał niebo, a gałęzie splatały się tak ciasno, że powstrzymywały największą ulewę; metodyczne kap... kap... kap zatrzymanego przez gałęzie deszczu spadało na iglastą posadzkę dopiero parę godzin od rozpętania najulewniejszej burzy. A jednak nieco odbitego światła dziennego przesączało się na polankę, głównie ze wschodu, gdzie znajdował się szkielet biblioteki. Pomiędzy polanką a ścieżką biegnącą obok ruin drzewa, choć gęste, nie przekraczały na szerokość trzydziestu do czterdziestu jardów.

— Ile półek zbudowałaś dla ojca? — powiedział hrabia do córki z upiornym uśmiechem.

— Siedem półek, ojcze — powiedziała Fuksja. Oczy miała szeroko otwarte, a dłonie zwisające u boków drżały.

— Jeszcze trzy półki, moja córko — jeszcze trzy półki, a potem ustawimy książki z powrotem.

— Tak, ojcze.

Podniósłszy krótką gałązkę, Fuksja nakreśliła trzy długie linie na pokrytej igliwiem ziemi, dodając je do siedmiu, które już się znajdowały pomiędzy nią a ojcem.

— Właśnie tak, właśnie tak — zabrzmiał melancholijny głos. — Teraz mamy miejsce na poetów sonijskich. Czy przygotowałaś książki — córeczko?

Fuksja poderwała głowę i utkwiła wzrok w ojcu. Nigdy do niej tak nie przemawiał — nigdy przedtem nie słyszała w jego głosie tego tonu miłości. Choć ścinało ją przerażenie na widok jego rosnącego szaleństwa, napełniało ją jednakże współczucie, jakiego nigdy nie znała, teraz zaś było to coś więcej niż współczucie, wytrysnął nagle ciepły strumień miłości do skulonej postaci, której długie, blade dłonie spoczywały na kolanach, której głos brzmiał tak spokojnie i troskliwie. — Tak, ojcze, przygotowałam książki — odparła — czy chcesz, żebym je ustawiła na półkach?

Odwróciła się ku stercie nagromadzonych sosnowych szyszek.

— Tak, jestem gotów — odparł po chwili wypełnionej ciszą lasu. — Ale jedna za drugą. Jedna za drugą. Wypełnimy dziś trzy półki. Trzy moje długie, niezwykłe półki.

— Tak, ojcze.

Cisza wysokich sosen narkotyzowała powietrze.

— Fuksjo.

— Co, ojcze?

— Jesteś moją córką.

— Tak.

— Jest jeszcze Tytus. Będzie hrabią Gormenghast. Czy tak?

— Tak, ojcze.

— Gdy umrę. Ale czy znam ciebie, Fuksjo? Czy znam ciebie?

— Nie wiem dokładnie — odparła; teraz, gdy dostrzegła jego słabość, głos jej brzmiał pewniej. — Myślę, że nawzajem nie znamy się zbyt dobrze.

Znów ogarnął ją przypływ miłości. Szalony uśmiech, sprawiający, że każda zrobiona przez hrabiego uwaga stawała się dziwaczna, choć przemawiał z czułością i opanowaniem, przestał ją na chwilę przerażać. W swym krótkim życiu stawała już twarzą w twarz z tyloma postaciami dziwactwa, że choć martwiła ją przerażająca niesamowitość pochyłego uśmiechu, to nagłe obalenie barier stojących pomiędzy nimi, odkąd sięgała pamięcią, przemogło jej strach. Po raz pierwszy w życiu czuła, że jest córką — że ma ojca — własnego. Cóż to dla niej znaczyło, że pogrążał się w szaleństwo — chyba tylko ze względu na niego samego. Był jej.

— Moje książki... — powiedział.

— Mam je tutaj, ojcze. Czy mam wypełnić pierwszą z długich półek?

— Poetami sonijskimi, Fuksjo.

— Tak.

Ze sterty na uboczu podniosła szyszkę i umieściła na końcu linii nakreślonej na ziemi. Hrabia śledził ją bardzo uważnie.

— To Andrema, liryk — kochanek — ten, którego pióro pulsowało, gdy pisał, zachodząc błękitnym rumieńcem, jak stłuczony paznokieć. Jego wiersze, Fuksjo, jego wiersze otwierają się jak kwiaty ze szkła, a w ich środku, pomiędzy kruchymi płatkami, leży jeziorko indyga, przezroczyste i ogromne jak los. Jego głos nie jest przytłumiony — jest jak dzwon bijący czysto w nocy naszego zamętu; lecz czystość jest czystością nieuchwytnej głębi — głębi — tak że jego strofy szybują wiecznie, Fuksjo — szybują i szybują wiecznie. To Andrema... Andrema.

Ze wzrokiem na szyszce, którą Fuksja umieściła na końcu pierwszej linii, hrabia otworzył szerzej usta i nagle sosny zadrżały echem strasznego krzyku, pół wrzasku, pół śmiechu.

Fuksja zesztywniała, a krew odpłynęła jej z twarzy. Ojciec, z ustami nadal otwartymi, choć krzyk zamarł już w lesie, znajdował się teraz na czworakach. Fuksja próbowała wydobyć głos z suchości gardła. Wzrok ojca spoczywał na niej, gdy się z sobą zmagała, i wreszcie jego wargi zwarły się, a oczy odzyskały melancholijną słodycz, którą tak niedawno w nich odkryła. Była w stanie powiedzieć, podnosząc następną szyszkę i czyniąc ruch, jakby ją chciała umieścić obok „Andremy": — Czy mam dalej zajmować się biblioteką, ojcze?

Lecz hrabia jej nie słyszał. Wzrok jego stracił ostrość. Fuksja wypuściła szyszkę z ręki i podbiegła do niego

— Co się stało — zapytała. — Och, ojcze! Ojcze! co się stało? — Nie jestem twoim ojcem — odparł. — Czyż mnie nie znasz? — A gdy wyszczerzył się w uśmiechu, jego czarne oczy rozszerzyły się, w każdym oku płonęła gwiazda, w miarę zaś jak gwiazdy rosły, jego palce zakrzywiały się. — Mieszkam w Wieży Krzemieni — wykrzyknął. — Jestem sową śmierci.

DACH Z TRZCINY

Posuwając się powoli nierównym i zarośniętym szlakiem, Keda czuła cały czas z lewej strony ów bluźnierczy palec skalny, który górował nad zachodnią stroną nieba od siedmiu męczących dni. Był jak czyjaś obecność, coś, co skąpane w świetle słońca czy w świetle księżyca, było zawsze złowieszcze; w istocie, złe.

Pomiędzy ścieżką, którą szła, a łańcuchem gór znajdowały się mokradła, odbijające lubieżne niebo w obfitych sadzawkach lub mętniej tam, gdzie zdławione bagna wyssały barwę i wyzionęły ją leniwym oparem. Zagon sitowia migotał, bowiem każdy z długich, mieczowatych liści obszywała szkarłatna nić. Jedna z większych sadzawek o niemal jednolitej powierzchni odbijała nie tylko płonące niebo, lecz również okropny wskazujący palec skały zanurzony w nieporuszonej wodzie.

Po prawej ziemia wznosiła się w górę, porośnięta zniekształconymi drzewami. Choć najbardziej zewnętrzne gałęzie wciąż były oświetlone, gwałtowność zachodu słabła i światło szybko wykruszało się z konarów.

Cień Kedy wydłużał się na prawo, rosnąc w miarę jak szła, coraz słabszy, gdy malowana ziemia matowiała z czerwonawego odcienia w nieokreśloną ochrę, a z ochry w ciepłą szarość, która z każdą chwilą stawała się coraz chłodniejsza, póki Keda nie spostrzegła, że posuwa się szlakiem popielatego światła.

Od dwóch dni wielkie ramię wzgórza z jego straszliwą monotonią porastających je krępych, włóknistych drzew znajdowało się po prawej stronie Kedy, jakby dysząc jej nad ramieniem; wyciągając ku niej skarlałe ręce. Wydawało się, że przez całe życie odczuwała gnębiącą obecność drzew, udaremnionych drzew, łypiących na nią, dyszących nad jej prawym ramieniem, gestykulujących włochatymi rękami, każde z właściwą sobie pogróżką, a jednak każde monotonnie jednakie w bezkresie jej wędrówki.

Monotonia bowiem zaczęła przybierać cechę snu, zarówno jednostajnego, jak i przerażającego, i wydawało się, że jej ciało i umysł otaczał mur roślinności, która się nigdy nie skończy. Przynajmniej dwa ostatnie dni otworzyły przed nią wietrzne równiny z lewej strony, tam, gdzie tak długo jej wzrok zatrzymywał się i nużył na bezzielnej skale ściany jaru, na której wysokiej, szarej powierzchni jedynym znakiem życia były występy, pozwalające tu i ówdzie przysiąść wronom. Lecz Keda, potykając się znużona w wąwozie, nie zwracała na nie uwagi, gdy przyglądały jej się, śledząc ją wzrokiem, z nagimi szyjami wysuniętymi na wysokości chudych brzuchów, z głowami pod przygarbionymi barkami, z morderczymi szponami zaciśniętymi na skąpych podporach.

Śnieg leżał przed nią jak długi szary dywan, ponieważ z owego szlaku w jarze nie widziało się nigdy zimowego słońca, a gdy wreszcie ścieżka skręciła na prawo i oblało ją światło dzienne, Keda zatoczyła się parę kroków do przodu i upadła na kolana jakby w dziękczynieniu. Gdy uniosła głowę, jasne światło było dla niej jak błogosławieństwo.

Lecz była nieopisanie znużona, wyrzucając przed siebie bolące stopy, gdy wędrowała dalej, nie wiedząc, co robi. Włosy opadały jej na twarz w nieładzie; ciężka opończa była pochlapana błotem, nabita rzepami i przyczepionymi jeżynami.

Prawą dłoń zacisnęła odruchowo na pasie przez ramię, podtrzymującym torbę, już opróżnioną z żywności, lecz obciążoną dziwniejszym ładunkiem.

Nim opuściła Lepianki owej nocy, gdy jej kochankowie pozabijali się nawzajem pod wszystko widzącym krążkiem owego niezapomnianego, płodnego księżyca, odnalazła drogę, jak w transie, do swego mieszkania, pozbierała wszystką żywność, jaką znalazła, po czym, jak lunatyczka, udała się najpierw do warsztatu Braigona, a potem do warsztatu Rantela i z każdego wzięła małą rzeźbę. Potem, wyruszywszy w pustkę poranka, na trzy godziny przed świtem, szła, a mózg jej rozpierał tępy, nie umiejscowiony ból, póki, gdy świt jak rana w niebie wdarł się w jej świadomość, nie padła w słone trawy, gdzie zaczynały się stawy, i nie przespała słonecznego dnia nie zauważona. To było bardzo dawno. Jak dawno? Keda straciła poczucie czasu. Wędrowała przez rozmaite obszary — przyjmowała posiłki z wielu rąk w zamian za rozmaite prace. Długi czas doglądała stad kogoś, czyj pastuch zachorował na owczą gorączkę i zmarł z jagnięciem w ramionach. Pracowała na długiej barce z kobietą, która w nocy miauczała jak wydra, pływając pośród trzcin. Wyplatała leszczynowe płoty i robiła wielkie sieci na słodkowodne ryby. Wędrowała z krainy do krainy.

Lecz nadeszło znużenie i omdlałość o świcie; a jednak musiała nieustannie wędrować. I zawsze miała przy sobie palące trofea, białego orła i żółtego jelenia.

Teraz nie miała już siły pracować, a moc jakaś, której nie zgłębiała, gnała ją nieubłaganie z powrotem ku Lepiankom.

Szła, potykając się, naprzód, pod wysokim, poszarpanym i straszliwym łonem wzgórza. Wszelkie barwy przygasły na niebie i nie było już widać bluźnierczego skalnego palca, chyba tylko jako ciemny cień na ciemności. Zachód słońca zapłonął i zgasł — każda chwila wydawała się wieczna — a jednak wykruszanie się szkarłatu w popielatość nie trwało dłużej niż kilka demonicznych chwil.

Keda szła teraz poprzez ciemność, widząc jedynie na parę jardów przed sobą. Wiedziała, że musi położyć się spać; że pozostałych jej sił szybko ubywało, lecz wstrzymywała się od zwinięcia się u stóp wzgórza nie dlatego, że nie była przyzwyczajona do samotnego spędzania nocnych godzin pośród nieprzyjaznych kształtów. Kilka ostatnich nocy było przykrych, bowiem powietrze zaciskające mroźne ręce na jej ciele nie znało litości; lecz nie z tej przyczyny stawiała ociężale stopy przed sobą, jedna za drugą, gdy pochylone do przodu ciało zmuszało je do marszu.

I nawet drzewa, czepiające się prawego ramienia, nie napełniały jej przerażeniem, gdyż zbyt była teraz zmęczona, by wyobraźnia mogła wypełnić jej myśl koszmarem. Szła naprzód, gdyż owego ranka, gdy wędrowała, przemówił do niej głos. Nie zdawała sobie sprawy, że wołał do niej jej własny głos, bowiem zbyt była wyczerpana, by wiedzieć, że jej własne wargi dawały upust nadprzyrodzoności.

Odwróciła się wówczas, gdyż wydawało się, że głos odzywa się tuż obok. — Nie zatrzymuj się — powiedział — nie dzisiaj, ponieważ będziesz mieć dach z trzcin. — Zdumiona, przeszła nie więcej niż kilka kroków, gdy głos wewnątrz niej powiedział: — Starzec, Kedo, brunatny starzec. Nie wolno ci się zatrzymać.

Nie przeraziła się, gdyż rzeczywistość nadprzyrodzoności Mieszkańcy uważali za coś oczywistego. A gdy dziesięć godzin później słaniała się w nocy, słowa te chybotały jej w myśli, gdy zaś nagle pochodnia zapłonęła przed nią na drodze, rozpryskując czerwone skry, jęknęła z wyczerpania i ulgi, że ją znaleziono, padając w ramiona brunatnego ojca.

Nie wiedziała, co się z nią działo od tej chwili; lecz gdy się przebudziła, leżała na materacu z igieł sosnowych, pachnących gorącą, suchą słodyczą, a wokół niej wznosiły się drewniane ściany chaty. Przez chwilę nie podnosiła wzroku, choć miała w uszach słowa usłyszane na drodze; wiedziała bowiem, co zobaczy, gdy zaś wreszcie podniosła głowę, by ujrzeć nad sobą strzechę z rzecznego sitowia, przypomniała sobie starca i zwróciła wzrok ku drzwiom w ścianie. Gdy leżała, na pół odurzona zapachem sosny, otworzyły się cicho i ujrzała w nich postać. Było to tak, jakby stanęła przy niej jesień lub dąb, ociężały od kruchych, trwałych liści. Był brunatny, lecz migotliwy, jak sepiowo-czarne szkło trzymane nad płomieniem. Zmierzwione włosy i broda były jak trawa pampasów; skóra barwy piasku; ubiór spowijał go jak liście zwisającą gałąź. Wszystko było brunatne, brunatna symfonia, brunatne drzewo, brunatny krajobraz, brunatny człowiek.

Zbliżył się ku niej, a bose stopy nie wydawały żadnego odgłosu na glinianej podłodze chaty, gdzie pnącza wysyłały poszukiwawczo zielone dopływy.

Keda uniosła się na łokciu.

Zmierzwiony wierzchołek dębu poruszył się, a jedna z jego gałęzi zrobiła ruch przeczący, więc położyła się znów spokojnie na sosnowym igliwiu. Gdy spoglądała na niego, spokój owionął ją jak chmura i zrozumiała, że znajduje się w obliczu dziwnej bezinteresowności.

Oddalił się i przeszedłszy po glinianej podłodze wolnym, błędnym krokiem, otworzył okiennice, a bezsłoneczne światło północnego nieba wlało się przez kwadratowe okienko. Wyszedł z pokoju, ona zaś leżała spokojnie, a umysł jej się przejaśniał z biegiem minut. Prycza, na której leżała, była niska i szeroka, uniesiona tylko na stopę od podłogi przez dwie kłody podtrzymujące długie deski. Jej znużone ciało zdawało się unosić, rozluźniwszy mięśnie, pośród falującego igliwia. Unosił się nawet ból w stopach, siniaki doznane podczas wędrówek — jakiś nieokreślony ból, bezosobowy i niemal przyjemny. Brunatny ojciec rozpostarł nad nią trzy szorstkie koce, a poruszająca się pod nimi jej prawa dłoń, jakby próbując przyjemności poruszania się niezależnie od umęczonej masy ciała, natknęła się na coś twardego. Była zbyt znużona, by dochodzić, co to; lecz nieco później wyciągnęła to — białego orła. — Braigon — wyszeptała, a z tym słowem powróciło sto dręczących myśli. Znów poszukała wokół siebie i znalazła drewnianego jelenia. Przysunęła rzeźby do ciepłych boków, a po bólu wspomnień ogarnęło ją nowe uczucie, pokrewne temu, jakiego doznała w tę noc, gdy spała z Rantelem, a jej serce, najpierw słabo a potem głośniej, i jeszcze głośniej, zaśpiewało jak dziki ptak; a choć jej ciało nagle ogarnęły mdłości, dziki ptak nadal śpiewał.

„GORĄCZKA"

Choć światło z północnego okna było białe i chłodne, Keda poznała, że słońce jest samo na niebie, a zimowy dzień bezchmurny i umiarkowany. Nie rozpoznała, czy było późno, ani czy był to ranek, czy wieczór. Starzec przyniósł jej do łóżka miskę zupy. Chciała do niego przemówić, lecz jeszcze nie teraz, bowiem urok ciszy otaczał ją wciąż tak bujnie i tak wymownie, iż wiedziała, że jemu nie potrzebuje w ogóle nic mówić. Jej unoszące się ciało czuło się dziwnie czyste i słodkie niczym lilia bólu.

Leżała teraz z rzeźbami u boku, rozpostarłszy palce na ich gładkich, drewnianych konturach, doznając powolnego odpływu zmęczenia z członków ciała. Mijała minuta za minutą, a jednostajne światło napełniało pokój bielą. Od czasu do czasu podnosiła się i zanurzała w polewce glinianą łyżkę; gdy piła, siły jej wracały małymi, częstymi skokami. Opróżniwszy wreszcie miskę, przekręciła się na bok, a pulsowanie siły rosło w niej z każdą chwilą.

Znów uświadomiła sobie czystość swego ciała. Przez jakiś czas był to zbyt wielki wysiłek, lecz gdy wreszcie odsunęła koc, spostrzegła, że obmyto ją z kurzu ostatnich dni wędrówki. Była nieskalana, nie było na niej ani śladu koszmaru — tylko słodkie stłuczenia, długie nici, gdzie poraniły ją ciernie.

Próbowała stanąć i omal nie upadła; lecz wciągnąwszy głęboko powietrze, odzyskała równowagę i przesunęła się powoli w stronę okna. Przed nią była polana, gdzie rosła gęsto szarawa trawa i padał cień drzewa. Na pół w cieniu, na pół poza nim stała biała koza, poruszając z boku na bok wrażliwą, wąską głową. Nieco dalej, na lewo, znajdował się brzeg studni. Polana kończyła się tam, gdzie opuszczony kamienny budynek, bez dachu i czarny od rozrastającego się mchu, powstrzymywał zagajnik bezlistnych wiązów, gdzie zebrało się poszeptywanie szpaków. Za zagajnikiem Keda dostrzegła kamieniste pole, a za polem las wspinający się na zaokrąglony szczyt z głazów. Znowu odwróciła wzrok. Stała tam biała koza. Wysunęła się z cienia i była jak przepiękna zabawka, biała, z puklami włosów, śnieżną brodą, rogami, wielkimi i żółtymi oczyma.

Keda stała, długo patrząc na tę scenę, a choć widziała z idealną jasnością — dom bez dachu, cień sosnowy, wzgórza, winorośl na podpórkach, lecz nie stanowiło to wcale jakiejś części jej świadomości, lecz wymysł półsennej ociężałości przebudzenia. Bardziej rzeczywista była dla niej pieśń ptaka w piersi, na przekór wspomnieniu kochanków i ciężarowi łona.

Starość, będąca jej dziedzictwem i nieuchronnym przeznaczeniem Mieszkańców, zaczęła już pustoszyć jej głowę, a zniszczenie owo zaczęło się jeszcze przed narodzeniem jej pierwszego dziecka, pochowanego za wielkim murem, teraz zaś jej twarz straciła nawet cień urody.

Keda odeszła od okna i wziąwszy koc, owinęła go wokół siebie, po czym otworzyła drzwi izby. Znalazła się w drugiej, mniej więcej tej samej wielkości, lecz z dużym stołem zajmującym środek podłogi, przykrytym ciemnoczerwonym obrusem. Za stołem ziemia obniżała się trzema stopniami, a w dalszej i niższej części podłogi znajdowały się narzędzia ogrodowe starca, doniczki i kawałki malowanego i niemalowanego drewna. Izba była pusta, więc Keda przeszła powoli przez drzwi na słoneczną polanę.

Biała koza przyglądała się jej i zrobiła kilka smukłonogich kroków w jej stronę, unosząc głowę wysoko do góry. Idąc naprzód, Keda uświadomiła sobie odgłos wody. Słońce znajdowało się w połowie drogi pomiędzy horyzontem i zenitem, lecz Keda nie mogła z początku powiedzieć, czy było rano, czy popołudnie, gdyż nie sposób było poznać, czy słońce wspinało się wysoko na wschodzie, czy zapadało wysoko na zachodzie. Wszędzie był spokój; słońce wydawało się wiecznie nieruchome, jakby było krążkiem żółtego papieru przyklejonym do bladoniebieskiego zimowego nieba.

Szła powoli naprzód przez nieznaną porę dnia ku odgłosowi wody. Minęła długi budynek bez dachu i na chwilę przejął ją chłodem rzucany przezeń cień.

Zszedłszy po stromym brzegu z paprociami, prawie natychmiast znalazła strumień. Toczył się pomiędzy ciemnymi, bezlistnymi jeżynami. Nieco na lewo od Kedy, stojącej na skraju wody pośród ciernistych krzaków, znajdowało się przejście z głazów — starych, gładkich i wydrążonych w płytkie misy przez całe wieki kroków. Za brodem siwa klacz piła ze strumienia. Grzywa opadała jej na oczy i unosiła się na powierzchni wody. Za siwą klaczą stała inna, jabłkowita, a za jabłkowitą klaczą, w miejscu, gdzie potok zmieniał kierunek i skręcał na prawo pod ścianą drzew iglastych, znajdował się jeszcze jeden — koń o sierści jak czarny aksamit. Wszystkie trzy były zupełnie nieruchome i pochłonięte swą czynnością, grzywy słały się po wodzie, nogi zanurzyły się po kolana w rwącym strumieniu. Keda wiedziała, że jeśli pójdzie nieco dalej brzegiem na lewo, póki nie zobaczy następnego odcinka rzeki, ujrzy, jak pijące konie będą się oddalały jeden za drugim poprzez równinę, każdy jak echo poprzedniego — echa zmiennej barwy, lecz po kolana w wodzie, ze zwisającymi grzywami, pijącymi gardłami.

Nagle zaczęło jej być zimno. Wszystkie konie uniosły głowy i patrzyły na nią. Wydawało się, że strumień znieruchomiał; a potem usłyszała, że przemawia do siebie.

— Kedo — mówiła — twoje życie skończyło się. Twoi kochankowie pomarli. Twoje dziecko i jego ojciec są pogrzebani. I ty także jesteś martwa. Tylko twój ptak nadal śpiewa. Co powiada barwny ptak? Że wszystko jest skończone? Uroda zginie nagle, lada chwila. I lada chwila — niebo i ziemia, członki i oko, pierś i siła mężczyzn, nasienie, soki i pąk, piana i kwiat — wszystko się skruszy, Kedo, gdyż wszystko się skończyło — tylko dziecko się narodzi, a potem będziesz wiedziała, co robić.

Stanąwszy na głazach brodu, ujrzała obraz swej twarzy w czystej wodzie pod sobą. Bardzo się postarzała; zstąpiła na nią plaga Mieszkańców; tylko jej oczy, jak oczy gazeli, urągały przekleństwu, które teraz zmieniło jej twarz w ruinę. Patrzyła; a potem położyła dłonie pod serce, bowiem ptak krzyczał, krzyczał z radości. — Skończone! — rozlegało się z dziobu. — Czekasz tylko na dziecko. Wszystko inne się dopełniło, niczego nie będzie już trzeba.

Keda uniosła głowę i otworzyła oczy ku niebu, gdzie wisiała pustułka. Jej serce ciągle biło, powietrze gęstniało, póki ciemność nie przyćmiła oczu, a wesoły okrzyk ptaka wciąż się rozlegał: — *Skończone! skończone! skończone!*

Słońce i księżyc wcisnęły się jej w oczy, wypełniając głowę. Wokół nich krążył tłum obrazów; kaktusy Lepianek obracały się wokół wież Gormenghast pływających wokół księżyca. Nadbiegały ku niej twarze, najpierw jak główki od szpilek na nieskończenie dalekim widnokręgu, powiększające się nieznośnie w miarę zbliżania, i rozpryskiwały się na jej twarzy — twarz zmarłego męża, pani Slagg i Fuksji, Braigona, Flaya, hrabiny, Rantela i doktora z jego pochłaniającym uśmiechem. Coś wkładano jej w usta. Był to brzeg kubka. Kazano jej pić.

— Och, ojcze! — zawołała.

Popchnął ją łagodnie z powrotem na poduszki.

— Tam ptak krzyczy — powiedziała.

— Co krzyczy? — powiedział starzec.

— Krzyczy z radości, dla mnie. Jest szczęśliwy, bo wkrótce wszystko się skończy — gdy znów będę lekka — i zrobię to, ojcze, gdy znów będę lekka.

— Co zrobisz?

Keda spojrzała na trzciny w górze. — Oto co się stanie — wyszeptała — przy pomocy sznura albo głębokiej wody, albo ostrza... albo ostrza.

POŻEGNANIE

Długo trwało, nim Keda poczuła się na tyle dobrze, by wyruszyć konno ku Lepiankom. Gorączka nią miotała i z pewnością by umarła, gdyby nie troska, z jaką starzec nad nią czuwał. Przez wiele długich nocy uwalniała się, majacząc, od potoków słów, gdyż siła spotęgowanych wyobrażeń strzaskała jej wrodzoną powściągliwość. Starzec siedział przy niej, oparłszy brodaty podbródek na sękatej pięści, utkwiwszy brunatne oczy w jej rozedrganej twarzy. Słuchał jej i ze szczątków wynurzeń składał historię jej miłości i obaw. Usunąwszy jej z czoła duży wilgotny liść, zastępował go nowym, lodowatym, w kształcie trzewika, z przygotowanego dla niej zapasu. Ten rozgrzewał się w kilka minut od jej rozpalonego ciała. Gdy mógł ją na chwilę zostawić, przygotowywał zioła, którymi ją karmił, i sporządzał napoje, które wreszcie ukoiły koszmar w jej mózgu i uspokoiły krew.

Z upływem dni poznawał ją lepiej, na wielki, niewyrażalny sposób drzew opiekuńczych. Niewiele mówili. To, co znaczącego zaszło między nimi, podróżowało w milczeniu, więc ujmując jego dłoń leżała i doznawała wielkiej radości, patrząc na jego ciężką, dostojną głowę, na brodę i brunatne oczy, na wieśniaczą masę jego ciała obok.

Jednakże mimo spokoju ogarniającego ją w jego obecności z każdym mijającym dniem zaczęło się w niej potęgować poczucie, że powinna być pośród swoich.

Dopiero w długi czas po minięciu gorączki starzec pozwolił Kedzie wstać, choć widział, że się niecierpliwiła. Wreszcie była dość silna, by wychodzić na krótkie przechadzki wewnątrz ogrodzenia, prowadził ją więc, podpierając ramieniem, na wzgórza bladego włosia lub pośród wiązy.

Od początku ich stosunki ochrzciło milczenie i nawet teraz, w parę miesięcy po owym pierwszym popołudniu, kiedy obudziła się pod jego dachem, słowa, jakie wymawiali, służyły jedynie ułatwianiu codziennych zajęć domowych. Komunia milczenia, które od samego początku uznali za wspólny język, rozkwitała w nich wiecznie w jakąś absolutną ufność we wrażliwość drugiej osoby.

Keda wiedziała, że brunatny ojciec zdaje sobie sprawę, iż ona musi odejść, a starzec wiedział, że Keda rozumie, dlaczego nie może pozwolić jej odejść, gdyż była jeszcze zbyt słaba, więc poruszali się razem przez wiosenne dni, Keda przyglądała mu się, jak doi białą kozę, a brunatny ojciec opierał się o ścianę chaty jak dąb, podczas gdy o zmierzchu dnia Keda mieszała polewkę na kamiennym piecu lub zeskrobywała ił z łopaty i kładła ją pośród kilku prostych ogrodowych narzędzi.

Pewnego wieczora, powracając do domu z najdłuższej przechadzki, na jaką się Keda zdobyła, zatrzymali się na chwilę na szczycie pagórka i odwrócili ku zachodowi, nim zeszli w cienie rozciągające się wokół chaty.

Na niebie o powierzchni alabastru trwało zielonkawe światło. Gdy patrzyli, wieczorna gwiazda wykrzyknęła nagłym punkcikiem światła.

Poszarpany widnokrąg drzew przywiódł Kedzie na myśl długą i bolesną wędrówkę, która przywiodła ją do tej przystani, do chaty pustelnika, do tej wieczornej przechadzki, do tej chwili światła, i przypomniała sobie gałęzie szarpiące prawe ramię i to, że na lewo wznosił się cały czas bluźnierczy palec skały. Coś ciągnęło jej wzrok wzdłuż linii ciemnych drzew, póki nie spoczął na maleńkim skrawku nieba obramowanym czarnym i odległym listowiem. Ten kawałeczek nieba był tak mały, że Keda nie mogłaby go ponownie wskazać lub nawet umiejscowić, gdyby na sekundę odwróciła od niego wzrok.

Sylwetkę drzew przewiercały na brzegu miriady mikroskopijnych iskierek światła, nie było więc przypadkiem, że wzrok Kedy przyciągnął ów właśnie otworek w listowiu, podzielony na dwie równe części przez pionową drzazgę zielonego ognia. Nawet z tej odległości, mimo obramowania i uwięzienia czernią, Keda rozpoznała natychmiast palec skalny.

— Cóż oznacza, ojcze, ta wąska i straszliwa skała?

— Jeśli jest straszliwa dla ciebie, Kedo, oznacza to, że twa śmierć jest bliska; tak jak tego pragniesz i jak to przewidziałaś. Dla mnie jeszcze nie jest straszliwa, choć się zmieniła. Gdy byłem młody, była dla mnie iglicą wszelkiej miłości. Gdy dni umierają, zmienia się.

— Ale ja się nie boję — powiedziała Keda.

Odwrócili się i zaczęli schodzić pośród pagórków ku chacie. Zapadła ciemność, nim otworzyli drzwi. Gdy Keda zapaliła lampę, usiedli przy stole naprzeciw siebie, rozmyślając przez czas jakiś, nim jej wargi poruszyły się i zaczęła mówić głośno:

— Nie, nie boję się — powiedziała. — To ja wybieram, co zrobię.

Starzec podniósł kudłatą głowę. W świetle lampy jego oczy wydały się studniami brunatnego światła.

— Dziecko przyjdzie do mnie, gdy nadejdzie pora — powiedział. — Zawsze tutaj będę.

— To Mieszkańcy — powiedziała Keda. — To oni. — Jej lewa dłoń podążyła bezwiednie w miejsce poniżej serca, a palce zawahały się tam przez chwilę jakby zagubione. — Dwóch mężczyzn umarło dla mnie; a ja przynoszę Kolorowym Rzeźbiarzom ich krew na mych rękach i nieprawe dziecko. Odtrącą mnie — ale ja się tym nie przejmę, bo ciągle... ciągle... mój ptak śpiewa — i odbiorę nagrodę na cmentarzu wyrzutków — och, ojcze — moją nagrodę, głęboką, głęboką ciszę, której oni nie zamącą.

Lampa zadrżała i cienie przesunęły się po izbie, powracając ukradkiem, gdy płomień się uspokoił.

— To już niedługo — powiedział. — Za kilka dni rozpoczniesz podróż.

— Twoja ciemnosiwa klacz — powiedziała Keda — jak ci ją zwrócę, ojcze?

— Wróci — powiedział — sama. Gdy będziesz blisko Lepianek, puść ją, a zostawi cię i wróci.

Zdjęła rękę z jego ramienia i poszła do swej izby. Przez całą noc głos wietrzyka pośród trzcin wołał: — *Wkrótce, wkrótce, wkrótce.* Pięć dni później pomógł jej usiąść na prostym siodle z koca. Z szerokiego grzbietu klaczy zwisały dwa kosze z bochenkami chleba i innym prowiantem. Jej droga wiodła na północ od chaty, a nim klacz ruszyła, Keda odwróciła się, by spojrzeć po raz ostatni na scenę przed sobą. Kamieniste pole poza wysokimi drzewami. Dom bez dachu, a na zachód pagórki bladego włosia, a za pagórkami dalekie lasy. Spojrzała po raz ostatni na nierówne poletko trawy; na studnię i na drzewo rzucające długi cień. Spojrzała po raz ostatni na białą kozę o śnieżnej głowie. Siedziała, zwinąwszy przy sercu jedną kruchą, białą przednią nogę.

— Nic ci się nie stanie. Nic ci się nie może stać. Nie będziesz słyszeć ich głosów. Urodzisz dziecko, a gdy nadejdzie czas, położysz kres wszystkiemu.

Keda zwróciła ku niemu wzrok. — Jestem szczęśliwa, ojcze. Jestem szczęśliwa. Wiem, co robić.

Siwa klacz wkroczyła w ciemność pod drzewami i stąpając z dziwną rozwagą, skierowała się ku wschodowi zieloną ścieżką pośród wałów paproci. Keda siedziała nieruchoma i wyprostowana z rękami na kolanach, gdy z każdym krokiem przybliżały się do Gormenghast i domów Kolorowych Rzeźbiarzy.

WCZEŚNIE PEWNEGO PORANKA

Wiosna nadeszła i minęła, i jest pełnia lata.

Jest poranek śniadania, uroczystego śniadania. Przygotowane na cześć Tytusa, który dziś kończy rok, piętrzy się wspaniale na powierzchni stołu w północnym końcu sali jadalnej. Ławki i stoły dla służby odsunięto, tak że zimna kamienna pustynia rozciąga się ku południowi przerywana jedynie z obu stron przez rytmiczne kolumny, oddalające się w zanikającej perspektywie. To ta sama sala jadalna, w której hrabia skubie kruchą grzankę każdego rana o ósmej — sala, na suficie której brykają odpadające cherubiny, trąby i chmury, której wysokie ściany ociekają wilgocią, której posadzka wzdycha przy każdym kroku.

W północnym krańcu owej chłodnej krainy złota zastawa Groanów, rozsiana po lśniącej czerni długiego stołu, tli się, jakby zawierała ogień; sztućce połyskują niebieskawym odcieniem; serwetki, skręcone na kształt synogarlic, odbijają bielą od otoczenia i zdają się nie opierać na niczym. Wielka sala jest pusta i nie rozlega się żaden dźwięk oprócz jednostajnego kapania wody deszczowej z ciemnej plamy na przepastnym suficie. Pada od wczesnych godzin porannych i w połowie długiej kamiennej alei zebrało się już jeziorko, mętnie odbijające nierówny kawałek nieboskłonu, gdzie spowiały wianuszek cherubinów śpi na łonie spleśniałej chmury. Do tej chmury, pociemniałej od *prawdziwego* deszczu, przylegają leniwie krople i spadają w odstępach przez półmrok powietrza na szkliwo wody w dole.

Obrzuciwszy po raz ostatni profesjonalnym okiem stół śniadaniowy, Swelter wycofał się właśnie w swe lepkie rewiry. Jest zadowolony ze swego dzieła, więc gdy przybywa do kuchni, w wykrzywieniu jego grubych warg jest niejaka satysfakcja. Brakuje jeszcze dwóch godzin do świtu.

Nim otworzy drzwi głównej kuchni, zatrzymuje się, nadsłuchując z uchem przy drzwiach. Ma nadzieję, że ułyszy głos jednego z czeladników, *któregokolwiek* z czeladników — nieważne, którego — bowiem nakazał ciszę do swego powrotu. Stworzonka w liberii ustawiły się w dwóch szeregach. Dwaj sprzeczają się cichym, wysokim szeptem.

Swelter ma na sobie swój najlepszy strój, odzienie wyjątkowej okazałości, wysoka czapa i bluza są z najczystszego jedwabiu. Zginając ciało, otwiera drzwi na cząsteczkę cala i przykłada oko do szpary. Gdy się pochyla, połyskliwe zwoje jedwabiu na brzuchu syczą i szepczą jak odgłos dalekich i złowieszczych wód lub jak ogromny, nieziemski kot upiór wciągający powietrze. Jego oko, poruszając się wzdłuż brzegu drzwi, jest jak coś odrębnego, samowystarczalnego, nie potrzebującego obszernej głowy ani zwalistych mas falujących ku kroczu, ani miękkich, kadłubowatych nóg. Jest tak żywe, to oko, szybkie jak żmija, pożyłkowane jak naczynie krwionośne. Czyż potrzebny mu ten cumulus matowej gliny dokoła — powolne, białe zaplecze ciążące z tyłu, gdy ono obraca się wśród ciastowatych, otaczających je zwałów jak kulka malowanego lodu? Okrążając róg drzwi, pożera długi podwójny szereg chudych czeladników, tak jak kałamarnica pochłonęłaby i pożarła jakiś podłużny stwór głębinowy. Gdy tak wsysa źrenicą szereg chłopców, świadomość władzy nad nimi rozchodzi się zmysłowo po jego ciele jak prześliczna gęsia skórka. Zobaczył i usłyszał dwóch piskliwie szepczących młokosów, wygrażających sobie teraz gołymi piąstkami. Nie posłuchali go. Zaciera gorące dłonie, a język wędruje wzdłuż warg. Oko śledzi ich, Flycrake'a i Wrenpatcha. Świetnie się nadadzą. A więc pogniewali się na siebie, czy tak, końskie muszki? Jakże zabawne! I jak rozsądnie z ich strony. Zaoszczędzą mu trudu wyszukiwania jakiejś przyczyny dla ukarania pary ich śmiesznych braciszków.

Kuchmistrz otwiera drzwi, a podwójny szereg zastyga. Zbliża się do nich, wycierając dłonie o jedwabiste pośladki. Zawisa nad nimi jak kopuła z chmur.

— Flycrake — powiada, a słowo wydobywa mu się spomiędzy warg jakby przepuszczone przez filtr z turzycy — jest miejsce dla ciebie, Flycrake, w cieniu mego brzucha, i przyprowadź z sobą włochatego przyjaciela — jest tu miejsce także dla niego, nie wątpię. Dwaj chłopcy podpełzają, z szeroko otwartymi oczyma, szczękając zębami.

— Rozmawialiście, prawda? Rozmawialiście jeszcze bardziej gadatliwie, niż teraz szczękacie zębami. Czy się mylę? Nie? A więc podejdźcie trochę bliżej. Nie zniósłbym, gdybym się musiał trudzić, by was dostać. Nie chcielibyście sprawiać mi kłopotu, prawda? Czy mam rację, mówiąc, że nie chciałbyś mi sprawiać kłopotu, panie Flycrake? Panie Wrenpatch? — Nie słuchając odpowiedzi, ziewa, a jego twarz lubieżnie odsłania obszary, w porównaniu z którymi nagość staje się wymysłem modystki. Gdy ziewnięcie się kończy, bez najmniejszego uprzedzenia wyrzuca równocześnie w przód obie ręce, chwyta za uszy dwóch małych nieszczęśników i podnosi ich wysoko do góry. Nigdy nie będzie wiadomo, co by z nimi zrobił, bowiem w tej samej chwili, gdy Swelter podniósł dyndających czeladników na wysokość swego gardła, w parnym powietrzu rozdzwania się nierówno dzwonek. Ów dzwonek słyszy się bardzo rzadko, sznur bowiem, z którego zwisa, zniknąwszy przez dziurę w suficie wielkiej kuchni, sunie skrycie pośród belek, wijąc się tu i ówdzie w mrocznych, pachnących kurzem obszarach zalegających pomiędzy sufitem pokoi parteru a deskami podłogi pierwszego piętra. Wielokrotnie zasupłany, wynurza się wreszcie ze ściany w sypialni Lorda Sepulchrave'a. Bardzo rzadko się zdarza, by jego wysokość chciał rozmawiać z kuchmistrzem, widać więc, że dzwonek, huśtający się gwałtownie ponad głowami czeladników, strąca z żelaznego ciała czteroletni kurz.

Twarz Sweltera zmienia się z pierwszym żelaznym brzękiem zapomnianego dzwonka. Rozsmakowane i wygodnickie fałdy tłuszczu na twarzy przemieszczają się, a wszystkie pory wydzielają pochlebstwo. Lecz zostaje tak tylko przez chwilę, gdy uszy zachłystują się dźwiękiem żelaza; ponieważ natychmiast upuszcza Flycrake'a i Wrenpatcha na kamienne płyty, wypływa z kuchni, a płaskie stopy plaskają o posadzkę jak kasza.

Nie zmniejszając szybkości soczystych kroków i odsuwając rękami każdego, kto pojawi mu się na drodze, jakby pływał żabką, podąża do sypialni Lorda Sepulchrave'a, a pot coraz bardziej występuje mu na policzki i czoło, w miarę jak przybliża się do świętych drzwi. Przed zapukaniem ociera rękawem pot z twarzy i nadsłuchuje z uchem przy drzwiach. Nic nie słyszy. Unosi dłoń i zwiniętymi palcami uderza w drzwi z wielką siłą. Postępuje tak, gdyż wie z doświadczenia, że jego kostki tylko z wielkim trudem mogą wywołać dźwięk, kości leżą bowiem głęboko w futerałach z miazgi. Jak na poły przewidywał, jedyne, co można ułyszeć, to miękkie *plum*, więc niechętnie bierze się na sposób, wydobywając z kieszeni monetę i uderzając nią na próbę w drzwi. Ku swemu przerażeniu, zamiast powolnego, smutnego, rozkazującego głosu pana polecającego mu wejść, słyszy pohukiwanie sowy. Po upływie paru chwil, gdy musi ocierać twarz, bo melancholijny krzyk wyprowadził go z równowagi, puka ponownie monetą. Tym razem nie ma wątpliwości, że wysokie, przeciągłe pohukiwanie w odpowiedzi na pukanie oznacza, by wszedł.

Swelter rozgląda się, obracając głowę na wszystkie strony, i już ma oddalić się od drzwi, ciało bowiem ostygło mu ze strachu jak galareta, gdy słyszy regularne krk, krk, krk, krk stawów kolanowych Flaya przybliżające się z cieni poza nim. Potem słyszy inny dźwięk. To ktoś biegnie ciężko, porywczo. Przybliżając się, dźwięk ten zagłusza regularne *staccato* stawów kolanowych pana Flaya. W chwilę później, gdy Swelter odwraca głowę, cienie rozstępują się i płonie, pędząc naprzód, gorący szkarłat sukni Fuksji. Jej dłoń znajduje się natychmiast na klamce i bez wahania czy spojrzenia na Sweltera Fuksja otwiera gwałtownie drzwi. Kuchmistrz, w którym ściera się mieszanina uczuć, tak jak garść robaków mogłaby toczyć walkę o władanie w brzuchu wołu, zagląda przez ramię Fuksji. Dopiero gdy otrząśnie się z tego, co napotyka jego wzrok, może zaspokoić drugorzędny, lecz wszechmocny impuls, by strzec się nadejścia Flaya. Odciągając wzrok od widoku przed sobą, ma akurat tyle czasu, by przesunąć ciało nieco na prawo, zatrzymując w ten sposób pochód chudzielca, gdyż Flay znajduje się tuż za nim. Nienawiść Sweltera do służącego Lorda Sepulchrave'a dojrzała już jak ropień, a jego jedynym pragnieniem jest raz na zawsze przerwać oddech tak bezcielesnej istoty, tego, kto zostawił mu pręgi na twarzy w dniu chrzcin.

Pan Flay, skonfrontowany z kopulastym grzbietem i rozłożystym tyłem kuchmistrza, pragnie zobaczyć pana, który na niego zadzwonił, nie jest więc w nastroju, by mu psuto szyki lub by przerażała go biała masa przed nim, a chociaż przez wiele długich, kamiennych nocy nie był w stanie odpocząć — bowiem świadom jest, że kuchmistrz postanowił zabić go podczas snu — teraz, skonfrontowany z ucieleśnieniem nocnych okropności, okazuje się twardy jak żelazo, więc jak żółw wysuwa z kołnierza ciemną, zgorzkniałą, kościstą głowę i syczy przez piaskowe zęby.

Oczy Sweltera napotykają oczy wroga, a nigdy pomiędzy czterema gałkami chrząstki nie zaistniało tak złowrogie piekło nienawiści. Gdyby można było ciało, tkanki i kości kuchmistrza i pana Flaya zwabić w ciemne korytarze, pozostawiając jedynie czwórkę oczu zawieszoną w powietrzu przed drzwiami hrabiego, wówczas z pewnością musiałyby się rozczerwienić do barwy Marsa, rozczerwienić i rozżarzyć, i wreszcie wybuchnąć płomieniem, tak silna była bowiem ich nienawiść — musiałaby wybuchnąć płomieniem i zacząć krążyć wokół siebie coraz węższymi kręgami i coraz szybszym lotem, póki, stopione w jedną skwierczącą kulę gniewu, nie pierzchłyby, cztery w jednej, pozostawiając za sobą krwawy ślad w zimnym, szarym powietrzu korytarza, póki, krzycząc w locie pod niezliczonymi łukami i przez bezkresne korytarze Gormenghast, nie odnalazłyby swych bezokich ciał i nie obwarowałyby się ponownie w zdumionych oczodołach.

Przez chwilę obaj mężczyźni są nieruchomi, gdyż Flay nie zaczerpnął jeszcze oddechu po syczeniu przez zęby. Potem, niecierpliwiąc się, by znaleźć się przy panu, uderza nagle ostrym, łupliwym kolanem pod balonowaty zwis brzucha kuchmistrza. Swelter, z twarzą skurczoną z bólu i pobladłą tak, że jego wybielony strój szarzeje przy szyi, podnosi wielkie ramiona chwytającym ruchem, podczas gdy ciało zgina się bezwiednie, by złagodzić ból. Gdy się prostuje i gdy Flay usiłuje przejść obok niego do drzwi, szturchając ramieniem, przytwierdza ich do miejsca jeszcze straszniejszy krzyk, długi, żałosny krzyk sowy śmierci, a głos Fuksji, głos, który zdaje się wydobywać poprzez łzy i strach, woła donośnie:

— Mój ojcze! Mój ojcze! Bądź cicho, a będzie lepiej, a ja się tobą zaopiekuję. Spójrz na mnie, ojcze! Och, spójrz na mnie! Wiem, czego chcesz, bo *wiem*, ojcze — *wiem*, i wezmę cię tam, gdy będzie ciemno, i poczujesz się lepiej. — Ale spójrz na mnie, ojcze — spójrz na mnie.

Ale hrabia na nią nie spojrzy. Siedzi skulony pośrodku szerokiego rzeźbionego gzymsu, z głową poniżej barków. Fuksja, stojąc poniżej z drżącymi rękami zaciśniętymi na marmurze gzymsu, wychyla się ku niemu. Silne plecy ma wygięte, głowę odrzuconą do tyłu i naprężone gardło. Lecz nie ma odwagi go dotknąć. Surowość wielu przeszłych lat — chłód wzajemnej rezerwy, jaką sobie zawsze okazywali, nawet teraz tkwi pomiędzy nimi jak ściana. Wydawało się, że ściana się kruszyła i że ich zmrożona miłość zaczęła tajać i przeciekać przez szczeliny, lecz teraz, gdy jej najbardziej potrzeba i gdy się ją najbardziej czuje, ściana zwarła się znowu i Fuksja nie ma odwagi go dotknąć. Nie ma też odwagi przyznać przed samą sobą, że jej ojciec oszalał.

On nie odpowiada, a Fuksja, osuwając się na kolana, zaczyna płakać, choć bez łez. Jej ciało wznosi się i opada, gdy ona kuli się w dole, podczas gdy Lord Sepulchrave przycupnął na gzymsie, jej gardło skrzeczy, lecz nie znajduje ulgi we łzach. To sucha udręka, a podczas tych długich chwil staje się starsza, starsza, niż to może kiedykolwiek pojąć jakikolwiek mężczyzna czy jakakolwiek kobieta.

Zacisnąwszy dłonie, Flay wsuwa się do pokoju, a włosy na jego szczupłym ciele sterczą jak druciki. Coś się w nim załamało. Jego niezmienna wierność dla rodu Groan i jego wysokości walczy z okropnością, jaką ogląda. Jakieś podobne emocje musiały zachodzić w Swelterze, ponieważ gdy on i Flay patrzą na hrabiego, mają na twarzy to samo uczucie, niejako przetłumaczone na dwa bardzo różne języki.

Jego wysokość ubrany jest na czarno. Kolana ma podciągnięte prawie pod brodę. Długie, delikatne, białe dłonie są lekko zwinięte, przewieszone przez kolana, a pomiędzy nie i podpartą brodę wcisnęły się nadgarstki. Lecz to oczy przejmują dreszczem patrzących, bowiem stały się okrągłe. Uśmiech igrający mu na wargach, gdy Fuksja była z nim w sosnowym lesie, zniknął na zawsze. Usta są zupełnie bez wyrazu.

Nagle z ust wydobywa się głos. Jest bardzo spokojny:

— Kuchmistrzu.

— Wasza wysokość — powiada z drżeniem Swelter.

— Ile macie łapek na myszy w wielkiej kuchni?

Oczy Sweltera przesuwają się na prawo i lewo, usta się otwierają, lecz nie może wydobyć dźwięku.

— No, kuchmistrzu, musisz wiedzieć, ile łapek zastawia się każdego wieczoru — czy też zaniedbaliście się?

Swelter składa tłuste dłonie. Trzęsą się, gdy przeplata palce.

— Jaśnie panie — powiada Swelter — ...w wielkiej kuchni musi być ze czterdzieści łapek... czterdzieści łapek, wasza łaskawa wysokość.

— Ile znaleziono w łapkach dzisiaj o piątej? Odpowiedz.

— Wszystkie były pełne, wasza wysokość — wszystkie oprócz jednej.

— Czy koty je zjadły?

— Ko... koty, wasza...

— Powiedziałem, czy koty je zjadły? — powtórzył smutnie Lord Sepulchrave.

— Jeszcze nie — powiedział kuchmistrz. — Jeszcze nie.

— Więc przynieś mi jedną... przynieś mi pulchną... natychmiast. Na co czekasz, panie kuchmistrzu?... Na co czekasz? Wargi Sweltera poruszają się wilgotnie. — Pulchną — powiada. — Tak, jaśnie panie... pulchną.

Skoro tylko zniknął, głos ciągnie dalej: — Trochę gałązek, panie Flay, natychmiast trochę gałązek. Gałązek różnej wielkości, rozumiesz? Od niedużych gałązek coraz mniejsze — wszystkich kształtów, Flay, wszystkich kształtów, gdyż będę je studiował po kolei i będę rozumiał gałązki, z których buduję, gdyż muszę tak znać się na gałązkach jak inne, choć z nas niedbali pracownicy. Na co czekasz, panie Flay?

Flay spogląda w górę. Nie był w stanie patrzeć na zmienionego pana, lecz teraz znów podnosi wzrok. Nie rozpoznaje w nim żadnego wyrazu. Ust mogłoby nie być. Piękny orli nos wydaje się potężniejszy, a talerzykowate oczy zawierają po obojętnym księżycu w każdym z dwóch niebios.

Nagłym niezdarnym ruchem Flay podrywa Fuksję z podłogi, przerzuca sobie przez ramię, odwróciwszy się, idzie chwiejnym krokiem ku drzwiom i wkrótce jest już w korytarzach.

— Muszę wrócić, muszę do niego wrócić — dyszy Fuksja.

Flay wydaje tylko dźwięk w gardle i kroczy dalej.

Z początku Fuksja zaczyna się szamotać, lecz brak jej siły, gdyż okropna scena wyprowadziła ją z równowagi, osuwa mu się więc na ramię, nie wiedząc, gdzie ją niesie. Flay także nie wie, gdzie ją niesie. Docierają na wschodni dziedziniec i wychodzą na wczesny poranek, gdy Fuksja podnosi głowę.

— Flay — powiada — musimy zaraz znaleźć doktora Prune'a. Już mogę iść. Dziękuję, Flay, ale się pospiesz. Pospiesz się. Postaw mnie.

Flay zsuwa ją z ramienia, a ona spada na ziemię. Fuksja ujrzała dom doktora w rogu dziedzińca i nie może zrozumieć, dlaczego nie pomyślała o nim wcześniej. Fuksja zaczyna biec i gdy tylko dociera do frontowych drzwi doktora, zaczyna walić w nie gwałtownie kołatką. Słońce zaczyna podnosić się nad mokradłami, uwydatniając długą rynnę i gzyms domu doktora, gdy zaś Fuksja ponownie uderza w drzwi, uwydatnia ono niezwykłą głowę samego Prunesquallora, wyłaniającą się sennie z wysokiego okna. Nie widzi, co znajduje się w dole pośród cieni, lecz woła:

— W imię przyzwoitości i wszystkich śpiących, ostrożnie z tą kołatką! Cóż to jest na Boga?... Odpowiedz. Powtarzam, cóż to jest?... Czy to zaraza zstąpiła na Gormenghast — czy przypadek kleszczowy? Czy to nawrót nocnego świerzbu, czy jedynie cielesna śmierć? Czy pacjent bredzi?... Czy jest gruby, czy chudy?... Pijany czy szalony?... Czy... — Doktor ziewa i wtedy Fuksja ma pierwszą okazję przemówić: — Tak, o tak! Przyjdź szybko, doktorze Prune! Opowiem ci. Och, chcę ci opowiedzieć!

Wysoki głos przy parapecie woła: — Fuksja! — jakby do siebie. — Fuksja! — I okno opada z trzaskiem.

Flay przysuwa się do dziewczyny, a niemal nim to zrobił, frontowe drzwi otwierają się szeroko i staje przed nimi doktor Prunesquallor w kwiecistej piżamie.

Ująwszy Fuksję za rękę i dawszy znak Flayowi, by szedł za nim, drobi szybko do salonu.

— Usiądź, usiądź, moja rozgorączkowana — woła Prunesquallor. — O co chodzi, do diabła? Opowiedz to staremu Prune'owi.

— To ojciec — powiada Fuksja, dając wreszcie upust łzom. — Z ojcem stało się coś złego, doktorze Prune; z ojcem stało się coś bardzo złego... Och, doktorze Prune, jest teraz czarną sową... Och, doktorze, pomóż mu! Pomóż mu!

Doktor nie odzywa się. Ostro odwraca różową, nadmiernie wrażliwą głowę w stronę Flaya, który potakuje i postępuje krok naprzód, trzaskając stawem kolanowym. Potakuje znowu, poruszając szczęką. — Sowa — powiada. — Chce myszy!... Chce gałązek: na gzymsie! Huka! Wysokość oszalał.

— Nie! — woła Fuksja. — Jest chory, doktorze Prune. To wszystko. Jego biblioteka spłonęła. Jego piękna biblioteka; więc zachorował. Ale nie oszalał. Mówi tak spokojnie. Och, doktorze Prune, co zamierzasz zrobić?

— Czy zostawiliście go w pokoju? — powiada doktor, i wydaje się, że mówi nie ten sam człowiek.

Fuksja potakuje mokrą od łez głową.

— Zostań tutaj — powiada spokojnie doktor; mówiąc to, znika, a za chwilę powraca w jasnozielonym szlafroku i jasnozielonych pantoflach pod kolor, i z torbą w ręku.

— Droga Fuksjo, przyślij mi Steerpike'a, do pokoju ojca. Jest bystry i może się przydać. Flay, do obowiązków. Śniadanie musi się odbyć, jak wiesz. A więc, moje cyganiątko: śmierć albo chwała. — I z najwyższymi i najbardziej nieodpowiedzialnymi trelami znika w drzwiach.

ZMIANA BARWY

Poranne światło się wzmaga i nadchodzi pora Wielkiego Śniadania. Flay, zupełnie oszołomiony, błądzi oświetlonymi przez świece kamiennymi uliczkami, gdzie wie, że będzie sam. Uzbierał gałązki i odrzucił je z obrzydzeniem, by je znowu pozbierać, bowiem sama myśl o nieposłuszeństwie wobec pana jest równie okropna jak wspomnienie istoty widzianej na gzymsie. Wreszcie, w rozpaczy, pokruszył gałązki patykowatymi palcami, a jednoczesne trzaskanie gałązek i jego stawów spowodowało przez chwilę w cieniu drzew miniaturową burzę kruchych grzmotów. Potem krocząc z powrotem do zamku, zszedł niespokojnie ku kamiennym uliczkom. Jest bardzo zimno, lecz ma na czole wielkie perły, a w każdej perle odbicie płomienia świecy.

*

Pani Slagg znajduje się w sypialni hrabiny, piętrzącej nad głową rdzawe włosy, jakby budowała zamek. Od czasu do czasu pani Slagg spogląda ukradkiem na cielsko przed lustrem, lecz jej uwaga skupia się głównie na przedmiocie na łóżku. Jest owinięty w aksamit koloru lawendy, ma poprzypinane tu i tam porcelanowe dzwoneczki. Jeden koniec złotego łańcucha przymocowano do aksamitu pośrodku tego, co dzięki procesowi owijania stało się niewielkim aksamitnym cylindrem lub mumią, mierzącą około trzech i pół stopy długości i o średnicy około osiemnastu cali. Przy drugim końcu łańcucha obok lawendowego wałka leży na łóżku miecz o masywnym ostrzu z niebiesko-czarnej stali i o rękojeści

z wyrytą literą „G". Miecz przywiązano do złotego łańcucha kawałkiem sznurka.

Pani Slagg przypudrowuje coś, co się porusza w cieniu w jednym końcu wałka, po czym rozgląda się, gdyż ledwo widzi, co robi,
bowiem cienie w sypialni hrabiny są głębokie. Oczy w czerwonych
obwódkach błądzą tu i ówdzie, nim pochyla się nad Tytusem,
szczypiąc dolną wargę. Znów zerka na hrabinę, która wydaje się
zmęczona włosami, a budowla zostaje nie ukończona, jakby kapryśny architekt zmarł przed zwieńczeniem dziwacznej budowli,
której nikt inny nie umie dokończyć. Pani Slagg oddala się od łóżka, na pół biegnąc, na pół idąc, i zabiera ze stołu pod kandelabrem
świecę przytwierdzoną do drzewa pośród ziarna dla ptaków, po
czym zapaliwszy ją od topiącego się kadłuba w pobliżu, powraca
do lawendowego cylindra, który zaczął się wiercić i kręcić.

Ręka jej drży, gdy podnosi wosk nad głową Tytusa, a chwiejny
płomień sprawia, że głowa dziecka podskakuje. Oczy ma szeroko
otwarte. Widząc światło, marszczy i krzywi usta, a ziemskie serce
przenika skurcz miłości, gdy chwieje się przy źródle łez. Jego ciałko
skręca się w okropnym wałku, a jeden z porcelanowych dzwo-
neczków dźwięczy słodko.

— Slagg — powiedziała hrabina ochryple.

Lekka jak piórko Niania podskakuje na cal lub dwa w górę
na ten nagły dźwięk i powraca na ziemię z bolesnym zgrzytem
suchych kosteczek; ale nie krzyczy, gdyż zagryza dolną wargę,
a oczy jej zachodzą mgłą. Nie wie, co źle zrobiła, i nic takiego nie
zrobiła, lecz zawsze ma poczucie winy, przebywając z hrabiną
w tym samym pokoju. Wynika to częściowo z tego, że irytuje hrabinę, a stara piastunka stale to wyczuwa. A więc jąka wysokim
i drżącym głosem:

— Tak, o tak, wasza wysokość? Tak... tak, wasza wysokość?

Hrabina nie odwraca głowy, lecz spogląda poza siebie w pęk-
nięte lustro, oparłszy łokcie na stole, podpierając głowę złożonymi
dłońmi.

— Czy dziecko gotowe?

— Tak, tak, właśnie gotowe, właśnie gotowe. Już gotowe, wasza wysokość, kochane maleństwo... tak... tak...

— Miecz przymocowany?

— Tak, tak, miecz...

Już ma powiedzieć „okropny, czarny miecz", lecz powstrzymuje się, kim jest bowiem, by wyrażać swe uczucia, gdy chodzi tu o rytuał? — Ale tak mu *gorąco* — ciągnie pospiesznie — tak gorąco jego ciałku w tym aksamicie — chociaż, oczywiście — dodaje, a głupawy uśmieszek pojawia się i ginie pośród zmarszczek wokół ust — jest to bardzo ładne.

Hrabina powoli odwraca się na krześle. — Slagg — powiada — chodź tutaj, Slagg.

Z gwałtownie bijącym sercem staruszka człapie wokół łóżka i staje przy toalecie. Składa ręce na płaskiej piersi, oczy ma szeroko otwarte.

— Czy nadal nie masz pojęcia, jak odpowiadać nawet na proste pytania? — pyta powoli hrabina.

Niania potrząsa głową, lecz nagle czerwona plama pojawia się na każdym policzku. — *Umiem* odpowiadać na pytania, *umiem*! — krzyczy, zdumiewając się własną daremną gwałtownością.

Hrabina zdaje się jej nie słyszeć. — Spróbuj odpowiedzieć na *to* — mruczy.

Pani Slagg przechyla głowę na bok i słucha jak szary ptaszek.

— Uważasz, Slagg?

Niania potakuje głową, jakby miała paraliż.

— Gdzie spotkałaś tego młodzieńca? — Następuje chwila ciszy.

— Tego Steerpike'a? — dodaje hrabina.

— Dawno temu — powiada Niania i zamyka oczy, czekając na następne pytanie. Jest z siebie zadowolona.

— *Gdzie*, powiedziałam: *gdzie*, a nie *kiedy* — huczy głos.

Pani Slagg próbuje zebrać myśli. Gdzie? Och, gdzie to było? zastanawia się. To było dawno... A potem przypomniała sobie, jak zjawił się nagle z Fuksją przy drzwiach jej pokoju.

— Z Fuksją... O tak... tak, to było z Fuksją, wasza wysokość.

— Skąd pochodzi? Odpowiedz, Slagg, a potem dokończ mi włosy.
— Nie wiem... Nie, nigdy... Nikt mi nigdy nie powiedział. Och, moje biedne serduszko, nie. Skąd chłopiec *mógłby* pochodzić? — Zerka na ciemny ogrom nad sobą.

Lady Gertruda powoli ociera dłonią czoło. — Jesteś tą samą Slagg — powiada — tą samą błyskotliwą Slagg.

Niania zaczyna płakać, rozpaczliwie pragnąc być mądra.

— Nie ma sensu płakać — powiada hrabina. — Nie ma sensu. Nie ma sensu. Moje ptaki nie płaczą. Niezbyt często. Czy byłaś przy pożarze?

Słowo „pożar" jest straszliwe dla pani Slagg. Splata dłonie. Załzawione oczy błyszczą dziko. Wargi drżą, gdyż widzi w wyobraźni wznoszące się ponad nią ogromne płomienie.

— Dokończ mi włosy, Nianiu Slagg. Stań na krześle i dokończ.

Niania odwraca się, by znaleźć krzesło. Pokój jest jak pobojowisko. Czerwone ściany spoglądają groźnie w świetle świecy. Staruszka człapie pomiędzy stalaktytami łoju, pudłami i starymi sofami. Hrabina gwiżdże i w chwilę potem pokój roi się od skrzydeł. Zanim pani Slagg przywlecze krzesło do toalety i wdrapie się na nie, hrabina pogrąża się w rozmowie ze sroką. Niania nie pochwala ptaków i nie potrafi pogodzić zwyczajów hrabiny z rodem Groanów, lecz przywykła do tego, nie przeżyła bowiem przeszło siedemdziesięciu lat na próżno. Pochyliwszy się nieco nad puklami jej wysokości, pracuje nad ukończeniem włochatego gzymsu z wysiłkiem, gdyż światło jest słabe.

— No, no, kochanie, no, no — powiada poniżej ospały głos, a jej stare ciało przenika dreszcz, gdyż nigdy przedtem hrabina tak do niej nie przemawiała; lecz spojrzawszy nad zwalistym ramieniem dostrzega, że hrabina mówi do przemoczonej zięby, więc Niania Slagg markotnieje.

— Więc Fuksja pierwsza go znalazła, prawda? — powiada hrabina, pocierając palcem gardziołko zięby.

Pani Slagg, przestraszona jak zawsze, gdy ktoś się odzywa, jąka się z rudym kłębkiem w ręku. — Kto? Och, o kim jaśnie pani mówi... wasza wysokość?... Och, ona jest zawsze grzeczna, Fuksja, tak, tak, *zawsze.*

Hrabina wstaje monumentalnie, strącając łokciem na podłogę parę przedmiotów z toalety. Powstając, słyszy łkanie, więc odwraca głowę ku lawendowemu wałeczkowi. — Idź sobie, Slagg — idź sobie i zabierz go ze sobą. Czy Fuksja jest ubrana? — Tak, och, moje biedne serduszko, tak... Fuksja jest całkiem gotowa, tak, całkiem gotowa, i czeka w swoim pokoju. Och, tak, jest...

— Jego śniadanie wkrótce się rozpocznie — powiada hrabina, zwracając wzrok od mosiężnego zegara ku maleńkiemu synkowi. — Już wkrótce.

Niania, która zabrała Tytusa z warowni łoża, zatrzymuje się przy drzwiach, nim pocłapie w oświetlony świtem korytarz. Jej oczy spoglądają niemal tryumfalnie, a rozrzewniający uśmieszek pojawia się w pofałdowanych kącikach ust. — *Jego* śniadanie — szepcze. — Och, moje biedne serduszko, jego *pierwsze* śniadanie.

*

Znaleziono wreszcie Steerpike'a, Fuksja wpada na niego, gdy ten bierze zakręt schodów, wracając od ciotek. Ubrany jest bardzo starannie, wysokie ramiona bez pyłka kurzu, paznokcie obcięte, włosy przygładzone nad ciastowatym czołem. Dziwi się na widok Fuksji, lecz nie okazuje tego, unosi jedynie brwi na znak zarówno pytania, jak i szacunku.

— Wcześnie pani wstała, Lady Fuksjo.

Fuksja, dysząc ciężko od długiego biegu po schodach, nie może mówić przez chwilę; potem woła: — Doktor Prune cię wzywa!

Dlaczego mnie? — powiada do siebie młodzieniec; ale głośno rzuca: — Gdzie jest?

— W pokoju mego ojca.

Steerpike wolno oblizuje wargi. — Czy pani ojciec jest chory?

— Tak, o tak, bardzo chory.

Steerpike odwraca głowę od Fuksji, gdyż mięśnie jego twarzy aż krzyczą, by się rozluźnić. Popuszcza im, po czym, usztywniając twarz i zwracając się do Fuksji, powiada: — Zrobię wszystko, co w mojej mocy. — Nagle, z ogromną zwinnością, przebiega koło niej, skacząc przez pierwsze cztery stopnie i gna w dół po kamiennych schodach do sypialni hrabiego.

Od jakiegoś czasu nie widywał doktora. Po odejściu z pracy u niego ich stosunki są nieco napięte, lecz tego ranka, mijając drzwi pokoju hrabiego, widzi, że nie będzie miejsca ani czasu na reminiscencje w jego własnym mózgu lub w mózgu doktora.

Prunesquallor, w jasnozielonym szlafroku, przechadza się tam i z powrotem przed gzymsem, chyłkiem, jak pionowy kot. Ani na chwilę nie zdejmuje oczu z hrabiego, który, wciąż na gzymsie nad kominkiem, przygląda się lekarzowi wielkimi oczyma.

Na odgłos Steerpike'a u drzwi okrągłe oczy przesuwają się na chwilę i spoglądają ponad ramieniem doktora. Lecz Prunesquallor nie odwrócił swego pewnego, powiększonego wzroku. Łotrowski wyraz całkiem znikł z jego długiej, dziwacznej twarzy.

Doktor czekał na tę chwilę. Dając susa do przodu, sięga w górę białymi rękami i przyszpila ramiona hrabiego do boków, ściągając go z grzędy. W jednej chwili Steerpike znajduje się u boku doktora i razem niosą szlachetne ciało do łóżka, kładąc je twarzą w dół. Sepulchrave nie szamotał się, wydał jedynie krótki, stłumiony okrzyk.

Steerpike przytrzymuje ciemną postać jedną ręką, gdyż nie ma żadnej próby ucieczki, a doktor śmiga zgrabną igłą w nadgarstek jego wysokości, wstrzykując lek o tak dziwnej mocy, że kiedy odwracają pacjenta, Steerpike dostrzega ze zdumieniem, że twarz zmieniła się w kredową zieleń. Oczy odmieniły się również, są znowu trzeźwymi, zadumanymi, ludzkimi oczyma, które zamek tak dobrze znał. Palce się rozprostowały; szpony znikły.

— Bądź uprzejmy spuścić zasłony — powiada doktor, podnosząc się przy łóżku na pełną wysokość i wkładając igłę na powrót do srebrnego futeralika. Po czym w zamyśleniu postukuje koniuszkami długich białych palców. Gdy zaciągnięto zasłony przed wschodzącym słońcem, barwa twarzy jego wysokości ulega litościwemu złagodzeniu.

— To była szybka robota, doktorze.

Steerpike chwieje się na obcasach. — Co dalej? — Cmoka językiem w zadumie, czekając na odpowiedź Prunesquallora. — Jakiego leku pan użył, doktorze?

— Nie jestem w nastroju, by odpowiadać na pytania, drogi chłopcze — odpowiada Prunesquallor, ukazując Steerpike'owi cały rząd zębów, lecz bezradośnie. — Zupełnie nie w nastroju.

— A co ze śniadaniem? — powiada Steerpike, nie zbity z tropu.

— Jego wysokość *będzie* na śniadaniu.

— Będzie, doprawdy? — powiada młodzieniec, przyglądając się jego twarzy. — A co z tą barwą?

— Za pół godziny skóra powróci do normy. Będzie tam... A teraz sprowadź Flaya i nieco wrzątku, ręcznik. Trzeba go umyć i ubrać. Szybko.

Przed opuszczeniem pokoju Steerpike pochyla się nad Lordem Sepulchrave'em, pogwizdując bezgłośnie przez zęby. Hrabia ma oczy zamknięte, a na twarzy spokój, jakiego nie zaznał od lat.

KRWAWY POLICZEK

Steerpike ma nieco trudności z odszukaniem Flaya, lecz wreszcie znajduje go w wyłożonej niebieskim dywanem Komnacie Kotów, po której nasłonecznionym puchu kroczyli razem rok temu w zupełnie innych okolicznościach. Flay właśnie powrócił z kamiennych uliczek i jest cały zaszargany, a długi, brudny zwój pajęczyny zwisa mu z ramienia. Na widok Steerpike'a wykrzywia wargi jak wilk.

— Czego chcesz? — rzuca.

— Jak się miewa Flay? — pyta Steerpike.

Koty tłoczą się na jednej ogromnej otomanie, której rzeźbiony szczyt i podnóżek wzbijają się w górę w plątaninie złoconych maswerków, niczym dwie przełamujące się fale o zachodzie słońca zawieszone w powietrzu, a piana wypełnia zagłębienie pomiędzy nimi. Nie wydają dźwięku ani się nie poruszają.

— Hrabia pana wzywa — ciągnie Steerpike, ciesząc się ze skrępowania Flaya. Nie wie, czy Flayowi wiadomo o tym, co dzieje się z jego panem.

Flay rzuca się bezwiednie naprzód niezdarnym ciałem, słysząc, że jego wysokość go wzywa, lecz wyprostowuje się z końcem pierwszego długiego kroku ku drzwiom i spogląda jeszcze kwaśniej i podejrzliwiej na młodzieńca w niepokalanie czarnym ubraniu.

Nagle Steerpike, nie myśląc o konsekwencjach swego działania, z tą samą typową dla niego dokładnością otwiera sobie szeroko oczy kciukiem i palcem wskazującym obu dłoni. Chce przekonać się, czy chudzielec widział hrabiego w szaleństwie. W istocie liczy na to, że Flay nie widział, wobec czego przekształcenie oczu w sowie krążki nie będzie miało znaczenia. Lecz tego poranka popełnił jeden z nielicznych błędów.

Z ochrypłym, urywanym krzykiem, z głową poczerwieniałą z gniewu wobec obelgi dla swego pana, Flay zatacza się ku kanapie i wyrzuciwszy przed siebie chudą rękę, porywa za głowę kota ze śnieżnego pagórka i ciska go na swego prześladowcę. W tej samej chwili potężna kobieta w płaszczu wchodzi do pokoju. Żywy pocisk, lecąc ku twarzy Steerpike'a, wysuwa jedną z białych łap, a gdy młodzieniec szarpie głowę w bok, pięć pazurów wyrywa mu z policzka szkarłatny klin, tuż pod prawym okiem.

Natychmiast wypełnia powietrze wrzask setki kotów, które rojąc się po ścianach i meblach, skacząc i okrążając niebieski dywan z szybkością światła, nadają pokojowi wygląd białego wiru. Krew spływająca po szyi Steerpike'a wydaje się ciepła jak herbata, gdy mu ścieka na brzuch. Jego dłoń, którą podniósł odruchowo do twarzy, na próżno próbując zasłonić się przed ciosem, przesuwa się na policzek, gdy on cofa się o krok, a końce palców wilgotnieją. Kot zakończył lot na ścianie, tuż obok drzwi, przez które właśnie weszła trzecia postać. Padając skulony na podłogę, na pół ogłuszony, z klinem ziemistej skóry Steerpike'a pomiędzy pazurami przedniej lewej łapy, dostrzega nad sobą ową postać; jęcząc czołga się na odległość kroku od przybysza, po czym, nadkocim wysiłkiem, skacze na wysokość jej wielkich piersi, gdzie zwija się, a jego oczy jak żółte księżyce ukazują się ponad bielą zadu.

Flay odwraca oczy od Steerpike'a. Dobrze mu zrobił widok czerwonej krwi bulgoczącej z policzka parweniusza, lecz teraz zadowolenie mija, gdyż spogląda osłupiały w srogie oczy hrabiny Groan.

Jej duża głowa zabarwiła się na matowy i okropny kraplak. Oczy są całkiem bezlitosne. Nie interesuje jej przyczyna kłótni pomiędzy Flayem a tym młodzieńcem Steerpikiem. Wie tylko, że jednym z jej kotów uderzono o ścianę i zadano mu ból.

Flay czeka, gdy ona się zbliża. Jego koścista głowa jest całkiem nieruchoma. Luźne ręce zwisają niezdarnie u boków. Zdaje sobie sprawę ze zbrodni, jaką popełnił, a gdy tak czeka, jego świat Gormenghast — jego bezpieczeństwo, miłość, wierność dla rodu, przywiązanie — wszystko kruszy się na kawałki.

Stoi o stopę od niego. Powietrze jest ciężkie od jej obecności. Głos ma bardzo ochrypły, gdy się odzywa. — Miałam go uderzyć — powiada ociężale. — To właśnie miałam zamiar zrobić. Złamać go.

On podnosi oczy. Biały kot znajduje się o parę cali od niego. Patrzy na włosy na jego grzbiecie; każdy jest jak szczecina, a grzbiet stał się wzgórkiem ostrej białej trawy.

Hrabina znowu zaczyna mówić głośniej, lecz głos ma tak zdławiony, że Flay nie może zrozumieć, co mówi. W końcu rozróżnia słowa: — Już nie istniejesz, zupełnie nie istniejesz. Skończyłeś się.

Jej dłoń, przesuwająca się delikatnie po ciele białego kota, drży nieopanowanie. — Skończyłam z tobą — powiada. — Gormenghast skończył z tobą. — Trudno jej wydobyć słowa z ogromnego gardła. — Jesteś skończony... skończony. — Nagle podnosi głos. — Brutalny głupiec! — krzyczy. — Brutalny, rozpaczliwy głupiec i bydlę! Precz! Precz! Zamek cię wypędza! Idź! — ryczy, trzymając dłonie na piersi kota. — Mdli mnie na widok twoich długich kości.

Flay podnosi małą, kościstą głowę. Nie może zrozumieć, co się stało. Wie tylko, że to straszniejsze, niż jest w stanie odczuć, bowiem jakieś odrętwienie okrywa koszmar jak wyściółka. Na ramionach wytłuszczonego czarnego ubrania pojawia się zielonkawy połysk, gdyż światło poranne zatańczyło nagle w oknie wykuszowym. Steerpike, owinąwszy wokół twarzy przesiąkniętą krwią chustkę, przygląda mu się, stukając paznokciami w stół. Nie może się oprzeć myśli, że w głowie starego jest coś wspaniałego. I był bardzo szybki. Zaiste, bardzo szybki. Coś do zapamiętania: koty jako pociski.

Flay omiótł oczkami pokój. Podłoga roi się i bieli poza hrabiną, przy której stopach leży zastygła piana tropikalnego przypływu, a błękitny dywan przebija tu i ówdzie. Czuje, że spogląda na to po raz ostatni, i odwraca się, by odejść, lecz odwracając się, myśli o śniadaniu. Dziwi się słysząc swój własny bezradosny głos wypowiadający: — Śniadanie.

Hrabina wie, że pierwszy służący jej męża musi być przy śniadaniu. Gdyby nawet zabił wszystkie białe koty na całym świecie, też musiałby być przy śniadaniu na cześć Tytusa, siedemdziesiątego siódmego przyszłego hrabiego Gormenghast. To są podstawowe sprawy.

Hrabina odwraca się i przesuwa ku oknu wykuszowemu, obszedłszy przedtem powoli pokój i zabrawszy ciężki żelazny pogrzebacz ze stojaka obok kominka. Gdy dociera do okna, jej prawe ramię kołysze się powoli w przód i w tył z rozwagą brodatego kopyta klaczy pociągowej opadającego w kałużę. Potem następuje przerażający cios i trzask, głośna kaskada szkła na kamienne płyty za oknem, a potem cisza.

Odwrócona tyłem do pokoju, spogląda przez gwiaździstą wyrwę w szkle. Przed nią rozciąga się zielona murawa. Przygląda się słońcu przedzierającemu się przez dalekie cedry. To dzień śniadania jej syna. Odwraca głowę. — Masz tydzień czasu — powiada — a potem opuścisz te mury. Hrabiemu znajdzie się służącego.

Steerpike podnosi głowę i na chwilę przestaje bębnić paznokciami w drzewo. Gdy znowu zaczyna stukać, pustułka, przeleciawszy przez gwiazdę rozbitej szyby, siada na ramieniu hrabiny. Ta krzywi się, gdy szpony zwierają się na chwilę, lecz oczy jej łagodnieją.

Flay zbliża się do drzwi trzema powolnymi, pajęczymi susami. To drzwi wiodące w kamienne uliczki. Szuka klucza, po czym przekręca go w zamku. Musi odpocząć w swej własnej krainie, nim powróci do hrabiego, wstępuje więc w długą ciemność.

Hrabina po raz pierwszy przypomina sobie o Steerpike'u. Powoli przesuwa wzrok w stronę, gdzie go ostatnio widziała, lecz już go tam nie ma, ani nigdzie indziej w pokoju.

Z korytarza poza Komnatą Kotów rozbrzmiewa dzwonek, wie zatem, że niewiele czasu pozostało do śniadania.

Czuje na dłoni kroplę wody, a odwróciwszy się spostrzega, że niebo zaciągnęło się kocem złowieszczej, ciemnej, różanej chmury, a światło znika nagle z trawnika i z cedrów.

Steerpike, z powrotem w drodze do sypialni hrabiego, przystaje na chwilę przy oknie klatki schodowej, by przyjrzeć się pierwszej ulewie. Pada z nieba długimi, prostymi i pozornie nieruchomymi smugami różanego srebra stającymi sztywno na ziemi niczym miliony strun harfy napiętych pionowo pomiędzy bryłami ziemi i nieba. Odchodząc od okna, słyszy pierwszy huk letniego grzmotu.

Słyszy go hrabina patrząca przez strzępiastą gwiazdę w oknie wykuszowym. Słyszy go Prunesquallor podtrzymujący hrabiego przy łóżku. Hrabia też musiał go słyszeć, gdyż z własnej woli postępuje krok ku środkowi pokoju. Jego twarz wróciła do normy.

— Czy to był grzmot, doktorze? — powiada.

Doktor obserwuje go bardzo uważnie, obserwuje jego każdy ruch, choć niewielu domyśliłoby się, jak bacznie studiował pacjenta, widząc, jak jego długie, dowcipne usta otwierają się ze zwykłą u niego wesołością.

— Grzmot to był, wasza wysokość. Nadzwyczaj fantastyczny łoskot. Czekam na marsowe surmy, które z pewnością muszą nastąpić po takim początku, co? Ha, ha, ha, ha, ha!

— Co sprowadziło pana do mojej sypialni, doktorze? Nie przypominam sobie, abym po pana posyłał.

— Nic w tym niezwykłego, wasza wysokość. Pan nie posłał po mnie. Wezwano mnie parę minut temu i stwierdziłem, że pan zemdlał, co jest niemiłą, acz nierzadką przypadłością, jaka może się każdemu przytrafić. Zastanawiam się teraz, dlaczego pan zemdlał? — Doktor pogładził podbródek. — Dlaczego? Czy w pokoju było bardzo gorąco?

Hrabia podchodzi do doktora. — Prunesquallor — powiada — ja nie mdleję.

— Wasza wysokość — powiada doktor — kiedy przyszedłem do sypialni, był pan w omdleniu.

— Dlaczegóż bym miał zemdleć? Ja nie mdleję, Prunesquallor.

— Czy przypomina pan sobie, co pan robił przed utratą świadomości?

Hrabia odwraca oczy od doktora. Nagle czuje się bardzo zmęczony, więc przysiada na brzegu łoża.

— Nic nie pamiętam, Prunesquallor. Przypominam sobie tylko, że łaknąłem czegoś, ale nie wiem, czego. Wydaje mi się, że to miesiąc temu.

— Mogę panu powiedzieć — powiada Prunesquallor. — Przygotowywał się pan do udania się na śniadanie na cześć pańskiego syna. Spieszył się pan i denerwował, by się nie spóźnić. W każdym razie, jest pan bardzo napięty, oczekując tego wydarzenia, stał się pan wyczerpany. Pańskim „łaknieniem" było znaleźć się z pańskim rocznym synem. To właśnie pan sobie mgliście przypomina.

— Kiedy jest śniadanie mego syna?

— Za pół godziny lub dokładnie, za dwadzieścia osiem minut.

— Chce pan powiedzieć *dziś rano*? — Na twarzy Lorda Sepulchrave'a pojawił się przestrach.

— Dziś rano, jak zawsze było, jest i będzie lub nie będzie, Bóg z jego piorunowym sercem. Nie, nie, panie hrabio, proszę jeszcze nie wstawać. — (Lord Sepulchrave spróbował powstać). — Jeszcze chwila, a będzie pan zdrowy jak najdroższa ryba. Śniadanie się nie opóźni. Nie, nie, wcale nie — ma pan dwadzieścia siedem długich, sześćdziesięciosekundowych minut, a Flay powinien już być w drodze, by przygotować szaty dla pana — tak, zaiste.

Flay jest nie tylko w drodze, lecz przy drzwiach, bowiem nie był w stanie pozostać w Kamiennych Uliczkach dłużej, niż zabrało mu przemknięcie przez nie do pokoju pana przez mroczny, jemu tylko znany korytarz. Mimo to ubiegł jedynie o chwilę Steerpike'a, który wślizguje się pod ramieniem Flaya przez drzwi sypialni, gdy Flay je otwiera.

Steerpike i służący zdumiewają się, spostrzegłszy, że Lord Sepulchrave znów wydaje się swym melancholijnym sobą, a Flay wlecze się ku swemu panu i upada przed nim na kolana nagłym, niezgrabnym, niepohamowanym ruchem, a kolana uderzają z trzaskiem o podłogę. Wrażliwa, blada dłoń hrabiego spoczywa przez chwilę na ramieniu stracha na wróble, lecz hrabia powiada tylko: — Mój uroczysty aksamit, Flay. Szybko, jak możesz. Mój aksamit i ptasia brosza z opali.

Flay gramoli się na nogi. Jest pierwszym służącym swego pana. Ma wyjąć ubranie pana i przygotować go do wielkiego śniadania na cześć jego jedynego syna. To nie czas i miejsce, by ten nikczemny młodzieniec znajdował się w sypialni jego wysokości. Doktor też nie musi zostać, jeśli o to idzie. Z ręką na drzwiach szafy odwraca głowę, poskrzypując. — *Dam* sobie radę, panie doktorze — powiada. Jego wzrok przesuwa się z Prunesquallora na Steerpike'a, a wargi cofają się z wyrazem pogardy i obrzydzenia.

Doktor zauważa ten wyraz. — Całkiem słusznie. Całkiem, całkiem słusznie! Jego wysokość będzie się czuł lepiej z każdą upływającą minutą, więc nic tu po nas, całkiem niezawodnie nic, na wszystko, co taktowne, z pewnością sądzę, że nic, ha, ha, ha! Och, na Boga, nic. Chodź, Steerpike. Chodź. A nawiasem mówiąc, skąd ta krew na twojej twarzy? Bawisz się w pirata czy miałeś tygrysa w łóżku? Ha, ha, ha! Ale opowiesz mi później, drogi chłopcze, opowiesz mi później. — I doktor zamierza wyprowadzić Steerpike'a z pokoju.

Lecz Steerpike nie lubi wyprowadzania, więc powiada: — Za panem, doktorze — i nalega, by Prunesquallor pierwszy przekroczył próg. Nim je zamknie, odwraca się i mówiąc do hrabiego poufnym tonem, rzecze: — Przypilnuję, by wszystko było gotowe. Proszę to mnie zostawić, wasza wysokość. Później się z panem zobaczę, Flay. A teraz, doktorze, w drogę.

Drzwi zamykają się.

ZNOWU BLIŹNIACZKI

Ciotki siedzą przeszło godzinę naprzeciwko siebie niemal bez ruchu. Tak długie badanie ludzkiej twarzy na pewno wytłumaczyć można jedynie próżnością i istotnie to *jest* próżność i tylko próżność, bowiem wiedząc, że mają identyczne rysy, że nałożyły identyczną ilość pudru i spędziły identycznie dużo czasu, szczotkując włosy, nie mają żadnych wątpliwości, że badając się nawzajem, każda właściwie przypatruje się sobie. Odziane są w najlepszą purpurę, o odcieniu tak krzykliwym, że sprawia fizyczną przykrość każdemu normalnie wrażliwemu oku.

— Teraz, Clarice — powiada wreszcie Cora — odwróć piękną głowę na prawo, żebym mogła zobaczyć, jak wyglądam *z boku.*

— Dlaczego? — powiada Clarice. — Dlaczego miałabym to zrobić?

— Dlaczego nie miałabyś? Mam prawo *wiedzieć.*

— Ja także, jeśli o to idzie.

— No, o to idzie, prawda? Głupia!

— Tak, ale...

— Zrób, co mówię, a potem ja zrobię to samo dla ciebie.

— Wtedy zobaczę, jak wygląda mój profil, prawda?

— Obie zobaczymy, nie tylko ty.

— *Powiedziałam*, że obie zobaczymy.

— No? To o co chodzi?

— O nic.

— No?

— No, co?

— No, więc dobrze — odwróć piękną głowę.

— Czy mam to teraz zrobić?

— Tak. Nie ma na co czekać, prawda?

— Tylko śniadanie. Ale jeszcze nie zaraz.

— Dlaczego nie?

— Bo słyszałam dzwonek w korytarzu.

— Ja też. To znaczy mnóstwo czasu.

— Chcę spojrzeć na mój profil, Coro. Odwróć się teraz,

— Dobrze. Jak długo, Clarice?

— Długo.

— Tylko jeśli ja też będę mieć długo.

— Nie możemy obie mieć długo, niemądra.

— Dlaczego nie?

— Dlatego że nie ma.

— Czego nie ma, kochanie?

— Nie ma czasu, prawda?

— Nie, jest mnóstwo.

— Tak, mnóstwo pięknych, długich czasów.

— Masz na myśli, przed nami, Clarice?

— Tak, przed nami.

— Potem, jak będziemy na naszych tronach, prawda?

— Skąd wiesz?

— No, o tym właśnie myślałaś. Czemu próbujesz mnie oszukiwać?

— Nie myślałam. Tylko chciałam wiedzieć.

— No, teraz już *wiesz*.

— Co wiem?

— *Wiesz*, to wszystko. Nie mam zamiaru w to się zagłębiać.

— Dlaczego nie?

— Bo ty się nie możesz tak zagłębiać jak ja. Nigdy nie mogłaś.

— Nie sądzę, nigdy nie *próbowałam*. Jak myślę, to nie warto. Wiem, gdy coś jest warte.

— A więc, kiedy *jest*?

— Kiedy co jest?

— Kiedy coś jest coś warte?

— Kiedy kupisz coś cudownego za swoje bogactwa, to zawsze jest warte.

— Chyba że tego nie *chcesz*, Clarice, zawsze o tym zapominasz. Czy nie możesz mieć mniej krótkiej pamięci?

Następuje długie milczenie, podczas którego badają nawzajem swe twarze.

— Będą na nas patrzeć, wiesz — powiada Cora apatycznie. — Będzie się na nas patrzeć przy śniadaniu.

— Bo jesteśmy autentycznej krwi — powiada Clarice. — To dlatego.

— I dlatego jesteśmy ważne, także.

— Tak że co?

— Że dla każdego, oczywiście.

— No, jeszcze nie, nie dla każdego.

— Ale wkrótce będziemy.

— Gdy mądry chłopiec zrobi nas ważnymi. On może wszystko zrobić.

— Wszystko. Zupełnie wszystko. Tak mi powiedział.

— Mnie też. Nie myśl, że tylko tobie mówi. Bo nie mówi.

— Nie powiedziałam, że mówi, prawda?

— Ale miałaś.

— Co miałam?

— Miałaś się wywyższyć.

— O tak, tak. Wywyższymy się, gdy przyjdzie pora.

— Pora i parada.

— Tak, oczywiście.

— Oczywiście.

Znowu następuje cisza. Głosy ich były tak apatyczne i bez wyrazu, że gdy milkną, cisza nie wydaje się w pokoju czymś nowym, lecz raczej przedłużeniem apatii w innym kolorze.

— Odwróć teraz głowę, Coro. Gdy będą na mnie patrzeć podczas śniadania, chcę wiedzieć, jak mnie widzą z boku i na co dokładnie patrzą; a więc odwróć dla mnie głowę, a ja odwrócę potem dla ciebie.

Cora przekręca białą szyję na lewo.

— Bardziej — powiada Clarice.

— Co bardziej?

— Ciągle jeszcze widzę drugie oko.

Cora przekręca głowę ułamek dalej, przemieszczając nieco puder na szyi.

— Tak dobrze, Coro. Zostań tak. Właśnie tak. Och, Coro! — (głos jest ciągle tak samo apatyczny) — jestem *idealna*.

Bezradośnie klaszcze w ręce, a nawet jej dłonie spotykają się z głuchym dźwiękiem.

Jakby ten odgłos był wezwaniem, otwierają się drzwi i Steerpike szybko wchodzi do pokoju. Ma świeży kawałek plastra na policzku. Bliźniaczki wstają i posuwają się ku niemu, dotykając się przy tym ramionami.

On przebiega po nich wzrokiem, wyjmuje fajkę z kieszeni i zapala zapałkę. Przez chwilę trzyma płomień w ręce, lecz tylko przez chwilę, gdyż Cora uniosła ramię powolnym ruchem lunatyczki i opuściła je na płomień, gasząc go.

— Co do choroby pani wyprawia? — krzyczy Steerpike, po raz pierwszy tracąc panowanie nad sobą. Oglądanie hrabiego jako sowy na gzymsie kominka oraz wydarcie kawałka twarzy przez kota, tego samego ranka, może podkopać opanowanie każdego.

— Żadnego ognia — powiada Cora. — Nie chcemy już ogni.

— Już ich nie lubimy. Nie. Już nie.

— Nie, po tym jak —

Steerpike przerywa, wie bowiem, ku czemu skierowały się ich umysły, a nie jest to odpowiednia chwila, tuż przed śniadaniem, na wspomnienia. — Czekają na panie! Stół śniadaniowy oczekuje pań. Wszyscy chcą wiedzieć, gdzie się panie podziewają. Chodźmy, piękna paro dam. Pozwolą mi panie towarzyszyć sobie przynajmniej przez część drogi. Wyglądają panie nadzwyczaj ponętnie — cóż jednak mogło panie zatrzymać? Czy są panie gotowe?

Bliźniaczki kiwają głowami.

— Czy mogę mieć zaszczyt podania pani prawego ramienia, Lady Coro? Droga Lady Clarice, jeśli zechciałaby pani przyjąć moje lewe...

Zgiąwszy łokcie, Steerpike czeka, by ciotki rozdzieliły się i by każda przyjęła jego ramię.

— Prawe jest ważniejsze niż lewe — powiada Clarice. — Dlaczego miałabyś je mieć?

— Dlaczego nie miałabym?

— Bo jestem tak samo dobra jak ty.

— Lecz nie tak samo mądra, prawda, kochanie?

— Tak, tak samo, tylko ciebie się wyróżnia.

— To dlatego, że jestem ponętna, jak powiada.

— Powiedział, że obie jesteśmy.

— Tylko dlatego, żeby ci zrobić przyjemność. Nie wiedziałaś?—

Drogie panie — powiada, wtrącając się, Steerpike — zechcą panie się uspokoić! Kto panuje nad waszym przeznaczeniem? Komu przyrzekły panie ufać i kogo słuchać?

— Tobie. — Mówią razem.

— Uważam panie za równe sobie i chcę, by uważały się panie za osoby tego samego stanu, bowiem gdy nadejdą trony, będą równej chwały. A teraz czy zechcą panie przyjąć moje ramię?

Cora i Clarice przyjmują ramię. Drzwi ich pokoju były otwarte, cała trójka wychodzi więc, chuda, czarna postać młodzieńca kroczy pomiędzy sztywnymi purpurowymi ciałami ciotek, patrzących na siebie nawzajem ponad jego głową, gdy więc oddalają się na wpół oświetlonym korytarzem i zmniejszają, przesuwając się w długiej perspektywie, ostatnią rzeczą, jaką widać w długi czas po tym, jak Steerpike'a w czerni i purpurę ciotek pochłonęły czeluście, są maleńkie, blade zarysy dwóch jednakowych profili naprzeciw siebie niejako unoszących się w mrocznym powietrzu, stale się zmniejszających i oddalających, póki nie wykruszy się z nich ostatni pyłek świata.

PONURE ŚNIADANIE

Barquentine nie podejrzewa, że owego historycznego poranka miały miejsce w zamku poważne i złowieszcze wydarzenia. Wie oczywiście, że od spłonięcia biblioteki hrabia znajduje się w krytycznym stanie zdrowia, lecz jest nieświadomy jego straszliwego przeobrażenia na gzymsie kominka. Od wczesnych godzin porannych studiował subtelne punkty rytuału przestrzeganego przy śniadaniu. Teraz, kuśtykając do sali jadalnej, postukując złowieszczo kulami po posadzce, ssie pasmo brody wijące się w górę ku ustom dzięki długiemu ćwiczeniu i mruczy przy tym gniewnie.

Nadal mieszka w zakurzonym pokoju o niskim pułapie, który zajmuje od przeszło sześćdziesięciu lat. Wraz z nowymi obowiązkami wymagającym rozmów z liczną służbą i urzędnikami nie przyszła chęć zamieszkania w jednym z licznych apartamentów, który mógłby zająć, gdyby zechciał. Fakt, że ci, którzy mają obowiązek przychodzić po poradę lub rozkazy, zmuszeni są kurczyć się boleśnie, by zdołać przejść przez drzwi w klatce dla królików, a potem w środku poruszać się zgięci wpół, nie wywiera na nim żadnego wrażenia. Barquentine nie interesuje się wygodą innych.

Zbliżając się do sali jadalnej w towarzystwie pani Slagg niosącej Tytusa, Fuksja słyszy stukot kuli Barquentine'a w korytarzu za sobą. Zwykle wzdrygnęłaby się na ten dźwięk, lecz przerażające i tragiczne minuty spędzone z ojcem napełniły ją tak silnym przestrachem i tak okropnym przeczuciem, że inne obawy znikły. Ma na sobie odwieczny szkarłat, noszony przez najstarszą córę rodu Groan przy chrzcie brata, a wokół szyi tak zwane Gołąbki Córki, naszyjnik z białych gołąbków z piaskowca wyrzeźbionych przez siedemnastego hrabiego Gormenghast, nanizanych na sznurek z plecionej trawy.

Dziecię, zamknięte w liliowym wałku, nie wydaje żadnego dźwięku. Fuksja niesie czarny miecz, choć złoty łańcuch jest nadal przymocowany do Tytusa. Niania Slagg, cała drżąca i podniecona, spogląda to na zawiniątko, to na Fuksję, ssąc pomarszczone wargi, podczas gdy jej stopki drepczą pod najlepszą spódnicą o barwie sepii.

— Nie spóźnimy się, moje ziółko, prawda? Och, nie, bo nam nie wolno, prawda? — Zagląda w jeden koniec liliowego wałka. — Coś takiego, jest taki grzeczny, mimo tych strasznych piorunów; tak, jest taki grzeczny.

Fuksja nie słyszy; porusza się we własnym koszmarnym świecie. Do kogo może się zwrócić? Kogo może zapytać? — Doktor Prune, doktor Prune — powiada do siebie — on mi pomoże; on wie, że ja mu pomogę wyzdrowieć. Tylko ja mogę mu pomóc wyzdrowieć.

Gdy mijają zakręt, majaczą przed nimi drzwi sali jadalnej, a Swelter zasłania je prawie, z ręką na mosiężnej klamce. Otwiera przed nimi szeroko drzwi i wkraczają do sali jadalnej. Przychodzą ostatnie i bardziej dzięki przypadkowi niż świadomemu zamiarowi tak właśnie być powinno — gdyż Tytus jest honorowym gościem lub może honorowym *gospodarzem*, dzisiaj bowiem, jako dziedzic Gormenghast, wstępuje w swoje dziedzictwo, stawiwszy czoło cyklowi czterech pór roku.

Fuksja wspina się po siedmiu drewnianych stopniach prowadzących na podest i do długiego stołu. Na prawo rozpościera się zimna, rozbrzmiewająca echem sala, z kałużami deszczu rozlewającymi się po kamiennej posadzce. Dudnienie rzęsistego pionowego deszczu po dachu stanowi tło dla wszystkiego, co się dzieje. Wyciągając prawą rękę, Fuksja pomaga pani Slagg wejść na dwa ostatnie stopnie. Zgromadzeni, w absolutnym milczeniu przy długim stole, odwrócili głowy ku Niani i jej doniosłemu zawiniątku, a gdy ta pewnie ustawia stopy na poziomie podestu, wszyscy wstają i rozlega się szuranie nóg krzeseł o podłogę. Fuksji się zdaje, że wyrosły przed nią wysokie, niezgłębione lasy, ogromne, na pół oświetlone kształty obcej natury — należące do jakiegoś innego królestwa. Lecz choć myśli a tym przez chwilę, nie czuje tego, bowiem przytłacza ją ciężar obawy o ojca.

Unosząc głowę, spostrzega go, doznając wstrząsu nieokreślonego uczucia. Ani przez chwilę nie przypuszczała, że będzie mógł wziąć udział w śniadaniu, wyobrażając sobie, że doktor będzie przy nim w sypialni. Tak żywo ma w umyśle obraz ojca w sypialni, jakim go ostatnio widziała, że jego widok w tej tak odmiennej atmosferze daje jej przez chwilę przypływ nadziei — nadziei, że śniła — że nie była w jego pokoju — że nie siedział na gzymsie kominka z okrągłymi, nieczułymi oczyma; bowiem teraz, gdy spogląda na niego, jest tak łagodny, smutny i chudy, dostrzega też słaby uśmiech powitania na jego wargach.

Swelter, który wszedł za nimi, prowadzi teraz panią Slagg ku krzesłu, na którego oparciu wymalowano słowa: „DLA SŁUŻBY". Na stole przed nią jest wolne miejsce w kształcie półkola, gdzie położono podłużną poduszkę. Usiadłszy, pani Slagg stwierdza, że jej podbródek znajduje się równo z brzegiem stołu, więc z trudem podnosi liliowe zawiniątko dostatecznie wysoko, by je umieścić na poduszce. Po jej lewej ręce siedzi Gertruda Groan. Pani Slagg zerka na nią lękliwie. Spogląda na ogrom czerni, wydaje się bowiem, że nie ma końca czarnym szatom hrabiny. Unosi wzrok nieco wyżej, lecz wciąż jest czerń. Unosi jeszcze wyżej, lecz czerń dalej się wspina. Uniósłszy całą głowę i spoglądając niemal pionowo w górę, ma wrażenie, że w pobliżu zenitu swego zasięgu wzroku dostrzega ciepło barwy pośród nocy. I pomyśleć, że zaledwie godzinę temu pomagała upinać pukle, które teraz zdają się ocierać o złuszczające się cheruby na suficie.

Po jej prawej znajduje się hrabia. Wspiera się o oparcie krzesła, bardzo bierny i osłabiony, lecz nadal uśmiecha się blado do córki zasiadającej po drugiej stronie stołu naprzeciw matki. Po prawej i lewej ręce Fuksji siedzą Irma Prunesquallor i jej brat. Doktor i Fuksja spletli małe palce pod stołem. Cora siedzi naprzeciwko swego brata hrabiego, a po lewej ręce hrabiny, naprzeciwko Irmy, znajduje się Clarice. Wspaniała, soczysta szynka, oświetlona świecą, zajmuje niemal całą przestrzeń stołu po stronie hrabiego i Cory, gdzie przewodniczy Swelter, który rozpoczął oficjalne obowiązki uzbrojony w stal i nóż do krajania. Po drugiej stronie stołu żarzy się na wysokim krześle Barquentine.

*

Jedzenie odbywa się spazmatycznie, skoro tylko pojawi się przerwa pomiędzy nie kończącymi się formalnościami i kwiecistą procedurą, którą Barquentine uruchamia we właściwych, uświęconych tradycją chwilach. Choć to nadzwyczaj męczące dla wszystkich obecnych, byłoby równie nudne dla czytelnika, gdyby musiał znosić długi katalog śniadaniowego rytuału, poczynając od stłuczenia wazy pośrodku, której rozbite kawałki gromadzi się w dwie kupki, jedną przy głowie a drugą przy stopach Tytusa, a kończąc na niezwykłym widowisku Barquentine'a depczącego (najwidoczniej jako symbol władzy złożonej w jego ręce strażnika nienaruszalnych praw Gormenghast) siedmiokrotnie po śniadaniowym stole pośród resztek posiłku, przy akompaniamencie uderzeń drewnianej nogi w ciemny dąb.

Bez wiedzy tych, którzy zasiadają przy długim stole, jest ich nie dziewięcioro na podeście — lecz dziesięcioro. Przez cały posiłek było ich dziesięcioro.

Dziesiątym jest Steerpike. Późnym popołudniem poprzedniego dnia, gdy sala jadalna pływała w ciepłej mgiełce pyłków, a każda chwila budziła w ciszy puste echo, przeszedł żwawo od drzwi ku podestowi z czarnym, przysadzistym zwojem materiału i czymś, co wyglądało na tobołek sieci pod pachą. Upewniwszy się, że jest sam, na pół rozwinął materiał, przemknął w górę po drewnianych stopniach podwyższenia i w mgnieniu oka wśliznął się pod stół.

Przez chwilę słychać było szuranie i czasami pobrzękiwanie metalu, potem hałas wzmógł się i przez dwie minuty wrzała ożywiona działalność. Steerpike wyznawał zasadę szybkiej roboty, szczególnie w niegodziwych sprawach. Wynurzywszy się wreszcie, otrzepał się starannie z kurzu i można było zauważyć, gdyby się tam ktoś znajdował, że choć nadal dźwigał niezgrabny zwój materiału, nie miał przy sobie sieci. Gdyby ten sam hipotetyczny obserwator zajrzał pod stół z jakiegokolwiek miejsca w sali, nie zauważyłby niczego niezwykłego, gdyż nic nie byłoby widać; lecz gdyby zadał sobie trudu, wpełzł pomiędzy nogi stołowe i spojrzał w górę, zauważyłby, że ze środka niskiego „dachu" zwisa bardzo wygodny hamak. W tym właśnie hamaku spoczywa teraz Steerpike, wyciągnięty w półmroku, ogrodzony bliską panoramą siedemnastu nóg i drewnianego kikuta, a właściwie szesnastu, gdyż Fuksja siedzi z jedną nogą podwiniętą pod siebie. Pospiesznie opuścił bliźniaczki po drodze i udało mu się pierwszemu wśliznąć do sali. Dąb stołu znajduje się w odległości paru cali od jego twarzy. Nie jest zbytnio zadowolony; mnóstwo czasu bowiem tam w górze zajęła niewidoczna dla niego pantomima. Rzeczywiście, w ogóle się nie rozmawia, więc jedyne, co słyszał podczas zdawałoby się nie kończącego się posiłku, to nieczuły, pouczający głos Barquentine'a klepiący starodawne, legendarne zwroty; irytujące i przepraszające pokasływanie Irmy i lekkie skrzypienie krzesła Fuksji przy każdym jej ruchu. Czasem hrabina mruczy coś, czego nikt nie słyszy, po czym Niania nieodmiennie pociera nerwowo kostki u nóg. Jej stopy znajdują się przynajmniej dwadzieścia cali ponad podłogą i Steerpike'a bardzo kusi, by za nie pociągnąć.

Przekonawszy się, że nic nie zyska przez tak chytre ukrycie się, i widząc, że nie może się stamtąd wydostać, zaczyna myśleć jak maszyna, badając gruntownie w myśli swoją pozycję w zamku.

Poza Sepulchrave'em i Tytusem, których podstawowe zainteresowania nadal ograniczają się do światów bieli i czerni — mleka i snu — reszta towarzystwa nie ma nic innego do roboty poza rozmyślaniem, bowiem nie rozmawia się i raczej nie ma okazji spożycia śniadania tak hojnie rozłożonego na stole, gdyż nikt niczego nie podaje. Tak więc zebrani rozmyślają podczas zmarnowanego śniadania. Suchy, sędziwy głos na krańcu stołu działa niemal hipnotycznie, nawet o tej wczesnej porze, a podczas gdy ich myśli błądzą tu i tam, deszcz nadal uderza o wysoki dach nad głowami i kap, kap, kap do kałuży daleko pośrodku długiej sali jadalnej.

Nikt nie słucha Barquentine'a. Deszcz bębni od dawna. Jego głos jest w ciemności — a ciemność w jego głosie, i nie ma temu końca.

DUMANIA

DUMANIE CORY

...i jest tak zimno, ręce i zimne stopy ale ładne moje są ładniejsze niż Clarice które ciągle zakłuwa przy haftowaniu niezdara i sądzę że jej też są zimne ale chcę żeby Gertrudy były zimniejsze niż lód w okropnych miejscach jest tak gruba i dumna i stanowczo za duża i chciałabym żeby zamarzła z tą głupią piersią i kiedy umocnimy się we władzy powiemy to jej Clarice i ja kiedy on pozwoli nam z tą swoją mądrością która jest mądrzejsza niż cały zamek i nasze trony uczynią nas królowymi ale ja zasiądę najwyżej i ciekawa jestem gdzie on jest a głupia Gertruda myśli że się boję i boję się ale ona o tym nie wie i chciałabym żeby umarła i żebym zobaczyła jej duże brzydkie ciało w trumnie bo jestem dobrze urodzona a biedny Sepulchrave wygląda inaczej to ona to sprawiła brzydka kobieta o tłustej piersi i marchewkowych włosach taka jarzyna tak tu zimno i moje ręce i nogi myślę że Clarice czuje to samo jest tak powolna w porównaniu ze mną wygląda tak niemądrze z otwartymi ustami nie tak jak ja moje usta nie są otwarte chociaż tak są zostawiłam je otwarte ale teraz zamknęłam i są zamknięte i moja twarz musi być idealna taka jaką będę gdy zdobędę władzę i zachodnie skrzydło szaleje chwałą dlaczego ogień był taki duży nie rozumiem i jesteśmy stworzeni do życia w ciemności i może jednego dnia przepędzę Steerpike'a kiedy już wszystko dla nas zrobi a może nie bo jeszcze nie czas wiedzieć więc poczekam bo on naprawdę nie jest dobrego pochodzenia jak my i powinien być sługą ale jest taki mądry i czasami traktuje mnie z szacunkiem jaki mi się oczywiście należy bo jestem Lady Cora z Gormenghast tak właśnie i tylko ja i moja siostra jesteśmy takie ale ona nie ma charakteru jaki Ja mam i musi się mnie radzić jest tak zimno i tak długo to trwa i Barquentine jest tak paskudny ale ukłonię mu się lekko nieznacznie mniej więcej na cal żeby mu pokazać że wykonał zadanie należycie nie dobrze ale należycie z tym głosem i kulą którą ma tak niepotrzebnie głupio zamiast nogi i może spojrzę na nią tak żeby mnie zobaczył gdy będę patrzeć tylko przez chwilkę żeby mu pokazać że ja jestem ja i nie wolno mu zapominać o mojej krwi i dlaczego biedny Sepulchrave tak wygląda z ustami opadającymi z jednej strony i z drugiej gdy na nią patrzy a ona wygląda taka przestraszona biedna głupia Fuksja która jest jeszcze za młoda żeby cokolwiek rozumieć jednak nigdy nie przychodzi nas odwiedzić kiedy mogłaby się nauczyć ale jej okrutna matka nastawiła ją wrogo do nas swoją złością jestem głodna ale nikt mi niczego nie poda bo wąski piskliwy doktor śpi albo prawie śpi a Swelter nigdy nie zauważa ani nikt poza tym mądrym chłopcem.

*

Na prawo od niej, na stole za doktorem, rozlega się łomot.

DUMANIE ALFREDA PRUNESQUALLORA

...i choć to oczywiste że nie pociągnie długo i nie mogę go faszerować hydrofondoramischromatykami popiołu co pięć godzin mniej więcej i będzie potrzebował tego coraz częściej usta mu już opadają do diabła co jest tuż na granicy na wszystko co potworne tak ale to lekarstwo go wykończy o ile nie poluzuję i bóg wie co się stanie jeśli sowa znowu wyskoczy ale musimy czy raczej ja muszę przygotować się na wszystko i zrobić prowizoryczne plany na nie przewidziane wypadki gdyż inni nie mają żadnych obowiązków poza tutejszym rytuałem i nigdy nie zetknęli się z takim przypadkiem przeniesienia tak nieprzyjemnie aktualnym gdyż chociaż depersonalizacja utrwaliła się już silnie o to mniejsza gdyż pohukiwanie jest poza zasięgiem nauki jednak tym co zapoczątkowało to wszystko był bez wątpienia pożar o tak bez wątpienia gdyż do tego czasu to była tylko melancholia lecz dzięki i chwała wszystkim butelkowym bogom i proszkowym książętom że miałem lekarstwa i że dobrze odgadłem ich moc w danym momencie ale musi wrócić do łóżka natychmiast po śniadaniu i musi być z nim ktoś w pokoju gdy będę musiał wyjść coś zjeść ale mogą mi przynosić do jego pokoju jeszcze lepszy pomysł i może Fuksja mogłaby to robić chociaż widok ojca to może dla niej za wiele ale jeszcze nie możemy powiedzieć i musimy być ostrożni bóg z nią biedna dziewczyna wygląda tak żałośnie i tak smutno trzyma mnie za palec wolałbym już żeby ściskała go rozpaczliwie to oznaczałoby prawdziwy przestrach. Muszę ją pocieszyć jak mogę chociaż co w imię taktu mogę powiedzieć by uspokoić inteligentne i wrażliwe dziecko które widziało ojca pohukującego z gzymsu nad kominkiem ale trzeba uważać bardzo uważać i może Irma przygotuje dla niej pokój w domu ale kilka następnych godzin zadecyduje i muszę być w pogotowiu bo hrabina z głową w chmurach nie jest żadną pomocą, a Irma to oczywiście Irma nic tylko sama esencja Irmy teraz i zawsze i trzeba ją zostawić w spokoju, i zostaje Steerpike który jest dla mnie zagadką i co do którego mam z całą pewnością wątpliwości i którego obecność coraz mniej mnie bawi i coraz bardziej daje wrażenie zła czego nie mogę oprzeć na żadnym racjonalnym rozumowaniu poza tym że wyraźnie zabiega dla siebie i tylko dla siebie ale któż nie zabiega? ale będę o nim pamiętał i obejdę się bez niego o ile można choć co rozum to rozum a on ma rozum i może trzeba będzie go wypożyczyć na krótko ale nie nie zrobię tego wszystkiego co instynktowne nie zrobię i koniec sam sobie poradzę z tym co trzeba no no nie pamiętam od dawna tak silnego przeczucia w moim starym kadłubie musimy poczekać to zobaczymy a nie będziemy długo czekać i miejmy nadzieję nie będziemy długo oglądać gdyż jest w tym wszystkim coś bardzo niezdrowego na wszystko co rozkwita w kwietniowej dolinie całkiem niezaprzeczalnie coś niezdrowego i wydaje się że na razie skończyły się moje rozmarzone dni ale oto cyganka ściska nieco mocniej i na cóż pod słońcem ona tak patrzy jego usta opadają i znowu to nadchodzi...

*

Obok na stole rozlega się łomot...

DUMANIE FUKSJI

...co mogę zrobić och co mogę zrobić jest taki chory i blady jaka chuda twarz całkiem złamana ale jest z nim lepiej lepiej niż było och nie mdli mnie nie nie wolno mi myśleć o oczach och kto mi pomoże kto musisz patrzeć teraz Fuksjo bądź dzielna musisz patrzeć Fuksjo popatrz że teraz jest z nim lepiej gdy jest tu przy stole jest tak blisko przy mnie mój ojciec i taki smutny dlaczego się uśmiecha uśmiecha och kto go uratuje kto będzie zdolny nam pomóc ojcze kto mi nie pozwoli być blisko i pozwoli zrozumieć co mogłabym i jest z nim lepiej pamiętaj jest z nim lepiej niż och Fuksjo bądź dzielna bo okrągłość oczu minęła minęła ale och nie nie wolno mi dlaczego były okrągłe i żółte nie rozumiem och powiedzcie mi moje drzewa powiedzcie mi drzewa i skały bo Niania nie wie och doktorze kochany musisz mi powiedzieć i zapytam cię gdy będziemy sami och szybko szybko niech się szybko skończy to okropne śniadanie i zaopiekuję się nim gdyż rozumiem bo wieża tam była wieża nad długimi szeregami książek jego książek i jej cień zawsze padał na bibliotekę zawsze drogi ojcze Wieża Krzemieni w której mieszkają sowy och nie nie rozumiem ale wiem drogi ojcze niechże cię pocieszę i nigdy już nie wolno być ci takim nigdy nigdy i będę twoim wartownikiem zawsze zawsze twoim wartownikiem i nigdy nie będziemy rozmawiać z ludźmi nigdy tylko ty mój kochany blady człowieku i nikt się do ciebie nie zbliży może tylko doktor kiedy go wezwiesz ale tylko wtedy i będę ci przynosić kwiaty wszelkiej barwy i kształtu i nakrapiane kamienie które wyglądają jak żaby i paprocie i wszelkie piękne rzeczy jakie znajdę i znajdę dla ciebie książki i będę ci czytać cały dzień i całą noc i nigdy nie dam ci poznać że jestem zmęczona i będziemy chodzić na spacery gdy się lepiej poczujesz i będziesz szczęśliwy szczęśliwy jeśli tylko będziesz mógł jeśli tylko smutna chuda zniszczona twarz taka blada i nikogo innego tam nie będzie ani matki ani nikogo ani Steerpike'a nie nie nie on, jest zbyt twardy i mądry nie tak jak ty który jesteś mądrzejszy ale z dobrocią a nie szybki w mądrych słowach. Widzę jego usta jego usta och doktorze Prune szybko szybko ciemność i on odpływa i głos doktorze Prune szybko głos odpływa Barquentine'a odpływa daleko nie widzę nie nie och czarno mój doktorze Prune ciemność się kołysze... kołysze...

*

Ciemność opuszcza mroczne zasłony w jej głowie, a kształty matki, Niani, Clarice i hrabiego oddalają się, zmieniając w pływające cząstki, podczas gdy głos Barquentine'a jąka nadal jak echo echa. Fuksja nie czuje już w dłoni palca doktora, jedynie jako nieskończenie odległe wrażenie, jak gdyby trzymała cienką rurkę powietrza. Czerń zstępuje ostateczną falą raz na zawsze, a jej ciemna głowa, padając ku przodowi, uderza w stół z łomotem.

DUMANIE IRMY PRUNESQUALLOR

...i bardzo chciałabym wiedzieć co mi przyjdzie z tego że tyle czasu spędziłam w kąpieli i przygotowałam się dla nich tak wyśmienicie gdyż moja łabędziobiała szyja jest najdoskonalsza w Gormenghast chociaż wolałabym nie mieć tak spiczastego nosa, ale jest aksamitnie biały jak reszta skóry i myślę że szkoda że noszę okulary z czarnymi szkłami ale jestem przekonana że moja skóra jest śnieżnobiała nie tylko dlatego że tak ją mgliście dostrzegam w lustrze gdy zdejmuję okulary chociaż bolą mnie od tego oczy ale także dlatego że mój papier listowy jest idealnie biały kiedy włożę okulary i patrzę na twarz i szyję w lustrze a potem przyłożę kawałek białego papieru listowego do twarzy to widzę że moja skóra i papeteria są dokładnie tego samego szarego odcienia a wszystko inne w lustrze wokół mnie jest ciemniejsze a bardzo często czarne ale cóż mi po papierze listowym o pomiętych brzegach gdyż nikt do nas nie pisuje chociaż był ktoś gdy byłam młodsza nie żebym była wtedy bardziej pociągająca gdyż przecież nadal jestem dziewicą ale był Spogfrawne który miał tyle pięknych przygód pośród ludzi których wybawił z grzechu i cenił mnie i napisał do mnie trzy listy na bibułce chociaż szkoda że stalówka tak często ją dziurawiła i było mi trudno odczytać namiętne partie gdzie mówił o swojej miłości w istocie w ogóle ich nie mogłam odczytać a kiedy napisałam prosząc żeby spróbował sobie przypomnieć i napisał do mnie czwarty list z samymi tylko namiętnymi zdaniami których nie mogłam odczytać w jego pierwszych trzech pięknych listach nie odpowiedział mi i myślę że to dlatego że poprosiłam go w mym ostatnim liście aby albo staranniej pisał na bibułce albo używał zwykłego papieru że się zawstydził biedny niemądry głupi wspaniały pan Spogfrawne którego zawsze będę pamiętać ale nie było o nim słychać od tego czasu i ciągle jestem dziewicą i któż mógłby tutaj mnie kochać czule i dotykać koniuszków mych śnieżnych dłoni i może jeszcze leciutkie dotknięcie mojej kości biodrowej która tak wspaniale wystaje jak to zauważył Steerpike tego wieczoru gdy zawołano Alfreda żeby wyjął muchę z oka tej Slagg bo Steerpike niech Bóg ma chłopca w opiece zawsze był bardzo spostrzegawczy i wiem jak mi się serce krajało gdy był tak nieszczęśliwy tego dnia gdy się od nas wyprowadził i nigdy go teraz nie widuję i szkoda że nie jest trochę starszy i wyższy ale gdy mówi do mnie i utkwi we mnie wzrok we właściwy sobie pełen szacunku sposób zauważając piękno mej skóry i włosów i to jak moje biodra uwydatniają się tak podniecająco wtedy nie chcę żeby był inny lecz czuję się trochę dziwnie i zdaję sobie sprawę jak mnie pobudza gdyż cóż znaczy wiek jeśli nie lata a lata to nic innego jak niemądre i śmieszne wymyślone przez człowieka rzeczy które nie rozumieją subtelnych kobiet którym lata lecą tak nieżyczliwie i dlaczego jest ich tak dużo w moim przypadku czterdzieści które nigdy nie miały tego co im się należy albo dlaczego jestem niezamężna nie wiem kiedy tak bardzo dbam o czystość ale któż jest któż jest och moja pustka jest całkiem sama i z Alfredem który bywa tak niemądry chociaż naprawdę jest mądry ale nie słucha mnie i zasypia jak teraz właśnie i chciałabym żeby nie patrzył bez przerwy na hrabiego który przecież nie jest kimś na kogo można się gapić chociaż jest w nim dzisiaj coś bardzo dziwnego i jak zimno w tej dużej pustej i okropnej sali która jest taka sławna ale co za pożytek jeśli nie rozmawiamy ze sobą i nie ma mężczyzn by śledzili każdy łaskawy ruch mej szyi i będę szczęśliwa kiedy będę znowu w domu gdzie będę dalej czytać książkę, i nie będzie tak zimno i być może napiszę liścik do Steerpike'a i zaproszę go na kolację tak zrobię tak Alfred powiedział że nie będzie go w domu jutro wieczorem i...

Myśli jej przerywa łomot z lewej strony.

DUMANIE LADY CLARICE

Jej myśli są identyczne z myślami siostry z jednym wyjątkiem, a wyłom ten najlepiej można ocenić podstawiając po prostu imię Cory w miejsce jej własnego, gdziekolwiek tylko się pojawi w dumaniach tamtej.

DUMANIE GERTRUDY HRABINY GORMENGHAST

...w każdym razie staremu Sourdustowi ta praca zajęłaby więcej czasu niż temu tutaj i już niedługo będę mieć na sercu mojego białego kota który znowu płacze niech czarci połamią kości długiemu służącemu i zostawiłam dosyć wody w miednicy na kąpiel dla kruków i obejrzę skrzydło brodźca natychmiast gdy stąd wyjdę i utulę białego kota ale głupiec ma jeszcze około czternastu stron chociaż dzięki Bogu nie muszę być obecna na wielu takich rzeczach i nie będzie następnego dziecka o ile się coś na tym znam ale oto syn dla Gormenghast czyli to czego zamek potrzebował a gdy będzie starszy nauczę go jak dbać o siebie i jak żyć własnym życiem o ile to możliwe dla kogoś kto będzie napotykał szare głazy w sercu dzień po dniu i cały sekret to umieć zupełnie zmrozić obcego i wtedy będzie mógł żyć wewnątrz siebie co w niewłaściwy sposób robi Sepulchrave gdyż na cóż się mogą przydać książki komuś czyje dni są jak gniazdo gawrona gdzie każda gałązka jest obowiązkiem i nauczę chłopca przyzywać gwizdem ptaki z nieba na przegub dłoni czego nie nauczyłam Fuksji bo zachowałam moją wiedzę dla chłopca i jeśli będę mieć czas nim on będzie mieć dwanaście lat i jeśli to będzie ładny wieczór mogę go zabrać nad sadzawkę zieloną jak mój malachitowy pierścień w srebrnej oprawie i pozwolę mu śledzić małe nakrapiane pliszki budujące miękkie szare gniazda ze skrzydełek ciem i ze szpagatu ale skąd mogę wiedzieć czy będzie spostrzegawczy i uważny z ptakami gdyż Fuksja rozczarowała mnie nim miała pięć lat swoją niezdarnością gdyż zwykła wciskać kwiaty do szklanych wazonów i gniotła łodygi choć je kochała ale to syna chcę uczyć gdyż szkoda wyjawiać tajemnice dziewczynce ale będzie bezużyteczny tak długo jeszcze i trzeba go trzymać z dala od mego pokoju aż będzie miał przynajmniej pięć lat gdy będzie w stanie pojąć co mu powiem o ptakach niebieskich i jak może nie zaprzątać sobie głowy obowiązkami jakie musi wypełniać dzień po dniu nim umrze tu jak to czynili jego ojcowie i nim go pochowają w grobowcu Groanów i musi nauczyć się sekretu milczenia i iść swoją drogą pośród ptaków białych kotów i wszystkich zwierząt tak aby nie był świadom ludzi lecz żeby wypełniał swe legendarne obowiązki tak wiernie jak to zawsze robił jego ojciec którego biblioteka spłonęła razem ze starym Sourdustem i niewiele wiem jak to się zaczęło poza tym że ten młodzieniec Steerpike szybko znalazł się na scenie i choć uratowaliśmy się dzięki niemu nie lubię go i nigdy nie będę lubić z tym jego śmiesznym ciałkiem i ośliźlymi manierami trzeba go stąd odesłać gdyż mam przeczucie że zrobi coś złego i Fuksja nie może z nim przebywać bo nie wolno jej zadawać się z kimś tak pospolitym i podłym jak ten przebiegły młodzieniec rozmawia też zbyt często z Prunesquallorem z którym widziałam jak rozmawiała dwa razy w zeszłym miesiącu gdyż on nie jest szlachetnej krwi a jeśli chodzi o tego krwiożerczego i diabelnego Flaya który tak zranił mego biednego bezbronnego kota że wszystkie inne białe cuda będą niespokojne w czarnych nocnych godzinach i będą czuły bóle które on czuje zwinięty w moich ramionach gdyż Flay zdegradował się dzięki swemu upiornemu szaleństwu i będzie wygnany pomimo tego co powie Sepulchrave którego twarz zmieniła się dzisiaj i była zmieniona gdy widziałam go trzykrotnie od spalenia jego książek i powiem doktorowi żeby stale z nim był bo przeczuwam jego śmierć i dobrze że się Tytus urodził bo ród Groanów nie może się załamać przeze mnie i w ogóle nie może być końca nie może być końca i powiem mu o jego dziedzictwie i czci i jak zachować głowę ponad splecionym gniazdem i patrzeć jak mijają pory roku i słuchać pierzastych gardziołków...

Łomot na stole tuż naprzeciwko niej powoduje, że hrabina powoli podnosi oczy znad obrusu.

DUMANIE NIANI SLAGG

...taaak taaak taaak to jest tak wielkie i cudowne tak sądzę och moje biedne serduszko to wspaniałe wystawne śniadanie którego nikt nie je i drogi malutki chłopczyk pośród sztućców niech Bóg błogosławi maleństwo bo nie zapłakał ani razu ani razu odrobinka i wszyscy wokół niego i myślą o nim bo to jego śniadanie moje drogie śliczności i Niania ci o tym opowie gdy będziesz duży och moje biedne serduszko ile będę mieć wtedy lat i jak tu zimno dobrze że owinęłam chłopczyka w szal który jest pod tymi liliowymi zwojami taak taak i nie wolno mu kichnąć och nie bądź cicho chociaż mnie tak zimno i jego wielka ciężka matka obok mnie tak że czuję że nic nie znaczę i myślę że nic nie znaczę gdyż nikt mnie nie zauważa i nikt mnie nie kocha oprócz mojego kochanego ziółka ale nawet ona czasem o mnie zapomina ale nie inni którzy nigdy o mnie nie myślą chyba że chcą żebym coś dla nich zrobiła bo muszę wszystko robić i och moje biedne serduszko nie jestem już młoda i silna i męczę się nawet teraz jestem zmęczona tym że muszę siedzieć tak długo w zimnie tak dużo niżej od ogromnej hrabiny która nawet nie spojrzy na swego chłopczyka który jest taki grzeczny i myślę że nigdy go nie będzie kochać tak jak ja go kocham ale och moje biedne serduszko dobrze że hrabina mnie nie słyszy że tak o niej myślę chociaż czasem myślę że ona wie kiedy źle o niej myślę bo jest taka cicha a kiedy na mnie patrzy nie wiem co robić ani gdzie iść i czuję się taka mała i słaba i czuję się tak teraz ale jak tu zimno i wolałabym moje zwykłe śniadanie przy kominku w moim własnym pokoiku niż patrzeć jak całe to jedzenie na stole stygnie chociaż to wszystko jest dla chłopczyka Bóg z nim i będę się nim opiekować tak długo jak będę miała siłę w biednych kościach i wychowam go na grzecznego chłopca i nauczę Fuksję by się nim opiekowała i ona go kocha więcej niż dawniej chociaż nie lubi go trzymać jak ja i dobrze bo mogłaby go upuścić niezgrabne ziółko i och moje biedne serduszko gdyby kiedykolwiek miał upaść i się zabić och nie nie nigdy nie wolno jej nigdy go trzymać bo ona nie wie jak się obchodzić z dzieckiem nie patrzy na niego tam pośrodku stołu bardziej niż matka czy ktokolwiek inny ale przygląda się ojcu a jej niegrzeczna ciemna twarz jest taka smutna co to może być musi mi powiedzieć i powiedzieć mi wszystko niczego nie zataić dlaczego wygląda tak żałośnie niemądra dziewczyna która nie może mieć żadnego zmartwienia w swoim wieku i nie ma tej całej roboty i tych utrapień które cały czas dźwigam na starych barkach i to niemądrze z jej strony że jest taka smutna gdy jest tylko dzieckiem i nic nie wie niech Bóg ją ma w opiece.

Nianię podrywa łomot na stole niemal naprzeciw niej.

DUMANIE SEPULCHRAVE'A 76. HRABIEGO GORMENGHAST

...i zawsze będzie ciemność i żadnego innego koloru i światła będą zgaszone i hałasy w moim mózgu zduszone pośród gęstych miękkich piór które przytępiają wszystkie me myśli całunem nieprzeliczonego pierza gdyż przebywają tak długo tak długo w zimnej wydrążonej gardzieli Wieży i będą tam zawsze gdyż nie ma końca sowom których dzieckiem jestem wielkim sowom których dziecięciem i uczniem będę więc zapominam wszystkiego i przyjęty będę w odwieczną ciemność daleko pośród cieniów Groanów i nie będzie już bólu serca ani snów ani myśli i nie będzie nawet pamięci tak że moje księgi zginą dla mnie i znikną poeci gdyż wiem że wielka wieża stała dzień i noc nad mymi rozmyślaniami podczas tych wszystkich godzin i pójdą wszyscy wielcy pisarze i wszystko co leżało pomiędzy dotykanymi okładkami wszystko co spało lub kroczyło pomiędzy welinowymi pokrywkami gdzie straszyli przez całe stulecia i już nie straszą i nie mam i nigdy nie będę miał wyrzutów sumienia gdyż minęły żądza i marzenie i jestem zupełny i marzę tylko o szponach wieży o nagłości i szczęku pośród piór i o końcu i o śmierci i o słodkim zapomnieniu gdyż lada chwila wzbiorą ostatnie przypływy i gardło się napina i okrągłe jest jak Wieża Krzemieni i palce się kurczą i pożądam mroku i ostrości jak igła w aksamicie i upomną się o mnie potęgi niepokój skończy się... skończy się... a w mojej zagładzie będzie spełnienie gdyż ten wstąpił w długi szereg i długa uschła gałąź Groanów wystrzeliła jasnym liściem Tytusa, który jest owocem ze mnie i nie będzie końca i szare kamienie będą stać zawsze i wysokie wieże zawsze gdzie splatają się potoki deszczu i prawa mego ludu będą trwać zawsze podczas gdy pośród wielkich nocnych straszydeł w wieży będzie krążyć mój duch i zanikać wiecznie będzie strumień mej krwi i skończy się galopująca gorączka kim są ci i ci tak daleko ode mnie a jednak tak ogromni i tak odlegli i ogromni Fuksjo moja ciemna córko przynieś mi gałązki i polną mysz z akra starych pastwisk...

TU I TAM

Myśli Sweltera przywarły do śmierci Flaya z jego własnej ręki. Czas był stosowny. Ćwiczył sztukę cichego i potajemnego poruszania się tak długo, że nie słyszał już nawet oddechu własnego kroku, co usiłował stłumić przez ostatnie dwa tygodnie. Posuwał teraz własny ciężar po ziemi tak cicho, jakby chmura przemykała w mroku. Jego oburęczny tasak miał ostrze śpiewające głosem komara, gdy przykładał je do grzyba swego ucha. Dziś wieczór pozostawi różowy wafelek na szczycie ostatniej kondygnacji schodów, w odległości jedynie dwudziestu stóp od chudzielca. Noc będzie ciemna. Wsłuchiwał się w bębnienie deszczu, a jego wzrok zwrócił się ku jezioru na zimnej posadzce w drugim końcu sali jadalnej. Spoglądał na nie, lecz nie widział mętnego odbicia oskrzydlających cherubinów o sto stóp ponad stalowoszarą glazurą wody. Wzrok miał nieostry. Jutro wieczór wykona pracę, na dokonanie której czekał. Jutro wieczór. Podczas gdy język wynurzył się spomiędzy warg, jak marchew przesuwając się z boku na bok, jego oczy przesunęły się z wody ku Flayowi, a mglistość natychmiast z nich znikła. Cała rzecz była w jego wzroku; a Flay, uniósłszy oczy ze szczytu głowy swego pana, zrozumiał ohydny wyraz.

Wiedział, że zamach na jego życie był bliski. Kolorowe ciasteczka, gdy je znalazł poprzednio trzy razy, znajdowały się coraz bliżej. Swelter próbował go zniszczyć, dręcząc mu umysł i szarpiąc nerwy, nie spał od wielu nocy, lecz był gotów. Nie zapomniał oburęcznego tasaka w zielonkawym świetle, więc wyszukał w zbrojowni stary miecz, z którego usunął rdzę i wyostrzył w kamiennych uliczkach czubek i krawędź. W porównaniu z krawędzią, jaką Swelter nadał tasakowi, miecz był tępy, lecz dostatecznie zabójczy. W wyrazie twarzy Sweltera mógł wyczytać bliskość nocnego pojedynku. Nastąpi do tygodnia. Nie mógł powiedzieć, którego dnia. Może tej samej nocy. Może którejkolwiek nocy z siedmiu następnych. Wiedział, że Swelter nie będzie go mógł dojrzeć, póki się niemal na niego nie natknie u drzwi pana. Wiedział, że kuchmistrz nie mógł poznać, że tak jasno czyta z jego oczu. Pamiętał także, że wygnano go z terenu zamku. Swelter nie może się o tym dowiedzieć. Gertruda przypilnuje, by on, Flay, nie znajdował się już u drzwi Lorda Sepulchrave'a, lecz może powrócić w nocy i podążyć za potworem pełznącym w górę w kierunku korytarza ze śmiertelną misją.

Tak właśnie zrobi. Każdego wieczoru będzie czekał w krużgankach, póki ogromne cielsko nie przekradnie się obok i w górę po schodach. Dopiero wówczas zadecyduje, gdzie i kiedy uderzyć. Wiedział tylko, że musi odciągnąć wroga od drzwi chorego pana i że śmierć musi nastąpić w jakiejś odległej części zamku, może w komnacie pająków... lub pod łukami strychu, lub nawet pośród blanek. Przerwał mu myśli łomot Fuksji padającej do przodu i ujrzał, jak doktor wstaje i sięga przez stół po szklankę, lewą ręką obejmując ramiona Fuksji.

Na stole mały Tytus zaczął kopać i szamotać się, a potem biedna pani Slagg, z wysokim cienkim okrzykiem, przygląda mu się, jak przewraca kopnięciem wazę z kwiatami i szarpie dłońmi liliowy aksamit.

*

Steerpike słyszy łomot nad sobą i z rozmaitych wykrzywień okrążających go nóg może się dość dokładnie domyśleć, co się dzieje. Tylko dwie nogi nie poruszają się wcale i obie należą do Gertrudy. Jedyna widoczna noga Fuksji (gdyż prawa jest nadal skurczona pod nią) ześliznęła się w bok po posadzce, gdy ona sama wali się do przodu. Nogi Niani zmagają się szalenie, by dosięgnąć podłogi. Lorda Sepulchrave'a kołyszą się leniwie w przód i w tył, blisko siebie, jak pojedyncze wahadło. Cora i Clarice wykonują ruchy chodzenia w wodzie. Nogi doktora wyprostowały się w długie odcinki, a jego siostry weszły w ostatnie stadium samobójczego paktu, dławiąc się nawzajem w bluszczowym uścisku.

Swelter przesuwa miękkie, kleniowate przestrzenie stóp do przodu i do tyłu powolnym, pieszczotliwym ruchem, jakby coś mięsistego wycierało się w matę.

Flay pociera szybko pękniętym przodem bucika kość goleniową tuż nad kostką, po czym Steerpike zauważa, że jego nogi zaczynają się przesuwać wokół stołu ku krzesłu Fuksji, eksplodując przy tym.

W tym krótkim okresie czasu, gdy wrzask Tytusa zagłusza szczekanie Barquentine'a, Prunesquallor zwilżył obficie wodą twarz Fuksji przy pomocy serwetki, po czym delikatnie umieścił jej głowę pomiędzy kolanami.

Barquentine ani na chwilę nie przerwał wypełniania swych obowiązków, jak o tym świadczą zdarzające się przerwy w ryku Tytusa, gdyż w krótkich okresach, które mogłyby być ciszą wypełnioną jedynie deszczem, suchy, kwaśny język bibliotekarza jąka się i jąka.

Ale już się niemal skończyło. Odkłada księgi na bok. Jego uschły kikut, który od omdlenia Fuksji i ryku Tytusa drapał posadzkę z takim rozdrażnieniem, że można by przypuszczać, iż brzydki koniec posiada zęby zamiast palców i stara się usilnie przegryźć przez dębowe deski — ten kikut rozpoczyna teraz inną czynność, wyniesienia siebie oraz reszty Barquentine'a na siedzenie krzesła.

Znalazłszy się na długim, wąskim stole, ma teraz przemaszerować po nim siedem razy od jednego końca do drugiego, nie bacząc na porcelanę i złote sztućce, nie bacząc na szkło, wino i jadło w ogólności, nie bacząc właściwie na nic poza tym, że musi być niebaczny. Pani Slagg porywa roczne dziecko przed nadciągającymi kulami i uschłą nogą, Barquentine nie traci bowiem czasu, by przestrzegać tradycji, a okucie jego kuli uderza zgrzytliwie w polerowany dąb, rozłupuje porcelanowe talerze lub rozpryskuje rżnięte szkło. Głuchy, mokry odgłos i następujący po nim chlupot zdradzają fakt, że uschła noga zanurzyła się po kostkę w wazie letniej owsianki, lecz to nie dosyć, by się uchylił od wypełniania obowiązków.

Doktor Prunesquallor odszedł, zataczając się z Fuksją w ramionach, poleciwszy przedtem Flayowi odprowadzić Lorda Sepulchrave'a do jego pokoju. Hrabina, rzecz dziwna, wzięła Tytusa od Niani Slagg i zszedłszy z podestu na kamienną posadzkę, przechadza się ociężale tam i na powrót, przerzuciwszy chłopczyka przez ramię. — No już, no już — powiada. — Nie ma czego płakać; nie ma czego; nie teraz, kiedy masz dwa lata; poczekaj, kiedy będziesz miał trzy. No już, no już, poczekaj, aż będziesz większy, a pokażę ci, gdzie mieszkają ptaki, grzeczne dziecko, grzeczne... Slagg... Slagg — ryczy nagle, przerywając. — Zabierz je. — Hrabia i Flay odeszli, podobnie Swelter, obrzuciwszy zawiedzionym wzrokiem stół i pomarszczonego Barquentine'a depczącego wspaniale przygotowane i sprofanowane śniadanie.

Pozostały Cora i Clarice śledzące Barquentine'a z ustami i źrenicami tak szeroko otwartymi, że owe jamy monopolizują ich twarze, nadając obliczom wyraz ciemności lub nieobecności. Nadal siedzą, a ich ciała pod gładkimi sukniami są absolutnie sztywne, podczas gdy oczy podążają za każdym ruchem starca, odwracając się od niego jedynie na chwilę, gdy głośniejszy niż zwykle dźwięk zmusza je do skierowania wzroku na stół, by zobaczyć, jaką to ostatnio ozdobę stłuczono.

Mrok w wielkiej sali zgęstniał, na przekór wspinającemu się słońcu. Może sobie pozwolić na przekorę, gdy taki kir atramentowych chmur spowija zamek, spękaną zębatą górę, wszystkie moknące tereny Gormenghast od jednego krańca horyzontu po drugi.

Barquentine'a i bliźniaczki, uwięzionych w cieniach sali, uwięzionej z kolei pośród cieni przepływających chmur, oświetla jedna jedyna świeca, gdyż inne się wypaliły. W ogromnym, przesklepionym refektarzu tych troje — jadowita marionetka w szkarłatnych łachmanach i dwie sztywne purpurowe lalki, obie na obu krańcach stołu — wygląda niewiarygodnie maleńko, a drobne, wyraziste żebra barwy połyskują na ubraniach w miarę ruchu płomienia świecy. Potłuczone szkło na długim stole od czasu do czasu ciska nagle diament. Z drugiego końca sali, z pobliża drzwi dla służby, spoglądając w atramentową perspektywę kamiennych filarów, można mieć wrażenie, że widowisko owej trójki przy stole odbywa się na przestrzeni gry w domino.

Gdy Barquentine kończy swą siódmą podróż, płomień ostatniej świecy chwieje się, uspokaja, po czym nagle zanurza w trzęsawisku łoju, a cała sala pogrąża się w zupełnej ciemności, poza miejscem, gdzie jeziorko pośrodku sali jest plamą ciemności otoczonej głębiami innej natury. W pobliżu brzegu owej wewnętrznej, syconej deszczem ciemności pływa zaciekle mrówka, a siły jej słabną z każdą chwilą, gdyż poniżej znajdują się dwa bezlitosne cale wody. Z oddali, z pobliża paradnego stołu dobiega krzyk, potem drugi, odgłos krzesła spadającego na kamienną posadzkę siedem stóp poniżej podestu oraz dźwięk przekleństw Barquentine'a.

Zanotowawszy nogi znikające za drzwiami oraz to, do kogo należały, Steerpike wyśliznął się z hamaka pod stołem. Wymacuje drogę ku drzwiom. Dotarłszy do nich i odnalazłszy klamkę, trzaska nimi gwałtownie, po czym, jak gdyby właśnie *wszedł* do sali, wykrzykuje:

— Hej tam, co się tam dzieje! Co się stało?

Na dźwięk jego głosu bliźniaczki zaczynają wołać o pomoc, Barquentine zaś wrzeszczy: Światło, światło! Przynieś światło, gamoniu. Na co czekasz? — Jego przeraźliwy głos wzbija się do pisku, a kula zgrzyta o stół. — Światło, niegodziwcze! Światło! Bodajbyś pękł!

Steerpike, którego ostatnie półtorej godziny okropnie rozczarowało i dokumentnie znudziło, nie posiada się z radości, słysząc te krzyki.

— Natychmiast, proszę pana. Natychmiast — pląsa przez drzwi i wzdłuż korytarza. W niespełna minutę powraca z latarnią i pomaga Barquentine'owi zejść ze stołu, ten zaś, znalazłszy się na ziemi, bez słowa podziękowania wali w dół po schodach i ku drzwiom, klnąc przy tym, a czerwone łachmany połyskują matowo w świetle latarni. Steerpike patrzy, jak jego ohydne ciało znika, po czym unosząc jeszcze wyżej wysokie, strome ramiona, ziewa, wyszczerzając się zarazem w uśmiechu. Cora i Clarice znajdują się po jego obu stronach, obie dyszą głośno, a ich płaskie biusty wznoszą się i opadają szybko jak luki okrętowe. Utkwiły w nim oczy, gdy przeprowadza je przez drzwi, przez korytarz i dalej do ich komnat, gdzie wchodzi. Okna ociekają deszczem. Dach nim rozbrzmiewa.

— Drogie panie — powiada Steerpike — wydaje mi się, że wskazana jest gorąca kawa, ale co o tym *panie* myślą?

PRZECZUCIE

Pod wieczór ciężkie niebo zaczęło się przecierać, a tuż przed zachodem słońca zachodni wiatr przegonił chmury gęstymi, poszatkowanymi masami i deszcz wraz z nimi. Większość dnia upłynęła na uroczystych obrzędach wszelakiego rodzaju, zarówno w zamku, jak i podczas ulewy, a szczytem tego była podobna do pielgrzymki procesja czterdziestu trzech ogrodników z Pentecostem na czele na Górę Gormenghast i z powrotem, podczas której mieli obowiązek rozmyślać o chwale rodu Groan, a szczególnie o tym, iż jego najmłodszy członek miał dwanaście miesięcy, który to przedmiot (aczkolwiek doniosły) musieli z pewnością wyczerpać po mniej więcej pierwszej mili podmokłych i kamienistych ścieżek, jakie wiodły ich przez pogórze.

W każdym razie Barquentine, który leżał wyczerpany o ósmej wieczór na brudnym materacu, kaszląc okropnie, jak to czynił uprzednio jego ojciec w tak przekonywający sposób, mógł wspominać z cierpką satysfakcją dzień niemal nie zakłóconego rytuału. Było to irytujące, iż Lord Sepulchrave nie był w stanie uczestniczyć w trzech ostatnich uroczystościach, lecz istniała zasada w prawie usprawiedliwiająca nieobecność w wypadku strasznej choroby. Ssał brodę, a jego uschła noga leżała zupełnie nieruchomo. Kilka stóp nad jego głową pająk bazgrał na suficie. Nie podobało mu się to, lecz nie złościło go.

Fuksja wkrótce odzyskała przytomność i dzielnie wzięła udział w obrządkach dnia wraz z panią Slagg, niosąc braciszka, gdy tylko stara piastunka czuła się zmęczona. Do późnego wieczora, kiedy to pozostawił Flaya z jego wysokością, Prunesquallor pilnie śledził pacjenta.

Nieopisany nastrój oczekiwania napełnił Gormenghast. Urodziny Tytusa zamiast przynieść uczucie spełnienia lub kulminacji, tak jak powinny, dały, na odwrót, poczucie, że coś się zaczyna. Poprzez mieszkańców zamku poczęły się ujawniać jakieś ciemne siły. Niektórzy odczuwali to niezwykle ostro, choć nierozpoznawalnie, a ich własne problemy niewątpliwie zaostrzały to i warunkowały. Flay i Swelter znajdowali się na krawędzi gwałtu. Sepulchrave poruszał się na skraju kulminacji, podobnie Fuksja, trawiona strachem i bólem wobec tragedii ojcowskiej. Ona również czekała; wszyscy czekali. Prunesquallor znosił niemałe napięcie i wiecznie był w pogotowiu, hrabina zaś, rozmówiwszy się z nim i usłyszawszy tyle, ile Prunesquallor ośmielił się powiedzieć, a domyśliwszy się znacznie więcej, pozostawała w swym pokoju, otrzymując co godzina biuletyny o stanie męża. Nawet Cora i Clarice mogły stwierdzić, że zwykłe, monotonne życie zamku było inne niż dawniej, siedziały więc cicho w swym pokoju — także czekając. Irma spędziła większość czasu w kąpieli, stale powracając myślami do nowego dla niej pojęcia, szokującego, a nawet przerażającego. Mianowicie, że ród Groanów jest inny. Inny. A jednak, jakże mógłby być inny? — Niemożliwe! Powiedziałam, niemożliwe! — powtórzyła do siebie, poprzez pianę wonnych mydlin, ale nie mogła siebie samej przekonać. To jej wyobrażenie pełzało zdradziecko po Gormenghast, przeważnie pozostając nie uświadomione, chyba jako wrażenie niepokoju.

Jedynie Irma wskazała to palcem. Inni oddawali się liczeniu złowieszczych minut, zanim nie rozerwały się nad nimi ich własne chmury, chociaż poza osobistymi kłopotami, nadziejami i obawami narastało to mniej bezpośrednie drżenie, owa nieuchwytna sugestia *zmiany*, najbardziej niewybaczalna ze wszystkich herezji.

Kilka minut przed zachodem słońca niebo nad zamkiem było powodzią światła, wiatr ustał i chmury poznikały, trudno więc było uwierzyć, że ów pogodny i złocony nastrój mógł uświetnić dzień, który rozpoczął się tak ciemno i rozwijał się z tak konsekwentną gwałtownością. Lecz były to nadal urodziny Tytusa. Turnie góry, pomimo ich szczerb, spowijał tak niewinny mlecznoróżany welon, iż zadawał kłam ich naturze. Mokradła rozpościerały się ku północy spokojnymi płaszczyznami wody poprzekłuwanej przez trzciny. Zamek stał się wielką bladą rzeźbą, oblaną tu i ówdzie przez całe akry połyskliwego bluszczu, z którego liści kapały diamenty.

Poza ogromnymi murami Gormenghast lepianki stopniowo odzyskiwały białawą barwę naturalnej gleby, w miarę jak późne słońce wysączało wilgoć. Stare drzewa kaktusowe parowały niedostrzegalnie, a pod największym z nich, oświetlonym przez pochyłe promienie słońca, znajdowała się kobieta na koniu.

Przez długi czas wydawało się, że nie poruszyła się ani ona, ani jej wierzchowiec. Twarz miała ciemną, a włosy opadły jej na ramiona. Na twarzy miała blade światło, był w niej ponury tryumf i ogromna samotność. Pochyliła się nieco do przodu, szepcząc do konia, który słysząc ją, podniósł przednią nogę i uderzył nią w miękką ziemię. Wtedy zaczęła zsiadać, co nie było dla niej łatwe, jednak opuszczała się ostrożnie po wilgotnym, siwym boku. Potem zabrała koszyk przywiązany do sznurowej uzdy i wolno podeszła ku głowie konia. Przesunąwszy palcami przez splątany, ociekający kosmyk grzywy, pogłaskała twarde czoło. — Musisz teraz wracać — powiedziała powoli — do Brunatnego Ojca, aby wiedział, że jestem bezpieczna. — Po czym odepchnęła od siebie długi, wilgotny, siwy łeb powolnym i zdecydowanym ruchem. Koń odwrócił się, a deszcz zabulgotał w śladach kopyt, tworząc małe złote kałuże nieba. Po paru krokach odwrócił się ku niej. Potem uniósłszy łeb bardzo wysoko, potrząsnął długą grzywą z boku na bok, a powietrze wypełnił rój pereł. Następnie zaczął nagle stąpać po śladach własnych kopyt i nie zwalniając kroku ani na chwilę, ani nie zbaczając z drogi do domu, oddalał się od niej. Patrzyła za nim, jak się pojawiał, znikał, by znowu się pojawić, stosownie do pofałdowania okolicy, póki nie stał się prawie zbyt mały, by mogła go śledzić. Wreszcie ujrzała, że dociera do skraju ostatniego odcinka wyżyny, nim zstępuje ona ku niewidocznej równinie. Gdy tak patrzyła, zatrzymał się nagle, a jej serce zabiło szybko, gdyż odwrócił się i stał przez chwilę nieruchomo. Potem uniósłszy łeb wysoko jak przedtem, zaczął posuwać się do tyłu krok za krokiem. Spoglądali ku sobie poprzez ogromną przestrzeń, póki siwka nie pochłonął wreszcie horyzont.

Odwróciła się ku Lepiankom rozciągającym się poniżej w różowo-czerwonym świetle. Tłum zaczął się tam gromadzić i ujrzała, że pokazują ją palcami.

W ciepłej łunie gasnącego światła lepianki miały w sobie, pomimo całego ubóstwa i stłoczenia, coś eterycznego, a jej serce wybiegło ku nim, w miarę jak nadpłynęła setka przebudzonych wspomnień. Wiedziała, że wąskie uliczki są siedliskiem goryczy, że duma i zazdrość jak duchy wspierają się o odrzwia każdego rzeźbiarza, ale przez przelotną chwilę widziała jedynie wieczorne światło padające na sceny swego dzieciństwa i drgnęła, przebudziwszy się z tej chwilowej zadumy, by zauważyć, że tłum urósł. Wiedziała już dawniej, że ta chwila będzie właśnie taka. Przewidziała taki wieczór łagodnego światła. Przewidziała, że ziemia będzie szklista od deszczu i miała przemożne uczucie, że przeżywa scenę, którą już kiedyś odegrała. Nie lękała się, choć wiedziała, że spotka ją wrogość, uprzedzenie, a być może gwałt. Nie będzie miało znaczenia, cokolwiek z nią uczynią. Już to przecierpiała. To wszystko było już odległą, zblakłą historią, archaizmem.

Podniosła dłoń do czoła i odsunęła zimny pukiel włosów czarno przylepionych do policzka. — Muszę urodzić dziecko — powiedziała do siebie, kształtując wargami bezdźwięczne słowa — a potem osiągnę pełnię, będę tylko ja sama, i wszystko się skończy. — Źrenice jej rozszerzyły się. — Uwolnię cię. Od samego początku uwolnię cię od siebie, jak ja uwolnię się od ciebie; a ja pójdę za moją wiedzą — ach, już wkrótce, już wkrótce, w upojną ciemność.

Złączywszy dłonie, poszła powoli ku lepiankom. Wysoko po jej prawej ręce ogromny zewnętrzny mur oziębił się; jego wewnętrzną stronę okrywał cień, a w głębi zamku Tytus, wydawszy wielki płaczliwy wrzask, zaczął szamotać się z niezwykłą siłą w ramionach starej piastunki. Nagle powieka głębokiego mroku uniosła się, a Gwiazda Wieczorna zapłonęła nad Gormenghast, gdy pod sercem Kedy szamotał się jej ciężar.

PRZYGOTOWANIE DO GWAŁTU

Skończył się cykl dwunastomiesięczny. Tytus rozpoczął drugi rok — rok, który ledwie opierzony, miał już wkrótce przynieść ze sobą gwałt. W atmosferze było coś chorobliwego.

Nie wiedział nic o tych podejrzeniach i niepokoju i nie będzie pamiętał tych dni. Jednak następstwa tego, co się działo w jego dzieciństwie, wkrótce się na nim odbiją.

Pani Slagg śledziła go gderliwie, gdy chwiał się, usiłując utrzymać równowagę, Tytus bowiem już prawie nauczył się chodzić. — Dlaczego się nie uśmiechnie? — skomliła. — Dlaczego jego maleńka wysokość nigdy się nie uśmiechnie?

Odgłos kul Barquentine'a odbijał się echem w pustych korytarzach. Jego uschła noga wlokła się obok, a czerwony worek powiewał łachmanami w gorących podmuchach. Wydawał edykty jak przekleństwa.

Ponury rytuał toczył się. W tych murach z wrzenia serca szydził każdy kawałek drzemiącego cienia. Namiętności, nie większe niż płomyki świec, rozbłyskały w otchłani czasu, Gormenghast bowiem, ogromny i mroczny, rozdrobni wszystko. Lato było ciężkie jakimś miękkim, szaroniebieskim ciężarem na niebie — chociaż nie *na* niebie, gdyż wydawało się, że nie ma nieba, tylko powietrze, niewyczuwalna szaroniebieska substancja, oszołomiona ciężarem własnego gorąca i barwy. Słońce, choćby je ziemia połyskliwie odbijała w kamieniu, polu czy wodzie, nie było owego lata niczym więcej jak bezpromiennym krążkiem — w gęstym, upalnym powietrzu — chorobliwym kółkiem, wyniosłym i nie krzepiącym.

Jesienne i zimowe wiatry oraz smagające ulewne deszcze i chłody tych pór roku, pomimo całego barbarzyństwa, wyrażały chandrą serca. Ich namiętności były pokrewne ludzkim namiętnościom — ich krzyki ludzkim krzykom.

Inaczej jednak było z tą powolną miazgą lata, z tą broną upału, w którym dzień po dniu pływało jednostajnie niedociekliwe żółte oko.

Na skraju rzeki cuchnęła płytka woda i roje owadów unosiły się nad brudną pianą, przędąc krzyk dawno zapomnianych światów, cieńszy niż igiełki.

Ropuchy czkały w zielonym szlamie. Odbicie najwyższych turni Góry Gormenghast wisiało na łonie rzeki jak stalaktyty, zdając się kruszyć co chwila w ledwie dostrzegalnych poruszeniach wody — nigdy się jednak nie zmniejszając ani rozpadając pomimo tego kruszenia. Poza rzeką ciągnęło się długie pole skąpej szarozielonej trawy i popielatego kurzu, jakby ogłuszone pomiędzy niskimi krzemiennymi murkami.

Chmurki drobnego kurzu wzbijały się za każdym stąpnięciem cętkowanego konika, na którego grzbiecie jechał mężczyzna w pelerynie.

Przy każdym piątym kroku lewej nogi wierzchowca jeździec stawał w strzemionach, umieszczając głowę pomiędzy uszami konia. Rzeka wiła się obok, pola falowały, niknąc w smudze upału. Cętkowany koń i jeździec w pelerynie jechali przed siebie. Byli bardzo mali. Na samej północy Wieża Krzemieni wznosiła się w mgiełce jak celuloidowa linijka zawieszona jednym końcem, lub jak akwarelowy rysunek wieży pozostawiony na świeżym powietrzu, którego barwę nieomal zmył przelotny deszcz.

Wszędzie była przestrzeń — poczucie oddalenia — oderwania. Wszystko, czego można było dotknąć wyciągniętym ramieniem, odsunęło się, cofnęło w szaroniebieskie, pyłkonośne ciało powietrza, podczas gdy w górze pływał nieludzki krążek. Lato było na dachach Gormenghast. Leżało bezwładnie, jak coś chorego. Z rozciągniętymi członkami. Przybrało kształt czegoś uduszonego. Budowla pociła się, przeraźliwie cicha. Kasztany pobielały od pyłu, zwieszając miriady ogromnych dłoni o połamanych przegubach. Pozostała w fosie woda była jak zupa. Brnął przez nią szczur, na pół płynąc, na pół idąc. Gęste sepiowe plamy wody pozostały na niezdrowym szlamie, gdzie jego łapy przerwały zieloną powierzchnię. Dziedzińce były miękkie od pyłu. Osiadł na gałęziach pobliskich drzew. Zostawały głębokie ślady po krokach, póki nie powróciły suche powiewy. Różne długości kroków — doktora, Fuksji, hrabiny, Sweltera — można tu było zmierzyć, krzyżujące się ze sobą jakby w tym samym czasie, choć dzieliły je godziny, dni i tygodnie.

Wieczorem nietoperze, owe bajeczne skrzydlate myszy, wirowały, przyczepiały się i szybowały w gorącym mroku.

Tytus rósł.

Było to w cztery dni po ponurym śniadaniu. Rok i cztery dni po tym, jak się urodził w pokoju pełnym wosku i ziarna dla ptaków. Hrabina nie chciała nikogo widzieć. Od świtu do zachodu toczyła myśli jak głazy. Ustawiała je długimi szeregami. Zmieniała ich porządek, rozmyślając o pożarze. Śledziła z okna przechodzące w dole postaci. Ociężale obracała wrażenia. Zastanawiała się nad każdym przechodzącym. Gdy siedziała przy oknie, czasem przechodził Steerpike. Jej mąż pogrążał się w szaleństwo. Nigdy go nie kochała i nie kochała go teraz, gdyż jej serce ożywiało się czułością jedynie dla ptaków i białych kotów. Jednakże choć nie kochała go dla niego samego, od chwili odkrycia jego choroby przepełniał ją irracjonalny, zakorzeniony szacunek dla dziedzictwa, jakie uosabiał, i niema duma z jego pochodzenia.

Według jej rozkazów, Flay odszedł poza wielkie mury. Odszedł, a choć nie prędzej pomyślałaby o ponownym przywołaniu go niż o zaprzestaniu opieki nad kotem, którego pokaleczył, jednakże była świadoma tego, że wyrwała z korzeniami część Gormenghast, tak jakby zawaliła się jedna z wież w znajomej sylwetce. Odszedł — choć nie całkiem. Niezupełnie, jeszcze przez jakiś czas.

Przez pięć wieczorów po dniu wygnania — pierwszych urodzinach Tytusa — powracał nie zauważony po zapadnięciu zmroku. Poruszał się jak patyczek w szarej, gwiazdami nakrapianej nocy, a znając każdą zatokę, zakole i cypel wielkiej kamiennej wyspy Groanów, jej nagie turnie i kruszące się odkrywki, szedł bez wahania zygzakowatym szlakiem. Wystarczyło jedynie oprzeć się o powierzchnię skały, a ginął w ciemności. Przychodził przez pięć ostatnich wieczorów, po długich, parnych dniach wyczekiwania pośród drzew na skraju Splątanych Borów, przez wyrwę w murze zamkowym w zachodnim skrzydle. Na wygnaniu odczuwał izolację oderwanej dłoni uświadamiającej sobie, że nie jest już częścią tego ramienia i tego ciała, któremu służyła i gdzie nadal bije serce. Na razie okropność wygnania była zbyt bliska, by mógł ją pojąć — tylko podobna kraterowi pustka. Pokrzywy nie miały jeszcze czasu wypełnić ziejącej jamy. Była to samotność pozbawiona bólu.

Wierność zamkowi, zbyt głęboka, by ją kwestionował, tkwiła mu w sercu: wszystkiemu, co kryła w sobie załamana linia wież. Z kolanami podciągniętymi pod brodę rozmyślał o tej sylwetce, siedząc u stóp skalnej wysepki pośród drzew. U boku leżał naostrzony przez niego długi miecz. Słońce zniżało się. Za trzy godziny będzie w drodze, szósty raz od wygnania, ku krużgankom, które znał od młodości. Ku krużgankom, w których północnych cieniach znajdowało się wejście na schody ku piwnicom z winem i do kuchni. Tysiąc wspomnień wiązało się z tymi tylko krużgankami. Nagłe zdarzenia — przebudzenie myśli, które wydały owoc lub zwiędły pod jego dotknięciem — wspomnienia młodości — nawet dzieciństwa, gdyż od czasu do czasu w głębi ciemnej czaszki powracała jaskrawa winieta, winieta w szkarłacie, złocie i szarości. Nie przypominał sobie, kto prowadził go za rękę, lecz pamiętał, jak on i jego opiekun zatrzymali się pomiędzy dwoma południowymi łukami — jak słońce wypełniało powietrze — jak olbrzym, taki bowiem musiał się wydawać dziecku, olbrzym w złocie dał mu jabłko — kulę szkarłatną, której nigdy nie wypuścił z empirycznego uchwytu umysłu, podobnie jak siwizny długich włosów opadających na czoło i ramiona swego pierwszego wspomnienia.

Niewiele ze wspomnień Flaya było tak barwnych. Jego młode lata były ciężkie, bolesne i jednostajne. Wspomnienia łączyły się z lękami, kłopotami i trudami. Pamiętał, jak pod tymi samymi łukami krużganków, ku którym wkrótce miał się udać, doświadczał w ponurym milczeniu zniewag, a nawet gwałtu, podobnie jak ukłuć rozkoszy. Wspierał się tam, o czwarty filar, w popołudnie po nieoczekiwanym wezwaniu do gabinetu Lorda Sepulchrave'a, gdzie powiedziano mu o awansie — wyborze na pierwszego służącego hrabiego; o tym, że hrabia zauważył i ocenił jego ciche i małomówne zachowanie, oraz o nagrodzie. Wspierał się tam, z walącym mocno sercem; i przypomniał sobie o momencie słabości, gdy zapragnął mieć przyjaciela, któremu mógłby powiedzieć o swym szczęściu. Ale to było dawno. Strzelając językiem, wygnał wspomnienia z myśli.

Wznosił się rogaty księżyc, a ziemia i drzewa wokół były w paski i cętki od wolno przesuwających się plam czerni i perlistej bieli. Blask w formie ostrygi przesunął mu się po głowie. Zwrócił wzrok ku księżycowi pomiędzy drzewami i nachmurzył się. To nie noc na księżyc. Przeklinał go, lecz po dziecinnemu, pomimo ponurego ukształtowania kości, wyciągnąwszy nogi, na których przedtem opierał podbródek.

Przesunął kciukiem po brzegu miecza, po czym odwinął niekształtną paczkę u swego boku. Nie zaniedbał przynieść trochę jedzenia z zamku, a teraz, pięć nocy później, przyrządził posiłek z tego, co zostało. Chleb zsechł, lecz smakował błogo po całym dniu wstrzemięźliwości, wraz z serem i zebranymi w lesie jeżynami. Nie pozostawił nic poza paru okruszynami na czarnych spodniach. Nie było żadnego racjonalnego powodu, by odczuwał, kończąc jeżyny, że coś okropnego stoi pomiędzy ostatnim kęsem a następnym posiłkiem — gdziekolwiek może mieć miejsce i w jakikolwiek sposób go zdobędzie.

Może to był księżyc. Podczas pięciu poprzednich nocnych wypraw do zamku było ciemno. Gęste bezdeszczowe chmury dawały idealną osłonę. Wprawiony do przeciwności, wziął to za znak, że godzina nadchodzi. Zaiste, wydawało się bardziej naturalne, że sama natura będzie mu wrogiem.

Podniósł się powoli i spod sterty paproci wydobył na światło księżyca ogromne zwoje materiału — po czym rozpoczął nadzwyczaj osobliwą operację. Przykucnąwszy, z dziecięcym skupieniem zaczął owijać materiałem kolana, bez końca, póki nie spowił ich na grubość pięciu sporych cali, luźno w stawie i ciaśniej poniżej i powyżej oraz w miarę grubienia bandaża. Zajęło mu to niemal godzinę, był bowiem bardzo skrupulatny i kilka razy musiał odwijać długie zwoje, by je poprawić i ułatwić ugięcia kolan.

Jednakże wreszcie wszystko było gotowe, powstał więc. Zrobił krok naprzód; potem drugi, i wydawało się, że nadsłuchiwał. Czy nie było nic słychać? Zrobił jeszcze trzy kroki, z pochyloną głową, poruszając mięśniami za uszami. Co słyszał? Było to jak przytłumiony zegar, który tyknął trzy razy i stanął. Brzmiało to bardzo daleko. Pozostało trochę materiału, okręcił więc kolana jeszcze na pół cala. Gdy teraz postąpił naprzód, cisza była zupełna.

Mógł się nadal poruszać stosunkowo swobodnie. Nogi miał tak długie, że przyzwyczaił się używać ich jak szczudeł, a zwykły eksplodować jedynie przy najlżejszym ugięciu kolan.

Światło księżyca leżało gazową chustą bieli na pułapie Splątanych Borów. Powietrze było gęste i gorące, a pora późna, gdy zaczął posuwać się ku zamkowi. Dotarcie do krużganków zajmie mu godzinę szybkiego marszu. Długi miecz połyskiwał mu w dłoni. W kącikach bezwargich ust miał czerwoną plamę od jeżyn.

W tyle pozostały drzewa i długie zbocza, gdzie krzaki jałowca kuliły się w ciemności jak zwierzęta lub zniekształcone postaci. Przeszedł wzdłuż brzegu rzeki, napotkawszy lepką mgłę leżącą nad nią jak kochanek, skręcającą wraz z nią i tulącą jej skrzekliwe ciało, gdyż żabie samce hałasowały w nocnym powietrzu. Poza miazmatycznymi zwojami pływał i wydymał się księżyc jakby w zniekształcającym zwierciadle. Powietrze było mdłe od pozostałości dziennego upału, martwe, jak gdyby oddychano nim już, stęchłe i trzykrotnie zużyte. Było mu zimno tylko w stopy, gdy zanurzyły się po kostki w rosę. Tak jakby kroczył przez własny pot. Z każdym krokiem coraz bardziej uświadamiał sobie, że zmniejsza przestrzeń pomiędzy sobą i czymś strasznym. Z każdym krokiem krużganki wyskakiwały mu naprzeciw, a serce waliło. Skóra pomiędzy oczyma zmarszczyła się. Kroczył naprzód. Ponad nim znajdował się zewnętrzny mur zamkowy. Próchniał przy księżycu. Błyszczał w miejscach, gdzie kolonie jaszczurek przywarły do złuszczającej się powierzchni.

Przeszedł przez bramę. Niepohamowany porost bluszczu zwisającego wokół niemal stykał się pośrodku otworu, więc Flay, schyliwszy głowę, przedarł się przez zaledwie szczelinę. Gdy przeszedł, tereny Gormenghast rozpostarły się przed nim złowieszczo z obcą poufałością, jak gdyby znajoma twarz, przez całe lata ograniczająca się do dwu dziesiątków zasadniczych min, przybrała nigdy przedtem nie znany wyraz.

Trzymając się ile możności w cieniu, Flay podążał szybko przez nierówny teren ku skrzydłu służby. Ponieważ hrabina go wyklęła, każdy krok był zbrodnią.

W ostatnim stadium zbliżania się do krużganków poruszał się z pewną kanciastą ostrożnością. Czasem zatrzymywał się i szybko przyklękał, lecz nie słyszał żadnego dźwięku; potem posuwał się znowu naprzód, z mieczem w ręku. Nagle, nim się spostrzegł, znalazł się na dziedzińcu służby, obchodząc mur w kierunku krużganków. Jeszcze minuta i stał się częścią czarnego jak węgiel cienia trzeciego filaru, gdzie tak cierpliwie wyczekiwał przez ostatnie pięć bezksiężycowych nocy.

KREW O PÓŁNOCY

Tej nocy atmosfera żyła — życiem jeszcze bardziej namacalnym ze względu na ociężałość powietrza — upiornego letniego powietrza Gormenghast. We dnie żar martwego światła; w ciemności wymiociny pokoju chorego. Nie było ucieczki. Nadeszła ta pora roku.

Podczas gdy pan Flay czekał, z barkami wspartymi o kamienne filary, jego myśli popłynęły ku dniu chrztu, kiedy smagnął ogromną miękką twarz — do nocy, gdy przyglądał się próbie swego zabójstwa — do tego okropnego worka, który był *nim* — do dnia hulanki w wielkiej kuchni — do okropności pohukującego hrabiego — do setki wspomnień o swym dręczycielu, którego twarz otwierała się przed nim w wyobraźni w ciemności jak coś ropiejącego.

Natężył uszy, nadsłuchując, aż zabolały go mięśnie. Nie poruszył się przez przeszło godzinę, poza drgnieniem głowy na karku. A potem, nagle, cóż się zmieniło? Przymknął oczy na chwilę, a gdy je otworzył, powietrze było inne. Czy upał był jeszcze straszliwszy? Jego podarta koszula przykleiła się do barków i brzucha. To było coś więcej — ciemność była wszechobecna. Dziedziniec był tak atramentowy jak cienie, które go spowijały. Chmury nasunęły się na księżyc. Nie można było dojrzeć nawet lśniącego miecza, gdy wysunął go tam, gdzie przedtem leżała poświata księżyca.

Potem nadeszło. Światło jaśniejsze niż światło słońca — światło jak brzytwa. Nie tylko ukazało do najdrobniejszego szczególiku anatomię kamieniarki, filary i wieże, drzewa, źdźbła trawy i kamyczki, lecz wyczarowało je, zbudowało z niczego. Nie było ich tam przedtem — jedynie puste, otchłanne nieobecności rzeczy —

później zaś zapanowało tworzenie w oślepiającej i upiornej chwale, gdy potok elektrycznego ognia przebiegł po niebie.

Flayowi wydało się to wiecznością nagości; lecz gorąca czarna powieka całego nieba zamknęła się znowu, a duszna atmosfera zatrzęsła się nieopanowanie takim wrzaskiem grzmotu, że zjeżył mu włos na karku. Wybuchł z brzucha mamuta i cofnął się, zamierając w przeciągłym pomruku złości. A potem ogromna północ straciła panowanie, rozwierając kłębiaste cielsko od jednego krańca horyzontu po drugi, a powietrze stężało tak wielkim ciężarem spadającej wody, że przez ryk piany Flay słyszał łamanie gałęzi drzew.

Flay, osłonięty od deszczu dachem krużganków, nie potrzebował już trzymać ciała w tak skurczonej pozycji. Żaden nieznaczny dźwięk nie byłby słyszalny teraz, gdy padający deszcz syczał i dudnił, bił w masywny grzbiet Gormenghast i spływał po jego bokach, kipiąc i bryzgając w każdej kamiennej szczelinie, przepłukując każdą wnękę, gdzie długo zalegał biały pył.

Jeszcze pilniej musiał teraz nadsłuchiwać odgłosu zbliżających się kroków i wątpliwe, czy byłby w stanie odróżnić odgłos kroków kuchmistrza od dudniącego tła. Stało się to, czego nie oczekiwał, a serce zaczęło mu walić nierówno jak młotem, niewyczuwalną bowiem ciemność po lewej zakłóciło nikłe światełko, a tuż potem źródło owej mglistej poświaty przesunęło się przez mrok. Był to pasek pionowego światła, który zdawał się płynąć na sztorc z własnej swej woli. Niewidoczny właściciel ośmiokątnej latarni przymknął wszystkie okienniczki z wyjątkiem jednej.

Gdy Flay mocniej zaciskał palce na rękojeści miecza, światełko latarni zrównało się z nim i w chwilę później minęło go, a w tej samej chwili, na tle bladożółtego światełka, można było rozróżnić sylwetę górnej bryły Sweltera. Była całkiem prosta. Wyginała się w górę jedną czarną kopułą. Wydawało się, że nie ma głowy. Musiała być wysunięta w dół i ku przodowi, w pozycji, jakiej nie można sobie wyobrazić u kogoś, komu zwały smalcowatego tłuszczu wypełniały przestrzeń pomiędzy podbródkiem a obojczykami.

Gdy Flay osądził, że sylweta znalazła się w odległości dobrych dwunastu kroków, zaczął postępować za nią, i wówczas rozpoczął się pierwszy z epizodów — podchody. Jeśli człowiek kiedykolwiek podchodził człowieka, Flay podchodził Sweltera. Należy wątpić, czy w porównaniu z kanciastymi poruszeniami pana Flaya jakikolwiek człowiek na ziemi może rościć sobie pretensje do podchodzenia. Musiałby to czynić za pomocą innego słowa.

Sama długość i kształt kończyn i stawów, samo ukształtowanie głowy, rąk i stóp były jakby stworzone jedynie do tej czynności. Całkiem nieświadom patyczakowatych ruchów, jakie przybierało jego ciało, podążał za skradającą się kopułą. Bowiem pan Swelter był — w każdym razie we własnym mniemaniu — na tropie swej ofiary. Trop nie znajdował się tam, gdzie przypuszczał, dwa piętra wyżej, niemniej poruszał się z największą ostrożnością. Na szczycie pierwszego podestu schodów ostrożnie umieścił latarnię przy ścianie, gdyż tam właśnie świece zaczynały w mniej więcej równych odstępach rzucać blade kręgi światła z wnęk w ścianach. Zaczął się wspinać.

Jeśli pan Flay podchodził, pan Swelter *ślizgał się*. Ślizgał się przez przestrzeń. Jego ciało wdzierało się, jak detektyw, z jednej masy powietrza do drugiej, wchodząc, wypełniając ją i wysuwając się z każdej po kolei, a powolny i wstrętny brzuch wyprzedzał okropnie rozważny i potencjalnie zwinny postęp zapadłego podbicia stóp.

Flay nie mógł dostrzec stóp Sweltera, jedynie zarysowaną kopułę, lecz ze sposobu, w jaki wchodziła, wiedział, że kuchmistrz porusza się krok za krokiem, z prawą stopą zawsze wyprzedzającą lewą, którą przystawiał do kleniowatej towarzyszki. Szedł w górę powolnymi, cichymi podrygami jak dzieci, inwalidzi lub otyłe kobiety. Flay poczekał, póki nie minął zakrętu schodów i nie znalazł się na pierwszym podeście, zanim pospieszył jego śladem, biorąc pięć kamiennych stopni za jednym razem.

Dotarłszy do szczytu pierwszej kondygnacji schodów, wysunął głowę zza węgła i już nie zobaczył sylwety wroga. Ujrzał całą rzecz jaskrawo w świetle dwóch świec. Korytarz był wąski w tym miejscu, poszerzając się około czterdziestu czy pięćdziesięciu stóp dalej do rozmiarów sali, skąd następne schody wiodły do korytarza Lorda Sepulchrave'a.

Swelter stał całkiem nieruchomo, lecz poruszał ramionami i zdawało się, że mówi do kogoś. Flay nie mógł dojrzeć, co właściwie robił, póki w chwilę później nie usłyszał głosu mówiącego: „I zaczerwienię cię i zmoczę, moja ślicznotko", i nie zobaczył, jak niewyraźny ogrom wykonuje z trudem pół obrotu w ciasnej przestrzeni, i nie dostrzegł połysku stali, a za chwilę części trzonka i całej morderczej głowicy oburęcznego tasaka. Pan Swelter piastował go w ramionach, jakby mu dawał piersi.

— Och, tak zaczerwienię i zmoczę — nadbiegł znowu miękki jak mech głos — a potem wytrzemy cię do sucha ładną czystą chusteczką. Czy chcesz jedwabną — moja śliczna? Chcesz? Zanim cię wyczyścimy i otulimy? Co, nie odpowiadasz? Ale wiesz, o czym papa mówi, prawda? Oczywiście wiesz — po tym wszystkim, czego cię nauczył. A dlaczego? Bo jesteś taką zwinną, ciętą dzieciną — och, taką ciętą dzieciną.

Następnie pan Flay musiał wysłuchać bardzo obrzydliwego dźwięku — jakby zwierzęcia niższego rzędu z trudnościami żołądkowymi. Pan Swelter śmiał się.

Pomimo sporej wiedzy o niższych formach życia, Flay nie był w stanie się opanować, więc uklęknąwszy szybko na wielkich poduszkach u kolan, zwymiotował cicho.

Powstawszy i otarłszy pot z czoła, wyjrzał znowu zza węgła i zobaczył, że Swelter dotarł do podnóża drugich schodów, gdzie korytarz się rozszerzał. Odgłos deszczu, choć mniej intensywny, trwał nieprzerwanie. W samym jego odgłosie, choć odległym, można było wyczuć nienaturalny ciężar. Jak gdyby zamek był jedynie rozmiaru czaszki, na którą wylewano pospiesznie cysternę wody. Już wszystkie zagłębienia i dolinowate rozpadliny na terenach zamkowych wypełniły się ciemnymi jeziorami, które wzbierały z każdą chwilą, podwajając i potrajając powierzchnię, w miarę jak stykały się ich pełzające krańce. Teren znalazł się pod wodą.

W zamku zapanowała ściślejsza zażyłość pomiędzy tym w murach zamkowych, co stało, leżało, klęczało, było podparte, schowane na półkę, ukryte lub wystawione, czy też pozostawione pod ręką, żywe czy martwe. Coś w rodzaju niechętnej wiedzy o wzajemnej bliskości rzeczy — jednego człowieka do drugiego, choć mogły ich oddzielać wielkie mury — o *bliskości* do zegara, poręczy, filaru, książki czy rękawa. Dla Flaya to okropna bliskość do *siebie* — do własnego barku czy dłoni. Wylew niebieskiego kontynentu uwięził i nadał dziwaczną nadrzeczywistość *bliskości* tym, którzy byli osłonięci od burzy, oprócz jej odgłosu.

W całym ciemnym i grzechotliwym zamku nie było nikogo, kto leżąc bezsennie, nikt nie mógł bowiem spodziewać się snu, nie rozmyślałby, choćby przez chwilę, o tym, że cały zamek nie śpi. W każdym łóżku leżała postać z otwartymi powiekami. Widzieli się nawzajem. Świadomość własnych masywnych i indywidualnych obecności zrodziła się nie tylko z więżącej ulewy, lecz również ze wzbierającej ogólnej atmosfery podejrzliwości — podejrzewania nie wiadomo dokładnie czego — jedynie tego, że coś się zmieniało — zmieniało w świecie, gdzie zmiana była zbrodnią.

Flay miał szczęście, że to, na co liczył, niekomunikatywny charakter hrabiny, okazało się niezawodne, nie wspomniała bowiem nikomu o jego wygnaniu, choć przyczyna wciąż piekła jej kolosalne łono.

Stąd niewiedza Sweltera o tym, że robiąc kilka pierwszych kleikowatych kroków wzdłuż słabo oświetlonego korytarza Lorda Sepulchrave'a, zbliżał się do bez-Flayowej ciemności, gdyż tuż przed drzwiami zalegał nieprzenikniony cień. Wysokie okno po lewej stłukł wiatr, szkło leżało więc porozrzucane, połyskując słabo u szczytu schodów przy świetle świecy.

Pomimo napięcia prawie nie do wytrzymania pan Flay doświadczył ukłucia ironicznej rozkoszy, gdy wspiąwszy się na drugą kondygnację, śledził tył wroga kołyszący się w ciemność, w poszukiwaniu swego własnego tropiciela.

W korytarzu naprzeciw szczytu schodów znajdowała się płytka nisza — pan Flay dotarł do niej dwoma krokami. Mógł stąd obserwować ciemność po lewej. Podążanie za wrogiem do drzwi pokoju pana nie miało sensu. Zaczeka na jego powrót. W jaki sposób kuchmistrz będzie mógł zadać cios w ciemności? Będzie wymacywał tasakiem, póki nie dotknie desek drzwi. Potem zrobi miękki krok do tyłu. Potem, wzniósłszy ogromne narzędzie ponad głową, gdy robak będzie wił mu się w mózgu ze szczęścia, opuści oburęczny tasak, jak gilotynę, ogromny brzeszczot wyostrzony po świszczącą krawędź. W miarę zaś jak obraz metod pana Sweltera rozświetlał wnętrze ocienionej czaszki pana Flaya, miały miejsce te same poruszenia. Jednocześnie z wyobrażeniem sobie przez Flaya spadku tasaka — tasak opadł.

Deski podłogi pod stopami pana Flaya uniosły się i drewniana fala przebiegła z jednego krańca korytarza w drugi, gdzie załamała się na skale tynku. Co dziwne, jedynie po ruchu desek pod stopami pan Flay poznał, że kuchmistrz uderzył, w tej samej chwili bowiem łoskot grzmotu zagłuszył wszelkie dźwięki.

Swelter opuścił zimne ostrze z taką koncentracją rozsmakowania, że rozpierające poczucie spełnienia przyćmiło mu na chwilę rozum, dopiero więc gdy spróbował uwolnić stal od tego, co ścisnęło ostrze, uświadomił sobie, że coś było nie w porządku. Prawda, spodziewał się, że brzeszczot prześliznie się przez „Leżącego" poniżej jak przez masło, pomimo kościstego charakteru chudzielca — lecz na pewno nie z *taką* łatwością — taką *płynną* łatwością. Czyż możliwe, że nadał oburęcznemu tasakowi takie ostrze, iż wywołał nowe doznanie — zabijania jakby bezwiednie — tak jak w wysokiej trawie baraszkuje śmiertelna kosa. Nie wymacał uprzednio stopą, by się podwójnie upewnić — nie przyszło mu bowiem na myśl, że ten, który leżał tam, noc po nocy, przeszło dwanaście lat, mógł znajdować się gdzie indziej. W każdym razie mógł w ten sposób obudzić długiego chudeusza. Co nie było w porządku? Orgazm, na który tak długo czekał, przeminął. Trudno było przesunąć tasak. Może uwiązł w żebrach. Cal po calu zaczął posuwać dłonie wzdłuż trzonka, ugiąwszy przy tym kolana i tułów, a gorące połacie bezwłosej gliny rozdawały falowania. Palce sunęły nieubłaganie w dół, aż świerzbiąc do dotknięcia zwłok. Ręce powinny już być niemal nad deskami podłogi, wiedział jednak, jak zwodnicze bywa poczucie odległości w zupełnej ciemności. Potem dotarł do stali. Przesuwając zachłannie dłońmi wzdłuż obu krawędzi, wydał nagły, głośny, morderczy świst i puściwszy palcami krawędź tasaka, odwrócił cielsko, jak gdyby nieprzyjaciel znajdował się tuż za nim — i obejrzał się wzdłuż korytarza na mdłe światełko u szczytu schodów. Wydawało się, że nikogo tam nie ma, po krótkich oględzinach otarł więc dłonie o uda i odwróciwszy się ku tasakowi, wyszarpnął go z podłogi.

Przez chwilę stał, obmacując niewłaściwie użytą broń, a w tym czasie pan Flay powziął pewien pomysł i zadziałał, przesuwając się kilka jardów korytarzem, gdzie nadarzała się jeszcze korzystniejsza zasadzka w postaci obwisłego gobelinu. Gdy wysunął się w ciemność, znajdował się, bowiem poza kręgiem oddziaływania świecy, ponownie uderzył piorun i rozbłysł niebieskawo przez rozbite okno, tak że w tej samej chwili Swelter i Flay spostrzegli się nawzajem. Niebieskawe światło spłaszczyło ich niczym tekturowe figury, co w wypadku kuchmistrza dało niezwykły efekt. Ktoś złośliwy wyciął go z olbrzymiego obszaru papieru koloru indygo, wielkości płachty. Przez kilka chwil trwania błyskawicy jego palce i kciuki były jak jasnoniebieskie kiełbaski zaciśnięte na rękojeści tasaka.

Flay, robiący wrażenie pozbawionego ciała, nie tyle wzbudził przerażenie w Swelterze, co nową falę złości. To, że stępił wyśmienite ostrze tasaka na bez-Flayowych deskach i że ten, który powinien leżeć teraz w dwóch kawałkach, stał tam w *jednym*, stał tam bezczelnie w scenicznym świetle jako namacalna krytyka jego błędu, poruszyło go do granic opanowania, a z porów wytrysnął okropny pot.

Ledwie ujrzeli się nawzajem, ciemność zawarła się znowu. Tak jakby kurtyna opadła po pierwszym akcie. Wszystko się zmieniło. Już nie wystarczało podkradanie się. Najdonioślejsza była przebiegłość, a ich rozum przechodził próbę. Obaj czuli przedtem, że każdy z nich posiadał inicjatywę i siłę zaskoczenia — lecz teraz, przynajmniej na krótko, zrównali się.

Od początku Flay planował odciągnąć kuchmistrza od drzwi i korytarza Lorda Sepulchrave'a i w miarę możliwości zwabić go na piętro powyżej, gdzie poprzegradzana drewnianymi podporami, dach bowiem przegnił, z niejedną zawaloną belką, butwiała Sala Pająków, w której odległym krańcu okno wychodziło na wielką przestrzeń dachu, wyłożonego kamieniem i okolonego wieżyczkami wzdłuż pionowych krawędzi. Przyszło mu na myśl, że gdyby pochwycił świecę ze szczytu schodów, mógłby tam zwabić wroga, gdy więc zapadła ciemność, miał właśnie wprawić myśl w czyn, gdy drzwi od sypialni Lorda Sepulchrave'a otwarły się i hrabia, z lampą w dłoni, wysunął się na korytarz. Posuwał się, jakby się unosząc. Długi płaszcz, sięgający do kostek, nie pozwalał domyślać się nóg pod spodem. Nie odwracając głowy w żadną stronę, sunął niczym symbol smutku.

Rozpłaszczywszy się jak tylko mógł na ścianie, Swelter dostrzegł, że jego wysokość śpi. Przez chwilę Flay miał tę przewagę, iż widział zarówno hrabiego, jak i kuchmistrza, sam nie będąc widziany. Gdzie szedł jego pan? Przez chwilę Swelter nie wiedział, co robić, a hrabia tymczasem niemal zrównał się z panem Flayem. Oto była sposobność przyciągnięcia kuchmistrza bez obawy dogonienia czy otrzymania ciosu z tyłu, więc Flay, krocząc przed hrabią, zaczął postępować przed nim korytarzem, idąc cały czas tyłem, tak aby widzieć kuchmistrza ponad ramieniem jego wysokości, w miarę jak niewyraźna postać podążała za nimi. Pan Flay wiedział doskonale, że jego własną głowę będzie oświetlać lampa hrabiego, podczas gdy Swelter znajdzie się w półmroku, jednakże kuchmistrz nie miał z tego wielkiej korzyści — kreatura nie mogła go bowiem dosięgnąć z obawy przed obudzeniem hrabiego Gormenghast.

Cofając się krok za krokiem, Flay nie mógł, mimo wysiłku, skupiać nieustannie wzroku na wielkim kucharzu. Bliskość oświetlonej lampą twarzy jego wysokości nie pozostawiała mu wyboru, jak tylko od czasu do czasu zwracać na nią szybko wzrok. Okrągłe, otwarte oczy były szkliste. W kącikach ust było troszeczkę krwi, a skóra śmiertelnie biała.

Tymczasem Swelter skrócił odległość pomiędzy sobą a hrabią. Flay i kuchmistrz spoglądali na siebie ponad ramieniem pana. Wydawało się, że wszyscy trzej poruszali się razem. Choć tak zróżnicowani pojedynczo, zbiorowo byli tak spójni.

Rzuciwszy okiem przez ramię, jak gdyby bez odniesienia do mieszczącej go głowy, Flay dostrzegł, że znajduje się o parę stóp od schodów, procesja rozpoczęła więc powolną wspinaczkę na trzecią kondygnację. Przywódca, z ciałem zwróconym cały czas w dół schodów, trzymał lewą rękę na żelaznej poręczy. W prawej połyskiwał miecz — bowiem, podobnie jak na wszystkich klatkach schodowych Gormenghast, na każdym podeście płonęły świece.

Osiągnąwszy ostatni stopień, Flay spostrzegł, ze hrabia stanął i że masa ślimaczego cielska nieuchronnie zatrzymała się za nim.

Głos był tak cichy, że zdawał się wypływać z półmroku — głos niewypowiedzianego smutku. Lampa w niewyraźnej dłoni przygasała z braku oliwy. Oczy spoglądały poprzez pana Flaya, poza ciemną ścianę i dalej poza świat nie kończącego się deszczu.

— Żegnaj — powiedział głos. — Wszystko jedno. Czemu łamać serce, które nigdy nie biło miłością? Nie wiemy, słodka dziewczyno; arras wisi: tak daleko; tak daleko, ciemna córeczko. Ach, nie — nie tę długą półkę — nie tę długą półkę: płomienie pożerają dzieło jego życia. Wszystko jedno. Żegnaj... żegnaj.

Hrabia wszedł na jeszcze jeden stopień. Jego oczy bardziej się zaokrągliły.

— Ale mnie przyjmą. Ich dom jest zimny; ale mnie przyjmą. Być może ich wieża jest wyścielona miłością — każdy krzemień to zimna błękitna strefa rozkoszy, każde pióro straszliwe; lotki to len i atrament, każdy szpon chwała! — Jego ton był nieskończenie melancholijny, gdy szeptał: — Krew, krew, krew i krew, dla ciebie, przytłumiona, wszystko dla ciebie, idę, z połamanymi gałęziami. Ona nie była moja. Jej włosy czerwone jak paprocie. Nie była moja.

Myszy, myszy; wieże się kruszą — płomienie wspinają. Nikt tak się nie wspina jak zwinny płomień; i już po wszystkim. Żegnaj... Żegnaj. Wszystko jedno, na zawsze, lód i gorączka. Och, znużony kochanku — to nie powróci. Bądź teraz cicho. A więc cicho i rób jak chcesz. Księżyc jest zawsze; znajdziesz je u wylotu nor króliczych. Nadejdą wielkie skrzydła, wielkie, ciche, ciche skrzydła... Żegnaj. Wszystko jedno. Wszystko jedno. Wszystko jedno.

Był już na podeście, przez chwilę więc pan Flay przypuszczał, że przesunie się przez korytarz do pokoju naprzeciwko, gdzie kołysały się drzwi, lecz zwrócił się w lewo. Było możliwe, a nawet było łatwiej i korzystniej dla Flaya odwrócić się i pomknąć do Sali Pająków, gdyż Lord Sepulchrave, płynąc jak powolny sen, zagradzał Swelterowi drogę; lecz pan Flay wzdrygnął się na samą myśl.

Przeraziło go, że mógłby pozostawić śpiącego pana z zaczajonym kuchmistrzem za plecami, podjął więc swój fantastyczny odwrót.

Znajdowali się mniej więcej w połowie drogi do Sali Pająków, gdy ku zdziwieniu zarówno Flaya, jak i Sweltera, hrabia przesunął się na lewo, w wąską arterię mrocznego kamienia. Natychmiast zniknął z oczu, gdyż wąwóz skręcał w lewo po kilku krokach, a skwiercząca lampa zgasła. Jego zniknięcie było tak nagłe i nieoczekiwane, że żaden nie był przygotowany na to, by skoczyć w pustkę pomiędzy nimi i uderzyć przy mdłym świetle. W tej okolicy sypiali Szarzy Czyściciele, a w pewnej odległości zwisał z sufitu stłuczony żyrandol. Pan Flay zwrócił się nagle ku temu światłu i pobiegł, gdy Swelter, którego nie spełniona żądza krwi dojrzała jak śliwa daktylowa, myśląc, że chudzielec zląkł się, pognał za nim okropnie zwinnym krokiem, pomimo przylepności stóp pozbawionych podbicia.

Przemierzając posadzkę grabiastym krokiem, pomimo całej szybkości pan Flay miał przewagę jedynie dziewięciu stóp nad Swelterem, gdy wpadł do Sali Pająków. Nie tracąc chwili, przelazł przez trzy zwalone belki, jego długie kończyny podrygiwały przy tym fantastycznie, a dotarłszy do środka sali odwrócił się, by się przekonać, że wróg wypełniał już drzwi, przez które wszedł. Tak byli pochłonięci grą rozumu i śmierci, że nawet nie zastanowili się, dlaczego mogli się widzieć nawzajem w pozbawionej zazwyczaj światła sali. Nie mieli czasu na zdziwienie. Nie zdawali sobie nawet sprawy, że ucichła gwałtowność burzy i że jedynym odgłosem było ciężkie, ponure dudnienie. Jedna trzecia nieba była bez chmur, a na tej jednej trzeciej był garbaty księżyc, bardzo bliski i bardzo biały. Jego blask wlewał się przez otwartą ścianę w drugim końcu Sali Pająków. Poza otworem pląsał i połyskiwał na syczącej wodzie tworzącej pomiędzy dachami ogromne ogrodzone jeziora. Deszcz nachylał skośnie swe srebrne nitki i uderzając w wodę, wzbijał strużki rtęci. Sala sprawiała wrażenie, że wchłania czarny, popielaty i srebrny atrament. Od dawna była opuszczona. Zwalone i półzwalone belki leżały i wspierały się pod rozmaitymi kątami, a pomiędzy tymi belkami, łączące je, zwieszając się z sufitu lub z piętra powyżej (bowiem zapadła się większość bezpośredniego sklepienia), rozciągając się we wszystkie strony, napięte lub obwisłe, pogrążone w czarnym cieniu, połyskujące w półmroku lub płonące wybornie filigranowym i trędowatym blaskiem tam, gdzie księżyc padał na nie bez przeszkód, wypełniały powietrze nieprzeliczone pajęczyny.

Flay przedarł się przez liany mrocznych pajęczyn, a teraz, pośrodku sali — śledząc kuchmistrza w drzwiach, lewą ręką zdzierał mgliste nici z oczu i ust. Nawet w tych miejscach sali, gdzie nie przenikały promienie księżyca i gdzie zalegał mrok, tu i ówdzie przecinały ciemność połyskliwe pasemka, które zdawały się przemieszczać z każdą chwilą. Najdrobniejsze odchylenie głowy wywoływało w ciemności nowe zjawisko połyskującego splotu, oderwanego od pajęczyny, rozczłonkowanego, zjawiskowego i przelotnego.

Czyż mieli oczy dla takich efemeryd? Owe pajęczyny były dla nich pomocnymi lub przeszkadzającymi zasłonami. By usidlić lub dać się usidlić. Były to cechy bitewnego pola śmierci. Bezksiężycowe ciało Sweltera, majaczące przy drzwiach, przecinały lśniące promienie i podrygujące obwody pajęczyny zwisającej w pół drogi pomiędzy nimi a panem Flayem. Środek pajęczyny znajdował się w tym samym miejscu co jego lewa sutka. Przestrzenne głębie pomiędzy połyskującymi nitkami pajęczyny a kuchmistrzem zdawały się bezdenne i ogromne. Mógł należeć do innego świata. Sala Pająków ziała i zwierała się, nici zwodziły oko, a przestrzenie przemieszczały się, nadpływając lub rozpraszając się, stosownie do iluzorycznego odbicia księżyca.

Swelter nie stał przy drzwiach dłużej, niż zabrało mu zdobycie ogólnego pojęcia o norze, w której chudzielec postanowił bronić długich kości. Choć nasiąkły złością, kuchmistrz nie był skłonny lekceważyć przebiegłości przeciwnika. Zwabiono go tu z jakiegoś powodu. Arena nie pochodziła z jego wyboru. Zwrócił oczy w prawo i w lewo, trzymając przed sobą tasak w pogotowiu. Zauważył przeszkody — belki w nieładzie, zakurzone i na pół zniszczałe, oraz wszechobecne zasłony pająków. Nie widział, dlaczego miały bardziej działać na jego niekorzyść niż na niekorzyść człowieka, którego zamierzał rozłupać.

Flay nie miał konkretnego powodu, wybierając Salę Pająków. Być może wyobrażał sobie, że pośród pajęczyn i belek okaże się zwinniejszy; lecz teraz w to zwątpił przekonawszy się, jak szybko kuchmistrz podążył za nim. Jednakże z tego, że spełnił zamiar zwabienia wroga na miejsce wybrane przez siebie, z pewnością wynika, że z powrotem przejął inicjatywę. Czuł, że wyprzedza kuchmistrza o *myśl*.

Trzymał miecz przed sobą, śledząc zbliżanie się ogromnej postaci. Swelter zmiatał tasakiem powstrzymujące go pajęczyny, utkwiwszy wzrok w panu Flayu i przekręcając głowę z boku na bok, by mieć lepszy widok. Zatrzymał się i z oczyma wiecznie utkwionymi w panu Flayu zaczął ściągać przylepione pajęczyny z ostrza i rękojeści swej broni.

Ruszył znowu naprzód, zataczając tasakiem przed sobą wielkie łuki i przestępując ostrożnie pochyłe belki, i wydawało się, że zatrzyma się zaraz powtórnie, by powtórzyć odpajęczanie, gdy zmieniwszy najwidoczniej zamiar, ruszył naprzód, jak gdyby na drodze nie było przeszkód. Przypuszczalnie zdecydował, że ciągłe naprawianie siebie i broni podczas krwawego spotkania było nierozsądne i nie w porę, nie mówiąc już, że stanowiło obrazę dla sytuacji.

Tak jak piraci, brodząc twarzą w twarz w gorących morskich płyciznach, wykonują utrudnione przez fale wypady, oślepieni słońcem, udręczeni przez muchy, z uperlonymi czołami, to tutaj nachylały się belki, zwodził blask księżyca i wstrzymywały obfite pajęczyny. Należało nie zwracać na nie uwagi — nie zwracać na nie uwagi, gdy łaskotały twarz i oklejały się wokół oczu i ust. Uświadomić sobie, że choć pomiędzy mieczem i dłonią, dłonią i łokciem, łokciem i ciałem zwisały srebrne nici jak tropikalne girlandy i choć naga stal zdawała się być w czepku urodzona, to jednak członki poruszały się swobodnie, tak swobodnie jak dawniej. Nic nie opóźni szybkości rozhuśtanego tasaka. Cała tajemnica to *nie zwracać uwagi.*

Swelter posuwał się więc naprzód, z każdym miękkim, zwinnym krokiem upodabniając się coraz bardziej do czegoś z morskich odmętów, gdzie szare wodorosty skręcają przemykającego bokiem morsa. Wkroczywszy nagle w wiązkę księżycowego blasku, zapłonął w nicianej sieci. Spojrzał przez migotliwą siatkę. Był pajęczyną.

Skoncentrował wszelkie odczuwanie na zabójstwie. Przepędził z ukierunkowanego mózgu wszystko, co nie miało związku. Jego ogromna szynka twarzy świerzbiła go, jakby rojąc się od owadów, lecz w mózgu nie pozostało miejsca na sygnały, które przypuszczalnie przekazywały końcówki nerwowe — jego mózg był pełen. Był pełen śmierci.

Flay śledził każdy jego krok. Zgiął do przodu długi grzbiet, jak pień pochyłej sosny. Pochylił głowę, jak gdyby miał jej użyć jako taranu. Obandażowane kolana były lekko ugięte. Jardy tkaniny były teraz zbyteczne, lecz nie miał okazji ich odwinąć. Kuchmistrz znajdował się siedem stóp od niego. Pomiędzy nimi leżała zwalona belka. Około dwóch jardów na lewo od Sweltera jej koniec zarył się w kurzu, lecz na prawo, podtrzymywana mniej więcej pośrodku przez starą żelazną skrzynkę, kończyła się około trzech stóp w powietrzu, spowita dławiącymi się od much pajęczynami.

Ku owej podporze belki skierował się Swelter, depcząc po kolana w filigranowym blasku księżyca tam, gdzie wygiął się i rozbłysł. Można było prześledzić jego drogę. Od drzwi do miejsca, gdzie stał, pozostawił za sobą wyścielony pajęczyną kanion ze snu. Teraz stojąc tuż za połamaną skrzynką, skrócił odległość pomiędzy nimi prawie do długości ramienia i tasaka. Powietrze pomiędzy nimi było nieco czystsze. Znajdowali się teraz bliżej siebie niż kiedykolwiek przedtem owej deszczowej nocy. Owa straszna, namacalna bliskość, którą można odczuć jedynie przy obopólnej nienawiści. Ich oddzielne i najbliższe zamiary były jednakowe. Cóż więcej mieli ze sobą wspólnego? Nic, oprócz Sali Pająków dokoła, pajęczyn, belek, drugorzędnego wątku mieniącego się księżyca i bębnienia deszczu w uszach.

W każdym innym czasie kuchmistrz roztoczyłby swój przedni dowcip. Szydziłby z długiej, na pół skulonej postaci. Lecz teraz, gdy miała się polać krew, cóż znaczyło, czy lżył wroga, czy nie? Jego dowcip spadnie w bardziej konkretny sposób. Rozbłyśnie — ale w stali. I niechże ostateczną obelgą będzie, że Flay nie rozróżni już pomiędzy obelgą a kotletem jagnięcym — chyba że mając ciało w dwóch kawałkach, będzie mógł jeszcze rozróżniać.

Stali przez chwilę, wspinając się nieco na palce i opuszczając się. Pan Flay zaczął przesuwać się w lewo, z mieczem przed sobą, po swojej stronie zwalonej belki, przypuszczalnie, aby lepiej się zewrzeć ze sobą. Gdy Swelter skierował oczka w prawo, śledząc każdy ruch ciała tamtego, stwierdził, że widok zasłania mu tak ciężki splot sędziwej pajęczyny, iż byłoby nieroztropnie pozostać w tym miejscu. W mgnieniu oka zrobił zarówno krok w bok na lewo, jak i zwrócił wzrok w tym samym kierunku. Flay natychmiast popełzł za nim, z twarzą na pół spowitą w grube pajęczyny, spoza których rozglądał się. Głowę miał tuż ponad dolnym końcem belki. Szybki rzut oka Sweltera na lewo okazał się owocny. Ujrzał w uniesionym końcu belki pierwszego prawdziwego przyjaciela w sali przeszkód, a gdy powrócił wzrokiem do chudego wroga, wykrzywił grube wargi. Nie wiedział ani nie dbał o to, czy taką mięśniową nieprzyzwoitość można określić jako „uśmiech". Pan Flay skulił się dokładnie tam, gdzie miał nadzieję go zwabić. Jego podbródek wystawał w charakterystyczny sposób — tak jakby nabrał tego zwyczaju jedynie dla wygody pana Sweltera. Nie było czasu do stracenia. Znalazłszy się o trzy stopy od wzniesionej końcówki długiej belki, Swelter podskoczył. Przez chwilę tyle ciała i krwi znalazło się w powietrzu, że gwiazda u boku Saturna zmieniła barwę. Nie opadł na stopy. Wcale nie zamierzał. Chodziło o to, by zwalić się na koniec belki całym ciężarem ciała. Zwalił się; a gdy uderzył podbrzuszem, odległy kraniec belki podskoczył jak żywa istota i uderzywszy pana Flaya pod wysuniętą szczękę, uniósł go na całą wysokość, po czym ten opadł bezwładnie na podłogę.

Dźwignąwszy się groteskowo na nogi, kuchmistrz pospieszył czym prędzej ku ciału ofiary. Leżał tam, z surdutem podwiniętym pod pachy, z odsłoniętym chudym bokiem. Pan Swelter wzniósł tasak. Czekał na to tak długo. Wiele, wiele miesięcy. Zwrócił wzrok ku spowitej w pajęczyny broni w ręku, a wówczas lewa powieka pana Flaya zatrzepotała, a w chwilę później skupił wzrok na kuchmistrzu, śledząc go przez rzęsy. Nie miał siły się poruszyć w tym przerażającym momencie. Mógł jedynie śledzić. Tasak był wzniesiony, lecz ujrzał teraz, że Swelter przygląda się pytająco ostrzu, uniósłszy brwi. Potem po raz drugi tej nocy usłyszał gąbczasty głos.

— Chciałabyś, żeby cię wytrzeć, ślicznotko? — powiedział, jakby przekonany, że z brutalnej głowicy stali nadejdzie odpowiedź. — Chciałabyś, prawda — zanim dostaniesz kolację? Oczywiście. Jak mogłabyś rozkoszować się ciepłą kąpielą w tym całym ubraniu, co? Ale wkrótce cię obmyję, kwiatuszku. I muszę wytrzeć ci twarz, kochanie, wytrzeć na niebiesko jak atrament, a potem możesz zacząć pić, prawda? — Trzymał szczupłą metalową głowicę przy piersi. — To właśnie rzecz dla spragnionych, kochaneczko. Taki napój przed snem. — Nastąpiło kilka chwil cichego żołądkowego cichotu, zanim zaczął ściągać pajęczyny z ostrza tasaka. Stał o dwie stopy od rozciągniętej postaci Flaya, który znajdował się na pół w świetle księżyca, na pół w mroku. Linia demarkacyjna przechodziła przez nagi bok. Szczęściem dla niego, górna połowa była w cieniu, a głowa niemal w nim ginęła. Przyglądając się nawisowi nad sobą i zauważywszy, że kuchmistrz niemal oczyścił ostrze z pajęczyn, skupił uwagę na górnej części twarzy wroga. Spowijały ją, jak zresztą resztę twarzy i ciała, wszędobylskie pajęczyny, lecz zdawało się, że ponad lewym uchem było coś dodatkowego. Swelter tak przywykł do łaskotania pajęczyn po twarzy i do setki drobniejszych podrażnień skóry, iż nie zauważył, że na jego prawym oku siedział pająk. Głowę miał tak grubo udrapowaną, że pogodził się z tą zawadą wzroku jako z częścią ogólnych niedogodności. Z miejsca, gdzie leżał, Flay widział pająka całkiem wyraźnie, lecz teraz ujrzał coś rozstrzygającego. Była to samica pająka. Wynurzyła się z szarej plątaniny ponad lewym uchem i stawiała, noga za nogą, długie, cienkie kroki. Czyżby szukała małżonka? Jeśli tak, miała właściwe poczucie kierunku, zmierzała bowiem prosto ku niemu.

Swelter przesuwał dłonią po stalowej powierzchni broni. Była czysta, do użycia. Przytknąwszy tłuste wargi do oświetlonej blaskiem księżyca stali, ucałował ją, po czym zrobiwszy mały krok w tył, podniósł obiema rękami tasak, ściskając długi trzonek wysoko nad swą pochyloną głowę. Wspiął się na palce i zastygłszy tak na chwilę, nagle oślepł. Jego lewe oko weszło w kontakt z samicą pająka. Rozsiadła się na nim czworobocznie, zadowolona z obrotowego ruchu gałki, którą zakryła. Na tę właśnie chwilę czekał Flay, odkąd dostrzegł owada parę sekund wcześniej. Wydawało się, że leżał tam przynajmniej godzinę rozciągnięty bezbronnie pod morderczym tasakiem. Teraz nadeszła jego chwila, więc pochwyciwszy miecz, który upadł obok, gdy on upadł, wytoczył się z wielką szybkością spod brzucha kuchmistrza i poza zasięg tasaka.

Swelter, spocony z irytacji, że nie powiodło mu się po raz drugi w osiągnięciu kulminacji, wyobrażał sobie mimo wszystko, że Flay nadal znajduje się pod nim. Gdyby uderzył pomimo pająków na oczach, być może Flay nie uszedłby z życiem. Lecz pan Swelter uznałby za liche takie zakończenie, gdyby okazało się, że po tylu trudach dokonał zabójstwa, nie mogąc zobaczyć efektu. Przed drzwiami Lorda Sepulchrave'a było inaczej. Zresztą nie było światła. Lecz tutaj, z pięknym księżycem oświecającym dzieło, nie czas to był ani miejsce na zależność od kaprysu pająka.

Upuścił więc tasak na pierś i uwolniwszy prawą rękę, zerwał owady z oczu i już zaczął ponownie wznosić oręż, zanim spostrzegł, że ofiara zniknęła. Obrócił się, a wówczas doświadczył palącego bólu w lewym pośladku i piekącego uczucia z boku głowy. Piszcząc jak świnia, obrócił się, unosząc palec do miejsca, gdzie powinno znajdować się ucho. Nie było go. Flay je odciął i kołysało się teraz w zrobionym przez pająki hamaku o stopę nad podłogą w odległym krańcu sali. Żaden lubieżnik nie rozpierał się tak nawet z połową ospałości tego bezkostnego przedmiotu!

Promień księżyca, który padł na zbrunatniały płat, cofnął się dyskretnie i ucho zniknęło w taktownej ciemności. Flay raz za razem pchnął i ciął. Drugim ciosem nie trafił w czaszkę, lecz wytoczył pierwszą krew; właściwie, pierwszą i drugą, gdyż lewy zad Sweltera krwawił okazale. Była tam właściwie stopniowo rosnąca wyspa — czerwona wyspa, która przesączała się na biały przestwór jego tylnej odzieży. Wyspa ta z każdą chwilą zmieniała zarysy, lecz gdy zamilkło echo wrzasku Sweltera, przypominała bardzo w ogólnych zarysach odwrócone skrzydło anioła.

Ciosy jedynie go ubodły. Przy areale Sweltera jedynie pręt lub dwa wyrwane tu czy tam mogły oznaczać nieodporną glebę. To, że krwawił obficie, znaczyło niewiele. Miał dość krwi w sobie, by ożywić anemiczną armię, i jeszcze by zostało na ochłodzenie dział. Rozciągnięte jego naczynia krwionośne mogły owinąć Wieżę Krzemieni, na całą wysokość w górę i do połowy w dół jak dzikie wino — nieodrodny dom wampira.

Jednakże upuszczono mu krwi, więc zimna, wykalkulowana złość ustąpiła miejsca niepohamowanej nienawiści bez żadnego odniesienia do przeszłości. Wrzała *teraz*, więc skierowawszy się w rozdzielające ich pajęczyny, wymierzył w pana Flaya długi ko-

szący cios. Poruszał się bardzo szybko i gdyby oświetlone blaskiem
księżyca pajęczyny nie zwiodły go co do odległości, tak że uderzył
zbyt wcześnie, przypuszczalnie byłoby po wszystkim, z wyjątkiem
usunięcia ciała. A w ten sposób sam powiew od ciosu i świst stali wystarczyły, by unieść włosy na głowie pana Flaya i wzbudzić
mu w uszach straszliwą wibrację. Jednakże Flay, ocknąwszy się
prawie natychmiast z zaskoczenia, uderzył w odwecie w kuchmistrza, który w tej właśnie chwili stracił równowagę, ugodziwszy go
w poduszkowate wybrzuszenie barku.

Potem wszystko potoczyło się bardzo szybko, jak gdyby to,
co zdarzyło się przedtem, było jedynie wstępem. Swelter, przyszedłszy do siebie po zamachu chybionego ciosu i z nowym bólem w barku, wiedząc, że z wyciągniętym tasakiem miał większy
zasięg, uchwycił broń na samym końcu trzonka i zaczął wirować,
a jego stopy poruszały się pod brzuchem z przerażającą szybkością, nie tylko złożonym tanecznym ruchem, który obraca ciało
z dużą prędkością, lecz również w taki sposób, że z każdą chwilą
przybliżał się do pana Flaya. Tymczasem wyciągnięty tasak śpiewał na swej kolistej drodze. To, co zostało z pajęczyn pośrodku
sali, padło przed tym spasionym, pocętkowanym przez księżyc
cyklonem. Flay, zakłopotany w tym momencie, śledził z przerażeniem i zafascynowaniem szybkie następowanie po sobie twarzy
spowodowane przez obracanie się Sweltera; twarzy, których miał
setki; zjawiających się i znikających z dużą szybkością (naszpiko-
wanych, dosłownie, równą liczbą tylnych widoków ogromnej głowy). Furkot stali przybliżał się prędko. Obroty były zbyt szybkie,
by mógł uderzyć pomiędzy jednym a drugim, a jego zasięg nie był
dostatecznie duży, gdyby mu przyszło się bronić.

Cofając się, spostrzegł, że spychano go stopniowo w kąt w drugim krańcu sali. Swelter zbliżał się jak jakiś koszmar. Jego umysł
pracował, lecz fizyczna doskonałość pracy nóg i obrotów stali miała w sobie coś z transu — coś, co wyodrębniło się i usamodzielniło
właśnie dzięki swej doskonałości. Trudno było sobie wyobrazić,
w jaki sposób zatrzyma się wielki biały bąk.

Wówczas pan Flay wpadł na pewien pomysł. Jak gdyby kuląc się przed nadciągającą stalą, cofał się coraz dalej w kąt, póki zgięty grzbiet nie zetknął się z połączeniem dwu ścian. Zapędzony w kąt z własnej woli, gdyby bowiem chciał, miałby czas skoczyć ku wypełnionemu deszczem otworowi księżycowego blasku, dźwignął się na całą wysokość, wcisnąwszy kręgosłup w kąt prosty ścian — i czekał.

Koszący tasak obracał się bliżej z każdą chwilą. Rzucając okiem na wirującą głowę kuchmistrza widział skupione na sobie przekrwione oczka. Były jak grudki nienawiści, tak mocno bowiem skoncentrował każdą myśl i tkankę na śmierci Flaya, że gdy furkotał coraz bliżej, jego umysł się zaćmił i stało się to, na co liczył Flay. Łuk długiej broni osiągnął taki zasięg, że na lewym i prawym krańcu znalazł się nagle o parę cali od przyległych ścian, a przy następnym obrocie wyszczerbił tynk, zanim wreszcie, gdy ściany — jak się zdawało Swelterowi — skoczyły mu na spotkanie, kuchmistrz nie spostrzegł, że palą go dłonie i przedramiona od wstrząsu zerwania dużej części zbutwiałej ściany. Flay, trzymając nadal miecz obok nóg, z ostrzem przy palcach, nie był w stanie przyjąć uderzenia padającego nań ciała Sweltera. Ustanie morderczego wirowania było tak nagłe i wstrząsające, że tak jak zepsuta maszyna, straciwszy rytm i napęd oraz panowanie nad swym ciałem, padając do przodu, Swelter runął jak gdyby wewnątrz własnej skóry. Gdyby Flay nie był tak chudy i gdyby nie wcisnął się tak głęboko w kąt, zostałby uduszony. A tak lepki, pajęczynowaty nacisk ubrania Sweltera na twarz zmuszał go do krótkich, bolesnych oddechów. Nie mógł nic zrobić, mając ramiona przyszpilone do boków i przygniecione oblicze. Lecz następstwo wstrząsu mijało i Swelter, jak gdyby nagle odzyskawszy pamięć, dźwignął się z kąta zamroczony, a chociaż pan Flay nie mógł użyć miecza na tak bliską odległość, przesunął się jednak szybko wzdłuż ściany po lewej i odwróciwszy się, był o włos od zadania ciosu w żebra Sweltera, gdy nieprzyjaciel wielkimi pijanymi łukami wytoczył się poza zasięg ciosu. Zawrót głowy spowodowany przez wirowanie przydał mu się w tym momencie, zataczając się tak bowiem po Sali Pająków mógł stanowić cel jedynie dla upuszczenia krwi.

Więc Flay czekał. Miał przenikliwą świadomość mdlącego bólu w karku. Narastał w miarę słabnięcia bezpośredniego szoku po ciosie w szczękę. Rozpaczliwie pragnął, by już było po wszystkim. Ogarnęło go straszliwe zmęczenie.

Gdy sala przestała wirować wokół niego i powróciło poczucie równowagi, Swelter przesunął się przez salę z okropną stanowczością, a tasak drżał mu w dłoni zawiedziony. Odgłos jego stóp na podłodze był całkiem wyraźny i przeraził Flaya, który spojrzał przez ramię w poświatę księżyca. Deszcz ustał i oprócz żałosnego szeptu ociekającego Gormenghast panowała wielka cisza.

Flay poczuł nagle, że w Sali Pająków nie może być ani nieodwracalności, ani rozstrzygnięcia, ani śmiertelnego ciosu. Gdyby nie to przekonanie, zaatakowałby Sweltera, gdy ten, przychodząc do siebie po zawrocie głowy, wspierał się o drzwi w odległym krańcu sali. Stał jedynie przy wypełnionym blaskiem księżyca otworze, wychudła sylwetka, z wielkimi bułami materiału jak narośle na kolanach, i oczekiwał natarcia kuchmistrza, pocierając kręgi bolącego karku długimi kościstymi palcami. Potem nastąpił szturm. Swelter nadciągał, z podniesionym tasakiem, a lewa strona głowy i lewe ramię błyszczały od krwi, podobnie ślad, jaki zostawiał. Tuż przed otworem na świeże powietrze znajdował się sześciocalowy stopień w górę, na którym kończyła się podłoga. Dalej był zazwyczaj trzystopowy spadek ku prostokątnej ogrodzonej powierzchni dachu. Dziś nie było takiego spadku, bowiem wielkie jezioro deszczówki pluskało o zakurzone deski sali. Pławiąc się w blasku księżyca, jezioro sprawiało na obcym wrażenie ogromnej głębi. Flay, przestąpiwszy tyłem podniesioną listwę podłogi, wzbił, stawiając stopę, fontannę cytrynowożółtych kropelek. Już po chwili stawiał nogi do tyłu jak pająk w ciepłej niczym herbata wodzie. Pomimo ulewy powietrze było duszne jak przedtem. Straszliwy ciężar upału trwał.

Potem wydarzyło się coś okropnego. Podążający szybko za nim Swelter zawadził palcami o wystającą krawędź otworu i nie mogąc zatrzymać się w pędzie, runął jak lawina do ciepłej wody. Tasak poszybował z jego dłoni i zatoczywszy kręgi w księżycowym blasku, spadł z grotem płomienia w odległą, złocistą ciszę jeziora. Gdy Swelter, szamoczący się twarzą w dół jak potwór morski, usiłował powstać, dosięgnął go Flay. Wówczas jakimś pierwotnym wysiłkiem kuchmistrz, wykręciwszy tułów, znalazł chwilowe oparcie, by znowu je stracić, i wijąc się, upadł ponownie, tym razem na plecy, by unosić się, bijąc w wodę, posyłając ogromne fale we wszystkie strony i po najdalsze krańce. Przez chwilę mógł oddychać, lecz jedynie on wiedział, czy korzyści tej nie przyćmiło to, iż musiał widzieć górujące ponad nim, ciemne, wyniosłe ciało nieprzyjaciela — z rękojeścią miecza wzniesioną wysoko nad głową w uchwycie obu rąk, z ostrzem skierowanym ku podstawie żeber. Woda dokoła czerwieniała, a oczy, jak kuleczki chrząstki, toczyły się w świetle księżyca, gdy miecz zanurzył się stromo. Flay nie zadał sobie trudu, by go wyciągnąć. Pozostał jak maszt ze stali, którego żagle opadły na pokład, gdzie jakby obdarzone własnym życiem, niezależne od wiatru czy fali, podskakiwały i drżały z upiornym niepokojem. Szczyt masztu, okrągła rękojeść miecza, jak wronie gniazdo, nie pysznił się jednak calowym piratem. Flay wsparty o zewnętrzną ścianę Sali Pająków, w wodzie po kolana, śledzący z przymkniętymi oczyma agonię, usłyszał ponad sobą dźwięk, więc z dreszczem gęsiej skórki odwrócił wzrok i spostrzegł, że spogląda w twarz — w twarz uśmiechającą się w srebrzystej poświacie z głębi sali. Jej oczy były okrągłe, usta otwierały się, a gdy księżycowa cisza zstąpiła ogromną białą płachtą jakby na zawsze, rozerwało ją od końca do końca, niczym perkal, przeciągłe skrzeczenie drapieżnej sowy.

ODEJŚCIE

Przez lata później pan Flay niemal codziennie wzdrygał się na wspomnienie tego, co teraz nastąpiło. Powracało to tak, jak powtarzają się sny, nagle i własnowolnie. Wspomnienie było zawsze niesamowite, lecz nie mniej niż godziny, które nastąpiły po śmierci Sweltera — godziny jakby z monstrualnego zegara, na którego tarczę, jak na bęben, naciągnięto skórę zmarłego kuchmistrza — zegara, którego wskazówki poruszając się w kolistym transie pozostawiały ślad krwi na tarczy i na długo trwających minutach. Pan Flay poruszał się wraz z nimi.

Przypominał sobie, że hrabia w oknie był całkiem przytomny; jak trzymał w ręku laskę z nefrytową gałką i jak zstąpił w deszczowe jezioro. Szturchnął ciało, które skręciło się na chwilę i wyprostowało, jakby było żywe i miało zdecydowane życzenie wpatrywać się w księżyc. Potem hrabia zamknął kuchmistrzowi oczy, nasuwając dwa płaty miąższu na ich naczynia krwionośne.

— Panie Flay — powiedział Lord Sepulchrave.

— Wysokość? — zapytał ochryple służący.

— Nie odpowiedziałeś mi, gdy cię pozdrowiłem.

Flay nie wiedział, co jego pan ma na myśli. Pozdrowił go? Nikt nic do niego nie mówił. A potem przypomniał sobie krzyk sowy. Zadrżał.

Lord Sepulchrave zapukał laską w rękojeść miecza-masztu. — Czy myślisz, że im się spodoba? — powiedział. Powoli rozwarł wargi. — Lecz możemy go zaofiarować. To przynajmniej możemy zrobić.

O koszmarze, który nastąpił, należy tylko powiedzieć, że długie godziny wysiłku osiągnęły szczyt przy Wieży Krzemieni, gdzie zawlekli ciało, skierowawszy je przedtem w wyrwę pomiędzy blankami, którędy opróżniało się jezioro. Swelter spadł w dwustu- stopowej kaskadzie roziskrzonej od księżyca wody i znaleźli jego ciało, rozciągnięte na wielkość prześcieradła, bulgoczące na zmo- czonym żwirze. Dostarczono liny, przytwierdzono hak i wreszcie zakończono długie wleczenie.

Biała cisza była straszliwa. Blask księżyca niczym szron na Wie- ży Krzemieni. Skorupa biblioteki lśniła w oddali, daleko za długim rzędem sal i pawilonów oraz kopulastych, opuszczonych budowli. Na prawo linie mroku przecinały oświetlone sosnowe lasy. U ich stóp poniewierało się kilka szyszek, niczym rzeźby z kości słonio- wej, zakotwiczone cieniem do bladej ziemi.

Te, co kiedyś było Swelterem, połyskiwało.

Hrabia powiedział: — Oto moja godzina, Flay. Musisz stąd odejść, panie Flay. Musisz odejść. To godzina mojej reinkarnacji. Muszę być z nim sam. Twoją chwałą jest to, że go zabiłeś. Moją, że zabiorę go do *nich*. Żegnaj, gdyż moje życie się zaczyna. Żegnaj... żegnaj. — Po czym odwrócił się, jedną ręką nadal trzymając linę, a Flay na pół pobiegł, na pół poszedł kawałek ku zamkowi, z gło- wą odwróconą przez ramię, drżący na całym ciele. Gdy zatrzymał się, hrabia, wlokąc za sobą połyskującą rzecz, znajdował się przy nadszarpniętym przez czas otworze u podnóża Wieży.

Po chwili zniknął, a spłaszczony ciężar falował, prześlizgując się po trzech stopniach wiodących ku zniszczonemu wejściu, zaś kształt stopni widać było w zatartych zarysach.

Wszystko kołowało — Wieża, sosny, zwłoki, księżyc, a nawet nieludzki krzyk bólu, który wytrysnął w noc z gardzieli Wieży — krzyk nie sowy, lecz człowieka w obliczu śmierci. Gdy jeszcze rozbrzmiewał echem, wychudły i znużony służący padł na miej- scu zemdlony, podczas gdy niebo wokół Wieży zabieliło się od oświetlonych ciał kołujących sów, a wejście do Wieży wypełniło się ogromną masą piór, dziobów i szponów, w miarę jak postępo- wało pożeranie dwóch dziwacznych szczątków.

RÓŻE TO KAMIENIE

Sam pośród Splątanych Borów — podobny do gałęzi, niespokojny pośród zakorzenionych drzew, poruszał się szybko, a odgłos jego kolan z każdym dniem stawał się znajomy ptakom i zającom.

Pożyłkowany światłem słonecznym, gdzie las się przerzedzał, ciemny jak cienie tam, gdzie nie dochodziło słońce, poruszał się niczym ścigany. Tak długo sypiał w zimnym, mrocznym korytarzu, że budząc się bez osłony przed świtem lub wyciągając się do snu, bezbronny w obliczu zmierzchu i zachodu słońca, nie był w stanie najpierw odczuwać nic innego jak nagość i przerażenie. Wydawało się, że natura jest ogromna jak Gormenghast. Lecz z czasem nauczył się wynajdywać najkrótsze i najtajemniejsze ścieżki wśród wzgórz i w lesie, pośród rowów i błot, chodzić wzdłuż zakrętów rzeki i jej zachwaszczonych dopływów.

Uświadomił sobie, że choć nie zmniejszał się ból za życiem, jakie utracił, jednakże wysiłki, jakie zmuszony był podejmować dla przetrwania, oraz wymagania, jakie takie życie stawiało jego pomysłowości, przynosiły zadowolenie. Dzień po dniu poznawał zwyczaje tego nowego świata. Był dumny z dwóch jaskiń, które odkrył na zboczach Góry Gormenghast. Oczyścił je z kamieni i zwisających chwastów. Wzniósł kamienne paleniska i stoły z głazów, płotki w poprzek ścian, by zniechęcić lisy, oraz posłania z listowia. Jedna z nich leżała na południu na skraju niezbadanej krainy. Była odległa i poruszająca do głębi — Góra bowiem znajdowała się pomiędzy nim a dalekim zamkiem. Druga jaskinia była w północnym zboczu, lecz w deszczowe noce mogła okazać się dostępniejsza. Na polanie w Splątanych Borach zbudował chatę jako swój główny i specjalny dom. Dumny był z rosnącej zręczności w chwytaniu królików; że powiodło mu się z siecią, którą splatał tak cierpliwie z łyka twardego korzenia; dobrze było smakować rybę, którą przygotował i zjadał samotnie w cieniu chaty. Długie wieczory były jak jasnowłose wieczne prawdy — duszne i ciche poza sporadycznym trzepotem skrzydła lub krzykiem przelatującego ptaka. Niemal wyschły strumień przepływał obok progu i ginął ku południowi w cieniach poszycia. Miłość ku tej zagubionej polance, którą sam wybrał, wzrastała wraz z rozwojem instynktu leśnego, który musiał mu drzemać we krwi, oraz z poczuciem, że posiadał coś własnego — chatę, którą zrobił własnymi rękami. Czy to był bunt? Nie wiedział. Po skończonym dniu zasiadał w drzwiach szałasu, z kolanami pod brodą, objąwszy łokcie kościstymi dłońmi, i spoglądał przed siebie w zadumie (ktoś obcy pomyślałby, że ponuro), podczas gdy cienie wydłużały się cal po calu. Zaczął przebiegać myślą całą historię Gormenghast, tak jak oddziałała na niego. Przekonał się, że sprawiało mu ból wspominanie Fuksji teraz, gdy już jej nie mógł widywać, bowiem brakowało mu jej bardziej, niż to mógł sobie kiedykolwiek wyobrazić.

Mijały tygodnie, a jego wprawa rosła, tak że nie musiał już czaić się przez pół dnia u wylotu nor króliczych, z pałką w dłoni; ani tracić długich godzin nad rzeką, z braku wiedzy łowiąc w mniej fortunnych miejscach. Mógł poświęcać coraz więcej czasu na ulepszanie chaty przed nadciągającą jesienią i nieuchronną zimą; na coraz dalsze wyprawy i dumania w wieczornym słońcu. Właśnie wówczas najczęściej powracało ohydne, koszmarne wspomnienie. Kształt chmury na niebie — widok czerwonego żuka — cokolwiek mogło nagle przywołać makabrę; wbijał więc paznokcie w dłonie, podczas gdy przypomnienie morderstwa i następującej po nim śmierci jego pana plamiło mu umysł.

Niewiele było takich dni, gdy nie wspinał się na podnóże Góry lub nie szedł ostrożnie na skraj Splątanych Borów, by ujrzeć długą, połamaną linię grzbietu Gormenghast. Godziny samotności w lesie przyczyniały się do oderwania go od rzeczywistości jakiegokolwiek innego życia, czasem więc przyłapywał się na tym, że biegnie niezdarnie poprzez pnie w nagłym strachu, że nie ma Gormenghast: że śnił to wszystko: że nie przynależy nigdzie, do niczego: że jest jedynym żywym człowiekiem pośród snu nieskończonych gałęzi.

Widok owej połamanej sylwetki tak splecionej z jego najwcześniejszymi wspomnieniami upewniał go, że choć on sam był wygnany i opuszczony, to jednak wszystko to, co dało mu cel i dumę w życiu, znajdowało się tam, nie we śnie lub w bajce, lecz rzeczywiste jak dłoń, którą osłaniał oczy, rzeczywistość odwiecznego kamienia, gdzie żył, umierał i rodził się osiadły ród Groanów.

Pewnego takiego wieczora, skończywszy przypatrywać się zamkowi i przesunąwszy na koniec wzrokiem przez iskrzenie lepianek, powstał i rozpoczął powrót na polankę, gdy zmieniwszy nagle zamiar, cofnął się około stu kroków i ruszył w lewo, przedzierając się zadziwiająco prędko przez zdawałoby się nieprzebytą dolinę głogów. Owe karłowate krzewy ustąpiły wreszcie miejsca rzadszym drzewom, a liście, które niemal opadły od suszy, wisiały na kruchych gałązkach jedynie dzięki spóźnionemu orzeźwieniu, które w noc morderstwa nagła burza przyniosła korzeniom. Widać teraz było wyraźniej pochyłości po obu stronach, a gdy Flay przedzierał się przez ostatnią zaporę z krzaków, podniosły się z obu stron popielate nieprzerwane zbocza, o trawie gładkiej i wiotkiej jak włosy, gdzie nie sterczała ani jedna blada trawka. Zupełnie nie było wiatru. Odpoczął, kładąc się na plecach na gorącym zboczu po prawej. Podciągnął kolana (w działaniu bowiem czy w spoczynku kanty były właściwe jego ciału) i spoglądał z roztargnieniem ponad wyciągniętym ramieniem na połysk na trawach.

Nie odpoczywał długo, gdyż chciał dotrzeć do północnej jaskini przed zmrokiem. Nie był tam od jakiegoś czasu, więc z ciemną radością poddał się nagłemu kaprysowi. Słońce było już kawał drogi od zenitu, wisząc w mgiełce, parę stopni nad horyzontem.

Widok z północnej jaskini był niezwykły. Sprawiał panu Flayowi, jak sobie wyobrażał, przyjemność. Odkrywał coraz więcej w tej nowej i dziwnej egzystencji, w tej przestrzeni tak odległej od sal i korytarzy, spalonych bibliotek i wilgotnych kuchni, budzącej w nim nowe wrażenie, owo zainteresowanie zjawiskami poza rytuałem i posłuszeństwem — czymś, co, jak się spodziewał, nie było herezją — wielokształtnością roślin i zmienną budową kory drzew, odmianami ryb, ptaków i kamieni. Nie leżało w jego naturze reagować z podnieceniem na piękno, nie przyszło mu to bowiem nigdy do głowy. Nie było do niego podobne myśleć kategoriami. Jego przyjemność była surowego i praktycznego rodzaju; chociaż niezupełnie. Gdy promień światła padał na ciemny obszar, zwracał wzrok ku niebu, by znaleźć szczelinę, przez którą przedarły się promienie. Następnie z uczuciem spełnienia powracał do gry promyków. Lecz zatrzymywał na nich wzrok. Nie dlatego, iżby uważał, że warto na nie patrzeć — sądził, że było z nim coś nie w porządku, gdy tracił czas tak bezowocnie. W miarę upływu dni spostrzegł, że porusza się w różne strony po okolicy, by znaleźć się w jakimś miejscu w takiej porze, by przyglądać się w południe wiewiórkom wśród dębów, powrotowi gawronów czy konaniu dnia z jakiegoś wybranego przez siebie dogodnego punktu.

Owego wieczoru pragnął przyglądać się skałom czerniejącym na tle zachodzącego słońca.

Dotarcie do północnej jaskini zabrało mu jeszcze godzinę marszu, był więc zmęczony, gdy ściągnąwszy poszarpaną koszulę, oparł się plecami o chłodną zewnętrzną ścianę. Ledwie zdążył, bowiem krążek, niczym złocisty talerz, chwiał się brzeżkiem na szczycie najbardziej północnej z głównych skał Góry Gormenghast. Niebo wokół było barwy starej róży, półprzejrzyste jak alabaster, lecz przepyszne jak ciało. I dojrzałe. Dojrzałe jak miękka skórka ciężkiego owocu, nie był to bowiem nieopierzony eksperyment bezstrefowego przepychu — ten niewyczuwalny zachód był doskonały, był dzieckiem wszystkich pradawnych zachodów globu od czasu, gdy po raz pierwszy mrugnęło czerwone oko.

Gdy wzrok chudzielca powędrował w dół od stromych zboczy skały ku wielkiemu sercowatemu parowowi poniżej, gdzie cała roślinność pogrążyła się w morzu cienia, odczuł raczej, niż spostrzegł, bowiem myśli jego nadal tkwiły w ciemności, poruszenie powietrza dokoła, a uniósłszy głowę, ujrzał, jak wszystko zabarwiło się wraz z pogłębieniem się różu na niebie, jakby czekało na tę właśnie koncentrację barwy, jaką przybrało teraz niebo, nim pozwoliło zmienić lub stonować swe własne kolory. Jakby na skinienie laseczki czarodzieja cały świat się zarumienił — wszystko oprócz słońca, które, inaczej niż barwy oparów i kształtów, jakie zbrunatniło, pozostało złociste.

Flay zaczął rozwiązywać buty. Z tyłu ziała wymieciona jaskinia, a milion pyłków barwy krewetki kołysał się u wejścia na tle ciemności. Oswobadzając piętę ze skóry, zauważył, że skała wgryzała się w słońce i już niemal dosięgła środka. Odchylił kościstą głowę na kamień, a na oświetlonej twarzy świeciła szczecina świeżej brody, każdy włosek jak miedziany drucik, gdy śledził drogę wierzchołka skały w swego rodzaju podróży w górę, niczym grot strzały, której czarne kolce wgryzały się w poprzek w miarę podnoszenia się.

Choć był to szlak nieuchronny, owego letniego wieczora więcej było przeznaczenia w posuwaniu się innego ruchomego kształtu, nieskończenie maleńkiego w przestronnym górskim zmroku, niż w obfitym, zaklętym biegu ogromnego słońca.

Przez nią, w mikrokosmosie, łkała szeroka ziemia. Tonął w niej gwiaździsty glob; bladły kolory. Pojawiła się śmiertelna rosa, a oszalałe ptaki w jej piersi wspięły się do gardła i zgromadziły tam, bez pieśni, krążąc zgiełkliwie skrzydło przy skrzydle, rwąc się ku tym stronom, gdzie wszystko się kończy.

Flayowi zdawało się, że zakłócono ciszę jego samotności, a zmysły nakładały się na siebie, dostrzegłszy bowiem ruch czegoś wielkości litery „i" poruszającego się na tle olbrzymiego żółtego talerza, doznał wrażenia przebudzenia ze snu, który go ogarnął. Choć odległy, mógł poznać, że to kształt ludzki. Nie był w stanie uświadomić sobie, że to Keda. Wiedział, że jest świadkiem. Ukląkł, podczas gdy chwile stapiały się, jedna z drugą. Zesztywniał jeszcze bardziej. Maleńka, nieskończenie daleka postać posuwała się na tle słońca ku czarnej krawędzi skały. Przyglądał się bezsilnie, wysunąwszy szczękę, a zimny pot wystąpił mu na kościste czoło, wiedział bowiem, że znajduje się w obliczu smutku — intruz wobec czegoś bardziej osobistego i tajemnego, niż miał prawo oglądać. Choć jednak bezosobowego. Bowiem figurynka była uosobieniem wszelkiego bólu stawiającym ostateczne kroki poprzez przemijający czas.

Posuwała się powoli, bo wspinaczka znużyła ją, a niedawno urodziła dziecię niczym alabaster, nieziemską córeczkę, która zdumiała wszystkich. Zdawało się, że Keda nie należy do świata, podniecona i wspaniale samotna w różanoczerwonej mgiełce górnego powietrza. Na krawędzi nagiego spadku ku cieniom w dole zatrzymała się i po chwili zwróciła głowę ku Gormenghast i ku Lepiankom, pływającym w ciepłej mgiełce. Były nierzeczywiste. Były tak dalekie, tak odległe. Już nie *jej*, już minęły. Lecz odwróciła głowę ze względu na dziecko.

Jej głowa, odwrócona, nie miała wymiarów. Rzemyk wokół szyi podtrzymywał dumne rzeźby jej kochanków. Zwisały na jej piersiach. Na krawędzi wieku, jak na krawędzi skały, na której stała, jej twarz miała niebezpieczną urodę. Ostatni stopień; tak niewiele miejsca. Barwa bladła na siedmiostopowym pasemku. Leżało poza nią jak dywan z ciemnych róż. Róże to kamienie. Rosła jedna paproć. Tuż u jej nóg. Jak wysoko?... Tysiąc stóp? W takim razie musi mieć głowę wśród gwiazd. Jakie wszystko odległe! Odwróciła głowę, lecz była zbyt daleko, by Flay mógł to zobaczyć — punkcik życia na tle zachodzącego słońca.

Klęcząc, wiedział, że jest świadkiem.

Świat leżał wokół niej i pod nią. Wszystko odpływało. Księżyc, który wspiął się nagle ponad wschodni horyzont, mrożąc różę, bladł poprzez nią w miarę przybierania, była więc gotowa.

Odsunęła włosy z oczu i policzków. Zwisały daleko i nieruchomo jak cień w studni; wisiały jak północ na jej prostych plecach. Brązowe dłonie przycisnęły rzeźby do piersi, a gdy uśmiech zaczął się rozwijać i brwi się nieco uniosły, wkroczyła w mroczną atmosferę, a księżyc i słońce bajecznie oświetliły spadającą.

„BARQUENTINE I STEERPIKE"

Niewyjaśnione zniknięcie zarówno Lorda Sepulchrave'a, jak i Sweltera było, oczywiście, brzemieniem Gormenghast — tkanką jego myśli — od najpodlejszego z pomywaczy tego ostatniego do małżonki pierwszego. Zagadka była całkowita, nieznane było bowiem również miejsce pobytu Flaya.

Nie było końca tym dysputom. Długie korytarze szemrały od plotek. Było nie do pomyślenia, aby tak niedobrana para mogła odejść razem. Odejść? Gdzie odejść? Nie było gdzie odejść. Podobnie nie do pomyślenia było, że odeszli pojedynczo i z tego samego powodu.

Oczywiście, choroba hrabiego górowała w myślach hrabiny, Fuksji i doktora, przeprowadzono więc gruntowne poszukiwania pod kierunkiem Steerpike'a. Nie ujawniły one najdrobniejszego śladu, choć z punktu widzenia Steerpike'a opłaciły się, gdyż dostarczyły mu okazji wdarcia się do pokoi i sal, które od dawna pragnął zbadać w związku ze swoją nową pozycją.

Dziewiątego dnia poszukiwań Barquentine postanowił odwołać poszukiwania, które trwały nie tylko wbrew jego naturze, lecz również wbrew naturze każdego obywatela kamiennego lasu — tarasowatego labiryntu spękanych uliczek.

Już sama myśl, że głowa rodu stroni od swych obowiązków przez godzinę, była dostatecznie bluźniercza; to, że *zniknął*, przechodziło pojęcie. Przechodziło gniew. Cokolwiek mu się przydarzyło, jakakolwiek była przyczyna jego dezercji, nie było wątpliwości — jego wysokość był renegatem, nie tylko w oczach

Barquentine'a, lecz również (mgliście lub wyraźnie) w oczach wszystkich.

Było oczywiste, że trzeba prowadzić poszukiwania, lecz wszyscy zdawali sobie sprawę, że odnalezienie hrabiego stworzyłoby tak przykrą, tak szalenie delikatną sytuację, iż byłoby korzystnie, gdyby jego zniknięcie pozostało tajemnicą.

Przerażenie, z jakim Barquentine przyjął wiadomość, teraz, u schyłku dziewiątego dnia, ustąpiło miejsca kamiennej i nieugiętej nienawiści do wszystkiego, co łączył z osobą poprzedniego pana, a jego szacunek dla hrabiego (jako potomka rodu) oddzielił się od uczuć względem samego człowieka. Sepulchrave zachował się jak zdrajca. Nie było usprawiedliwienia. Jego choroba? Cóż to dla niego znaczyło? Nawet w chorobie był jednym z Groanów.

W ciągu owych pierwszych dni po fatalnej wieści stał się potworem, gdy grasował po budynku, klnąc wszystkich, którzy przecięli mu drogę, badając pokój za pokojem i waląc kulą każdego, kogo uważał za opieszałego.

Jedyną pociechą dla niego było to, że od samego początku Tytus będzie pod jego kontrolą i opieką. Obracał to na zwiędłym języku.

Wywarły na nim wrażenie przygotowania Steerpike'a do poszukiwań, podczas których zmuszony był wejść w bliższy niż poprzednio kontakt z młodzieńcem. Nie przepadali za sobą, lecz starzec począł odczuwać niechętny szacunek dla skrupulatnego i szybkiego młodzieńca. Steerpike nie omieszkał zauważyć najdrobniejszych tego oznak i je wygrywał. W dniu, kiedy na rozkaz Barquentine'a ustały poszukiwania, wezwano go do Sali Dokumentów. Zastał tam Barquentine'a w łachmanach siedzącego na krześle z wysokim oparciem, a przed nim na kamiennym stole leżało mnóstwo ksiąg i papierów. Zdawało się, że jego splątana broda siedzi na kamieniu pomiędzy pomarszczonymi dłońmi. Podbródek wysunął ku przodowi, tak że jego napięta szyja wyglądała jakby była zbudowana z paru kawałków liny, paru kawałków szpagatu i sporej ilości sznurka. Podobnie jak ojciec, głowę miał pomarszczoną do granic możliwości, a oczy i usta całkiem znikały, gdy je zamykał. O stół wspierała się jego kula.

— Pan mnie wzywał? — zapytał Steerpike od drzwi.

Barquentine uniósł gorące, rozdrażnione oczy i opuścił pokreskowane kąciki ust.

— Chodź no tutaj, ty — wychrypiał.

Steerpike ruszył do stołu, zbliżając się jakoś dziwnie, żwawo i bokiem. Na podłodze nie było dywanu, więc jego kroki dźwięczały sucho.

Dotarłszy do stołu i stanąwszy naprzeciw starca, przechylił głowę na bok.

— Poszukiwanie skończone — powiedział Barquentine. — Odwołaj psy. Słyszysz?

Splunął przez ramię.

Steerpike skłonił się.

— Żadnych nonsensów! — warknął starczy głos. — Na moje ciało, dość już tego widzieliśmy.

Zaczął się drapać przez okropną dziurę w szkarłatnych łachmanach. Podczas trwania owego zajęcia nastąpiła chwila ciszy. Steerpike zaczął przenosić ciężar ciała na drugą nogę.

— Jak myślisz, gdzie idziesz? Stój spokojnie, ty szczurze nieszczęście, dobrze? Na ślepia matki, którą pochowałem zadem w górę, trzymaj się ziemi, chłopcze, trzymaj się ziemi. — Włosy wokół ust zalepiły się śliną, gdy wymacywał kulę na kamiennym stole.

Steerpike cmoknął. Śledził każdy ruch starca przed sobą i czekał na szczelinę w zbroi.

Gdy siedział przy stole, Barquentine mógł uchodzić za normalnie zbudowanego dorosłego, lecz wstrząsem nawet dla Steerpike'a był widok, jak zgramoliwszy się z siedzenia krzesła z wysokim oparciem, uniósł ramiona po kulę i począł kreślić ścieżkę z drewna i skóry wokół obwodu stołu, z podbródkiem na poziomie blatu.

Steerpike, który sam był raczej nieduży, nawet na swoje siedemnaście lat, przekonał się, że gdyby Mistrz Rytuału wysunął głowę o parę cali, zagrzebałby mu swój sterczący nos na szerokość dłoni ponad pępkiem, ową osią dla oka rysownika, ową pozostałością, którą doceniał, jak się zdaje, jedynie zmarły Swelter, widzący w nim odpowiednią solniczkę, gdy postanawiał zjeść w łóżku jajka na śniadanie.

Choć było to niestosowne, Steerpike spostrzegł, że wpatruje się we wzniesiony skrawek zmarszczek w dole. Na tym pofałdowanym obszarze płonęło dwoje oczu. W przeciwieństwie do suchej piaskowej skóry wydawały się groteskowo płynne, a przypatrywanie im się było jak próba wody; wszelka niewinność tonęła. Pluskały o suche brzegi zarażonych źródeł. Nie było rzęs.

Tak szybko i zwinnie okrążył kamienny stół, że zdumiał Steerpike'a, pojawiwszy się nieoczekiwanie pod nosem chłopca. Naprzemienny łomot i trzask podeszwy i kuli ucichły nagle. W tej ciszy drobny spóźniony dźwięk, całkiem oddzielny, brzmiał donośnie i bez związku. Była to stopa Barquentine'a, zmieniająca położenie, podczas gdy kula pozostała w miejscu. Poprawił równowagę. Skupienie w twarzy starca było zbyt obnażone, by przyglądać się jej dłużej niż przez chwilę. Rzuciwszy na nią okiem, Steerpike pomyślał tylko, że albo ciało i namiętność głowy poniżej stopiły się w jedną substancję skomponowaną przez starca; albo że wszystkie głowy, jakie dotąd widział, były jedynie maskami — maskami materii *per se*, bez domieszki czegokolwiek bezcielesnego. Głowa tego starego tyrana *była* jego uczuciem. Była z niego i na nim ukształtowana.

Steerpike był zbyt blisko — zbyt blisko jej nagości. Naga i sucha z dwoma mokrymi źródłami pod pooranym przez czas czołem.

Lecz nie mógł się odsunąć — nie bez ściągnięcia, czy raczej wzbudzenia gniewu pomarszczonego boga. Zamknął oczy i wsunął język w wyrwę w zębach. Rozległ się dźwięk, bowiem Barquentine, wyczerpawszy najwidoczniej całą rozrywkę, jakiej mogła dostarczyć twarz młodzieńca oglądana z dołu, splunął dwukrotnie i bardzo szybko, a każde splunięcie spoczęło chwilowo na wybrzuszeniach dolnych powiek Steerpike'a.

— Otwórz je! — zawołał łamiący się głos. — Otwórz je, bękarcie szczenię szczurzej ladacznicy!

Steerpike ujrzał ze zdziwieniem, że siedemdziesięciolatek chwieje się na jedynej nodze, uniósłszy kulę nad głową. Nie kierowała się ona jednak ku niemu, lecz kołysana uchwytem w stronę stołu wyglądała na to, że ma zaraz opaść. Opadła, a gęsta mgła kurzu podniosła się z ksiąg, na których wylądowała. Mól zatrzepotał w kurzu.

Gdy opadła, młodzieniec, który odwrócił głowę do tyłu i przymknął ciemnoczerwone oczka, usłyszał, że Barquentine mówi:

— Więc możesz odwołać psy! Na moje ciało, czy już nie czas! Czas i dosyć. Zmarnowane dziewięć dni! Zmarnowane! — Na kamienie, zmarnowane! Czy mnie słyszysz, ucho gronostaja? Czy mnie słyszysz?

Steerpike rozpoczął ukłon, uniósłszy brwi na znak, że jego bębenki sprostały wezwaniu. Gdyby lepiej rozwinął sztukę gestykulacji, mógłby jakimś nadzwyczaj wyrafinowanym pochyleniem ciała dać do poznania, że jeśli doświadczył jakiejś usznej niedogodności, polegała ona nie na tym, że musiał wytężać słuch, lecz że mu go nadwerężono.

Okazało się jednakże, że nawet nie musiał dokończyć rozpoczętego ukłonu, gdyż Barquentine wymierzył następny cios w księgi i papiery na stole, wzbijając nową chmurę kurzu. Jego oczy opuściły młodzieńca — a Steerpike znalazł się na mieliźnie — w tym tylko znaczeniu, że wzbierające wody oczu już go nie ogarniały, gdyż kamienny stół, niczym księżyc, odciągnął niebezpieczny przypływ.

Otarł ślinę z oczu jedną z chusteczek doktora Prunesquallora.

— Co to za książki, chłopcze? — zawołał Barquentine, wkładając uchwyt kuli z powrotem pod pachę. — Na moją głowę, chłopcze, co to za książki?

— To Prawo — powiedział Steerpike.

Czterema krokami kuli starzec znów znalazł się poniżej niego i zalewał go gorącym mokrym wzrokiem.

— Na ślepe moce, to prawda — powiedział. Odchrząknął. — Nie stój tu zagapiony. Co to jest Prawo? Odpowiedz mi, do diabła!

Steerpike odrzekł bez chwili zastanowienia, lecz z robakiem przebiegłości jako przynętą na haczyku rozumu: — Przeznaczenie, proszę pana. Przeznaczenie.

Choć bezmyślna, szablonowa i mglista, odpowiedź była właściwego *rodzaju*. Steerpike wiedział o tym. Starzec znał jedną tylko cnotę — posłuszeństwo tradycji. Przeznaczenie Groanów. Prawo Gormenghast.

Żaden pojedynczy Groan z krwi i kości nie mógł wzbudzić w nim owej lojalności, jaką odczuwał dla *„Groana"* abstrakcji — symbolu. Jego jedyną troską było, by bieg tej wielkiej, ciemnej rodzinnej rzeki trwał, posłuszny zarysom wyżłobionego gruntu.Gdyby kiedyś odnaleziono siedemdziesiątego szóstego hrabiego, żywego czy umarłego, straciłby już prawo do pochówku w grobowcach. Barquentine spędził dzień pośród ksiąg rytuału i precedensu. Tak wyczerpująca była kompilacja odpowiedniej i ułożonej w tabelach procedury, jaką należało przyjąć w niezwykłych i nieprzewidzianych okolicznościach, że starzec wygrzebał wreszcie odpowiednik zniknięcia Lorda Sepulchrave'a — zniknięcie czternastego hrabiego Groan, który pozostawił nieletniego dziedzica. Przeznaczono jedynie dziewięć dni na poszukiwania, po czym dziecko miano ogłosić prawowitym hrabią, gdy stało na tratwie z orzechowych gałęzi pływającej po jeziorze, z kamieniem w prawej dłoni, gałązką bluszczu w lewej i z naszyjnikiem z muszli ślimaczych na szyi; podczas gdy najbliżsi krewni i wszyscy zaproszeni na „uhrabienie" stali, siedzieli, kucali lub leżeli, otuleni listowiem, pośród gałęzi otaczających drzew.

Wszystko to miało się teraz, setki lat później, odbyć raz jeszcze, gdyż dziewięć dni minęło, a wszelka władza w sprawach procedury należała do Barquentine'a. On miał wydać rozkazy. Gormenghast w mikrokosmosie znajdował się w jego drobnym starczym ciele.

— Łasico — powiedział, nadal spoglądając w górę na Steerpike'a — twoja odpowiedź jest dobra. Na moje ciało, to przeznaczenie. Jakie jest twoje cholerne imię, dziecko?

— Steerpike, proszę pana.

— Wiek?

— Siedemnaście.

— Żółtodzioby i gołowąsy? A więc nadal tak ich płodzą! Siedemnaście. — Wsunął zwiędły język pomiędzy suche, pomarszczone wargi. Równie dobrze mógłby być języczkiem od bucika. — Siedemnaście — powtórzył z tak zadumanym niedowierzaniem w głosie, że młodzieniec zdumiał się, gdyż nigdy nie słyszał przedtem takiej intonacji wydobywającej się ze starego gardła. — Cholerne zmarszczki! Powtórz to jeszcze, kurczaczku.

— Siedemnaście — powiedział Steerpike.

Barquentine wpadł w rodzaj transu, a źródła oczu jakby się zaćmiły i zmętniały jak miniaturowe gronorosty matowej, kredowo-niebieskiej barwy — zasłona katarakty — gdyż zdawało się, że próbował sobie przypomnieć zawiłe dni młodości. Narodziny świata; wiosny na krawędzi czasu.

Nagle oprzytomniał i zaklął; jakby chciał strząsnąć coś szkodliwego, poruszał łopatkami, skacząc rozdrażniony wokół kuli, której okucie skrzypiało, chwiejąc się na pozbawionej dywanu podłodze.

— Spójrz, chłopcze — powiedział, zatrzymawszy się — mamy trochę do roboty. Trzeba zbudować tratwę, na moje ciało, tratwę z gałęzi orzecha i niczego innego. Procesja. Wyścig na oklep po pełny wór. Pieczyste w Kamiennej Sali. Niech mnie piekło posieka, chłopcze! Odwołaj ogary.

— Tak, proszę pana — powiedział Steerpike. — Czy mam ich odesłać na leże?

— He? — wymamrotał Barquentine — co?

— Powiedziałem, czy mam ich odesłać na leże — powiedział Steerpike. Potakujący dźwięk ze sznurowatego gardła był odpowiedzią.

Lecz kiedy Steerpike zaczął zbierać się do odejścia: — Jeszcze nie, ty ramolu! Jeszcze nie! — A potem: — Kto jest twoim panem?

Steerpike zastanowił się przez chwilę. — Nie mam pana nad sobą — powiedział. — Próbuję być użyteczny — tu i ówdzie.

— Próbujesz, prawda, gałązeczko? „Tu i ówdzie", prawda? Widzę cię na wylot. Całkiem na wylot, osesku, przez kości i mózg. Nie okpisz mnie, na kamienie, nie okpisz. Schludny z ciebie szczurek, ale już nie będziesz „tu i ówdzie". Będziesz tylko „tu", rozumiesz? — Starzec zgrzytał kulą o podłogę. — *„Tu"* — dodał w przypływie gwałtowności — przy *mnie*. Możesz być użyteczny. Bardzo użyteczny. — Podrapał się przez dziurę pod pachą.

— Ile będzie wynosić moja pensja? — zapytał Steerpike, wkładając ręce do kieszeni.

— Twoje *utrzymanie*, ty zuchwały bękarcie! Twoje *utrzymanie*! Czego więcej chcesz? Na ogień piekielny, dziecko! Czyż nie ma w tobie dumy? Dach, jedzenie i zaszczyt studiowania Rytuału. *Utrzymanie*, niech cię szlag, i tajemnice Groanów. Jakże inaczej mógłbyś mi służyć, jeśli nie nauką żelaznego rzemiosła? Na moje ciało — nie mam syna. Jesteś gotów?

— Nigdy bardziej nie byłem — powiedział chłopiec o wysokich ramionach.

NAD JEZIOREM GORMENGHAST

Słabe podmuchy świeżego, białego powietrza przebiegały kapryśnie przez wysokie drzewa okrążające jezioro. Zdawało się, że nie należały do lepkiego upału tej pory roku; tak bowiem różniły się od jałowej masy powietrza. Jak mogło się gęste powietrze otwierać dla tak obcych i wodnistych strzał? Wilgotna pora roku rozgrywała się przy każdym wybuchu. Gdy zamierały, zamykała się jak gorący koc, by znowu ją rozerwało błękitne pióro i by się znowu zamknąć; by znów się otworzyć.

Zelżała mdłość, mdłość i zaduch letniego dnia. Pożółkłe liście stukały o siebie, a wyka skrzypiała cienko, potakując czubatymi głowami, na jeziorze zaś panował kropkowany zamęt igiełek i ślizgały się cienie gęsiej skórki, ukazując lub spowijając co chwila taniec diamentów.

Poprzez drzewa południowego stoku schodzącego stromo ku wodzie widać było, przez otwarte rusztowanie wysokich gałęzi, część zamku Gormenghast, pocętkowaną słońcem i bladą w ciemnej oprawie liści; odległą fasadę.

Ptak przemknął ponad wodą, muskając ją piórkami na piersi i pozostawiając jakby ślad świetlików na nieruchomym jeziorze. Bryzgi wody spadły z ptaka, gdy wzbił się w gorącym powietrzu, by ominąć nadbrzeżne drzewa, a kropelka wody z jeziora przylgnęła na chwilę do liścia dębu. Przylgnąwszy, stała się tytaniczna. Pączkowało w niej bezmierne lato. Odbite liście, jezioro i niebo. Rozciągał się w niej stok, a upał kołysał się w wisiorku. Zwisała każda gałąź, każdy liść, a gdy przebiegały błękitne pióra, szczególiki drgały. Zsunęła się pulchna, wzbierając, a gdy się wydłużała, zniekształcone odbicie wysokich kruszących się akrów kamienia, poznaczonych niezliczonymi oknami, i odbicie bluszczu leżącego jak czarna dłoń na fasadzie południowego skrzydła zatrzęsło się w długiej perle zaczynającej spadać z krawędzi dębowego liścia.

Lecz nawet gdy spadała, liście dalekiego bluszczu trzepotały w brzuchu łzy, a z okna jak draśnięcie kolcem wyjrzała w lato mikroskopijna twarz.

Odbicia drzew w jeziorze chwiały się jak harmonijka, gdy wody burzyły się i uspokajały w kruchą nieruchomość pomiędzy powiewami. Była jednak niewielka przestrzeń jeziora, gdzie nie docierały powiewy, bowiem wysoki kruszący się mur, wzmocniony zagajnikiem, osłaniał płytką zatoczkę, gdzie parowała woda poplamiona rojami kijanek.

Leżała ona po przeciwnej stronie jeziora naprzeciw stromego stoku i zamku, skąd wiał wietrzyk. Wygrzewała się w północnym rogu wschodniego krańca jeziora. Jezioro rozciągało się wąsko z zachodu na wschód (od stoku do zatoczki), lecz brzegi północny i południowy leżały dość blisko siebie, południowego zaś brzegu broniły w znacznej części ciemne rzędy drzew szpilkowych, a niektóre cedry i sosny wyrastały z wody. Wzdłuż północnego brzegu znajdował się drobny szary piasek niknący wśród zarośli brzóz i czarnego bzu.

Na piasku, na skraju wody, mniej więcej w połowie północnego brzegu, rozpostarto ogromny rdzawy koc, a pośrodku koca siedziała Niania Slagg. Fuksja leżała na plecach, tuż przy niej, z głową na bok i przedramieniem na oczach dla ochrony przed słońcem. Po gorącym płowym piasku stawiał niepewne kroki Tytus w żółtej koszulce. Włosy mu urosły i ściemniały. Były całkiem proste, lecz brak kędziorów wynagradzała ich gęstość i masa. Sięgały ramion ciemną zasłoną, a nad czołem zwisały ciężką grzywą.

Zatrzymawszy się na chwilę (jakby przyszło mu na myśl coś bardzo ważnego) w połowie pijanego kroczku, odwrócił głowę ku pani Slagg. Brwi miał ściągnięte nad niezwykłym fioletem oczu, a w wyrazie jego twarzyczki jak jabłuszko była mieszanina żałości, śmieszności i mądrości. Nawet przez chwilę cień pompatyczności, gdy zachwiał się i usiadł, nagle straciwszy równowagę — a potem, gdy upadł, szczypta dostojeństwa. Lecz pełzając nagle bokiem, odpychając się jedną nogą i wiosłując przez piasek rękami aż po przeguby, podczas gdy druga noga nie zadawała sobie żadnego trudu, zadowalając się wleczeniem się pod i za swą energiczną towarzyszką, porzucił flegmę i stał się cały porywczością; lecz na wargach nie pojawił się uśmiech.

Dotarłszy do rdzawego koca, usiadł nieruchomo o kilka stóp od pani Slagg, badając bucik starszej pani, z łokciem na kolanie i podbródkiem zanurzonym w dłoni, w postawie zadziwiająco dorosłej i niewłaściwej w dziecku niespełna osiemnastomiesięcznym.

— Och, moje biedne serduszko! Jak on *patrzy* — rozległ się cienki głosik pani Slagg. — Jakbym go nie kochała i nie męczyła się, by był szczęśliwy. Zdarłam się do cna dla jego malutkiej wysokości, tak, dzień po dniu, noc po nocy, a to to i to, a to tamto i tamto, udręka na udręce, aż można by pomyśleć, że będzie zadowolony z miłości; lecz on zachowuje się, jakby był mądrzejszy od swej starej Niani, która wie wszystko o wykrzykach dzieci (musiała mieć na myśli „wybrykach"), a co mnie spotyka, to tylko niegrzeczne zachowanie jego siostry — och, moje biedne serduszko, niegrzeczne zachowanie i zły humor.

Fuksja dźwignęła się na łokciu i spoglądała na zadumane drzewa szpilkowe na drugim końcu jeziora. Nie miała oczu czerwonych od płaczu: płakała ostatnio tak wiele, że wyczerpała na trochę zasoby soli. Wyglądały jak oczy, które oparły się tryumfalnym zastępom łez.

— Co powiedziałaś?

— No właśnie! No właśnie! — rozdrażniła się pani Slagg. — Nigdy nie słucha. Przypuszczam, że teraz jest za mądra, by słuchać staruszki, której niewiele życia zostało.

— Nie słyszałam cię — powiedziała Fuksja.

— Nigdy nie *próbujesz* — odparła Niania. — To właśnie to — nigdy nie *próbujesz*. Równie dobrze mogłoby mnie tu nie być.

Fuksję znużyły zrzędliwe i łzawe wymówki starej piastunki. Przeniosła wzrok z sosen na brata, który zaczął się zmagać z klamerką jej bucika. — W każdym razie jest miły wietrzyk — powiedziała.

Stara piastunka, zapomniawszy, że właśnie strofowała Fuksję, zwróciła nagle w zaskoczeniu pomarszczoną twarz ku dziewczynie. — Co, moje drogie ziółko? — powiedziała.

Potem przypomniawszy sobie, że jej „ziółko" jest w niełasce, zapomniała, z jakiego powodu, więc zmarszczyła twarz ze śmieszną i małostkową wyniosłością, jak gdyby chcąc powiedzieć: — Mogłam cię nazwać „moim drogim ziółkiem", ale to nie znaczy, że rozmawiamy ze sobą.

Fuksja spojrzała na nią z ponurym smutkiem. — Powiedziałam, że jest miły wietrzyk — powtórzyła.

Pani Slagg nigdy nie mogła długo utrzymać udawanej powagi, jako ostateczność więc zamachnęła się na Fuksję, lecz ponieważ źle oceniła odległość, jej cios nie dotarł, a ona sama przewróciła się na bok. Przechyliwszy się w poprzek koca, Fuksja usadziła na powrót karlicę, jakby ustawiała ozdobę, pozostawiając specjalnie w pobliżu lewe ramię, gdyż znała swą starą piastunkę. I rzeczywiście, odzyskawszy równowagę, wygładziwszy przed sobą spódnicę i poprawiwszy kapelusz ze szklanymi winogronami, wymierzyła ramieniu Fuksji słaby cios.

— Co mówiłaś o wietrzykach, kochanie? Jak zwykle, myślę, że nic ważnego.

— Powiedziałam, że są miłe — odparła Fuksja.

— O, *tak* — powiedziała po zastanowieniu Niania. — O, *tak*, moja jedyna — ale nie robią mnie młodszą. Przesuwają się tylko po brzegu i dzięki nim skóra jest przyjemniejsza.

— Cóż, myślę, że lepsze to niż nic — powiedziała Fuksja.

— Lecz to nie *dosyć*, ty dyskutujące *stworzenie*. To nie *dosyć*, kiedy jest tak dużo do roboty. I jeszcze twoja duża matka jest tak na mnie zła, jakbym mogła coś zaradzić zniknięciu twojego biednego ojca i kłopotowi z jedzeniem w kuchni; jakbym ja mogła zaradzić.

Na wzmiankę o ojcu Fuksja zamknęła oczy.

Ona sama szukała — szukała. Wydoroślała bardzo podczas kilku ostatnich tygodni — wydoroślała, gdyż jej serce poddano próbie większych napięć uczucia niż kiedykolwiek przedtem. Strach przed czymś nieziemskim, upiornym — gdyż stanęła z tym twarzą w twarz — strach przed szaleństwem i gwałtem, który podejrzewała. Dzięki temu stała się doroślejsza, spokojniejsza, bardziej spostrzegawcza. Poznała ból — ból opuszczenia — porzucenia i straty tej odrobiny miłości, jaką posiadała. Zaczęła opierać się w duchu i wzmocniła się, a także zaczęła być mgliście świadoma dumy; budzącej się świadomości swego dziedzictwa. Swoim zniknięciem ojciec wypełnił ogniwo w odwiecznym łańcuchu. Bolała nad jego stratą, z piersią ciężką i piekącą od cierpienia; ale gdzieś w tle poza tym czuła po raz pierwszy górski łańcuch Groanów, to, że już nie była wolna, nie była już tylko Fuksją, ale jedną z rodu. To wszystko było w niej mgliste. Złowieszcze, wspaniałe i nieokreślone. Coś, czego nie rozumiała. Coś, przed czym się wzdragała — tak było to niepojęte. Nagle przestała być dziewczynką, z wyjątkiem mowy i zachowania. Umysł i serce miała starsze, a wszystko, niegdyś tak jasne, było spowite mgłą — wszystko było splątane. Niania powtórzyła, patrząc mętnymi oczyma poprzez jezioro: — Jak gdybym *ja* mogła zaradzić wszystkim kłopotom i złości ludzi, którzy tu i tam robią to, czego nie powinni. Och, moje słabe serduszko! Jak gdyby to wszystko była *moja* wina.

— Nikt nie mówi, że to twoja wina — powiedziała Fuksja. — Myślisz, że ludzie myślą, czego nie myślą. To nie miało z tobą nic wspólnego.

— Nie miało, *prawda* — och, moje drogie ziółko, nie miało, *prawda*? — Potem jej wzrok odzyskał znowu jasność (o ile to było możliwe). — Co nie miało, kochanie?

— Nieważne — powiedziała Fuksja. — Spójrz na Tytusa.

Niezadowolona z odpowiedzi Fuksji, Niania odwróciła głowę i ujrzała, że stworzonko w żółtej koszulce podnosi się i odchodzi poważnie z wielkiego rdzawego koca, poprzez gorący płowy piasek, zacisnąwszy przed sobą ręce.

— Nie odchodź i *ty* i nie zostawiaj nas! — zawołała Niania Slagg. — Możemy się obejść bez tego okropnego, grubego pana Sweltera, ale nie możemy się obejść bez naszej maleńkiej wysokości. Możemy się obejść bez pana Flaya i —

Fuksja dźwignęła się na kolana: — Nie możemy! Nie możemy! Nie mów tak — tak okropnie. Nie mów o tym — nie wolno ci. Kochany Flay i — ale ty nic nie rozumiesz; nie warto. Och, co się z nimi stało? — Opadła z powrotem na pięty, jej dolna warga drżała, lecz widziała, że nie może dopuścić, by bezmyślne uwagi starej piastunki dotykały jej otwartych ran.

Gdy pani Slagg patrzyła za nią szeroko otwartymi oczyma, zarówno ona, jak i Fuksja wzdrygnęły się na dźwięk głosu, a odwróciwszy się, ujrzały zbliżające się pomiędzy drzewami dwie wysokie postaci — mężczyzny — i czy to możliwe? — tak — kobiety. Miała parasolkę. Nie żeby w tej drugiej postaci było coś męskiego, nawet gdyby pozostawiła w domu parasolkę. Zupełnie nie. Kołyszący ruch był zdecydowanie kobiecy. Długa szyja była nietaktownie podobna do szyi brata, a także jej twarz, gdyby znacznej części nie zakrywały litościwie czarne okulary; główna różnica przejawiała się w pasie miednicy. Doktor (bowiem był to Prunesquallor) przejawiał takie oznaki posiadania bioder jak stojący sztorcem węgorz, podczas gdy Irma, w białym jedwabiu, robiła, zdawało się, wszystko, by pokazać od najgorszej strony (gdyż kibić miała śmiesznie wąską) biodra zdolne utrzymać na kościstych półeczkach wystarczającą ilość bibelotów, by zapełnić szafę kleptomana.

— Wszystkiego najwyższego o poranku, moje drogie — zaśpiewał doktor — a kiedy mówię „najwyższego", mam na myśli ostatni cal kwadratowy, który zasiada, cały przezroczysty, na szczycie eteru, ha, ha, ha.

Fuksja ucieszyła się na widok doktora. Lubiła go, pomimo napuszonego gadulstwa.

Irma, która prawie nie wychodziła od owego strasznego dnia, gdy skompromitowała się podczas pożaru, robiła wszystko, by odzyskać opinię damy — damy, która się potknęła, to prawda, jednakże mimo wszystko damy, a jej wysiłki były żałośnie ostentacyjne. Jej suknie miały jeszcze głębsze dekolty; jej niezrównana, mleczna skóra zdawała się przykrywać co najmniej parę piędzi. Jeszcze bardziej podkreślała swe biodra, kołyszące się, gdy mówiła, jakby, niczym wielkim dzwonem, kierowała nimi i powodowała żądza *wydawania dźwięku*, omal bowiem nie dzwoniły, gdy jej ostry, niemiły głos (tak odmienny od dzwonienia, jakie mogłaby wydać jej miednica) dyktował im ósemkowe (z lotu ptaka, w przekroju) ruchy.

Długi, ostry nos zwróciła ku Fuksji.

— Drogie dziecko — powiedziała Irma — a więc cieszysz się z rozkosznego wietrzyka, drogie dziecko? Powiedziałam, a więc cieszysz się z rozkosznego wietrzyka?

Oczywiście. Nieodparcie, nie mam żadnej wątpliwości. — Uśmiechnęła się, lecz w jej uśmiechu nie było wesołości, gdyż mięśnie twarzy zastosowały się tak dalece, by się jedynie poruszyć we wskazanych kierunkach, lecz odmówiły przejęcia się duchem tego — nawet gdyby jakikolwiek istniał.

— Ho, ho! — powiedział jej brat tonem dającym do zrozumienia, że nie trzeba odpowiadać na konwencjonalne zagajenia siostry; i usiadłszy u boku Fuksji, błysnął ku niej krokodylim uśmiechem ze złotymi zębami.

— Cieszę się, że pan przyszedł — powiedziała Fuksja.

Poklepał ją po kolanie w przyjaźnie obojętny sposób, po czym zwrócił się ku Niani.

— *Pani* Slagg — powiedział, kładąc wielki nacisk na „pani", jakby to był jakiś niezwykły przedrostek — jak się pani ma? Jak obieg krwi, moja droga, nieoceniona kobietko? Jak obieg krwi? No, niech pani powie doktorowi.

Niania przysunęła się nieco bliżej ku Fuksji, która siedziała pomiędzy nimi, i zza jej ramienia spojrzała na doktora.

— Całkiem przyjemny, proszę pana... Tak myślę, proszę pana, dziękuję panu — powiedziała.

— Aha! — powiedział Prunesquallor, głaszcząc gładki podbródek — przyjemny obieg, tak? Aha! b-a-r-dz-o dobrze. B-a-r-

-dz-o dobrze. Bez wątpienia, mitręży się leniwie od pagórka do pagórka. Wije się poprzez zagajniki kości, przemierza tkanki i dostarcza jak może pożywienia pani kochanemu staremu ciału. *Tak* się cieszę, pani Slagg. Ale w *sobie* — głęboko w sobie — jak się pani czuje? W sensie cielesnym, czy jest pani spokojna — od kochanych siwych włosów pani głowy do tupotania pani nóżek — czy jest pani spokojna?

— Co on chce powiedzieć, kochanie? — powiedziała biedna pani Slagg, chwytając ramię Fuksji. — Och, moje biedne serduszko, co doktor chce powiedzieć?

— Chce wiedzieć, czy czujesz się dobrze, czy nie — powiedziała Fuksja.

Niania zwróciła czerwono podkrążone oczy ku kudłatemu, gładkoskóremu mężczyźnie, którego oczy poza powiększającymi szkłami wydymały się i pływały.

— No, no droga pani Slagg, nie zjem pani. Och Boże, nie. Nawet na grzance, z odrobiną pieprzu i soli. Ani trochę. Źle się pani czuje, och Boże, tak — od pożaru. Moja droga kobieto, źle się pani czuje — bardzo źle, i bardzo słusznie. Ale czy czuje się pani *lepiej* — to pani doktor chce wiedzieć — czy czuje się pani *lepiej*?

Niania otworzyła pomarszczone usteczka. — To przybiera i odpływa, proszę pana — powiedziała — i ja wraz z nim. — Po czym odwróciła szybko głowę ku Fuksji, jak gdyby chcąc się upewnić, że jeszcze tam jest, a szklane winogrona zadzwoniły na kapeluszu.

Doktor Prunesquallor wydobył dużą jedwabną chustkę i zaczął ocierać czoło. Po znacznych trudnościach, przypuszczalnie z fiszbinem i tym podobnym, Irmie udało się usiąść na kocu przy akompaniamencie skrzypienia jakby bloków, dźwigni, lin i haczyków. Nie pochwalała siedzenia na ziemi, lecz zmęczyła się patrzeniem w dół na ich głowy i postanowiła zaryzykować małą przerwę w wytworności. Patrzyła na Tytusa, mówiąc do siebie: Gdyby to było moje dziecko, obcięłabym mu włosy, szczególnie ze względu na jego pozycję.

— A z czego składa się to „przybieranie"? — powiedział doktor, wkładając jedwabną chusteczkę do kieszeni. — Czy to pani serce jest zmienne — czy pani nerwy — pani wątroba, a niech to — czy ogólne zmęczenie ciała?

— Męczę się — powiedziała pani Slagg. — Tak się męczę, proszę pana. Muszę *wszystko* robić. — Biedna starsza pani zaczęła drżeć.

— Fuksjo — powiedział doktor — przyjdź dziś wieczór, a dam ci środek, który musisz jej dawać codziennie. Na wszystko amarantowe, naprawdę musisz. Balsam i puch łabędzi, droga Fuksjo, łabędziątka i edredony, musi to brać codziennie — syrop na nerwy, kochanie, i na palce zimne jak grób na jej stareńkim czole.

— Nonsens — powiedziała jego siostra. — Bernardzie, powiedziałam, nonsens.

— A oto — ciągnął doktor Prunesquallor, nie zwracając uwagi na wtręt siostry — Tytus. Odziany w łachman rozerwany przez słońce, ha, ha, ha! Jaki się robi ogromny! Lecz jakże poważny. — Cmoknął. — Nadchodzi wielki dzień, prawda?

— Czy ma pan na myśli „uhrabienie"? — zapytała Fuksja.

— Nic innego — powiedział Prunesquallor, przechyliwszy na bok głowę.

— Tak — odpowiedziała — za cztery dni. Robią tratwę. — Potem nagle, jakby nie mogła dłużej powstrzymać ciężaru myśli: — Och, doktorze Prune, muszę z panem pomówić! Czy mogę się z panem wkrótce zobaczyć? Wkrótce? Niech pan nie używa długich słów, gdy będziemy sami, drogi doktorze, jak pan to czasem robi, bo jestem tak... no... bo mam — mam zmartwienia. Doktorze Prune.

Prunesquallor zaczął ospale kreślić znaki na piasku długim białym palcem wskazującym. Dziwiąc się, czemu nie odpowiada, Fuksja spuściła wzrok i ujrzała, co napisał:

„9 godzina dzisiaj Chłodny Pokój".

Następnie długa dłoń zmazała pismo, a w tej samej chwili uświadomili sobie, że ktoś stoi z tyłu, odwróciwszy się zaś, ujrzeli bliźniaczki, identyczne ciotki Fuksji, stojące w upale niczym purpurowe rzeźby.

Doktor zerwał się zwinnie na nogi i wygiął w ich kierunku trzcinowate ciało.

Nie zwróciły uwagi na jego uprzejmość, spoglądając mimo niego na Tytusa, siedzącego spokojnie na skraju jeziora.

Zdawało się, że z zenitu nieba do miejsca, gdzie siedział na skrawku piasku, opuszczono wielką tylną kulisę, upał bowiem spłaszczył jezioro, uniósłszy je prosto w górę na piaszczystym obramowaniu; podniósł pochyły brzeg, gdzie drzewa szpilkowe wraz z cieniami tworzyły wzory w trzech odcieniach zieleni, porażone słońcem i ogromne; na poszarpanym brzegu tego malowanego lasu wpasowano zaś jak układankę ciężkie, matowe, błękitne niebo wznoszące się po łuk proscenium zasięgu wzroku — wygiętą powiekę. U podnóża owej jaskrawej kotary czystych zjawisk siedział on, niewiarygodnie maleńki; Tytus w żółtej koszulce, znowu z brodą wspartą na dłoni.

Fuksja czuła się nieswojo, gdy ciotki stały tuż za nią. Zerknąwszy na nie, ledwie mogła sobie wyobrazić, by się kiedykolwiek poruszyły. Wizerunki o białych twarzach, białych dłoniach, okryte cesarską purpurą. Pani Slagg nadal nie zdawała sobie sprawy z ich obecności, a w ciszy ogarnęła ją niemądra chęć paplania, zapomniawszy więc o nerwowości, zadarła głowę ku stojącemu doktorowi.

— Widzi pan, niech mi pan wybaczy, doktorze — powiedziała zdumiona własną odwagą — widzi pan, zawsze byłam energicznego usposobienia, proszę pana. Taka zawsze byłam od czasu, kiedy byłam małą dziewczynką, robiąc po kolei to i tamto. „Co ona następnie *zrobi*?" — zawsze mówili. Zawsze.

— Jestem tego pewien — odpowiedział doktor, ponownie siadając na kocu i zwracając się do Niani Slagg, uniósłszy brwi i z wyrazem niedowierzającego zaabsorbowania na różowej twarzy.

To zachęciło panią Slagg. Nikt nigdy nie wydawał się tak zainteresowany tym, co mówiła. Prunesquallor doszedł do wniosku, że istniało spore prawdopodobieństwo, iż bliźniaczki pozostaną tak unieruchomione jeszcze przez dobre pół godziny i że obijanie się na eleganckich nogach nie leżało, w sensie fizycznym, w jego interesie ani nie zgadzało się z jego poczuciem własnej godności, które choć dość szczególne, było jednakże głęboko zakorzenione. Nie odpowiedziały na jego gest. W istocie nie zauważyły tego — lecz to nie była jego wina.

— Do diabła ze starymi pstrągami — zanucił do siebie. — Bezpierśne jak tapeta. Na wszystko czujące, moja ostatnia sekcja miała w sobie więcej werwy niż one obie wywracające koziołki.

Gdy tak rozprawiał wewnętrznie, zewnętrznie okazywał nadzwyczaj żarliwą uwagę dla każdej sylaby pani Slagg.

— I zawsze było tak samo — ciągnęła drżącym głosem — zawsze tak samo. Odpowiedzialność przez cały czas, doktorze; a ja już nie jestem mała.

— Oczywiście, że nie, oczywiście, no, no; na wszystko, co trafne, zacnie pani mówi, pani Slagg — bardzo zacnie — powiedział Prunesquallor, zastanawiając się jednocześnie, czy zmieściłaby się w jego czarnej walizeczce bez usuwania stamtąd butelek.

— Bo nie jesteśmy tak młodzi, jak *byliśmy*, prawda, proszę pana?

Prunesquallor zastanowił się nad tym uważnie. Następnie potrząsnął głową. — To, co pani mówi, dźwięczy prawdziwie — powiedział. — W istocie, dźwięczy wszystkim możliwym. Dźwięk--brzdęk, serce na łęk. Lecz proszę mi powiedzieć, pani Slagg — proszę mi powiedzieć we właściwy pani zwięzły sposób — o panu Slagg — a może jestem niedelikatny? Nie- nie- niemożliwe. Czy *ty* wiesz, Fuksjo? Czy wiesz? Jeśli o mnie chodzi, niepokoi mnie pan Slagg. Dręczy mnie to — dogłębnie. To dziwne! Dogłębnie. A może nie? Nieważne. Ujmując to brutalnie: — czy był. — Nie, nie! Delikatnie, *proszę*. Kim był. — Nie, nie! Grubiańsko; grubiańsko. Proszę mi wybaczyć. Droga pani, czy o panu Slagg ma pani... coś — o mój Boże! znam panią od tak dawna i oto *to* kłopotliwe pytanie się pojawia — wyskakuje jak gołąb na rozżarzonych węglach. Jest w tym „dźwięk" — ha, ha, ha! I jakie kłopotliwe pytanie! Czy nie tak, kochanie?

Zwrócił się do Fuksji.

Nie mogła powstrzymać uśmiechu, lecz trzymała dłoń starej piastunki.

— Kiedy wyszłaś za mąż za pana Slagga, Nianiu? — zapytała.

Prunesquallor westchnął. — Bezpośrednie podejście — mruknął. — Właściwy kąt. Niech Bóg ma w opiece mą pokrętną duszę, uczymy się... uczymy.

Pani Slagg zrobiła się bardzo dumna i sztywna od szklanych winogron na kapeluszu po maleńkie siedzenie.

— Pan Slagg — powiedziała wysokim, cienkim głosikiem — ożenił się *ze mną*. — Urwała, zadawszy, jak się jej zdawało, główny cios; a potem, po namyśle: — Umarł tej samej nocy — i nic dziwnego.

— Wielkie nieba — żywy i martwy, i pół taki, pół taki. Na wszystko co enigmatyczne, moja droga, droga pani Slagg, co ma pani *na myśli?* — zawołał doktor tak wysokim dyszkantem, że ptak zaterkotał pośród liści na drzewie za nimi i pomknął na zachód.

— Miał atak — powiedziała pani Slagg.

— My — także — miałyśmy — ataki — odezwał się głos.

Zapomnieli o bliźniaczkach, wszyscy troje więc odwrócili zaskoczone głowy, lecz nie zdążyli zobaczyć, które to usta się otwarły.

Jednakże gdy patrzyli, Clarice zaintonowała: — Obie, w tym samym czasie. To było piękne.

— Nie, nie było — powiedziała Cora. — Zapominasz, jakie się to stało dokuczliwe.

— Och, to! — odparła siostra. — Nie miałam nic przeciw *temu*. Tylko wtedy, kiedy nie mogłyśmy nic robić naszą lewą stroną, nie bardzo mi się to podobało.

— To właśnie powiedziałam, nieprawdaż?

— Och, nie, nie powiedziałaś.

— Clarice Groan — powiedziała Cora — nie przechodź samej siebie.

— Co masz na myśli? — powiedziała Clarice, podnosząc nerwowo wzrok.

Cora zwróciła się po raz pierwszy do doktora. — Ona nic nie wie — powiedziała obojętnie. — Ona nie rozumie figur ósemkowych.

Niania nie mogła się oprzeć pokusie poprawienia Lady Cory, bowiem zainteresowanie doktora zaraziło ją chęcią mówienia. Jednakże na jej wargach pojawił się nerwowy uśmieszek, gdy powiedziała: — Nie miała pani na myśli „figur ósemkowych", Lady Coro; miała pani na myśli „figury retoryczne".

Niania tak była zadowolona z tego, że zna to wyrażenie, iż uśmiech drgał w zmarszczkach jej ust, póki nie uświadomiła sobie, że ciotki się jej przyglądają.

— Sługo — powiedziała Cora. — Sługo...

— Tak, jaśnie pani. Tak, tak, jaśnie pani — powiedziała Niania Slagg, gramoląc się na nogi.

— Sługo — zawtórowała Clarice, raczej zadowolona z tego, co zaszło.

Cora odwróciła się ku siostrze. — *Ty* nie masz potrzeby nic mówić.

— Dlaczego nie? — zapytała Clarice.

— Dlatego że to nie tobie ona była nieposłuszna, głupia.

— Ale ja także chcę ją ukarać — powiedziała Clarice.

— Dlaczego?

— Bo nie ukarałam nikogo od tak dawna... A ty?

— *Nigdy* nie ukarałaś nikogo — powiedziała Cora.

— Och, tak, ukarałam.

— Kogo?

— To nieważne *kogo*. Ukarałam, to wszystko.

— Co wszystko?

— To kara.

— Masz na myśli, jak naszego brata?

— Nie wiem. Lecz nie wolno nam *jej* spalić, prawda?

Fuksja powstała. Rozchorowałaby się, gdyby uderzyła ciotki, czy nawet je dotknęła, nie wiadomo więc było, co zamierza zrobić. Jej ręce drżały u boków.

Zwrot: „Lecz nie wolno nam *jej* spalić, prawda?" znalazł sobie długą półkę w głębi mózgu doktora Prunesquallora, niemal pustą, a śmieszny mały zwrot, skulony sennie w jednym jej końcu, został wkrótce wyparty przez chudego przybysza, który wyciągnął wzdłuż półki swe ciało od „L" w głowach do „a" w ogonie, a odwróciwszy się, uciął sobie drzemkę na trzydzieści dwa (na przekór zwyczajowi) — jeden na literę i jeszcze dwa na szczęście; bowiem nie było wiele czasu na sen, gdyż właściciel owej półki — a w rzeczywistości całego tego kościanego domu — skłonny był w każdej chwili wyrywać senne zwroty z najciemniejszych szarokomórkowych jaskiń i szczelin, nie mówiąc już o półkach. Nie było prawdziwego spokoju. Niania Slagg, przygryzając dłonie, próbowała powstrzymać łzy.

Irma spoglądała w przeciwnym kierunku. Damy nie biorą udziału w „sytuacjach". Nie *rozumieją* ich. Pamiętała to doskonale. To Lekcja Siódma. Wygięła nozdrza, aż stały się zdecydowanie tryumfalne, i przekonała samą siebie, że nie słucha bardzo uważnie.

Doktor Prunesquallor, uważając, że już czas, zerwał się na nogi i kołysząc się jak wierzbowa różdżka wbita w ziemię i brzęcząca wybornie oskubanym czubkiem, wydał dziwaczny okrzyk, po czym nastąpiły trele, które można przedstawić w konwencji literackiej jedynie jako „Ha-ha-ha-ha- ha-ha-ha-ha-ha-ha-ha-ha-ha- -ha-ha-ha-ha-ha-ha-ha", a zakończył:

— Tytus! Na wszystko, co nieskończenie małe. Niech Bóg ma mnie w swojej opiece, jeśli nie pożarł go rekin!

Trudno byłoby osądzić, która z pięciu głów odwróciła się najszybciej. Możliwe, że Niania była o ułamek sekundy wolniejsza, z dwu przyczyn, bowiem stan jej szyi daleki był od giętkości i ponieważ każdy okrzyk, choćby dramatyczny i najbardziej ją obchodzący, potrzebował czasu, by przeniknąć do właściwego obszaru jej pogmatwanego móżdżku.

Jednakże słowo „Tytus" było o tyle różne, że znalazło już skrót przez komórki. Jej serce skoczyło szybciej niż mózg, nim więc jej ciało, bezwiednie posłuszne, zdało sobie sprawę, że zwykłymi kanałami otrzymało jakieś rozkazy, znalazła się na nogach, drepcząc ku brzegowi.

Nie zadała sobie trudu, by się zastanowić, czy w słodkiej wodzie rozciągającej się przed nią *mógł* być rekin; ani czy doktor mówiłby tak beztrosko o śmierci jedynego męskiego dziedzica; ani czy mogłaby coś poradzić w wypadku, gdyby rekin go rzeczywiście połknął. Wiedziała tylko, że musi biec tam, gdzie przedtem się znajdował.

Słabymi starymi oczyma dojrzała go dopiero po przebyciu połowy odległości. Nie zwolniło to w żadnym razie jej pośpiechu. Jeśli jeszcze go nie pożarł, mógł go *zaraz* pożreć; a gdy wreszcie Tytus znalazł się w jej ramionach, skąpała go we łzach.

Zataczając się ze swym ciężarem, rzuciła z bijącym sercem ostatnie lękliwe spojrzenie na lśniący przestwór wody.

Prunesquallor dał za nią kilka spiczastych susów, nie uświadomiwszy sobie, jak druzgoczący będzie jego żarcik. Zatrzymał się jednakże, pomyślawszy, że jeśli *miał* być rekin, byłoby najlepiej ze względu na przyszłe zadowolenie pani Slagg, gdyby pokrzyżowała jego złe zamiary. Obawiał się jedynie, by nie przeciążyć jej serca. To, co spodziewał się osiągnąć dziwacznym okrzykiem, ucieleśniło się, a mianowicie przerwanie śmiesznej kłótni i uchronienie Niani Slagg przed dalszym upokorzeniem.

Bliźniaczki nie wiedziały przez chwilę, co począć. — Widziałam go — powiedziała Cora.

Clarice, nie chcąc być gorsza, również go widziała. Żadna z nich nie przejawiała większego zainteresowania.

Gdy Niania zdyszana usiadła na rdzawym kocu, a Tytus wyśliznął się jej z ramion, Fuksja zwróciła się do doktora.

— Nie powinien był pan tego robić, doktorze Prune — powiedziała. — Lecz, o Boże, jakie to śmieszne! Czy widział pan twarz panny Prunesquallor? — Zaczęła chichotać, bez wesołości w oczach. A potem: — Och, doktorze Prune, nie powinnam była tego mówić — ona jest pana siostrą. — Zaledwie — powiedział doktor; a przysunąwszy zęby ku uchu Fuksji, szepnął: — Myśli, że jest damą. — Po czym uśmiechnął się szeroko, aż wydało się, że jezioru zagraża pochłonięcie. — Och, Boże! biedactwo. *Tak* się stara, a im więcej się stara, tym mniej nią *jest*. Ha, ha, ha! Wierz mi, droga Fuksjo, że jedynymi damami są te, którym nigdy nie przychodzi do głowy, czy są damami, czy nie. Jej krew jest w porządku — Irmy — taka sama jak moja, ha, ha, ha! Ale to nie zależy od krwi. To stabilność, moja cyganko, stabilność to sprawia — z dodatkiem wiaderka tolerancji. Ale niech Bóg ma w opiece moją niestosowną duszę, jeśli nie następuję powadze na suknie. No, no, czyż nie.

Siedzieli już teraz wszyscy na kocu, tworząc razem monumentalną grupę niezwykłej wspaniałości. Niewielkie powiewy nadal przeskakiwały przez las i marszczyły jezioro. Poza nimi gałęzie drzew ocierały się o siebie, a ich liście, niczym milion spiskujących języków, ochrypły od herezji.

Fuksja miała właśnie zapytać, co znaczy „stabilność", gdy zauważyła ruch pomiędzy drzewami po przeciwległej stronie jeziora, a w chwilę później zadziwił ją widok kolumny postaci schodzących ku brzegowi i posuwających się dalej ku północy, pojawiając się i znikając w miarę jak wielkie rosnące w wodzie cedry zakrywały ich lub odsłaniały.

Z wyjątkiem postaci na przedzie nieśli na ramionach pętle liny i pnie drzew, a poza przewodnikiem wydawali się starszymi ludźmi, gdyż poruszali się ociężale.

Byli to budowniczowie tratwy idący tradycyjną ścieżką, w tradycyjnym dniu, do tradycyjnej zatoczki — do owego zamglonego od upału wgłębienia wody osłoniętego walącym się murem i zagajnikiem, gdzie wkrótce w ciepłej, płytkiej wodzie miano zaniepokoić piskorze, kijanki i miriady mikroskopijnych rybek.

Było całkiem oczywiste, kim była wiodąca postać. Nie można było nie rozpoznać tego zwinnego, choć powłóczącego i bocznego — tego straszliwie rozmyślnego ruchu, który nie był ani chodem, ani biegiem — blisko ziemi, jakby na tropie, a zarazem lekko i zwinnie.

Fuksja przyglądała mu się urzeczona. Nieczęsto można było oglądać Steerpike'a bez jego wiedzy. Idąc za wzrokiem Fuksji, również doktor był w stanie rozpoznać młodzieńca. Jego różowe czoło zachmurzyło się. Rozmyślał ostatnio dużo o tym i owym — to było głównie nieodgadnionym i jakoś „obcym" młodzieńcem, a *owo* skupiało się przeważnie na tajemniczym pożarze. Była ostatnio taka masa zagadek. Gdyby nie były tak poważnej natury, doktor Prunesquallor widziałby w nich jedynie rozrywkę. Nieoczekiwanie bardzo łagodziło monotonię nie kończących się ciągów niewzruszonej procedury zamkowej; lecz śmierć i zniknięcie to nie były smakołyki dla zblazowanego podniebienia. Były zbyt duże, by je połknąć, i miały smak żółci.

Chociaż doktor, z niezależnym umysłem, żywił zdecydowanie heretyckie opinie względem niektórych aspektów życia zamku — opinie zbyt wolnomyślne, by je wyrażać w atmosferze, gdzie osnowa i wątek ciemnego miejsca i jego przeszłości były jednoznaczne z siecią żył w ciałach jego mieszkańców — jednakże *przynależał* do tego miejsca i był odstępcą tylko w tym sensie, że miał rozległy umysł, który tak łączył i kojarzył myśli, iż jego wnioski były często jasne i trafne, i bliskie herezji. Nie znaczy to bynajmniej, że uważał się za kogoś wyższego. Och, nie. Nie był wyższy. Ślepa wiara to czysta wiara, choćby umysł był mętny. Jego kryształowe wnioski mogły być pierwszej wody, lecz istota i duch były spaczone proporcjonalnie do powątpiewania o wartości najbłahszego obrzędu. Nie stał z boku — a tragedie, które się wydarzyły, dotknęły go do żywego. Jego beztroskie i głupkowate zachowanie było mylące. Gdy nucił, paplał, dawał upust spontanicznym „konceptom", gestykulował, fircykowaty i groteskowy, a powiększone oczy ślizgały się za soczewkami okularów jak mydło na dnie wanny, jego myśli były często gdzie indziej, nieźle w owym czasie zajęte. Porządkował fakty, jakimi dysponował — skrawki informacji, i przyglądał im się okiem rozumu, to z tej strony, to z owej; to z dołu, to z góry, mówiąc lub rzekomo słuchając, w dzień i w nocy, lub wieczorem, ze stopami wspartymi o gzyms nad kominkiem, z likierem pod ręką i siostrą na krześle naprzeciwko.

Spojrzał na Fuksję, by się upewnić, czy rozpoznała odległego chłopca, i zdumiał się, ujrzawszy na jej ciemnej twarzy wyraz zaintrygowanego zaabsorbowania, a wargi nieco rozchylone, jakby z nieśmiałego podniecenia. Teraz krokodyl postaci okrążał zakręt jeziora po lewej. Potem zatrzymał się. Steerpike oddalił się od świty, ku brzegowi. Najwyraźniej wydał im rozkaz, wszyscy bowiem usiedli pośród nadbrzeżnych sosen, przypatrując mu się, gdy zdjął ubranie i wbił swą laskę z mieczem, ostrzem w dół, w błotnisty brzeg. Nawet z tak dużej odległości widać było, że miał bardzo wysokie i przygarbione barki.

— Na wszystko, co publiczne — powiedział Prunesquallor — a więc mamy nowego urzędnika, prawda? Nadjeziorna wróżba o rzeczach, które przyjdą — świeża krew w lecie i czterdzieści lat przed nią. Zasłony rozchylają się — wczesne dojrzewanie nadchodzi, ha, ha, ha! Ale co on teraz robi?

Fuksji zaparło nieco oddech ze zdziwienia, gdy Steerpike dał nurka w jezioro. Zanim zanurkował, pomachał ku nim, chociaż o ile mogli sądzić, nawet nie zwrócił oczu przedtem w ich stronę.

— Co *to* było? — powiedziała Irma, obracając szyję w bardzo naoliwiony sposób. — Powiedziałam, „co *to* było", Bernardzie. To brzmiało jak plusk; słyszysz mnie Bernardzie? Mówię, że to brzmiało jak *plusk*. — Właśnie dlatego — powiedział jej brat.

— „Właśnie dlatego?" Co masz na myśli, Bernardzie, przez „właśnie dlatego"? Jesteś taki męczący. Powiedziałam, jesteś taki męczący. Co właśnie dlatego?

— Właśnie dlatego to było jak plusk, mój motylku.

— Ale *dlaczego*? Och, sumienie za normalnego brata! Dlaczego, Bernardzie, to-było-jak-plusk?

— Tylko dlatego, że to właśnie był plusk, pawico — powiedział. — To był autentyczny, nierozwodniony plusk. Ha, ha, ha! Nierozwodniony plusk.

— Och! — zawołała pani Slagg, szarpiąc palcami dolną wargę — to nie był rekin, prawda, panie doktorze? Och, moje słabe serduszko, proszę pana! Czy to był rekin?

— Nonsens! — powiedziała Irma. — Nonsens, niemądra kobieto! Rekiny w Jeziorze Gormenghast! Co za pomysł!

Fuksja utkwiła wzrok w Steerpike'u. Był dobrym pływakiem, znajdował się więc już w połowie jeziora, a jego chude białe ramiona, tworząc kąt rozwarty w łokciu, metodycznie się zagłębiały i wynurzały.

Głos Cory powiedział: — Widzę kogoś.

— Gdzie? — powiedziała Clarice.

— W wodzie.

— Co? W jeziorze?

— Tak, tylko tam jest woda, głupia.

— Nie, nie tylko.

— No, tylko tam jest woda blisko nas.

— Ach tak, tylko tam jest woda *tego* rodzaju.

— Widzisz go?

— Jeszcze nie patrzyłam.

— No, to spojrzyj teraz.

— Mam spojrzeć?

— Tak. Teraz.

— Och... widzę mężczyznę. Czy widzisz mężczyznę?

— Powiedziałam ci o nim. Oczywiście.

— Płynie do mnie.

— Dlaczego do ciebie? Równie dobrze może do mnie.

— Dlaczego?

— Bo jesteśmy takie same.

— To nasza chwała.

— I nasza duma. Nie zapominaj.

— Nie, nie zapomnę.

Spoglądały na zbliżającego się pływaka. Jego twarz była przeważnie albo pod wodą lub zwrócona bokiem czerpała powietrze, więc nie miały pojęcia, że to był Steerpike.

— Clarice — powiedziała Cora.

— Tak.

— Jesteśmy jedynymi tu obecnymi damami, prawda?

— Tak. Co z tego?

— No, zejdziemy do brzegu, tak abyśmy mogły, gdy przybędzie, zniżyć się ku niemu.

— Czy to będzie bolało? — powiedziała Clarice.

— Dlaczego nie znasz zwrotów? — Cora zwróciła twarz ku profilowi siostry.

— Nie wiem, o co ci chodzi — wymamrotała Clarice.

— Nie mam czasu, by ci wyjaśniać język — powiedziała Cora. — To nie ma znaczenia.

— Nie ma?

— Nie. Ale to ma.

— Och.

— Płynie do nas.

— Tak.

— Więc musimy przyjąć jego hołd na brzegu.

— Tak... tak.

— Więc musimy teraz pójść i zaopiekować się nim

— Teraz?

— Tak, teraz. Jesteś gotowa?

— Będę, gdy wstanę.

— Skończyłaś?

— Prawie. A ty?

— Tak.

— A więc chodź.

— Gdzie?

— Nie zawracaj mi głowy swoją niewiedzą. Po prostu idź tam gdzie ja.

— Tak.

— Spójrz!

— Spójrz!

Znalazłszy grunt pod nogami, Steerpike wyprostował się. Woda pluskała mu o podstawę żeber, błoto dna jeziora przeciekało między palcami stóp, a on machał nad głową rękami ku gromadce, strącając z nich jasne krople iskrzącymi się sznurkami.

Fuksja była podniecona. Uwielbiała to, co zrobił. Ujrzeć ich nagle, zrzucić ubranie, skoczyć w głęboką wodę i przepłynąć ku nim jezioro, by potem wreszcie wstać, dysząc, z wodą kłębiącą się wokół wąskiej, mocnej piersi — to było wspaniałe; wszystko bez namysłu.

Irma Prunesquallor, która od paru tygodni nie widziała swego „wielbiciela", wydała okrzyk, ujrzawszy jego nagie ciało wynurzające się z jeziora i zakrywszy twarz dłońmi, zerkała przez palce.

Niania nadal nie mogła rozpoznać, kto to był, i jeszcze wiele miesięcy później miała wątpliwości.

Głos Steerpike'a zabrzmiał ponad płytką wodą.

— Co za szczęśliwe spotkanie! — wykrzyknął. — Dopiero co zobaczyłem państwa! Lady Fuksjo, dzień dobry! To cudownie zobaczyć panią znowu. Jak pani zdrowie? Panno Irmo? Proszę mi wybaczyć moją skórę. Doktorze, a jak pańska?

Potem spojrzał ciemnoczerwonymi, blisko osadzonymi oczyma na bliźniaczki, które brodziły mu na spotkanie, całkiem nieświadome wody sięgającej im po kostki.

— Moczycie sobie nogi, wasze wysokości. Proszę uważać! Proszą zawrócić! — wołał młodzieniec z udanym przerażeniem. — Czynią mi panie zbyt wielki honor. Na Boga, proszę zawrócić!

Musiał krzyczeć w ten sposób, by nie dać poznać, że posiadał nad nimi władzę. W istocie nie dbał o to, czy będą maszerować naprzód, póki nie zanurzą się po szyję. Sytuacja była dziwna. Ze względu na przyzwoitość nie mógł się bardziej przybliżyć do brzegu.

Tak jak zamierzał, nie mogły rozpoznać w jego głosie władzy, której nauczyły się słuchać. Bliźniaczki postąpiły głębiej w wodę, a doktor, Fuksja i Niania Slagg ujrzeli ze zdumieniem, że znalazły się po biodra w jeziorze, a obszerne spódnice purpurowych sukni wydęły się wspaniale.

Steerpike patrzył przez chwilę obok nich, dając znak bezradnym wzruszeniem ramion i rozłożeniem dłoni, że nie jest w stanie nic zaradzić w tej sytuacji. Podeszły bardzo blisko. Dostatecznie blisko, by mógł mówić do nich, nie będąc słyszanym przez gromadkę, która zebrała się teraz na skraju jeziora.

Powiedział cichym, szybkim głosem, który, jak wiedział z doświadczenia, wywoła natychmiastową reakcję: — Proszę stać tam, gdzie panie są. Ani kroku dalej, czy panie słyszą? Mam paniom coś do powiedzenia. O ile nie będą panie stać spokojnie i mnie słuchać, utracą panie złote trony, które są już gotowe i w drodze do apartamentów pań. Proszę teraz wrócić. Proszę wrócić do zamku — do swego pokoju, w przeciwnym razie będą kłopoty.

Mówiąc dawał znaki tym na brzegu; bezsilnie wzruszał ramionami. A tymczasem szybki głos mówił dalej, mesmeryzując bliźniaczki zanurzone po biodra w roziskrzonych falach.

— Nie będą panie mówić o pożarze — i pozostaną panie u siebie, nie będą wychodzić i spotykać się z ludźmi wbrew moim rozkazom, jak to się stało dzisiaj. Były panie nieposłuszne. Przyjdę do komnat pań dziś wieczór o dziesiątej. Jestem niezadowolony, gdyż złamały panie obietnicę. Jednakże będą panie miały swą chwałę; jednak tylko wtedy, jeśli nigdy nie będą panie mówić o pożarze. Proszę natychmiast usiąść! — Steerpike nie mógł się oprzeć temu bezapelacyjnemu rozkazowi. Gdy mówił, utkwiły w nim wzrok, więc chciał się upewnić, czy w takich chwilach były zdolne mu się przeciwstawić — czy mogły myśleć o czymkolwiek innym jak tylko o tym, co wtłaczał im w świadomość zastosowanym przez siebie szczególnym, cichym głosem i ciągłym powtarzaniem kilku prostych maksym. Skrzywienie warg zdradzało nikczemne, zuchwałe zadowolenie, jakiego doznawał, przyglądając się, jak dwie purpurowe istoty opuszczały się na siedzenia w letnim jeziorze. Jedynie długie szyje i spodeczkowate twarze pozostały ponad powierzchnią. Każdą z nich otaczała chwiejąca się frędzla purpurowej spódnicy.

Skoro tylko ujrzał, skosztował i wchłonął wyborną istotę sytuacji, powiedział bez namysłu: — Proszę wracać! Wracać do swoich pokoi i czekać na mnie. Wracać natychmiast — żadnych rozmów na brzegu.

Gdy na jego rozkaz zanurzyły się automatycznie w jeziorze, chwycił się rękami za głowę, na użytek widzów, jakby w rozpaczy.

Następnie ciotki powstały, całe oklejone purpurą, i ruszyły, trzymając się za ręce, ku zdumionej gromadce na piasku.

Dobrze przetrawiwszy lekcję Steerpike'a, przeszły uroczyście obok doktora, Fuksji, Irmy i Niani Slagg i weszły pomiędzy drzewa; a skręciwszy w lewo na leszczynową alejkę, ruszyły, w przemokłym transie, w kierunku zamku.

— To przechodzi moje pojęcie, doktorze! Zupełnie przechodzi! — krzyczał młodzieniec w wodzie.

— Zdumiewasz mnie, drogi chłopcze! — zawołał doktor. — Na wszystko ziemnowodne, zdumiewasz mnie. Odwagi, drogie dziecko, odwagi, i odpłyń sobie — tak się zmęczyliśmy widokiem twego żołądka.

— Proszę wybaczyć jego magnetyzm! — odparł Steerpike, po czym dał nurka w wodę i ujrzeli go następnie w pewnej odległości, płynącego miarowo w stronę budowniczych tratwy.

Śledząc błyski słońca na mokrych ramionach odległego teraz chłopca, Fuksja stwierdziła, że jej serce wali. Nie ufała jego oczom. Odstręczało ją jego wysokie, okrągłe czoło i wysokie barki. Jak wiedziała, nie należał do zamku. Lecz jej serce biło, bo był żywy — och, tak żywy i śmiały; i zdawało się, że nikt nie mógł go upokorzyć. Odpowiadając doktorowi, patrzył na nią. Nie rozumiała. Melancholia była w niej jak ciemność; lecz gdy myślała o nim, zdawało się, że przez ciemność przebiegała rozwidlona błyskawica.

— Wracam już — powiedziała do doktora. — Spotkamy się dziś wieczór, dziękuję. Chodź, Nianiu. Do widzenia, panno Prunesquallor.

Irma zrobiła kręty ruch ciałem i uśmiechnęła się drewnianym uśmiechem.

— Do widzenia — powiedziała. — To było zachwycające. Nadzwyczaj. Bernardzie, twoje ramię. Powiedziałam — twoje *ramię*.

— Tak, nie ma wątpliwości, śnieżyczko. Słyszałem — powiedział brat. — Ha, ha, ha! Oto ono. Ramię drżącej urody, z każdym porem oczekującym dotyku twych miękkich palców. Życzysz sobie je wziąć? Weźmiesz. Weźmiesz je — lecz poważnie, ha, ha, ha!

Weź je poważnie, proszę cię, słodka żabko; lecz oddaj mi je kiedyś z powrotem. Oddalmy się. Fuksjo, tymczasem do widzenia. Rozstajemy się, by się spotkać.

Podniósł ostentacyjnie lewy łokieć, Irma więc, uniósłszy nad głową parasolkę, kręcąc biodrami, wskazując drogę nosem niczym igła, ujęła jego ramię i oboje ruszyli w cień drzew.

Fuksja podniosła Tytusa i posadziła sobie na ramieniu, Niania zaś zwinęła rdzawy koc, po czym oni z kolei rozpoczęli podróż powrotną.

Steerpike dotarł na drugi brzeg, a grupa mężczyzn podjęła obchód jeziora, z gałęźmi kasztana na ramionach. Młodzieniec kroczył żwawo na czele, kręcąc laską z mieczem.

HRABINA GERTRUDA

Długo po tym, gdy kropla wody z jeziora spadła z liścia dębu, a miriady pływających na jej powierzchni odbić stał się częścią otchłani tego, co minęło na zawsze, przy oknie jak ukłucie cierniem pozostała głowa, spoglądając w lato.

Należała do hrabiny. Stała ona na drabinie, tylko bowiem w ten sposób mogła wyjrzeć przez wysoki, zarośnięty bluszczem otwór. Mroczny pokój poza nią pełen był ptaków.

Na ciemnoszkarłatnej tapecie żarzyły się plamki płomienia, gdyż parę promieni słonecznych, przebiwszy się obok jej głowy, uderzyło w ścianę z cichą gwałtownością. Były całkowicie nieruchome w półmroku i płonęły bez migotania, pogrążając pozostałą część pokoju w jeszcze głębszym cieniu, w jakimś ujarzmionym ruchu, w grze masy wielu cieni o barwach od popielatoszarej do czarnej.

Trudno było dojrzeć ptaki, gdyż nie zapalono świec. Za wysokim małym oknem płonęło lato.

Wreszcie hrabina zeszła z drabiny, mamuci krok za krokiem, aż postawiwszy obie stopy na ziemi, odwróciła się i ruszyła ku mrocznemu łożu. Dotarłszy do wezgłowia, zapaliła knot na pół stopionej świecy i usiadłszy na skraju poduszek, wydała spomiędzy ogromnych warg szczególnie słodki, cichy gwizd.

Pomimo całego ogromu zdawało się, że z wielkiego zimowego drzewa stała się drzewem letnim. Okryły ją nie liście, lecz, grubo jak listowie, ptaki. W blasku świecy ich sto oczu migotało jak szklane paciorki.

— Słuchajcie — powiedziała. — Jesteśmy sami. Jest źle. Źle się dzieje. Zanosi się na coś złego. Wiem o tym.

Jej oczy zwęziły się. — Ale niech próbują. Poczekamy. Wstrzymamy konie. Niech podniosą wstrętne ręce, a na Sąd Ostateczny, uderzymy po nich z góry. Za cztery dni uhrabienie — a potem zabiorę go, dziecko i chłopca — Tytusa siedemdziesiątego siódmego.

Powstała. — Niech Bóg rozgrzeszy mą duszę, bo będę tego potrzebowała! — zagrzmiała, zaś wokół niej zatrzepotały skrzydła i małe szpony przesunęły się dla utrzymania równowagi. — Niech ją Bóg rozgrzeszy, gdy znajdę złą istotę! Bowiem z rozgrzeszeniem czy bez rozgrzeszenia — znajdzie się *zadośćuczynienie*. — Z pobliskiej skrzynki wzięła nieco okruchów i umieściła pomiędzy wargami. Na poklaskiwanie języka gajówka wydziobała je z ust, lecz jej oczy pozostały półprzymknięte, a widoczna źrenica była twarda i połyskliwa jak mokry krzemień.

— Zadośćuczynienie — powtórzyła ochryple, z niejakim mruczeniem w ociężałych sylabach. — Wszystko skupia się na Tytusie. Kamień i góra — krew i obrządek. Niech go tylko tkną. Za każdy skrzywdzony włos zatrzymam serce. Jeśli posiądę łaskę, gdy burza przeminie — niech tak będzie; a jeśli nie — cóż wtedy?

ZJAWA

Coś w białym całunie sunęło ku drzwiom komnat bliźniaczek. Zamek spał. Cisza jak przestrzeń. To Coś było nieludzko wysokie i zdawało się nie mieć ramion.

Ciotki, obejmując się, siedziały przy wygasłym kominku w swoim pokoju. Od tak dawna czekały na poruszenie klamki. Właśnie teraz zaczęła się poruszać. Bliźniaczki utkwiły w niej wzrok. Przypatrywały się jej przeszło godzinę — w słabo oświetlonym pokoju — przy tykaniu mosiężnego zegara. Potem nagle, przez stopniowo rozwierającą się szczelinę drzwi weszło Coś, ocierając się głową o odrzwia — a wyszczerzona i zastygła głowa to była czaszka.

Nie mogły krzyczeć. Bliźniaczki nie mogły krzyczeć. Gardła miały ściśnięte; członki zesztywniałe. Widok czterech wytrzeszczonych identycznych oczu był upiorny, a gdy stały porażone, głos tuż spod wyszczerzonej czaszki zawołał:

— Strach, strach, strach!; czysty; nagi; i krwawy!

I dziewięć stóp prześcieradła wsunęło się do pokoju.

Przydała się czaszka starego Sourdusta. Zatkniętą na końcu laski, przyprószoną fosforem, z prześcieradłem zwisającym pionowo po bokach i przymocowanym gwoździem na ciemieniu, utrzymywał ją Steerpike trzy stopy nad głową, wyglądając przez zrobioną przez siebie szparę na wysokości oczu. Białe płótno spadało na podłogę długimi, rzeźbiarskimi fałdami.

Bliźniaczki były barwy prześcieradła. Usta miały szeroko otwarte, a krzyk szarpał im wnętrzności z braku naturalnego ujścia. Zakrzepły z lodowatego strachu, a ich włosy, wysunąwszy się z supłów i zwojów, podniosły się, jak trawa pampasów podnosi się w mroku, gdy drżąc, grasują porywy wiatru przepowiadające burzę. Nie mogły nawet przytulić się mocniej do siebie, gdyż zimny kamień ciążył na ich członkach. To był koniec. To ocierało się głową o sufit i bezszelestnie posuwało w całości naprzód. Nie mając ludzkich możliwości wzrostu, *nie* miało wzrostu. Nie był to wysoki duch — był niezmierzony; śmierć krocząca jak żywioł.

Steerpike zdawał sobie sprawę, że jeśli czegoś nie zrobi, będzie tylko kwestią czasu, a bliźniaczki wyjawią tajemnicę pożaru poprzez luźną siatkę pustych mózgów. Choć znajdowały się w jego mocy, nie był pewny, czy posłuszeństwo, które w jego obecności stało się automatyczne, przetrwa, gdy będą pośród innych. Jak zrozumiał to teraz, od czasu pożaru był na łasce ich języków — i czuł ulgę, że uniknął wykrycia — dotąd bowiem miał nadzieję, że pomimo tępoty były w stanie pojąć niebezpieczeństwo, w jakim by się znalazły, gdyby padło na nie jakieś podejrzenie. Lecz teraz zdał sobie sprawę, że można było zamknąć im usta jedynie przez zastraszenie i udręczenie. Leżał więc nie śpiąc i planując pewien epizodzik. Fosfor, który wraz z truciznami przygotował w aptece Prunesquallora i którego dotąd nie użył — laska z mieczem, jak dotąd nie dobyta z pochwy, poza tym, gdy czyścił smukłe ostrze — i prześcieradło. To były jego środki dla sporządzenia chodzącej śmierci.

Teraz był w ich pokoju. Mógł doskonale je obserwować przez szparę w prześcieradle. Jeśli nie przemówi zaraz, zanim zacznie się histeria, nie usłyszą niczego, nie mówiąc już o pojęciu znaczenia. Podniósł głos do dziwacznego i okropnego tonu.

— Jestem śmierć! — zawołał. — Jestem tymi wszystkimi, którzy umarli. Jestem śmierć bliźniaczek. Patrzcie! Spójrzcie na mą twarz. Jest naga. Jest kością. Jest zemstą. *Słuchajcie.* Jestem ta, która dusi.

Postąpił ku nim jeszcze krok. Usta miały nadal otwarte, a gardła napięte, by wydać szarpiący krzyk.

— Przychodzę jako ostrzeżenie! Ostrzeżenie! Wasze szyje są długie i białe i dojrzały do uduszenia. Moje kościste dłonie potrafią wycisnąć wszystek oddech... Przychodzę jako ostrzeżenie! *Słuchajcie!* Nie miały wyboru. Nie miały siły.

— Jestem śmierć — i przemówię do was — podpalaczek. Owej nocy rozpaliłyście szkarłatny ogień. Spaliłyście serce waszego brata! Och, okropność!

Steerpike nabrał powietrza. Oczy bliźniaczek znajdowały się niemal na kościach policzkowych. Musi mówić bardzo prosto.

— Ale jest jeszcze krwawsza zbrodnia. Zbrodnia mowy. Zbrodnia wzmiankowania. Wzmiankowania. Za to morduję w zaciemnionym pokoju. Będę czuwać. Za każdym razem, gdy otworzycie usta, będę czuwać. Czuwać. Czuwać ogromnymi oczyma z kości. Będę słuchać. Słuchać bezcielesnymi uszyma: a me długie palce będą świerzbić... świerzbić. Nie będziecie mówić nawet między sobą. Nie o waszej zbrodni. Och, okropność! Nie o szkarłatnym ogniu.

— Mój zimny grób mnie wzywa, lecz czy pospieszę? Nie! Bowiem zostanę przy *was* na zawsze. Słuchając, słuchając; ze świerzbiącymi palcami. Nie zobaczycie mnie... ale będę tu... tam... i gdziekolwiek pójdziecie... na zawsze. Nie mówcie o pożarze... ani o Steerpike'u... pożarze — Steerpike'u, waszym protektorze, przez wzgląd na wasze długie szyje... Wasze długie białe szyje.

Steerpike odwrócił się majestatycznie. Czaszka przechyliła się nieco na końcu laski, lecz to nie miało znaczenia. Bliźniaczki były skute lodem w arktycznym morzu.

Gdy przechodził uroczyście przez drzwi, coś groteskowego, przerażającego, niedorzecznego w ukośnym nachyleniu czaszki — jak gdyby nadsłuchiwała — dodało wymowy wszystkiemu, co zaszło.

Zamknąwszy za sobą drzwi, pozbył się prześcieradła i owinąwszy jego fałdami czaszkę, ukrył ją pośród rupieci leżących pod ścianą korytarza.

Z pokoju nadal nie dochodził żaden dźwięk. Wiedział, że przyjście tego samego wieczora byłoby bezowocne. Cokolwiek by powiedział, nie wywarłoby wrażenia. Zaczekał jednak nieco, przewidując, że histeria odnajdzie głos, lecz wreszcie udał się w drogę powrotną. Mijając zakręt odległego korytarza, stanął nagle jak wryty. Zaczęło się. Choć stłumiony przez odległość i zamknięte drzwi, był jednak dostatecznie przerażający — daleki, jednostajny, bezkresny wrzask nagiego strachu.

*

Odwiedziwszy je następnego wieczora, zastał je w łóżku. Brzydko pachnąca staruszka przyniosła im posiłek. Leżały blisko siebie i najwidoczniej były bardzo chore. Były tak białe, że trudno było powiedzieć, gdzie kończyły się twarze a zaczynała długa poduszka.

Pokój był jasno oświetlony. Steerpike ucieszył się, zauważywszy to. Pamiętał, że jako „śmierć" wymienił upodobanie do „duszenia w *zaciemnionym* pokoju". Silne światło wskazywało na to, że bliźniaczki były w stanie zapamiętać przynajmniej część tego, co powiedział tamtego wieczoru.

Lecz nawet teraz nie chciał ryzykować.

— Wasze wysokości — powiedział — wyglądają panie bardzo marnie. Bardzo marnie. Lecz proszę mi wierzyć, nie wyglądają panie tak źle, jak ja się czuję. Przyszedłem po radę i być może pomoc. Muszę paniom powiedzieć. Proszę się przygotować. — Zakaszlał. — Miałem gościa. Gościa z zaświata. Nie przerażajcie się panie. Lecz jego imię było śmierć. Przyszła do mnie i powiedziała: „Ich wysokości popełniły podłe morderstwo. Pójdę teraz do nich i wycisnę oddech z ich starych ciał". Lecz ja powiedziałem: „Nie! wstrzymaj się, błagam cię. Bowiem obiecały nie wyjawić jednego słowa". A śmierć powiedziała; „Jak mogę być pewna? Jaki mogę mieć dowód?" Odpowiedziałem: „Jestem świadkiem. Jeśli ich wysokości nawet wspomną słowo POŻAR albo STEERPIKE, zabierzesz je z sobą pod robaczywą ziemię".

Cora i Clarice próbowały przemówić, lecz były bardzo osłabione. Wreszcie Cora powiedziała:

— Ona... przyszła... tu... także. Jest jeszcze tutaj. Och, ratuj nas! ratuj nas!

— Przyszła tutaj! — powiedział Steerpike, zrywając się na nogi. — Śmierć przyszła także tutaj?

— Tak.

— Jak dziwne, że panie nadal żyją! Czy wydała paniom rozkazy?

— Tak — powiedziała Clarice.

— I pamiętają panie wszystkie?

— Tak... tak! — powiedziała Cora, macając szyję. — Pamiętamy wszystko. Och, ratuj nas.

— To od pań zależy, by się uratować milczeniem. Czy chcą panie żyć?

Skinęły żałośnie głowami.

— Więc ani słowa.

— Ani słowa — zawtórowała Clarice w ciszy jasnego pokoju.

Skłoniwszy się, Steerpike wyszedł i powracał inną klatką schodową okoloną długim, stromym łukiem balustrady, po której się ześliznął z wielką szybkością, wylądowawszy zwinnie skokiem u podnóża schodów.

Zarekwirował sobie nowy apartament, którego okna wychodziły na trawniki z cedrami. Bardziej pasowały do pozycji, jakiej wymagały jego obecne obowiązki.

Spojrzawszy wzdłuż korytarza przed wejściem do swych komnat, dojrzał w oddali — zbyt daleko, by usłyszeć kroki — postaci Fuksji i doktora.

Wszedł do swego pokoju. Okno było ciemnoniebieskim prostokątem, poprzecinanym czarnymi gałęziami. Zapalił lampę. Ściany zapłonęły, okno poczerniało. Gałęzie znikły. Zaciągnął okiennice. Zrzucił buty i skoczywszy na łóżko, przekręcił się na wznak, a porzuciwszy na chwilę powagę, zaczął wyglądać, przynajmniej fizycznie, na swoje siedemnaście lat; wił się bowiem, napinał grzbiet i wyciągał ręce i nogi w strasznej wesołości. Następnie zaczął się śmiać i śmiać, a łzy ciekły mu z ciemnoczerwonych oczu, póki nie opadł na poduszki, całkowicie wyczerpany i bezwładny, i nie zasnął, wykrzywiwszy cienkie wargi.

*

Godzinę wcześniej Fuksja spotkała się z doktorem na randce w Chłodnym Pokoju. Nie był nonszalancki. Pomógł jej dobrze dobranymi słowami i prostymi i szczerymi myślami, które zręcznie dotykały obszarów jej smutku. Przeszli razem w rozmowie przez cały szereg godnych ubolewania i melancholijnych doświadczeń, których los im nie szczędził. Mówili o wszystkim, co się z tym wiązało: o dumającej matce Fuksji; o niesamowitym zniknięciu jej ojca i o tym, czy jest żywy, czy umarły; o siostrze doktora i o bliźniaczkach; o zagadce Sweltera i Flaya i o małej Niani Slagg; o Barquentinie i o Steerpike'u. — Strzeż się go, Fuksjo — powiedział doktor. — Będziesz o tym pamiętać?

— Będę — powiedziała Fuksja. — Tak, będę, doktorze Prune.

Za oknem wykuszowym był zmierzch... ogromny, kruszący się zmierzch, kołyszący się i zstępujący jak mgła popiołu.

Fuksja rozpięła dwa górne guziki bluzki i zagięła końce. Robiąc to, odwróciła się tyłem do doktora. Potem złożyła dłonie na mostku. Wydawało się, że coś ukrywa.

— Tak, *będę* się strzegła, doktorze Prune — powtórzyła — i będę pamiętać o wszystkim, co pan powiedział — a dziś musiałam to włożyć — musiałam.

— Co musiałaś włożyć, mój grzybku? — powiedział Prunesquallor, po raz pierwszy lżejszym tonem, gdyż poważne obrady się skończyły i mogli się odprężyć. Na mój tępy umysł, chyba straciłem wątek — jeśli *był* jakiś! Powtórz to, moja smagło--słodka.

— Niech pan patrzy! — patrzy! — dla pana i dla mnie, bo chciałam.

Jej dłonie opadły do boków, zwisając ociężale. Oczy jaśniały. Była mieszaniną niezdarności i wspaniałości — z podrzuconą głową — z połyskującą szyją, rozstawionymi stopami i palcami stóp nieco do środka. — Niech pan PATRZY!

Na jej rozkaz doktor spojrzał bardzo uważnie. Rubin, który dał jej owego wieczoru, gdy po raz pierwszy spotkał Steerpike'a, płonął na jej piersi.

A potem nagle, niespodziewanie uciekła, łomocząc stopami po kamiennych posadzkach, podczas gdy drzwi Chłodnego Pokoju chwiały się tam i z powrotem, tam i z powrotem.

UHRABIENIE

Dzień „uhrabienia" był dniem deszczu. Monotonnego, ponurego, szarego deszczu bez życia. Nie miał nawet siły przestać. Zawsze sto głów w oknach północnego skrzydła wyglądało w niebo, w deszcz. Sto postaci przechylało się przez parapety południowego muru i patrzyło. Jeden po drugim znikali z powrotem w ciemności, lecz w innych oknach pojawiali się następni. Zawsze było około setki patrzących. Deszcz. Powolny deszcz. Wschód i zachód zamku przyglądały się deszczowi. To miał być deszczowy dzień... Nie można było tego powstrzymać.

Nawet przed świtem, wiele godzin wcześniej, gdy Szarzy Czyściciele pucowali ściany kamiennej kuchni, budowniczowie tratwy wykańczali tratwę z gałęzi kasztana, a chłopcy stajenni oporządzali konie przy świetle latarni, było oczywiste, że w zamku zaszła zmiana. To był najważniejszy dzień. I padało. Zmiana ta była oczywista wieloraka, a najbardziej powierzchownie w dziedzinie wizualnej, gdyż wszyscy ubrani byli w worki. Każdy śmiertelnik. Worki ufarbowane w gorącej krwi orłów. W owym dniu nie mogło być nikogo, nikogo oprócz Tytusa, wyjętego spod odwiecznego wyroku — „Że w dniu uhrabienia zamek odziany będzie w worki".

Steerpike brał udział w rozdzielaniu szat pod kierunkiem Barquentine'a. Dowiadywał się sporo o co bardziej niejasnych i legendarnych obrzędach. Zamierzał po zgonie Barquentine'a okazać się czołowym, jeśli nie jedynym autorytetem w sprawach rytuału i obrządku. W każdym razie przedmiot go fascynował. Dawał możliwości.

— Do licha! — wymruczał, budząc się przy odgłosie deszczu. Jednakże cóż to miało za znaczenie? Wzrok miał zwrócony w przyszłość. Za rok. Za pięć. A tymczasem „wszyscy na pokład po chwałę!"

Pani Slagg wstała wcześnie i natychmiast włożyła workowate odzienie przez poszanowanie świętego zwyczaju. Szkoda, że nie mogła włożyć kapelusza ze szklanymi winogronami, lecz oczywiście nikt nie nosił kapeluszy w dniu uhrabienia. Poprzedniego wieczora służący przyniósł kamień, który Tytus miał trzymać w lewej ręce, gałązkę bluszczu, którą miał nieść w prawej, oraz naszyjnik z muszli ślimaka na szyjkę. Spał teraz jeszcze, a Niania prasowała białą lnianą sukienkę sięgającą mu do kostek. Wybielono ją tak, że miała wygląd jakby białego światła. Niania pomacała ją jak pajęczynę.

— A więc do tego doszło. — Niania mówiła do siebie. — A więc do tego doszło. Najmniejsza odrobina na świecie będzie dzisiaj hrabią. Dzisiaj! Och, moje biedne serduszko, jacy oni są okrutni, że każą odrobince mieć taką odpowiedzialność! Okrutni. Okrutni. To niesprawiedliwe! Nie, nie. Ale on jest. Jest hrabią, niegrzeczna kruszyna. Jedynym — i nikt nie może powiedzieć, że nie. Och, moje biedne serduszko! Nigdy go nie odwiedzali. Tylko teraz chcą go widzieć, bo nadszedł dzień.

Jej miniaturowa wykrzywiona twarzyczka zmagała się ze łzami. Między każdym zdaniem usta wchodziły we własne suche zmarszczki i wychodziły z nich. — Oczekują, że przyjdzie, nowy maleńki hrabia, po ich hołd i wszystko, ale to ja go kąpię i przygotowuję, i prasuję białą sukienkę, i daję mu śniadanie. Ale oni o tym nie pomyślą — a potem... a potem... (Niania usiadła nagle na brzeżku krzesła i zaczęła płakać) zabiorą go ode mnie. Och, niesprawiedliwość — i będę całkiem sama — całkiem sama do śmierci... i —

— Ja będę z tobą — powiedziała Fuksja od drzwi. — I nie zabiorą go tobie. Oczywiście, że nie.

Niania Slagg podbiegła do niej i przywarła do jej ramienia. — Zabiorą! — zawołała. — Twoja ogromna matka powiedziała, że zabierze. Powiedziała, że zabierze.

— No, *mnie* nie zabrali, prawda? — powiedziała Fuksja.

— Ale ty jesteś tylko dziewczynką! — zawołała Niania Slagg głośniej niż zwykle.

— Ty nie jesteś ważna. Ty niczym nie będziesz.

Fuksja zdjęła rękę staruszki i ociężale podeszła do okna. Deszcz lał. Lał.

Głos z tyłu ciągnął: — Jak gdybym nie wylewała codziennie mojej miłości — codziennie. Wylałam ją całą, aż jestem pusta. Zawsze ja. Tak zawsze było. Pracować i pracować. Harować i harować; a nikt nie powie „niech cię Bóg ma w swojej opiece". Nikt nie rozumie.

Fuksja nie mogła tego dłużej znieść. Choć bardzo kochała swą piastunkę, nie mogła słuchać tego melancholijnego, kapryśnego głosu, patrzeć na płaczliwy deszcz i pozostać spokojna. Jeśli nie opuści pokoju, stłucze coś — pierwszą lepszą łamliwą rzecz. Odwróciła się i wybiegła, a znalazłszy się znów w swym pokoju, upadła na łóżko, spódnica zaś workowatego kostiumu pomarszczyła się jej na udach.

*

Z niezliczonych śniadań w zamku owego ciemnego poranka niewiele smakowało. Miarowa jednostajność deszczu była wystarczająco przygnębiająca, lecz to, że padał w takim dniu, było doprawdy ponure. Jakby lekceważył najgłębszą wiarę zamku; jakby szydził głuchym, ciemnym opadem bluźnierstwa, jakby nieosuszalne chmury mruczały: — Cóż dla nas znaczy uhrabienie? Jest nieistotne.

Dobrze, że było dużo do roboty przed godziną dwunastą, a niewielu było takich, którzy nie byliby zajęci jakąś pracą związaną z owym dniem. W wielkiej kuchni kotłowało się od zajęć, nim wybiła godzina ósma.

Nowy kuchmistrz ogromnie różnił się od starego; krzywonogi weteran pieców o twarzy muła, z ustami pełnymi mosiężnych zębów i z gęstymi, brudnymi siwymi włosami. Wydawało się, że raczej kiełkowały mu na głowie, niż na niej rosły. Było w tym coś dzikiego. Mówiono w kuchni, że strzygł głowę co drugi dzień — a byli tacy, którzy utrzymywali, że widzieli, jak włosy mu rosły z prędkością minutowej wskazówki wielkiego zegara.

Z twarzy muła i spomiędzy błysków zębów wydobywał się od czasu do czasu powolny, donośny głos. Kuchmistrz nie był jednak komunikatywny i na ogół wydawał rozkazy gestami ciężkich dłoni.

Czynności w wielkiej kuchni, gdzie wszystko związane z przygotowaniem jedzenia we wszelkiej postaci zdawało się mieć miejsce jednocześnie i gdzie kamienna sala zaczęła się pocić od żaru, nie wykonywano w oczekiwaniu dnia uhrabienia, lecz na dzień jutrzejszy; krawieckiemu żebractwu bowiem towarzyszyła żebracza dieta, a postaci w workach miały jeść tylko skórki od chleba aż po świt następnego dnia, gdy znowu we własnych ubraniach, zakończywszy symboliczną pokorę w obecności nowego hrabiego, mogli pogrążyć się w zabawie równej tej w dniu narodzin Tytusa.

Personel kuchenny, mężczyźni i chłopcy, oraz cała służba wszelkiego rodzaju i obu płci, mieli być gotowi o wpół do dwunastej, by wyruszyć ku Jezioru Gormenghast, gdzie miały oczekiwać ich drzewa.

Przez ostatnie trzy dni cieśle pracowali na brzegu jeziora i wśród gałęzi. Pośród cedrów wzniesiono drewniane platformy, które przez dwadzieścia dwa lata opierały się o ciemną ścianę w czeluściach piwnic z piwem. Dziwnie ukształtowane przestrzenie łatanych desek, jak fragmenty ogromnej układanki. Trzeba je było wzmocnić, gdyż dwadzieścia dwa lata w niezdrowych piwnicach nie przysłużyło im się, i oczywiście pomalować — na biało. Każda platforma o dziwacznej sylwecie tak była ukształtowana, żeby pasowała dokładnie do gałęzi cedru. Rozmaite ekscentryczności drzew stały się kilkaset lat temu przedmiotem dokładnego badania, tak aby przy wszystkich przyszłych uhrabieniach można było z minimalnym wysiłkiem wsunąć na miejsce pomosty, tak pomysłowo wymyślone. Z tyłu każdego drewnianego pomostu wypisano nazwę drzewa, na które go zbudowano, oraz wysokość platformy ponad ziemią, aby nie było zamieszania.

Były takie cztery wynalazki, które tkwiły teraz na swych miejscach. Cztery cedry, do których przynależały, znajdowały się na głębokość uda w jeziorze, więc przy wielkich pniach tych drzew wzniesiono drabiny, biegnące skośnie z brzegu ponad płytką wodą do miejsca około stopy poniżej poziomu platform. Podobne, lecz prymitywniejsze konstrukcje umocowano w gałęziach jesionów i buków, jeśli to było możliwe, wśród gęsto rosnących modrzewi i sosen. Po przeciwnej stronie jeziora, gdzie ciotki brodziły z piasku do ociekającego wodą Steerpike'a, drzewa zbyt były oddalone od skraju wody, by stanowić dogodny punkt; lecz na gęsto zadrzewionym stoku znajdowało się tysiąc gałęzi, pośród skrętów których służący mogli sobie znaleźć jakieś oparcie.

Cis na polance, bardziej oddalony od wody niż pozostałe zamieszkane drzewa, gościł klinogłowego poetę. Z boku drzewa wyrwano ogromny kawał, w szczelinie bulgotał deszcz, a nagie ciało drzewa było szkarłatne. W nieruchomym powietrzu deszcz padał niemal pionowo, dziurkując szare jezioro. Jakby jego biała, szklana wczorajsza struktura zbudowana była teraz z odmiennej substancji — z szarego papieru ściernego — z ogromnego ziarnistego arkusza. Platformy ociekały błoną deszczu. Z liści kapało i pluskało w błony. Piasek na przeciwległym brzegu był przesiąknięty. Zamek był zbyt daleko, by można go było zobaczyć przez zasłonę nieskończonej wody. Nie widać było ani jednej pojedynczej chmury. Melancholijne sznurki zstępowały z szarego, niezmąconego nieba.

Dzień upływał, minuta po deszczowej minucie; godzina po deszczowej godzinie, póki drzewa stromego stoku nie zapełniły się postaciami. Można je było znaleźć prawie na każdej gałęzi dostatecznie mocnej, by je utrzymać. Wielki dąb zapełnił się personelem kuchennym. Buk ogrodnikami, z Pentecostem siedzącym majestatycznie na głównym rozwidleniu śliskiego pnia. Chłopcy stajenni przysiedli niebezpiecznie w gałęziach uschłego orzecha i gwiżdżąc i świszcząc, pociągali się za włosy przy każdej okazji lub wymachiwali nogami. Do każdego drzewa czy grupy drzew przynależał zawód lub stan.

Tylko niewielu urzędników poruszało się na skraju wody, oczekując przybycia głównych postaci. Jedynie niewielu *urzędników* było pośród drzew, lecz na dalszym brzegu i na pasie ciemnego piasku zebrał się wielki tłum. Stał w zupełnej ciszy. Starcy, staruszki i gromadki dziwnych wyrostków. Wisiała nad nimi zupełna cisza. Byli osobno. Byli to Mieszkańcy Lepianek — obywatele podgrodzia — zapomniany lud — Kolorowi Rzeźbiarze.

Na brzegu była kobieta. Stała nieco z dala od gromady. Jej twarz była młoda i stara: układ młodzieńczy, lecz wyraz zniszczony przez czas — przekleństwo Mieszkańców. W jej ramionach niemowlę o ciele jak alabaster.

Deszcz padał na wszystkich. Był to ciepły deszcz. Ciepły, melancholijny i nieustanny. Obmywał alabastrowe ciałko dziecka i obmywał. Nie było temu końca, a wielkie jezioro wzbierało. W wysokich gałęziach uschłego orzecha umilkło gwizdanie i poszturchiwanie, gdyż między drzewami szpilkowymi na przyległym brzegu poruszały się konie. Dotarły do skraju wody i przywiązywano je do niskich, rozłożystych ramion cedrów.

Na pierwszym koniu, dużym siwku do polowania, siedziała w damskim siodle hrabina. Ukryta była w liściach, widoczny był jedynie koń; lecz gdy tylko się ukazała, jej wierzchowiec stał się kucykiem.

Symboliczny worek zwisał z niej ogromnymi, ociekającymi fałdami. Za nią deresz niósł Fuksję, siedzącą okrakiem. Jadąc pomiędzy drzewami, poklepywała go w kark. Tak jakby klepała przemoczony aksamit. Jego czarna grzywa zdawała się powtarzać włosy Fuksji. Proste od deszczu, oblepiły czoło i szyję.

Ciotki znajdowały się w dwukółce ciągniętej przez kucyka. Wydawało się niezwykłe, że nie były w purpurze. Ich suknie zawsze stanowiły tak organiczną i nieuchronną ich część jak twarze. Źle się czuły w workach, więc szarpały je słabymi dłońmi. Chudy mężczyzna prowadzący kucyka zatrzymał go na brzegu jeziora, a w tej samej chwili inna dwukółka, podobnego kształtu, lecz pomalowana na ciemny i nieładny kolor pomarańczowy, przetoczyła się między sosnami, w niej zaś pani Slagg, wyprostowana jak tylko można, jednakże dumną postawę (jak to sobie wyobrażała) niweczył przerażony wyraz jej twarzy sterczącej z szorstkich fałdów szaty jak pomarszczony owoc. Pamiętała uhrabienie Sepulchrave'a. Miał kilkanaście lat. Popłynął na tratwę i nie było deszczu. Ale — och, jej biedne serduszko! — to było zupełnie inaczej. Nigdy nie padałoby przy uhrabieniu, gdy była młodą dziewczyną. Wszystko było wtedy takie inne.

Na jej kolanach był Tytus — przemoczony. Pomimo tego sukienka, którą prasowała tak pieczołowicie, wydawała się zadziwiająco biała, jakby wydzielała światło zamiast je pochłaniać. Ssał kciuk, rozglądając się dokoła. Widział postaci spoglądające na niego z drzew. Nie uśmiechał się: po prostu patrzył, zwracając twarz od jednego do drugiego. Następnie zajął się złotą bransoletą, którą przysłała mu hrabina tego ranka, wsuwając ją na ramię tak wysoko, jak się dało, a potem zsuwając do pulchnego, pofałdowanego przegubu, badając ją przy tym poważnie.

Doktor i jego siostra mieli dla siebie jawor. Wydźwignięcie Irmy zajęło trochę czasu, ona sama zaś zupełnie nie była z tego zadowolona. Nie podobało jej się, że wklinowano jej biodra pomiędzy szorstkie gałęzie, choćby tylko dla symboliki. Doktor, siedzący nieco ponad nią, wyglądał jak jakiś ptak, przypuszczalnie oskubany żuraw.

Steerpike podążał za Nianią Slagg, by wywrzeć wrażenie na tłumie. Choć powinien znajdować się na czteroosobowej sośnie, wybrał sobie teraz mały jesion, skąd widział i był widziany z jednakową korzyścią dla siebie i dla reszty Gormenghast.

Bliźniaczki trzymały usta szczelnie zamknięte. Powtarzały sobie każdą przychodzącą im do głowy myśl, by sprawdzić, czy nie przedostało się do niej słowo „pożar", a gdy stwierdziły, że nie, postanawiały w każdym razie zatrzymać ją dla siebie, na wszelki wypadek. W ten sposób nie przemówiły słowa od czasu, gdy Steerpike pozostawił je w ich sypialni. Nadal były białe, lecz już nie tak okropnie. Tchnienie żółtego odbicia przesączyło się na ich skórę, a było to wystarczająco obrzydliwe. Niczego nie powiedziano bardziej prawdziwie, niż kiedy Steerpike (jako śmierć) zawołał, że zawsze będzie z nimi. Obejmowały się mocno, czekając, by zsadzono je z dwukółki, gdyż nie opuściła ich śmierć, owa mrożąca krew w żyłach noc i sina czaszka stały im bowiem przed oczyma.

Dobrze wyważoną mieszaniną brutalnej siły i służalczej delikatności urzędnicy umieścili wreszcie hrabinę Gertrudę na pomoście w olbrzymich ciemnych gałęziach cedru. Na drewnie platformy rozpostarto czerwony dywan. Brodźce i nadjeziorne ptaki rozmaitych gatunków, którym przeszkodziły czynności dnia, polatawszy szaleńczo stadami po lesie, natychmiast po usadowieniu się hrabiny w olbrzymim wiklinowym krześle zleciały się do jej drzewa, gdzie usiadły. Sprzeczały się i polowały na pozycje u jej stóp i na różnych częściach jej usłużnego ciała: gajówka, kwiczoł, świstunka, bargiel kowalik, świergotek, jaskółka brzegówka, czerwonogrzbieta dzierzba, szczygieł, żółty trznadel, dwie sójki, większy cętkowany dzięcioł, trzy pardwy (na kolanach razem z dziką kaczką, słonką i kulikiem), pliszka, cztery drozdy jemiołowe, sześć kosów, słowik i dwadzieścia siedem wróbli.

Otrzepały się, posyłając poprzez ociekające deszczem powietrze fontanny kropel różnych rozmiarów w zależności od rozpiętości skrzydeł. Było bardziej zacisznie pod cedrami niż na innej roślinności, bo ich wielkie, wyciągnięte dłonie rozpościerały się jedna nad drugą ciemnozielonymi, ociekającymi tarasami.

Z drugiej strony, chłopcy stajenni w górnych gałęziach orzecha mogliby równie dobrze siedzieć w jeziorze, nie bardziej by zmokli.

Podobnie było z Mieszkańcami na brzegu — z dumnym, zubożałym zgromadzeniem. Nie zostawiali odbicia w wodzie u swych stóp — zbyt była rozproszkowana ukłuciami deszczu.

Umieszczenie Barquentine'a na pomoście było najbardziej zawiłym i najmniej przyjemnym zadaniem, jakie przypadło w udziale urzędnikom. Miało miejsce przy akompaniamencie tak obrzydliwych przekleństw, że uschła noga zarumieniła się pod workiem. Musiała być zahartowana przez wiele lat przeklinania, lecz owego ranka przebudzone poczucie wstydu za to, do czego górna część ciała może się *poniżyć*, zbrunatniło ją od biodra po palce. Jedyną pociechą było, że plugawiące oddziaływanie nie zstąpiło poniżej płuc, a uschła noga doświadczała chorób wyłącznie fizycznych.

Usadziwszy się na specjalnym krześle z wysokim oparciem, z rozdrażnieniem wsunął pod nie swą kulę i zaczął wyżymać brodę. Fuksja była już na swoim cedrze. Miała jeden dla siebie, a był on stosunkowo suchy, gdyż gęste listowie rozpościerało się tuż ponad pomostem — i spoglądała ponad wodą na Mieszkańców. Cóż takiego było w nich, że ją poruszało, w tych ludziach podgrodzia? Czemu czuła się nieswojo? Jak gdyby posiadali jakąś ciemną tajemnicę, którą pewnego dnia wykorzystają; coś, co narazi na szwank bezpieczeństwo zamku. Lecz byli bezsilni. Zależeli od łaski Gormenghast. Cóż mogli zrobić? Fuksja zauważyła kobietę stojącą nieco z dala od gromady. Stopy miała w jeziorze. W ramionach trzymała dziecko. Fuksji wydało się, gdy patrzyła, że przez mgnienie oka dojrzała ciemne pasma deszczu poprzez członki dziecka.

Przetarła oczy i spojrzała znowu. To było tak daleko. Nie mogła rozróżnić.

Nawet urzędnicy wspięli się na przyduszony przez bluszcz wiąz, którego złamana gałąź zwisała za suche ścięgno.

Na czwartym cedrowym pomoście dygotały ciotki, ze szczelnie zamkniętymi ustami. Siedziała z nimi śmierć, nie mogły więc skupić się na procedurze.

Barquentine zaczął, a jego starczy głos przedzierał się przez ciepłą ulewę. Słyszano go wszędzie, gdyż nikt nie zauważał już dźwięku deszczu. Od tak dawna był tak monotonny, że stał się niesłyszalny. Gdyby nagle ustał, cisza okazałaby się ciosem.

Steerpike obserwował Fuksję poprzez gałęzie. Będzie trudna, lecz to tylko kwestia rozważnego planowania. Nie wolno mu się spieszyć. Krok za krokiem. Znał jej temperament. Prosta — boleśnie prosta; skłonna do namiętności o rzeczy śmieszne; zawzięta — ale dziewczyna, mimo wszystko, łatwo ją przestraszyć lub jej pochlebić; absurdalnie wierna swym nielicznym przyjaciołom; lecz zawsze można łatwo zasiać nieufność. Och, tak boleśnie prosta! W tym sedno. Był jeszcze Tytus, oczywiście — lecz po co byłyby problemy, jeśli nie do rozwiązywania. Wyssał dziurawy ząb.

Przetarłszy okulary po raz dwudziesty, Prunesquallor obserwował Steerpike'a obserwującego Fuksję. Nie słuchał Barquentine'a, który jak najszybciej wyklepywał katechizmową monodię, gdyż doświadczał pierwszych reumatycznych rwań.

— ...i będzie na zawsze dzierżył zamek swych ojców i należący doń majątek. Że będzie z litery i z ducha bronił go wszelkim sposobem przed najazdami obcych światów. Że będzie przestrzegał świętych obrzędów, czcił herb, a w stosownym czasie wpoi w pierwszego męskiego potomka swych lędźwi cześć dla każdego kamienia, póki nie doda, pośród swych ojców, w grobie, ogniwa do nieskończonego łańcucha Groanów. Niech się tak stanie.

Barquentine otarł dłonią wodę z twarzy i ponownie wyżął brodę. Następnie wymacawszy kulę, podźwignął się na nogę. Wolnym ramieniem odsunął gałąź i wrzasnął w dół poprzez gałęzie:

— Jesteście gotowi, obiboki?

Dwaj flisacy byli gotowi. Wzięli Tytusa od Niani Slagg i stali na skraju jeziora na tratwie z gałęzi orzecha. Tytus, wielkości lalki, siedział u ich stóp pośrodku tratwy. Włosy barwy sepii oblepiały twarz i kark. Fioletowe oczy były trochę zaskoczone. Biała sukienka przylegała do niego, odsłaniając kształt ciałka.

Przylegający materiał był świetlisty.

— Odbijajcie, do licha! Odbijajcie! — wrzeszczał Barquentine. Jego głos przeorał powierzchnię wody od wschodu do zachodu.

Długimi, stopniowymi pchnięciami drągów dwaj mężczyźni zepchnęli tratwę na głębszą wodę. Poruszając się po obu stronach tratwy i zanurzywszy drągi około dwunastu razy, dotarli w pobliże środka jeziora. Starszy z dwóch flisaków miał w skórzanym worku zawieszonym u pasa symboliczny kamień, gałąź bluszczu i naszyjnik ze skorup ślimaka. Woda była teraz zbyt głęboka, by mogli uderzać w dno, dali więc nurka i odwróciwszy się, uchwycili krawędź tratwy. Następnie, wymachując nogami jak żaby, doprowadzili wkrótce tratwę mniej więcej na miejsce.

— Bardziej na zachód! — wrzeszczał z brzegu Barquentine. — Bardziej na zachód, idioci!

Pływacy przesunęli się, pluskając, ku sąsiedniej krawędzi tratwy i ponownie zaczęli machać nogami. Potem unieśli głowy znad podźganej przez deszcz wody i spojrzeli w kierunku głosu Barquentine'a.

— Stać! — wrzeszczał niemiły głos. — I schowajcie cholernych siebie!

Dwaj mężczyźni przesuwali się wzdłuż krawędzi, póki niemal nie osłoniło ich głów grube orzechowe obrzeżenie tratwy, po jej drugiej stronie, dalej od drzew.

Wystawiwszy tylko głowy ponad powierzchnię, przebierali nogami w wodzie. Tytus był sam. Rozglądał się, oszołomiony. Gdzie byli wszyscy? Deszcz spływał po nim. Jego rysy zaczęły się wykrzywiać, a usta drżeć, i już miał wybuchnąć płaczem, gdy zmienił zamiar i postanowił zamiast tego wstać. Tratwa zupełnie znieruchomiała, więc utrzymywał równowagę.

Barquentine chrząknął cicho. To było dobre. Idealnie, przyszły hrabia powinien stać, gdy się go wymienia. W wypadku Tytusa trzeba było oczywiście zrezygnować z tej zasady, gdyby dziecko postanowiło nadal siedzieć albo sobie raczkować.

— Tytusie Groan — zawołał z brzegu sędziwy głos — nadszedł dzień! Zamek oczekuje twego zwierzchnictwa. Od horyzontu po horyzont wszystko jest twoje, abyś dzierżył — zwierzę, roślina i minerał, na wieki wieków, aż po twą śmierć, która nie może zatamować nurtu tak znakomitej krwi.

Był to sygnał dla flisaków, więc wgramoliwszy się na tratwę, umieścili naszyjnik ze ślimaków na mokrej szyjce, a gdy głos z brzegu zawołał „Teraz!", próbowali włożyć kamień i gałąź bluszczu w ręce Tytusa.

Ale nie chciał ich wziąć.

— Piekielna krew i kamienie żółciowe! — wrzeszczał Barquentine — co jest? Zaraza na waszą skórę! Co jest? Dajcie mu kamień i bluszcz, do licha!

Z trudem rozwarli mu paluszki i umieścili symbole w dłoniach, lecz wyrwał im ręce. Nie chciał trzymać tych rzeczy.

Barquentine nie posiadał się ze złości. Tak jakby dziecko miało swój własny rozum. Grzmotnął kulą w pomost i splunął z wściekłością. Nie było nikogo pośród ociekających drzew lub na pasie bulgoczącego piasku — nikogo, kto nie utkwiłby oczu w Tytusie.

Mężczyźni na tratwie byli bezradni.

— Durnie, durnie, durnie! — rozległ się w deszczu obrzydliwy głos. — Zostawcie mu przy nogach, niech szlag trafi wasze czarne flaki! Zostawcie mu przy nogach! Och, na moje ciało, zabierajcie swe przeklęte głowy!

Dwaj mężczyźni zsunęli się z powrotem do wody, przeklinając starca. Pozostawili kamień i gałąź bluszczu na tratwie u nóg dziecka.

Barquentine wiedział, że uhrabienie ma się zakończyć do południa: tak orzekały stare księgi i takie było prawo. Pozostała zaledwie minuta.

Kręcił brodatą głową na lewo i na prawo. — Wasza wysokość, hrabino Gertrudo z Gormenghast! Wasza wysokość Fuksjo z Gormenghast! Wasze wysokości Coro i Clarice Groan z Gormenghast! Powstańcie!

Barquentine podepchnął się kulą po śliskim pomoście, póki nie znalazł się o kilka cali od krawędzi. Nie było czasu do stracenia.

— Gormenghast będzie teraz patrzeć! I słuchać! Nadeszła chwila!

Odchrząknąwszy, rozpoczął, a nie mógł przerwać, bo nie zostało już czasu. Lecz gdy wykrzykiwał tradycyjne słowa, jego paznokcie wrzynały się w dębowe drewno kuli, a twarz posiniała. Ogromne krople potu na czole były liliowe, gdyż płonął przez nie kolor przekrwionej głowy.

— Wobec wszystkich! Wobec południowego skrzydła zamku, wobec Góry Gormenghast i wobec twoich świętych przodków krwi, ja, Strażnik Odwiecznych Obrzędów, ogłaszam ciebie, w tym dniu uhrabienia, hrabią, jedynym prawowitym hrabią pomiędzy niebem i ziemią, od horyzontu po horyzont — Tytusie, siedemdziesiąty siódmy panie na Gormenghast.

Najstraszliwsza i niesamowita cisza rozpostarła się i zapadła nad jeziorem, nad lasami, wieżami i ponad światem. Spokój przyszedł jak wstrząs, a teraz, gdy wstrząs mijał, pozostała jedynie biała pustka milczenia. Gdy wykrzykiwano bowiem ostatnie słowa w ponurym gniewie, wydarzyły się dwie rzeczy. Deszcz ustał i Tytus osunął się na kolana i zaczął pełzać ku krawędzi tratwy z kamieniem w jednej dłoni a gałęzią bluszczu w drugiej. A następnie, ku przerażeniu wszystkich, upuścił święte symbole w głębinę jeziora.

W kruchej, kłującej ciszy, która nastąpiła, od mroku chmur w górze oderwało się pasmo delikatnego, błękitnego nieba, a on wstał i zwróciwszy się ku ciemnemu tłumowi Mieszkańców, zbliżył się ostrożnymi kroczkami do krawędzi tratwy najbliższej tej stronie jeziora, gdzie się zgromadzili. Odwrócił się plecami do Barquentine'a, do swej matki hrabiny i do wszystkich, którzy patrzyli osłupiali na jedyną poruszającą się rzecz w porcelanowej ciszy.

Gdyby na którymkolwiek z tysiąca drzew otaczających wodę złamała się gałązka lub gdyby szyszka spadła z sosny, pękłoby dręczące napięcie. Nie złamała się gałązka. Nie spadła szyszka.

W ramionach kobiety na brzegu trzymane przez nią dziwne dziecko zaczęło się szamotać z siłą, której nie mogła pojąć. Wychyliło się z jej objęć, wychyliło ku jezioru, a wówczas niebo zaczęło zakwitać błękitem, a Tytus, na krawędzi tratwy, z taką siłą szarpnął za naszyjnik, że znalazł mu się w rękach. Potem podniósł głowę, a jego pojedynczy okrzyk zmroził tłum obserwujący go ze wszystkich stron, nie był to bowiem ani krzyk łez, ani radości; nie był to strach, ani nawet ból — był to krzyk, który pomimo przenikliwości nie był podobny do głosu dziecka. Krzycząc, cisnął naszyjnik

w roziskrzoną wodę; gdy się zanurzał, nad Gormenghast wyskle-
piła się tęcza i odpowiedział mu głos.

Cienki głosik. W zupełnej ciszy napełniającej wszystko — krzyk
jak pojedyncza nuta ptaka. Popłynął ponad wodę od strony Mieszkańców, gdzie kobieta stała oddalona od swego ludu; z gardełka
dziecka z łona Kedy — bękarta i mlecznej siostry Tytusa, migotli-
wej od upiornego światła.

PONOWNIE PAN ROTTCODD

Tymczasem, w ulewie i w promieniach słońca, zamek, pusty jak dzwon bez serca, z nadżartą skorupą ociekającą deszczem lub połyskującą od efemerycznej pogody, wznosił się wiecznie na przekór zmiennemu powietrzu i niebu. Były to jedynie powłoki zmieniającego się światła i barwy: promień słońca przechodzący w promień księżyca; niesiony wiatrem liść w niesiony wiatrem śnieg; piżmo w ząb sopla. Były to jedynie przemijające zmiany na skórze: z każdą godziną silniejszy puls — słabszy cień: wygrzewająca się jaszczurka i zmarznięty drozd.

Kamień wspinał się na szarym kamieniu. Ziały okna: tarcze, ślimacznice i legendarne motta, melancholijne w swej ruinie, sterczały zniszczoną płaskorzeźbą nad łukami i drzwiami; wzdłuż parapetów okien, na ścianach wież lub wyrzeźbione na przyporach. Nadjedzone przez burze głowy, z twarzami prążkowanymi brzydką zielenią i osłoniętymi pnączami, spoglądały ślepo na cztery strony spomiędzy stłuczonych powiek.

Kamień na szarym kamieniu; i poczucie dźwigania wielkich bloków ku niebu wspinającym się ciężarem, niezgrabnym, lecz żywym od trudu zmarłych dni. Lecz zarazem *nieruchomym*, podczas gdy wróble, jak robactwo, trzepotały w bezmiarze bluszczu. Nieruchomym, jak gdyby sparaliżowanym własnym ciężarem, podczas gdy wokół przelotne ruchy trzepotały i zamierały: spadający liść: żabi samczyk rechoczący z fosy lub sowa na skrzydłach z wełny spływająca powolnymi kręgami ku ziemi.

W owych pionowych akrach kamienia było coś, co mówiło o spokoju pełniejszym, o ciszy leżącej *wewnątrz* i dudniącej. Wietrzyki szeleściły po zewnętrznej skorupie zamku; liście spadały lub zmiatało je skrzydło ptaka; deszcz ustał i pnącza ociekały wodą — lecz *wewnątrz* murów nie zmieniło się nawet światło, chyba tam, gdzie przedarło się słońce, w ciągu zakurzonych sal w południowym skrzydle. Odosobnienie.

Bowiem *wszyscy* byli na uhrabieniu. Oddech zamku znajdował się wokół jeziora. Pozostały jedynie stare kamienne płuca. Ani kroku. Ani głosu. Jedynie drzewo i kamień, i drzwi, poręcz, korytarz i alkowa, pokój za pokojem, sala za salą, obszar za obszarem.

Wydawało się, że lada chwila jakaś nieożywiona rzecz musi się z pewnością poruszyć; drzwi same się otworzą lub zegar zacznie kręcić wskazówkami: cisza była zbyt ogromna i naładowana, by mogła się zadowolić trwaniem w tej tytanicznej atrofii — napięcie musi na pewno znaleźć ujście — i wybuchnąć nagle, gwałtownie, jak zbiornik wody z rozerwanej tamy — a tarcze pospadają z zardzewiałych haków, zwierciadła popękają, podłogi uniosą się i otworzą, a cały zamek zadrży, potrząśnie murami jak skrzydłami; ziewnie, pęknie i runie z hukiem.

Lecz nic się nie stało. Każda sala to usta rozwarte i niezdolne się zamknąć. Kamienne szczęki podważone i bolące. Drzwi jak brakujący ząb oczny! Nie rozległ się żaden dźwięk i nic ludzkiego się nie zdarzyło.

Cóż poruszało się w owych wielkich pieczarach? Ulotny cień? Tylko tam, gdzie blask słoneczny błądził po południowym skrzydle. Cóż jeszcze? Żadnego innego ruchu?

Jedynie upiorne wędrowanie kotów. Jedynie bezdźwięczność oszołomionych kotów — ich szyku — falującego szyku wybielonego jak płótno i opuszczonego jak długi gest dłoni.

Gdzie, w bezmiarze opuszczonego zamku, urzeczone kamiennymi jamami — gdzie mogły trafić? Od ciszy do ciszy. Wszystko było naruszone. Życie, kość i oddech; zniknęło echo i ruch...

Płynęły. Płynęły bezszelestnie i niespiesznie. Na małych stop-
kach płynęły przez uchylone drzwi. Ich strumień. Koty.

Pod niebiosami z łuszczących się cherubinów wysklepiającymi
się w mroku puściły się biegiem. Zwężające się w chłodnej perspektywie filary utworzyły im mamuci gościniec. Jadalnia otwarła
ścieżki ciszy. Pobiegły po kamieniach. Korytarzem o spękanym
tynku. Pokój po pokoju — sala po sali, galeria po galerii, czeluść po
czeluści, póki nie otwarły się akry szarej kuchni. Kloce rzeźnicze,
piekarniki i ruszta stały bez ruchu jak ołtarze dla zmarłych. Płynęły
białą gromadą dużo poniżej spaczonych belek. Nie było wahania
w ich nurcie. Ogon białego szyku zniknął, a kuchnia stała tak ja-
łowa jak pieczara w księżycowym wzgórzu. Roiły się po zimnych
schodach ku innym krainom.

Gdzie odeszła? Z oczyma jak księżyce, biegły przez posępny
półmrok tysiąca ziewnięć. Krętymi schodami znów ku innym świa-
tom, przedostając się przez południowy zmierzch. Nie mogły znaleźć pulsu, ona zaś zniknęła.

Bez ustanku. Mila po mili, zwinne, niespieszne wędrowanie.
Prześliznął się pokój cynowy, pokój brązowy i żelazny. Zbrojownia
prześliznęła się po obu stronach — prześliznęły się korytarze —
a one nie mogły znaleźć oddechu w Gormenghast.

Drzwi Sali Kolorowych Rzeźb były uchylone. Gdy prześlizgiwały
się przez otwór, było to tak, jakby pojawił się długi, śnieżnomiękki
wąż, z falującym ciałem usianym żółtymi oczami. Nie zatrzymując się, przepłynął pomiędzy rzeźbami, wzbijając z podłogi setki
obłoczków kurzu. Dotarł do hamaka przy okiennicach, gdzie, niczym kontynuacja ciszy i nieruchomość w fizycznej formie, drzemał kustosz, jedyna żywa rzecz w zamku, oprócz kociego węża
przelewającego się obok w drodze powrotnej do drzwi. Ponad nim
żarzyły się kolorowe rzeźby. Złoty muł — gradowo-szare dziecko — zraniona głowa z lokami przepastnej purpury.

Rottcodd drzemał nadal, zupełnie nieświadomy nie tylko tego,
że koty jej wysokości wtargnęły do jego przybytku, lecz również
tego, że zamek w dole był pusty i że był to dzień uhrabienia. Nikt

mu nie powiedział o zniknięciu hrabiego, gdyż nikt nie wspiął się do zakurzonej sali od czasu ostatniej wizyty pana Flaya. Obudziwszy się, poczuł głód. Podniósłszy okiennice w oknie, spostrzegł, że deszcz ustał, a o ile mógł sądzić z położenia słońca, było już dobrze po południu. Jednak nie przysłano mu niczego miniaturową windą z kuchni o czterdzieści sążni w dole. To było niesłychane. To, że nie oczekiwało go jedzenie, było czymś tak nowym, iż przez chwilę nie był pewien, czy się obudził. Może śniło mu się, że opuścił hamak.

Potrząsnął sznurem znikającym w czarnej studni. Słabo dosłyszał dzwonek brzęczący daleko w dole. Choć wysoki, metaliczny dźwięk był tak odległy, zdawało mu się, że był dziś wyraźniejszy niż kiedykolwiek przedtem. Jakby był jedyną rzeczą w ruchu. Jakby nie współzawodniczył z żadnym innym dźwiękiem, nawet z brzęczeniem muchy na szybie — brzęczał tak samotnie, tak wyraźnie i tak nieskończenie daleko. Czekał, lecz nic się nie stało. Ponownie podniósł koniec sznura i opuścił. Jeszcze raz zadzwonił dzwonek, jakby z miasta opuszczonych grobów. Znowu czekał. Znowu nic się nie stało.

W głębokiej i podnieconej zadumie zawrócił do okna, tak rzadko otwieranego, przechodząc pod błyszczącymi kandelabrami. Choć przywykł do ciszy, było dziś coś niezwykłego w pustce. Coś dusznego i uporczywego. Tak rozmyślając, uświadomił sobie poczucie niestałości — niemal uczucie strachu — jakby jakaś nigdy nie kwestionowana etyka, coś, na czym opierała się jego cała wiara i przez co przesączała się każda jego myśl, była teraz zagrożona. Jak gdyby była gdzieś *zdrada*. Coś bezbożnego, groźnego i bezwzględnego w lekceważeniu podstawowych założeń *lojalności*. Cóż teraz mogło znaczyć lub mieć choćby najmniejszą wartość w czynie lub w myśli, jeśli podstawy, na których wzniesiono jego gmach wiary, zapadały się, zagrażając podtrzymywanej przez nie świętej budowli.

To niemożliwe. Cóż bowiem *mogło* się zmienić. Pomacał podbródek i rzucił z okna surowe, szklane spojrzenie. Poza nim długa, zacieniona Sala Kolorowych Rzeźb połyskiwała pod zwisającymi kandelabrami. Tu i ówdzie ramię lub policzek, płetwa lub kopyto płonęło w mroku zielono lub szafirowo, szkarłatnie lub cytrynowo. Hamak kołysał się lekko.

Coś było nie w porządku. Nawet gdyby przysłano mu obiad normalnie szybem, nawet wówczas musiałby czuć, że coś było nie w porządku. Ta cisza była innego rodzaju. Była złowieszcza.

Rozmyślał zawile, a jego oczy, straciwszy na chwilę szklany wygląd, błądziły po scenie w dole. Nieco na lewo i około pięćdziesiąt stóp poniżej jego okna znajdował się blat jednostajnego dachu z szarymi od mchu wieżyczkami wokół brzegu, rozmieszczonymi co trzy stopy. Były ich dziesiątki, a gdy błądził wzrokiem po monotonnym zarysie, pochylił głowę ku przodowi, bo wzrok już nie był zamglony, gdyż nagle uświadomił sobie, że każda wieżyczka zwieńczona była kotem, każdy zaś kot, z głową wysuniętą do przodu, biały jak pióro ptasie, spoglądał przez szparki oczu na coś poruszającego się — coś poruszającego się daleko w dole na wąskiej, piaskowej barwy ścieżce wiodącej od przybudówek zamkowych ku północnym lasom.

Pan Rottcodd, oceniwszy po zbieżnych spojrzeniach uwieżowionych kotów, jaki obszar odległej ziemi zbadać, bowiem takie nieruchome i chciwe skupienie w każdym śnieżnym kształcie i żółtym oku wskazywało z pewnością na szczególnie ciekawy widok w dole, był w stanie w kilka chwil dostrzec wysuwającą się z lasu, niczym zabawki, kawalkadę serca kamiennego zamku.

Prowadziły konie jak zabawki. Pan Rottcodd, który był dalekowidzem, lecz z trudem mógłby powiedzieć, ile trzyma palców przed sobą, gdyby nie wyczucie samych palców, zdjął okulary. Zamazane postaci, daleko w dole, przedzierające się przez światło słoneczne, już nie pływały, lecz nagle wyraźne, zaskoczyły go. Co się stało? Ledwie zadał sobie pytanie, znał już odpowiedź. Że też nikt nie pomyślał o tym, żeby mu powiedzieć! Nikt! To była gorzka pigułka do przełknięcia. Zapomniano o nim. Jednak zawsze chciał, by o nim zapomniano. Nie można mieć dwóch rzeczy naraz.

Przyglądał się: nie mogło być pomyłki. Każda postać była maleńka, lecz kryształowo wyraźna w obmytej deszczem atmosferze. Koń z siodłem w kształcie kołyski prowadzący tłum: dziecko, którego nigdy przedtem nie widział, śpiące, z jednym ramieniem wzdłuż brzegu kołyski. Śpi w dniu swego uhrabienia. Rottcodd skrzywił się. Był to Tytus. A więc Sepulchrave umarł, a on o tym nie wiedział. Byli nad jeziorem; nad jeziorem; i oto w dole powolna siwa klacz niosła ścieżką — siedemdziesiątego siódmego.

Młodzieniec, którego nigdy przedtem nie widział, prowadził klacz za uzdę. Ramiona miał wysokie, a słońce świeciło na zaokrąglonym czole. Na grzbiecie klaczy, pod siodłem-kołyską, zwisał niemal do ziemi haftowany złotem dywan podziurawiony od moli.

Tytus w kołysce miał przymocowaną tekturową koronę, krótki miecz w błękitnej pochwie i książkę, której pergaminowe karty miął rozrzuconymi udami. Spał twardo.

Za nim, jadąc po damsku bokiem, podążała hrabina, z włosami jak szpileczka ognia. Nie poruszała się, gdy jej wierzchowiec kroczył naprzód. Potem pan Rottcodd dostrzegł Fuksję. Z bardzo wyprostowanymi plecami i dłońmi luźno na wodzach. Następnie w dwukółce ciotki, które pan Rottcodd z trudem rozpoznał pomimo niezwykłości postawy, pozbawiono je bowiem purpury. Zauważył Barquentine'a, którego wziął za Sourdusta, jego zmarłego ojca, dźgającego kulą w bok konia, a potem Nianię Slagg, samą w swym wehikule, z dłońmi na ustach i z chłopcem stajennym przy pysku kucyka. Jako forpoczta pieszych szli Prunesquallorowie, Irma pod rękę z bratem, a za nimi Pentecost i klinogłowy poeta. Lecz któż to był ten krępy mężczyzna z głową muła wlokący się pomiędzy nimi, i gdzie był kuchmistrz Swelter, i gdzie był Flay? Postępując za Pentecostem, lecz w pełnej szacunku odległości, kroczyła szara masa — niezliczona służba, którą co chwila wyrzucał daleki las.

Widok, pierwszy raz od tak dawna, marionetek zamku przesuwających się w dole — choć tak odległych — sprawił Rottcoddowi w Sali Kolorowych Rzeźb zarówno zadowolenie, jak i ból. Zadowolenie, bowiem rytuał Gormenghast odbywał się tak święcie i rozważnie jak zawsze, ból zaś z powodu nowego uczucia zmiany, które choć wydawało się niewytłumaczalne i irracjonalne, jednakże zatruło mu umysł i przyspieszyło bicie serca. Intuicyjne poczucie niebezpieczeństwa, które w rozmaitych formach i w rozmaitym stopniu dało się odczuć między tymi, którzy mieszkali na dole — aż do owego ranka nie zakłóciło zakurzonej i odosobnionej atmosfery, w której było udziałem pana Rottcodda przedrzemać życie.

Sepulchrave nie żyje? A nowy hrabia — dziecko niespełna dwuletnie? Same kamienie zamku przesłałyby wiadomość, lub Kolorowe Rzeźby powiedziałyby mu tajemnicę. Z zabawkowej krainy figurek, koni, ścieżek, drzew i skał i z przelotnego zielonego odbicia w jeziorze o wielkości znaczka, wzbił się nagle okrzyk starczego głosu, okrutny nawet w oddaleniu, potem zaś cisza posuwających się postaci, przerywana czasem przez leciutki dźwięk, jakby blaszanego gwoździka padającego na cegłę, gdy podkowa uderzała w kamień; uzda skrzypiała głosem komara, Rottcodd zaś spoglądał ze swego orlego gniazda na figurki posuwające się naprzód ku podstawie zamku, każda z krótkim czarnym cieniem przyszytym do pięt. Teren wokół wyglądał jakby świeżo pomalowany lub raczej jak stary krajobraz, zmartwiały i zmatowiały, a potem polakierowany, który teraz błyszczał na nowo, każdy fragment olbrzymiego płótna dawny, lecz całość wspaniała.

Prowadząca klacz z Tytusem na grzbiecie, nadal twardo uśpionym w wiklinowym siodle, zbliżała się teraz do obszerniejszego cienia, rzucanego przez sam zamek, rozpościerającego się ogromnie od podstawy kamiennych murów jak jezioro posępnej wody.

Szyk figurek rozciągał się rzedniejącym łukiem, bowiem gdy czoło pochodu znalazło się pod murami, dalekie zagajniki nad jeziorem jeszcze się opróżniały. Rottcodd przesunął wzrok na chwilę na białe koty — każdy na swej szaro omszonej wieżyczce. Dostrzegł teraz, że nie tylko patrzyły jak przedtem na gromadę, lecz w stronę pewnego odcinka szeregu, ku jego czołu, gdzie jechała milcząca hrabina. Ich ciała nie były już nieruchome. Drżały w słońcu; gdy zaś pan Rottcodd odwrócił kamykowate oczy, spoglądając na figurynki w dole (z których trzy największe mogły się zmieścić w łapie najdalszego z kotów, znajdujących się dobre pięćdziesiąt stóp poniżej Rottcodda), zmuszony był natychmiast powrócić wzrokiem do heraldycznych kotów, bowiem z dygoczących ciał wydały unisono syreni i niesamowity krzyk.

Długa, zakurzona sala za plecami pana Rottcodda zdawała się rozciągać w średni plan, gdyż w śmiertelnej ciszy podkreślonej przez ten krzyk z zewnętrznego świata jej obszar jakby się powiększał, a za jego łopatkami znalazła się pustynia; poza dalekimi drzwiami zaś, pod podłogami sal w dole i jeszcze niżej, gdzie wspinały się lub wiły nieme schody, ział zadumany zamek.

Hrabina wstrzymała konia i uniosła głowę. Przez chwilę przesuwała wzrokiem po powierzchni zawisłej ponad nią przepaści. Następnie ściągnęła usta i wyrwał się jej dźwięk jak dźwięk trzciny, piskliwy i smutny.

Wieżyczki z szarego mchu nagle opustoszały. Jak białe strumienie wody, jak kaskady pędziły koty w dół po górzystej i przyprawiającej o mdłości fasadzie z kamienia. Rottcodd, nie mogąc pojąć, w jaki sposób rozpłynęły się tak nagle jak śnieg w słońcu, zdumiał się, ujrzawszy, po przeniesieniu wzroku z pustego blatu dachu na krajobraz w dole, chmurkę przesuwającą się szybko po polu wyki. Chmurka zwolniła i wydęła się, gdy zaś hrabina pokłusowała naprzód na swym powolnym wierzchowcu, wyglądało to, jakby brodziła po pęciny w białej mgle przylepionej do sunących kopyt.

Tytus przebudził się, gdy niosąca go klacz wstąpiła w cień zamku. Uklągł w koszyku, z włosami poczerniałymi od porannego deszczu i przylegającymi wężowo do karku i ramion. Ręce uchwyciły brzeg siodła-kołyski. Przemoczona i połyskująca sukienka poszarzała, gdy przesunął się w głęboką, wodnistą ciemność, w której brodziła klacz. Jedna po drugiej maleńkie figurki traciły zabawkowaty blask i znikały. Włosy hrabiny zgasły jak węgle w tej postępnej zatoce. Kocia chmura u jej stóp była teraz ciemnoszarą mgłą. Jeden po drugim jasne kształty przesuwały się w cień i tonęły.

Rottcodd odwrócił się od okna. Były tu rzeźby. Był tu kurz. Kandelabry rzucały słabe światło. Rzeźby pałały. Jednak wszystko się zmieniło. Czy była to ta sama sala, jaką Rottcodd znał od tak dawna? Była złowieszcza.

Potem, gdy stał całkiem nieruchomo, z dłońmi zaciśniętymi na rączce miotełki z piór, powietrze wokół ożywiło się i w atmosferze zaszła inna zmiana, *inna* obecność. Gdzieś coś się stłukło — coś ciężkiego jak wielka kula i kruchego jak szkło; stłukło się, gdyż powietrze przepływało swobodnie i podniósł się napięty, bolący ciężar pustki wraz z natrętnym dudnieniem. Nic nie usłyszał, lecz wiedział, że już nie jest sam. Zamek zaczerpnął tchu.

Powrócił na hamak — dziwnie zadowolony i dziwnie zakłopotany. Położył się, z jedną ręką pod głową, przesuwając drugą wzdłuż brzegu hamaka, w którego sznurach wyczuwał mruczenie czującego zamku. Zamknął oczy. Zastanawiał się, w jaki sposób zmarł Lord Sepulchrave. Pan Flay nic nie wspomniał o tym, że był chory. Ale to było dawno. Jak dawno? Wzdrygnąwszy się, co zmusiło go do otwarcia oczu, uświadomił sobie, że przeszło rok temu chudzielec przyniósł mu wiadomość o narodzinach Tytusa. Pamiętał to tak wyraźnie. Jak trzaskały mu kolana. Jego oko przy dziurce od klucza. Jego nerwowość. Pan Flay bowiem był jego ostatnim gościem. Czyż to możliwe, że od przeszło roku nie oglądał żywej duszy?

Pan Rottcodd przesunął wzrokiem po drewnianym grzbiecie cętkowanej wydry. Wszystko mogło się zdarzyć w ciągu tego roku. Znowu doświadczył ostrego niepokoju. Przemieścił ciało w hamaku. Lecz cóż *mogło* się wydarzyć? Cóż mogło się wydarzyć? Cmoknął.

Zamek oddychał i daleko w dole pod Salą Kolorowych Rzeźb wszystko, co stanowiło Gormenghast, krążyło. Po pustce było to jak zgiełk; choć nie słyszał żadnego dźwięku. A jednak teraz otwierano drzwi; odzywały się echa w korytarzach i szybkie światełka migotały po ścianach.

Przez miodowy plaster z kamienia wędrowały już w ciałach namiętności. Będą łzy i będzie dziwny śmiech. Bolesne narodziny i śmierci pod cienistymi sufitami. I marzenia, gwałt i rozczarowanie.

Wkrótce będzie płomienistozielony świt. I miłość wezwie do rebelii! Bowiem jutro także będzie dzień — a Tytus wstąpił do swej warowni.

SPIS TREŚCI

Opieka redakcyjna
Paweł Ciemniewski

Korekta
Małgorzata Wójcik

Projekt okładki i stron tytułowych
Filip Kuźniarz

Redakcja techniczna
Bożena Korbut

Książkę wydrukowano na papierze Creamy 70 g vol. 2,0
dostarczonym przez Zing Sp. z o.o.

Printed in Poland
Wydawnictwo Literackie Sp. z o.o., 2011
ul. Długa 1, 31-147 Kraków
bezpłatna linia telefoniczna 800 42 10 40
księgarnia internetowa:www.wydawnictwoliterackie.pl
e-mail: ksiegarnia@wydawnictwoliterackie.pl
fax: (+48-12) 430 00 96
tel.: (+48-12) 619 27 70
Skład i łamanie: Edycja
Druk i oprawa: Drukarnia Ekodruk, Kraków